CB041780

Panificação e Viennoiserie

Dados Internacionais de Catalogação na Publicação (CIP)
(Câmara Brasileira do Livro, SP, Brasil)

Suas, Michel
  Panificação e viennoiserie : abordagem profissional /
Michel Suas; fotografias Frank Wing ; tradução Beatriz
Karan Guimarães ; revisão técnica Julia Delellis Lopes. —
São Paulo : Cengage Learning, 2022.

  4. reimpr. da 1. ed. de 2012.
  Título original: Advanced bread and pastry: a profes-
sional approach.
  Bibliografia.
  ISBN 978-85-221-1077-3

  1. Cozimento 2. Panificação 3.Pão 4. Pastelaria
5. Produtos de padaria I. Wing, Frank. II. Título.

11-05816   CDD-641.8

Índice para catálogo sistemático:
  1. Panificação e pastelaria : Técnica de elaboração :
                   Gastronomia   641.8

Panificação e Viennoiserie

Abordagem profissional

Michel Suas

Revisão técnica

Julia Delellis Lopes
Tecnóloga em Gastronomia pelo Centro Universitário Senac, Campus Águas de São Pedro, especialista em cozinha italiana e panificação. Atua como consultora em serviços de alimentação e é docente nas disciplinas cozinha italiana e panificação dos cursos de Tecnologia em Gastronomia e Cozinheiro Chefe Internacional do Centro Universitário Senac, Campus Santo Amaro.

Fotografias
Frank Wing

Tradução
Beatriz Karan Guimarães

CENGAGE

Austrália • Brasil • México • Cingapura • Reino Unido • Estados Unidos

 **CENGAGE**

Panificação e viennoiserie
Abordagem profissional
Michel Suas

Gerente Editorial: Patricia La Rosa

Supervisora Editorial: Noelma Brocanelli

Editor de Desenvolvimento: Fábio Gonçalves

Supervisora de Produção Editorial: Fabiana Alencar Albuquerque

Título original: Advanced Bread and Pastry.
A Professional Approach
ISBN 13: 978-1-4180-1169-7
ISBN 10: 0-4180-1169-X

Tradução: Beatriz Karan Guimarães

Revisão Técnica: Julia Delellis Lopes

Copidesque: Nelson Luis Barbosa

Revisão: Luicy Caetano de Oliveira e Rinaldo Milesi

Diagramação: Join Bureau

Capa: Estúdio Bogari

Para informações sobre nossos produtos, entre em contato pelo telefone **0800 11 19 39**

Para permissão de uso de material desta obra, envie seu pedido para **direitosautorais@cengage.com**

© 2012 Cengage Learning. Todos os direitos reservados.

ISBN 13: 978-85-221-1077-3
ISBN 10: 85-221-1077-8

Cengage Learning
Condomínio E-Business Park
Rua Werner Siemens, 111 – Prédio 11 – Torre A – Conjunto 12
Lapa de Baixo – CEP 05069-900 – São Paulo – SP
Tel.: (11) 3665-9900 – Fax: (11) 3665-9901
SAC: 0800 11 19 39

Para suas soluções de curso e aprendizado, visite
www.cengage.com.br

Impresso no Brasil
Printed in Brazil
4. reimpr. – 2022

AGRADECIMENTOS

Gostaria de dedicar este livro a todas as pessoas que me apoiaram durante minha trajetória nesta profissão. Foi uma estrada, às vezes, cheia de percalços, mas sempre divertida para um jovem de 14 anos expulso da escola.

Gostaria de começar com a França, com meu primeiro chef pâtissier, Sr. Hingouet, que me deu a oportunidade de ser seu aluno; ao chef Sr. Blaise, que me mostrou o valor do alimento e a profissão na cozinha. Ao Sr. Barrier, que me ofereceu o emprego de chef pâtissier executivo ao 22 anos no seu restaurante três estrelas. A todos os meus mentores e colegas.

Nos Estados Unidos, a todos os meus clientes da TMB Baking Inc., a todos os estudantes do San Francisco Baking Institute, que me ajudaram a conseguir meus objetivos. Às pessoas que confiaram em mim e buscaram meus conselhos e orientações para seus empreendimentos, ou para frequentar os cursos do SFBI.

Este trabalho é um agradecimento por todo esse apoio, incentivo e confiança. Espero que este livro atenda suas expectativas, e que ajude a ensinar às novas gerações, ou a fazê-las descobrir o valor da profissão.

Da mesma forma, agradeço a todos que participaram da criação deste livro, a todos da SFBI e da TMB Baking Inc. e à minha família, especialmente minha filha Julie Marie, que me deu força e energia para seguir adiante sempre que pensava que o livro era maior do que eu seria capaz de realizar. Ela sempre conseguia me fazer rir.

Muito obrigado a todos!

Sumário

PÂTISSERIE

Abordagem profissional

PREFÁCIO

Panificação e viennoiserie[1] é um guia abrangente, projetado como fonte de consulta para colegas e universidades, escolas particulares de culinária e gastronomia e profissionais. Combinando respeito à tradição com abordagem moderna de métodos e técnicas, este livro traz apresentação atraente e ensinamentos indispensáveis. É destinado a ajudar professores, padeiros e chefs pâtissiers a acompanhar os recentes desenvolvimentos de ingredientes, produtos e apresentações da indústria. As fórmulas são baseadas em uma variedade de métodos e processos clássicos e contemporâneos. Com esses conhecimentos, padeiros e chef pâtissiers estarão prontos para desenvolver habilidades mais avançadas, experimentar novas ideias e interpretar quaisquer fórmulas.

AS FÓRMULAS

A fórmula pode ser considerada a combinação de ingredientes diferentes que tenham sido adequadamente selecionados. É um procedimento seguido de uma observação e um produto final com uma avaliação.

A avaliação do produto deve ser feita durante todas as etapas da fórmula e não apenas ao término da atividade. Ao adotar essa medida, o profissional sabe o que mudar na fórmula, ou no processo, e como corrigir eventuais problemas. Ao longo do processo de criação, aprendemos sobre as propriedades de cada ingrediente ao analisar suas reações e examinar os resultados finais.

Cada fórmula é apresentada na sua melhor versão. Algumas fórmulas, ou composições, são bastante clássicas; são apresentadas aqui porque consideramos a importância de conhecer as origens desses clássicos. Além disso, as fórmulas clássicas servem de modelo; permitem desenvolver um produto com estilo e sabor próprios. Mesmo que seja permitido, um profissional não pode chamar de baguete um pão com o formato de broa. Toda a terminologia deste livro – apresentada nas palavras-chave ao final dos capítulos – é precisa. O profissional pode usar esses termos com segurança. É importante, por exemplo, saber que biga é biga e não esponja ou *poolish*, ou outra coisa qualquer, simplesmente porque é biga. No Glossário podemos encontrar todas as palavras-chave que são partes, ou não, de nossa linguagem cotidiana. São conceitos que o profissional precisa saber usar apropriadamente e ensinar aos outros.

COMO UTILIZAR ESTE LIVRO

Ao utilizar este livro, o profissional deve revisar as explicações em cada capítulo sobre informações, ingredientes e procedimentos (incluindo mistura, cozimento e finalização) para que possa entender como realizar as fórmulas apresentadas aqui com sucesso. A parte mais importante de

---

[1] A edição brasileira de *Advanced Bread an Pastry* está dividida em dois livros, sendo: *Panificação e Viennoiserie: Abordagem profissional* e *Pâtisserie: Abordagem profissional*.

uma fórmula é o procedimento; é preciso ter o controle completo de todas as etapas para conseguir observar o que acontece nesse processo e ser capaz de corrigir erros quando necessário.

Primeiro deve-se ler o capítulo para entender o contexto. Consultar o glossário para continuar avançando e a seção de ingredientes, que se encontra na página do livro, no site da Cengage Learning (www.cengage.com.br), assim como as listas de ingredientes indicadas nos capítulos, para compreender suas propriedades e seus usos para propósitos diversos.

O objetivo deste livro é ensinar e melhorar as habilidades por meio da informação, bem como orientar sobre a prática. Para isso, apresentamos um panorama de fórmulas que representam uma variedade de técnicas e de procedimentos para obter resultados diversos. Ao criar fórmulas com ingredientes e processos diferentes, oferecemos ao profissional conhecimento de outros produtos e de suas características. Nas seções que tratam de fermentação, apresentamos uma variedade de opções de fórmulas, incluindo baguete, croissant, *danish* e brioche. O objetivo, nesse caso, é demonstrar que o uso de diversos pré-fermentos e técnicas de mistura oferece uma compreensão dos resultados específicos nas misturas e na fermentação, além dos efeitos que podem ter na programação de trabalho, bem como nas propriedades reológicas da massa, no sabor e na durabilidade.

SOLUÇÃO DE PROBLEMAS

Ao longo dos capítulos, são apresentadas soluções de problemas e orientações gerais. Caso o produto não resulte como o esperado, o leitor deverá voltar ao capítulo específico, ler o texto novamente e procurar respostas para entender o que pode ter dado errado e por quê. A melhor parte da indústria da panificação e da viennoiserie é que se pode descobrir algo novo cada vez que se cria um produto.

E novamente, este livro fornece o melhor das preparações e dos procedimentos clássicos. Por certo o profissional encontrará, aqui, uma fórmula com um ingrediente diferente, uma abordagem diferente da fórmula ou uma aparência diferente do produto final. Devemos aceitar as diferenças para entender e aprender com elas. Essa é a beleza de nossa indústria. O profissional pode criar o seu próprio produto assim como um artista, um músico ou um pintor o faz.

SOBRE O AUTOR

Michel Suas é o fundador do San Francisco Baking Institute (SFBI) e da TMB Baking. Estudou na França, seu país de origem, onde foi diplomado como chef de cozinha, chef pâtissier e padeiro. Depois de quase quatro décadas na indústria de panificação, ele demonstrou seu profissionalismo em todas as áreas de panificação e pâtisserie, incluindo procedimento, fórmula, produção, planejamento de padarias, equipamento e treinamento. Em 1996, Michel fundou o SFBI, que desde então formou milhares de profissionais e jovens padeiros de todas as partes do mundo. O Instituto tem servido como espaço para treinar diversas equipes vencedoras de concursos como o Baking USA, além de hospedar inúmeros grupos internacionais de países como Rússia, China e Japão. O compromisso de Michel em oferecer uma formação sólida para estudantes que estão iniciando suas atividades em panificação, e para profissionais interessados em ampliar suas habilidades, continua a crescer. O foco principal de Michel é a sua devoção à educação, na medida em que ele tem ampliado o currículo da SFBI e tem viajado pelo mundo divulgando seu vasto conhecimento e sua paixão pela panificação.

A ORGANIZAÇÃO DO TEXTO

Este livro está organizado na progressão do passo a passo do método e do procedimento para cada produto. A organização acompanha cada fórmula, permitindo que o leitor e o professor possam desenvolver um entendimento claro da correlação entre procedimentos e a relativa importância e diferenças de cada um.

Panificação e viennoiserie está dividido em três partes: Introdução, Panificação e Viennoiserie, seguidas dos apêndices: Conversões, Porcentagens do padeiro e Conversões de temperatura, Glossário, Índice de fórmulas e Índice remissivo.

APRESENTAÇÃO

Panificação e viennoiserie faz uma ligação atraente entre um texto fundamental de consulta e um tipo de livro elegante sobre a arte da panificação e da viennoiserie que normalmente é escrito e ilustrado por celebridades.

Algumas inovações desta edição:

- Fotografias dos produtos finais magnificamente produzidas juntamente com fotografias mais práticas mostrando os procedimentos passo a passo, envolvendo os leitores e fornecendo referências visuais importantes.
- Os objetivos dos capítulos estão indicados para auxiliar o leitor a entendê-los com facilidade.
- Uma lista de palavras-chave reforça a terminologia relevante para cada capítulo.
- Um glossário com as palavras-chave e suas definições é fornecido no final do livro para consultas rápidas.
- Ilustrações coloridas detalhadas são apresentadas ao longo do texto para a maior compreensão de conceitos mais difíceis.
- Tabelas e gráficos proporcionam uma apresentação visual de informações essenciais para o entendimento dos alunos.

AGRADECIMENTOS ESPECIAIS

Este livro só se tornou possível graças à minha equipe. O nome do autor reflete somente uma pessoa responsável por conceber o trabalho inicialmente, e por direcionar a criação de suas ideias com um objetivo claro. "O Livro" é o resultado de pessoas com múltiplos talentos, com vasta experiência e capacidade. Todos dividem o crédito pelo resultado final. Para um livro desta dimensão, a única maneira de escrevê-lo é buscar especialistas em cada área.

As pessoas a seguir merecem um reconhecimento especial pelas suas contribuições:

Didier Rosada Este projeto não seria possível sem a participação de Didier Rosada na seção de Panificação. Seus conhecimento, paixão e devoção são evidentes no texto. Aqueles que conhecem Didier pessoalmente são testemunhas da sua capacidade como professor e da sua integridade como pessoa, o que ultrapassa todas as expectativas. Com mentalidade aberta, divide seu conhecimento e ensina com profundidade os mistérios da produção do pão com simplicidade, humor e mão firme. Não importa se for iniciante ou profissional – é sempre possível aprender algo com Didier Rosada.

Brian Wood A organização deste livro não teria sido possível sem Brian Wood. Quando ainda muito jovem, e já um excelente chef pâtissier, demonstrou impressionante objetividade e persistência. A participação de Brian na Introdução, na Viennoiserie e na seção de Pâtisserie, além de ter contribuído em muitas outras partes deste livro, demonstra sua dedicação à perfeição. Sua marca pessoal de qualidade contribuiu enormemente para o resultado positivo deste projeto.

Miyuki Togi O suporte de Miyuki à escrita e à edição no projeto de criação deste livro foi incalculável. Com o objetivo de desenvolver um entendimento mais aprofundado do conteúdo a ser compartilhado, Miyuki foi capaz de passar as informações com profissionalismo, e na medida certa, ao longo dos capítulos. Além disso, seu trabalho minucioso nos testes de cozimento fortaleceu nossa confiança na qualidade das fórmulas. O envolvimento de Miyuki no *décor* e nas seções de sobremesas é uma amostragem da habilidade que essa jovem talentosa irá trazer à indústria.

Steve Hartz Pelas suas contribuições no capítulo sobre segurança alimentar e assepsia, Steve Hartz foi insubstituível. O domínio completo dos problemas de higiene e sua experiência na indústria de panificação permitiram a ele combinar a perspectiva do conhecimento prático do dia a dia, juntamente com a teoria.

Juliette Lelchuk Com seu temperamento criativo e domínio excepcional de sabor e apresentação, Juliette teve uma forte influência no desenvolvimento das sobremesas. Seu sorriso e sua natureza atenta também foram de grande auxílio para nós, de muitas maneiras.

Stéphane Tréand Não poderíamos esperar alguém melhor para trabalhar com pastilhagem e açúcar do que Stéphane Tréand. Sua habilidade e seu profissionalismo estão presentes em tudo que ele faz. Stéphane não teve receio de trabalhar 14 horas seguidas para ter certeza de que cada foto estivesse correta. Mesmo sob enorme pressão, sua atitude positiva e amiga nunca oscilou. Ele tornou cada tarefa mais prazerosa para cada pessoa envolvida no processo, na medida em que o observávamos criar elementos de decoração com precisão e estilo.

Lisa Curran Pesquisando, revisando e acrescentando elementos no capítulo sobre farinhas, Lisa provou ter uma riqueza de informações, apresentadas sempre com uma abordagem discreta e amiga. É sempre um prazer trabalhar com Lisa.

Kelly O'Connell Kelly foi uma presença constante sempre que precisávamos de seu trabalho de pesquisa e revisão. Sua participação no capítulo sobre sobremesas congeladas foi incalculável, e sua atitude calma e positiva tornou nosso trabalho mais fácil.

Julie Marie Suas Julie merece um agradecimento especial por seu envolvimento na sessão de fotos e seleção de fotografias, juntamente com suas sugestões de alguns capítulos para tornar o livro mais divertido.

Evelyne Suas Por registrar todas as nossas sessões de fotos, mas especialmente por seu apoio constante e positivo, obrigado Evelyne.

Frank Wing O entusiasmo de Frank e a devoção incomum às fotografias por ele produzidas tornaram os produtos até mesmo melhores que os reais. Aprendemos muito com ele. Todos os produtos fotografados para este livro são autênticos. Nenhum estilista de alimentos participou das sessões. Sem a paciência e o conhecimento de Frank sobre alimentos, nunca chegaríamos perto das magníficas fotos aqui apresentadas.

Jamie Williams Jamie trabalhou no primeiro esboço da edição. Ajudou a manter a consistência nos capítulos e apresentar uma única voz de todos os colaboradores. Seu entusiasmo e atenção ao detalhe foram muito úteis e muito apreciados.

Nikki Lee Gostaríamos de agradecer a Nikki e a sua equipe da Lachina Publishing Services por sua paciência e atenção ao detalhe para o leiaute e produção do livro. Mesmo com pressão para o prazo de entrega, ela manteve consistentemente um alto nível de exigência. Obrigado Nikki.

Cengage Learning Agradecemos a todo o pessoal da Cengage Learning que trabalhou neste projeto. De sua aquisição por Matt Hart à supervisão de redação e ao processo de produção por Patrícia Osborn, à produção e projeto de arte com Glenn Castle, e toda a equipe foi muito útil em nos dar suporte para produzir o livro que queríamos publicar. Muito obrigado.

Equipe do TMB Baking A paciência e o apoio da equipe do TMB foram extremamente estimulantes durante os testes e a produção deste livro. Agradecimentos especiais a Richard Abitbol por todo o seu apoio e pelo desenvolvimento dos gráficos e de outras mídias para a seção de Bolos. Sua colaboração em colocar a informação final de forma detalhada, bem como a documentação sobre equipamentos, foi inestimável.

Profissionais da indústria de panificação, estudantes e entusiastas Não teríamos chegado aqui sem todos os estudantes dedicados que frequentaram o San Francisco Baking Institute (SFBI). Seu apoio contínuo, bem como seu entusiasmo e o desejo de ver este livro pronto foram muito valiosos para nós.

Tim Kitzman Pela sua paciência e determinação, já que ele testou cada fórmula de pão inúmeras vezes, para finalmente compilar todas as informações, muito obrigado Tim Kitzman.

REVISORES

À Cengage Learning gostaria de agradecer os seguintes revisores por seu trabalho e contribuições valiosas para este livro.

Elena Clement, CEPC. *Associate Instructor*. Johnson & Wales. Denver Campus. Denver, CO.; Joseph A. DiPaolo Jr., AOS CEPC. *Pastry Chef Instructor*. Le Cordon Bleu College of Culinary Arts Atlanta. Duluth, GA; Elizabeth K. Fackler, CCE, CEPC. *Pastry Arts Instructor*. Alaska Culinary Academy, Alaska Vocational Technical Center. Seward, AK; Christopher Harris. *Pastry Chef Instructor*. South Seattle Community College. Seattle, WA; Lisa Inlow, AOS. *Chef Instructor*. Saddleback Junior College. Mission Viejo, CA; Paul V. Krebs. *Professor*. Schenectady County Community College.

Schenectady, NY; Ken Morlino, MAB, CEC. *Associate Professor, Coordinator of Culinary Arts.* Nashville State Community College. Nashville, TN; Dominic O'Neill, CEC. *Executive Chef and Instructor.* Scottsdale Community College. Scottsdale, AZ; William Darrel Smith, MAED. *Chef Instructor.* The Art Institute International Minnesota (AiM), Minneapolis, MN; Chris Thielman, MA, CEC, CCE. *Chef Instructor.* College of DuPage. Glen Ellyn, IL; Michelle R. Walsh, CEPC. *Adjunct Instructor.* Oakland Community College. Farmington Hills, MI.

Encontra-se na página deste livro, no site www.cengage.com.br, um arquivo sobre **Ingredientes** e outro sobre **Equipamentos**.

Como qualquer outro instrumento dinâmico de informação, os sites mudam ou podem ser retirados da Web sem aviso prévio, a Cengage Learning não se responsabiliza por essas alterações.

PARTE

1

INTRODUÇÃO

A Parte 1 deste livro trata da história da panificação e da pâtisserie, além de abordar a segurança e higiene dos alimentos. Para entender a atual indústria da panificação é preciso examinar o seu passado. A panificação e a pâtisserie foram bastante influenciadas por acontecimentos mundiais, incluindo relações entre países, religiões, guerras, a Revolução Industrial, e mesmo por modismos dietéticos. Normas e regulamentações sobre segurança e higiene dos alimentos têm tido uma importância crescente na moderna indústria de alimentação, e seu conhecimento é fundamental para todos os envolvidos na produção de alimentos.

PANIFICAÇÃO E PÂTISSERIE: UMA PERSPECTIVA HISTÓRICA E OPORTUNIDADES ATUAIS

OBJETIVOS

Após a leitura deste capítulo, você será capaz de:

▶ Apresentar as origens e evoluções da panificação, incluindo suas influências em várias civilizações.

▶ Explicar a cultura da panificação.

▶ Explicar o declínio e o ressurgimento da panificação artesanal e as suas razões, e citar profissionais que ajudaram a reintroduzir os métodos de panificação artesanal.

▶ Expor as exigências e os desafios que os padeiros enfrentam hoje.

▶ Entender a indústria e as oportunidades apresentadas.

INTRODUÇÃO À PANIFICAÇÃO E PÂTISSERIE

Ao longo da história, o homem tem buscado alimentos benéficos à saúde, garantindo assim a sua sobrevivência como espécie. Embora nossa existência tenha se tornado consideravelmente mais complexa desde os tempos da caça e coleta, a necessidade de nutrição continuou sendo a mesma, apenas os avanços da ciência e da tecnologia têm facilitado os meios de melhor satisfazer essa necessidade.

Para entender os fundamentos da panificação, é necessário explorar e aprofundar a sua história. Uma série de acontecimentos – incluindo novas técnicas agrícolas, ameaça de fome, surgimento e queda de nações, casamentos de reis e rainhas, a Revolução Industrial, o acesso a informações aprimoradas, religião e guerras – deixou sua marca nos pães e pâtisseries que ainda hoje produzimos e consumimos.

PERÍODO NEOLÍTICO (10.000 A.C. - 4.000 A.C)

O período Neolítico foi marcado pela mudança de sociedades nômades, que dependiam da caça e da coleta, para comunidades sedentárias de base agrária. Aproximadamente metade da dieta neolítica era composta de caças, como cervo, faisão ou peixes. A outra metade consistia de nozes, frutas silvestres e grãos, incluindo **centeio**, **espelta** (um tipo de trigo mais rústico), **painço** e **trigo**. Durante esse período, protótipos de pães primitivos surgiram na forma de uma simples **pasta** feita inicialmente com grãos deixados de molho e mais tarde cozidos em água. Assim, o grão não apenas se tornava mais digestivo que o cru, como o processo de cozimento também oferecia mais nutrientes.

A transição de comunidades nômades para sedentárias também marcou um lento afastamento da vida selvagem (Flandrin & Montanari, 1999, p. 71-2). Europeus que viviam em áreas mais temperadas desfrutavam de um ambiente mais diverso que proporcionava uma dieta nutritiva e balanceada incluindo vários cereais, especialmente trigo e centeio, e carne de animais domésticos, como ovelhas, cabras, vacas e porcos (ibidem, p. 28). Na medida em que essa cultura, predominantemente agrária, se espalhou para o oeste da Europa, essa dieta tornou-se a base alimentar adotada pelos ocidentais ainda hoje (ibidem, p. 28).

À medida que as antigas tecnologias iam se desenvolvendo, o processo de preparação dos grãos para consumo também mudava. A pasta primitiva passou a ser aquecida em pedras achatadas quentes ou mesmo assada em cinzas para produzir um pão rústico, porém mais durável e de fácil transporte. Esses alimentos forneciam nutrientes vitais não encontrados tão facilmente nas carnes e se tornaram parte essencial da dieta alimentar do Neolítico. Por serem imprescindíveis para a sobrevivência, os cereais passaram a ser valorizados e consumidos por comunidades inteiras, o que ocasionou o aumento da colaboração e da troca entre essas comunidades.

Outro grande avanço verificado durante o Neolítico foi a criação e o uso de potes de cerâmica, moinhos rústicos e fornos. Descobertas arqueológicas revelaram moinhos e fornos como peças centrais de uma casa revelando a sua importância na vida daquele período. Esses avanços de tecnologia básica também prepararam terreno para que gregos e egípcios aprimorassem a arte da panificação (Flandrin & Montanari, 1999, p. 28).

ANTIGUIDADE CLÁSSICA – EGITO E GRÉCIA (5.500 A.C. - 300 D.C.)

À medida que a civilização avançou na Europa e no Oriente Próximo e Médio, um número crescente de pessoas passou a viver em áreas densamente povoadas, tendo nos grãos a sua fonte básica de alimentação. Durante esse período, mediante experimentos com ingredientes e novas técnicas, as culturas egípcia e grega tornaram-se as primeiras a realmente avançar na ciência da panificação.

Sedimentos encontrados no delta do Nilo, no Egito, apresentaram sinais de que já em 4.000 a.C. agricultores cultivavam espelta, trigo e **cevada** para a produção doméstica de pães de modo geral e cerveja, além de exportarem grãos para a Grécia. Essas exportações abasteciam os gregos de uma quantidade extra de grãos necessária para a sua produção de pães e massas doces (Flandrin & Montanari, 1999, p. 39).

A maior parte do conhecimento em relação a pães e massas doces do antigo Egito vem de achados arqueológicos, já que pouco existe em registros escritos. Em escavações de túmulos egípcios foram encontrados "alimentos para funeral", um sortimento de pães e afins, às vezes chegando aos milhares, destinados como provisão para a vida depois da morte (ibidem, p. 38).

O que sabemos, de fato, é que os pães e pastas da Antiguidade eram feitos tanto de grãos produzidos localmente como trazidos de outras regiões, e que o tipo de pão ou pasta consumido estava geralmente relacionado ao *status* na sociedade. Os mais ricos comiam os pães mais claros, as classes médias consumiam pães com alguns grãos integrais, e os mais pobres comiam pães com grãos integrais e espelta.

As pessoas que consumiam grãos na forma de pão geralmente produziam a farinha em suas próprias casas. Os grãos eram ligeiramente tostados ou secos ao sol para facilitar a separação da palha. Eram então triturados com o auxílio de um pilão, depois moídos entre duas pedras e peneirados até o grau desejado. Exames feitos em antigos egípcios revelaram que os dentes eram excessivamente gastos, o que os arqueólogos atribuíram à mistura acidental de areia fina com farinha durante o processo de moagem (Flandrin & Montanari, 1999, p. 39).

Os primeiros pães egípcios sem fermentação eram feitos de farinha de trigo, cevada ou espelta, água e sal. Hieróglifos mostram que as pessoas sovavam a massa com as mãos, mas grandes quantidades eram também processadas com os pés. Embora esses pães fossem normalmente assados em lajes ou fornos de pedra, há também especulações de que poderiam ter sido assados nas paredes de fornos, muito semelhante à forma como os autênticos pães *naan* são assados hoje (em fornos abaixo do solo) (ibidem, p. 39).

Conforme citado pelo escritor grego Ateneu, os gregos da Antiguidade eram conhecidos por ter 72 tipos diferentes de pão (Revel, 1982, p. 65). A dimensão dessa produção é indicativa da importância dos avanços sociais e tecnológicos naquele período, incluindo o redesenho de fornos a lenha e um processo de moagem aprimorado capaz de produzir diversos graus de moagem da farinha. A diversidade de ingredientes disponíveis propiciava combinações de sabores muito variadas, com uma enorme variedade de grãos, ervas, óleos, frutas e sementes usadas para criar uma vasta seleção de pães. Depois de certo tempo, a arte da panificação avançou a um nível que formatos e sabores específicos foram criados para celebrar ocasiões, incluindo pães em forma de cones, que eram cobertos por sementes de cominho e usados em cerimônias religiosas. Outros modelos incluíam pães achatados, redondos, ovais e triangulares. Com esses significativos avanços, a utilização de grãos como simples meio de nutrição mudou, e o pão passou a ser associado à civilização e inovação gastronômica (Revel, 1962, p. 64-5).

Pães fermentados começaram a ser produzidos por volta de 1.500 a.C. (Flandrin & Montanari, 1999, p. 39). Há duas teorias predominantes relativas ao desenvolvimento de pães fermentados. A primeira é de que os egípcios, que aprimoraram o processo de fabricação de cerveja, usavam a bebida em vez de água na produção do pão e, assim, introduziram o fermento na massa. A segunda teoria é de que uma parte da massa teria sido esquecida em algum lugar, inoculada pela fermentação natural do ambiente e mais tarde assada (Tannahill, 1988, p. 52).

Embora essa massa fermentada não produzisse um pão muito leve, ainda assim era mais leve do que aquela experimentada previamente pelos antigos egípcios. Se, porém, a massa fermentada foi feita inicialmente com cerveja, os egípcios fariam facilmente a associação entre fermentação de grãos para produzir cerveja e fermentação de grãos para fazer crescer o pão. A teoria da cerveja é mais comum e possivelmente mais realista, já que continuou sendo o método mais popular para produzir pães fermentados no Egito (Tannahill, 1988, p. 52).

Fora do Egito foram desenvolvidos métodos de fermentação de acordo com os recursos e costumes regionais. Gregos e italianos usavam métodos relacionados ao processo de produção de vinhos para obter a fermentação; os três métodos mais comuns eram farinha de painço e suco de uva, farelo e vinho branco, e pasta envelhecida (Tannahill, 1988, p. 52). Os gauleses (cultura antiga que habitava o que é hoje parte da França e da Bélgica) e caucasianos (que viviam em uma região hoje pertencente a Geórgia, Armênia e Azerbaijão) usavam a espuma da cerveja para fermentar seus pães (ibidem, p. 52). O método mais comum de fermentação era reservar uma parte da massa para que pudesse ser usada no preparo seguinte como fermento, um recurso empregado ainda hoje em muitas padarias.

OS PRIMEIROS BOLOS

Além de produzir pães, egípcios e gregos faziam bolos rudimentares. Os egípcios eram conhecidos por prepará-los já por volta de 3.000 a.C. (Tannahill, 1988, p. 53). Os ingredientes mais comuns para esses bolos incluíam leite, ovos, manteiga, mel, sementes de gergelim, pinoli, nozes, amêndoas, sementes de papoula e tâmaras (Revel, 1982, p. 69). Um bolo típico poderia ser um pão adocicado, passado no mel e coberto com sementes.

Em seu livro *Cultura e cozinha*, Jean-François Revel (1982, p. 69) apresenta uma receita de bolo do historiador grego Ateneu, datada aproximadamente de 200 a.C.:

> Juntar nozes de Thásos, amêndoas e sementes de papoula e tostá-las cuidadosamente. Socá-las bem num pilão limpo, misturar esses ingredientes, moê-los adicionando mel coado, e pimenta, e misturar tudo muito bem; a mistura vai ficar escura por causa da pimenta. Faça dessa pasta um quadrado achatado, e então moa um pouco de gergelim branco, misture com farinha e mel. Fazer dois discos de bolo, e rechear com a pasta escura, apertando com cuidado no meio.

Apicius, epicurista e escritor do período greco-romano, registrou muitas receitas de bolos bem populares durante a transição para a era cristã. São consideradas as únicas descrições de preparo de bolos e massas doces da Antiguidade e da Idade Média. Um autor de período anterior, Crisipo de Tiana, escreveu um tratado sobre preparo de bolos, no qual detalhava mais de 30 receitas da época; infelizmente esse livro não chegou aos nossos tempos. Mas, por sorte, há outros exemplos de receitas antigas de bolos, como esta segunda receita registrada por Jean-François Revel (1982, p. 69):

> Bolinhos caseiros: moer tâmaras, nozes ou pinoli com espelta cozida em água. Acrescentar pimenta finamente moída e mel; faça bolinhas, passando-as levemente no sal. Fritá-las em óleo e umedecê-las com mel.

Assim como muitas receitas que sobreviveram à era clássica grega e à do antigo Egito, somente as preparações básicas são descritas, e acredita-se que as quantidades dos produtos utilizados e as instruções específicas eram conhecidas por todos. Outra observação interessante é que ambas as receitas incluem pimenta, uma especiaria bastante comum na época.

PÃO E CULTURA NA ANTIGUIDADE

A concentração de pessoas em áreas densamente povoadas e o surgimento do pão e o uso de grãos como a principal fonte de alimento teve imenso impacto na cultura da antiga Grécia e do Egito, e para a maioria das comunidades europeias emergentes. Ao satisfazer suas necessidades mais imediatas, a população dessas regiões adotou um estilo de vida mais sedentário e urbano, abandonando, assim, o que era considerado "o estilo de vida bárbaro" (Flandrin & Montanari, 1999, p. 69).

O reconhecimento da civilização na Grécia e no Egito foi determinado pelo que as pessoas comiam. O padrão necessário para sustentar essa cultura civilizada foi definido como "o convívio, o tipo de alimentação consumida, a arte culinária e as regras dietéticas" (ibidem, p. 69). O Convívio, ou a interação entre grupos sociais, promoveu a comunicação e a identidade grupal, ao mesmo tempo que o tipo de alimento consumido por um grupo específico criava uma identidade que os separava dos demais. Para gregos e egípcios, a produção de pão tornou-se o símbolo do que significava viver numa sociedade civilizada. No Egito, acreditava-se que "aquele de barriga vazia é quem reclama" (ibidem, 1999, p. 38). Barriga cheia garante a ordem.

Pães e bolos também desempenharam um papel importante na vida religiosa. No Egito, durante os funerais e os sacrifícios, por exemplo, túmulos eram abastecidos com doces para que o defunto os consumisse após a morte, e bolos e pães eram frequentemente oferecidos aos deuses. De acordo com alguns relatos, Ramsés III oferecia anualmente 9 mil bolos e 200 mil pães aos deuses (Bachmann, 1955, p. 2).

Igualmente importante, o atendimento das necessidades nutricionais básicas significava mais tempo disponível para o aprimoramento intelectual e social. A Grécia e o Egito foram os mestres pioneiros da filosofia, das artes, da construção e da agricultura. A partir da Grécia, a arte e a ciência da panificação seguiram para Roma, tornando-se parte dominante da cultura durante o Império Romano, abastecendo o exército e a população em geral. No ano 100 d.C., o imperador Trajano criou uma guilda de padeiros que deveria fornecer pão para a população à custa do Estado. Ao manter os mais pobres alimentados, Trajano tinha o controle sobre a ordem social de maneira muito semelhante ao que os egípcios haviam feito antes (Montagné, 2001, p. 66).

A IDADE MÉDIA

A Idade Média se estendeu dos séculos V ao XV, começando com a queda do Império Romano e terminando com o surgimento da indústria e da arte que acabaram por promover o Renascimento. A Idade Média foi marcada pela drástica escassez de grãos, por crescente urbanização, fome, doença e uma mudança radical na produção de pães em geral. No início do período, o consumo de pão estava em declínio, mas, ao fim da Idade Média, a organização da profissão de padeiro e a regulação relativa à produção de pães começaram novamente a se desenvolver. Os avanços mais significativos em panificação eram melhorias feitas em fornos, introdução de novos ingredientes, organização dos padeiros e a formação das associações profissionais, as guildas.

O declínio na produção e consumo de pães pode ser atribuído a uma cultura germânica, dominante e nômade, que se alimentava especialmente de carnes, deixando os campos sem cultivo. Esse modo de vida opunha-se fortemente aos antigos modelos de domesticidade, sustentabilidade e afastamento da vida rústica praticados por egípcios, gregos e romanos. Durante o período em que a cultura germânica prevaleceu houve um declínio no uso dos principais ingredientes mediterrâneos como grãos, azeite e vinho. As pessoas voltaram a caçar em florestas, ou transformaram suas lavouras em pastagens para animais domésticos.

Por volta do ano mil da nossa era, a agricultura foi reintroduzida e a panificação começou finalmente a progredir em relação à posição que ocupava na Antiguidade. Essa vasta mudança foi iniciada pela Igreja Católica como forma de fixar populações nômades e de produzir grãos para pães, que desempenhavam um papel determinante nos rituais da Igreja. Sacerdotes católicos aprenderam o cultivo da terra a partir de textos escritos centenas de anos antes por seus antecessores greco-romanos, que descreviam a complexidade do cultivo do solo (Jacob, 1944, p. 115-116).

Os anos 1.100 d.C. presenciam o desenvolvimento do ofício de padeiro, juntamente com as regulamentações da profissão. Por volta do fim do século XII, uma distinção importante surge entre aqueles que apenas assavam o pão (**fornarii**) e aqueles que preparavam a massa e as assavam (**pistores**). Mais precisamente, o papel dos *fornarii* era assar a massa trazida pela comunidade. O manuseio dos fornos era considerado um trabalho perigoso, e a especialização da atividade era passada de uma geração a outra. Porém, o uso coletivo dos fornos dos *fornarii* tinha um preço. Subornos eram oferecidos e aceitos, dando preferência àqueles que podiam pagar mais, e as lutas de poder surgiam inevitavelmente (Flandrin & Montanari, 1999, p. 277).

Na medida em que o consumo de pão cresceu na região do mediterrâneo, os *fornarii* se deram conta de que poderiam se beneficiar da venda de pães também, e conquistaram esse direito com a ajuda da Igreja. Já em Paris, por volta de 1.200 d.C., os *pistores* pressionaram e conseguiram o direito de exclusividade na panificação. Em troca desse direito, ficavam obrigados a fornecer pães à realeza e a se submeter às frequentes inspeções para assegurar que os regulamentos sanitários e de pesagem estivessem sendo seguidos (Flandrin & Montanari, 1999, p. 39).

A primeira guilda de padeiros, chamada *Tameliers*, foi formada na França nessa época. O nome *Tamelier* refere-se ao ato de peneirar a farinha conforme exigia a receita. Para tornar-se um *Tamelier*, eram necessários quatro anos de aprendizado, realizar vários testes e receber, do rei, a licença para exercer o ofício. Por meio da guilda, os padeiros forneciam pães para várias indústrias e, em troca, recebiam alguns privilégios, como tratamento médico gratuito e imediato por fornecimento de pães aos hospitais (Montagné, 2001, p. 66).

Durante o século XIII, os pães eram feitos especialmente de trigo e se tornaram parte fundamental no crescimento urbano da Europa ocidental. A qualidade do trigo variava muito, e o tipo de farinha usada continuava a delinear as posições na sociedade – quanto mais ricas as famílias, mais macio e branco era o pão. Os pães das classes mais altas eram conhecidos como *pain de bouche* ou *pain mollet*, na França. Na Alemanha, era *Semmelbrot*; e na Inglaterra, *paindemain* ou *white bread* (Flandrin & Montanari, 1999, p. 281). O pão das classes trabalhadoras continha mais farelo e germe de trigo e era conhecido como pão marrom, enquanto o pão de trigo integral era destinado à população mais pobre (Flandrin & Montanari, p. 281).

Com a produção de pão bem consolidada, os padeiros logo começaram a criar produtos "doces" para ser vendidos como oferecimentos para a Igreja, nos feriados, e quando os preços dos grãos estavam baixos. Os primeiros a serem produzidos eram tipos de biscoitos primitivos e *waffles*, que eram feitos ao pressionar a massa entre duas peças de metal quentes. Dependendo da oferta de ingredientes, a massa era enriquecida com mel, leite, ovos e, às vezes, açúcar. Esses doces se tornaram imediatamente populares, recebendo encomendas diárias da realeza e de nobres. Além de serem consumidos como uma sobremesa leve, também poderiam fazer parte da refeição matinal (Flandrin & Montanari, 1999, p. 281).

As Cruzadas tiveram um papel muito importante no desenvolvimento da confeitaria. Os ocidentais trouxeram de volta, da Pérsia, o açúcar, considerado uma "especiaria" nova e estimulante; além disso, trouxeram uma forma primitiva de massa folhada e uma variedade de frutas, nozes e especiarias. A introdução do açúcar e da massa folhada acabou causando alguns problemas entre as três principais guildas de Paris (padeiros, confeiteiros e donos de restaurantes). Cada um deles queria direitos exclusivos para o uso e venda desses produtos (Montagné, 2001, p. 855-856).

Do fim da Idade Media até a Renascença, a especialização e a diferença entre panificação e pâtisserie aumentou consideravelmente por toda a Europa ocidental. Juntamente com essa especialização, surge um controle estrito por parte da realeza, que emitia direitos a determinadas guildas para a produção de produtos de panificação, determinando regras de comércio, definição de padrões, controle de preços e a garantia de qualidade.

Um exemplo disso foi o rei francês João, o Bom, que em 1351 definiu as atribuições das pâtisseries e dos seus produtos, como biscoitos e diversos bolos, vários doces e salgadinhos, marzipã e tortas (ibidem, p. 66). Em 1366, Carlos V da França definiu regras relativas a quando e onde os pães poderiam ser vendidos e determinou o preço de pães feitos com os diversos tipos de farinhas (ibidem). Em 1397, e novamente em 1406, seu sucessor, Carlos VI, revisou os direitos originais dos confeiteiros ao criar regulamentos que estabeleciam as vendas, os padrões de qualidade e a definição de funções para **oubloyers**, ou confeiteiros diaristas. Nos tempos de Carlos VI, esperava-se que um confeiteiro fabricasse 500 **biscoitos** (*oublies*) grandes, 300 *supplications* (para os feriados religiosos e oferendas), e 200 *esterels*, por dia (Flandrin & Montanari, 1999, p. 281).

DA RENASCENÇA À REVOLUÇÃO INDUSTRIAL

A realeza mantinha um rígido controle sobre a fabricação de pães e pâtisseries ao longo da Renascença. Em 1440, Carlos VIII da França lançou um decreto outorgando o direito de preparar salgados aos **pâtissiers**,[1] uma nova guilda a quem era dado o direito exclusivo de produzir e vender tortas e pastelões recheados com carnes, peixes e queijos. Juntamente com esses direitos, surgem responsabilidades para garantir a segurança alimentar apropriada. Por exemplo, era proibido vender produtos velhos ou usar carnes deterioradas e laticínios estragados ou de baixa qualidade. Carlos VIII também criou regras de produção para pâtissiers e assistentes semelhantes às dos confeiteiros. Por fim, pâtissiers e confeiteiros se uniriam em uma mesma guilda para ter controle sobre casamentos e banquetes, um monopólio que durou de 1556 até a extinção das guildas francesas por Turgot em 1776 (Montagné, 2001, p. 856).

A legislação referente à produção e venda de farinha, pães e massas alcançou novos patamares na França durante o século XVII, inicialmente em razão de uma redução da oferta de grãos. Em 1635, Richelieu decretou que "padeiros fabricantes de pãezinhos e pâtissiers não devem comprar grãos antes das 11 horas no inverno e antes do meio-dia no verão; padeiros fabricantes de pães grandes não deverão comprar grãos antes das 2 da tarde. Isso permitirá que a população obtenha seus ingredientes primeiro. Padeiros deverão colocar uma marca indicativa nos seus pães, e manter pesos e medidas em suas padarias, sob pena de terem suas licenças recolhidas" (ibidem).

O mais curioso era a tabela de preços e padrões para identificar o produto e o seu peso, assim como as exigências de marcar o pão com sinais típicos para que o produto pudesse ser rastreado até o seu padeiro. Mais tarde, quando se formaram mercados urbanos em cidades como Paris, a legislação que controlava a venda de pães muitas vezes especificava que um padeiro poderia vender seus produtos apenas com a ajuda de sua esposa e filhos (ibidem).

Durante os séculos XVI e XVII, o perigo da fome na Europa ocidental era uma realidade constante. Não apenas a oferta de grãos era variável, como uma crescente população urbana pobre consumia esses estoques. Na medida em que os pobres convergiam para as cidades com "alimentos garantidos", e o preço do pão aumentava junto com a demanda, a realeza tornava-se consequentemente responsável por garantir um "equilíbrio nutricional" entre seus súditos.

---

[1] Em francês, o termo "pâtissier" designa o profissional que produz doces, bolos, biscoitos e massas doces e salgadas. Carlos VIII procurou diferenciar os pâtissiers dos confeiteiros, sendo os primeiros os produtores de massas salgadas e os confeiteiros, de sobremesas. Essa diferenciação, no entanto, já era arbitrária pois, no século anterior, os pâtissiers já produziam biscoitos e diversos bolos, vários doces e salgadinhos. (NRT)

Falhas nesse sentido poderiam desencadear tumultos, saques em padarias, e mesmo rebeliões contra a própria monarquia (Flandrin & Montanari, 1999, p. 108).

Na medida em que a tecnologia do cultivo do trigo foi aprimorada durante o século XVIII, a produção aumentou e a ameaça da fome declinou lentamente. Visando manter o campesinato sob controle, o governo francês decretou que comerciantes mantivessem estoques de grãos para os tempos de escassez. Entretanto, o aumento de estoques não acalmou a população. As grandes compras de trigo feitas pelos comerciantes geraram aumento de preços, e a população ainda passava fome (ibidem, p. 281). A acusação era de que o governo havia fixado preço em combinação com os comerciantes, e esse protesto acabou resultando no retorno ao preço anterior dos grãos em 1773.

Infelizmente, a confiança renovada no modelo agrário culminou numa avassaladora mudança na distribuição e regulamentos relativos à venda de trigo na França. No espaço de um ano desde a anulação das leis que restringiam a venda de trigo, o preço do pão estava quase tão alto quanto o salário de um dia de um trabalhador (Tannahill, 1988, p. 283). A "guerra da fome" aconteceu (Montagné, 2001, p. 67), e resultou na famosa marcha de 1789 de Paris a Versalhes, com o povo gritando "Vamos pegar o padeiro e a mulher do padeiro".

A crise na França teve muito pouco a ver, se é que teve, com a falta de alimentos básicos. Por toda a Europa, a troca entre nações estava se tornando mais comum, e grandes quantidades de trigo importadas dos países Bálticos para a Europa ocidental muitas vezes complementavam as colheitas escassas (Flandrin & Montanari, 1999, p. 281). Ironicamente, os problemas que culminaram com a queda da monarquia francesa não estavam tanto na escassez de trigo e pão, mas sim na falta de meios para distribui-los entre as massas (Tannahill, 1988, p. 283).

A EVOLUÇÃO DA PÂTISSERIE

As artes da panificação e da pâtisserie passaram por uma evolução mais extrema a partir do século XVI em diante, estabelecendo definitivamente as bases prevalentes ainda hoje. Apreciada por um público pequeno e rico, a pâtisserie teve suas origens na preparação de salgados: os pâtissiers eram inicialmente preparadores de tortas de carnes, de peixes e de queijos. É possível que as tortas do século XVI não sejam reconhecidas por um chef pâtissier moderno; no entanto, algumas semelhanças podem ser notadas. Uma das bases mais comuns encontradas nas cozinhas contemporâneas teve origem em 1506 na cidade de Pithivier, na França, quando um chef pâtissier inventou o "creme de amêndoa" amplamente utilizado como base para bolos e recheios de tortas, tais como no Bolo Pithivier (Chaboissier & Lebigre, 1993, p. 12). Outra importante base da pâtisserie moderna, que teve suas raízes na França, é uma antecessora da massa *choux* (*pâte à choux*). A massa *choux* foi criada por Popelini, o chef pâtissier de Catarina de Médici, que a acompanhou da Itália para a França após o seu casamento com Henrique II em 1540. Embora a versão original não seja a usada atualmente, foi, sem dúvida, uma preparação inovadora para o seu tempo (ibidem, p. 12).

Outras inovações se tornaram possíveis no século XVI graças à crescente oferta de açúcar, o que trouxe um aprimoramento às receitas com claras de ovos e natas batidas. A partir dessas bases, surgiram as madalenas e os biscoitos de amêndoas, embora, possivelmente, não fossem tão refinados quanto aqueles apreciados hoje em dia. Conforme conta a tradição, Della Pigna, outro chef pâtissier italiano vindo com Catarina de Médici, introduziu a **pastilhagem** (*pastillage*) (esculturas de açúcar), um recurso decorativo que ele usava para criar ***pièces montées***, ou esculturas de centro de mesa (ibidem).

Os séculos XVII e XVIII assistiram a progressos nas artes da pâtisserie mediante refinamentos nos processos e incorporação de novos ingredientes, como o café da África, o chá da

China, e o chocolate das Américas (Revel, 1982, p. 166). O fim do século XVII presenciou um grande aumento no consumo de sorvetes e *sorbets* originários da Espanha e da Sicília. Além disso, o açúcar de beterraba tornou-se uma nova fonte de sacarose para a Europa pela primeira vez.

Avanços significativos do século XVII incluem as tortas doces de amêndoas de Rageuneau, em 1638, o que representou um salto de qualidade em comparação aos biscoitos da época, especialmente considerando a oferta imprevisível do trigo e o seu racionamento. O croissant foi criado por padeiros em Budapeste, em 1686, como recompensa a quem detectasse a invasão do exército otomano e alertasse a cidade desse perigo. Após a bem-sucedida defesa, os pâtissiers foram autorizados a desenvolver uma iguaria homenageando a lua crescente da bandeira do Império Otomano (Montagné, 2001, p. 372). Em 1770, atribuiu-se a Maria Antonieta a introdução do croissant e de outros doces vienenses na França depois de seu casamento com Luís XVI (Chaboissier & Lebigre, 1993, p. 13).

O século XVIII trouxe algumas inovações tecnológicas importantes para o processamento de matérias-primas. No fim do século, um químico alemão conseguiu extrair e cristalizar o açúcar da beterraba, criando, assim, uma alternativa mais econômica ao caro açúcar de cana importado. No entanto, o processo provou ser bastante dispendioso, e o resultado apresentou um produto de qualidade pobre. O procedimento não estava suficientemente aprimorado para produzir um adoçante comparável ao do açúcar da cana até 1812 (Chaboissier & Lebigre, 1993, p. 16). O século XVIII também presenciou o aperfeiçoamento dos processos da pâtisserie, como a introdução do Baba ao Rum, em 1740, trazido à França pelo rei da Polônia Stanislas Leszczynski, e a criação, em 1760, da tostada de massa *choux* pelo famoso pâtissier Avice. O ano de 1783 se tornou notável pelo nascimento de Marie-Antonin Carême, cujas realizações no aperfeiçoamento da pâtisserie foram únicas no seu tempo.

Carême contribuiu imensamente para o mundo da pâtisserie, mas também era um chef e um inovador dedicado a cozinhas e equipamentos de pequeno e grande portes. Ele fora abandonado aos 12 anos pelo pai, que afirmou que a sociedade tinha mais a oferecer "a um espírito empreendedor" do que ele como pai (Revel, 1982, p. 246). Foi inicialmente adotado pelo dono de um restaurante decadente e designado para trabalhar na cozinha. Aos 16 anos, tornou-se aprendiz de um dos melhores chefs pâtissiers de Paris, Bailly, na Rue Vivienne (ibidem, p. 250). Já aos 20 anos, foi considerado um dos chefs mais influentes dos tempos modernos. Estudou cuidadosamente o trabalho dos grandes mestres do seu tempo para desenvolver estilos e apresentações jamais usados no mundo culinário até então. Em *Cultura e cozinha*, Revel (1982, p. 246) descreve a atenção de Carême para os detalhes produzidos por outros chefs na seguinte passagem:

> Como todos os criadores, era um ladrão de ideias – enfatizo que era ladrão, não um plagiador. Era apaixonadamente ligado a todos os mestres que tinham algo a dizer. Avice para pâtisserie, Laquipierre para molhos – apenas os fracos têm medo de ser influenciados, disse Goethe – mas nenhuma das criações dos mestres foi seguida até o último detalhe, e Carême sempre prestou homenagens afetuosas e generosas a todos eles.

Enquanto trabalhava para Bailly, Carême foi apresentado a novos produtos e ficou responsável pela preparação de tortas e pratos decorativos para a confeitaria. A inspiração veio do Museu Nacional de Gravura, onde passava as horas de folga estudando e copiando várias obras de arte. O famoso diplomata Talleyrand foi o responsável pela ascensão seguinte na carreira de Carême. Frequentador assíduo do restaurante de Bailly durante o estágio de Carême, Talleyrand logo o empregou, trabalhando diretamente sob Boucher (ibidem, p. 250-251).

Atribui-se a Carême a criação ou o aperfeiçoamento de muitas bases para massas usadas ainda hoje. Ele se tornou mais famoso pelo desenvolvimento da moderna versão da massa folhada, usada tanto para doces como para salgados. Para melhorar as antigas versões dessa massa (previamente "aperfeiçoada" por Guillaume Tirel, conhecida como Taillevent, no fim do século XV) (Chaboissier & Lebigre, 1993, p. 11), Carême inovou a técnica da massa folhada, a laminação que cuidadosamente sobrepõe manteiga e massa para finalizar em centenas de camadas. Outras pessoas também tiveram o reconhecimento pela criação da massa folhada, de Feuillet a Claude Gelé. Podemos deixar a escolha do "criador" potencial aos historiadores e à própria preferência do leitor em relação a essa versátil e maravilhosa massa de muitas variações e aplicações. Além disso, Carême foi o criador de *nougat*, merengue, *croquant, poupelins* (bolo de massa *choux* recheado com creme) e *solilemmes*, um pão do tipo brioche com manteiga borrifada logo após sair do forno (ibidem, p. 251).

A atenção de Carême aos detalhes e sua dedicação eram quase tão únicos e excepcionais quanto o seu trabalho com as massas. A abordagem multidisciplinar e os estilos das apresentações não apenas marcaram a cozinha francesa por gerações, como ainda hoje são inspiração para chefs principiantes. Ao avaliar o impacto de seu trabalho, Carême concluiu certa vez: "Quando, para esquecer os invejosos que despertei, meu olhar vaga por Paris, noto com alegria o aumento de confeitarias e a melhoria delas. Nada disso existia antes de meu trabalho e dos meus livros. Como havia previsto, os pâtissiers se tornaram bastante qualificados e meticulosos" (Revel, 1982, p. 251).

Carême alcançou novos padrões na apresentação de pratos, em que a abundância e a surpresa eram elementos centrais. Esse novo cerimonial de jantares, chamado serviço à francesa, apoiava-se basicamente no serviço de chefs, cozinheiros, mordomos e governantes. Embora apreciado quase que exclusivamente pela realeza e pela nobreza, o serviço à francesa mudou fundamentalmente a preparação dos pratos, bem como o modo como as pessoas passaram a comer socialmente. Logo se popularizou, sendo adotado pela classe média, apreciado na forma influenciada pelo próximo grande chef: Auguste Escoffier.

PANIFICAÇÃO NA AMÉRICA

Como os europeus migraram para a América do Norte, trouxeram a cultura da panificação como fonte principal de nutrição. Durante as primeiras viagens ao Novo Mundo, exploradores despreparados foram forçados a contar com o mar e provisões para a sobrevivência. Uma das primeiras descobertas alimentícias foi o **milho**. Os nativos americanos contavam com mais de 200 variedades de milho, e, possivelmente, pelo mesmo tempo que os europeus, tinham se sustentado com o trigo. O milho foi levado para a Europa onde o seu uso foi rapidamente disseminado, mas ao final não substituiu o trigo como ingrediente preferencial para a panificação (Tannahill, 1988, p. 204-205).

PANIFICAÇÃO NO BRASIL

Em toda a América, a partir da colonização, os portugueses e europeus que para cá vieram trouxeram o hábito do grande consumo de pão. A primeira tentativa de plantar o trigo no Brasil data de 1530, por Martin Afonso.

Até o século XIX, devido à escassez de farinha de trigo, o pão era consumido apenas pelas classes mais abastardas, os menos privilegiados consumiam o beiju de tapioca.

No século XIX surgem as primeiras padarias, com fornos ao estilo francês, masseiras e cilindro; os pães ainda não possuíam muita variedade e sua cocção e produção não eram adequadas.

Assim, com o surgimento das padarias cujos donos eram franceses, portugueses e alemães, houve maior variedade de produção e a busca por melhores fornecedores de farinha.

Hoje, o consumo de trigo pelos brasileiros é de aproximadamente 9,73/ano, sendo 75% transformados em farinha. Desta quantidade 55%, são destinados para as empresas voltadas à área de panificação. Já farinhas destinadas à panificação, 65% são consumidas em padarias, 21,5% na indústria de pão e 9% nos supermercados. O consumo *per capita* de pão pelos brasileiros é de 27,54 kg pessoa/ano. Esse índice é inferior ao recomendado pela Organização Mundial da Saúde (OMS), que considera o consumo de 60 kg pessoa/ano como ideal (Bosisio, 2004, p. 14).

No Brasil, o consumo de pão de trigo sofre variações regionais. No Sul e no Sudeste, por exemplo, o consumo é de cerca de 35 kg pessoa/ano contra apenas 10 kg no Nordeste, o que pode ser facilmente explicado pelas características da cultura regional, no qual o pão de trigo sofre a concorrência direta de substitutos como o beiju, o cuscuz e o polvilho doce (Bosisio Junior, A. *O pão na mesa brasileira*. Rio de Janeiro: Senac Nacional, 2004, p. 14 (152 p.)).

O CRESCIMENTO DA GASTRONOMIA

Os pioneiros que desembarcaram em Plymouth Rock em 1620 trouxeram trigo e centeio para usar como alimento principal (Tannahill, 1988, p. 222). Para surpresa e desapontamento deles, esses grãos não vingaram no solo rochoso da Nova Inglaterra, assim foram forçados a olhar em torno em busca de um alimento básico. Com a ajuda dos nativos norte-americanos, os colonos aprenderam a preparar papas e bolos com milho, mingau, panqueca, pão de milho, que são consumidos ainda hoje.

Na medida em que grandes contingentes de imigrantes começaram a povoar a América, trouxeram uma variedade de pães e tortas que vieram a formar grande parte de suas dietas. A maior influência veio inicialmente da Inglaterra, mas, como outros europeus chegavam, também foram adotadas outras tradições em panificação (Meyer, 1998, p. 4). Não é surpresa, portanto, que de meados de 1700 até o começo de 1800 a panificação norte-americana refletisse alimentos e culturas originárias de várias regiões. Esse período presenciou a introdução e o predomínio de pastelões, panquecas, torta de frutas, pudins cozidos, pudins de milho e biscoitos (ibidem, p. 5).

O advento de novos ingredientes na América impulsionou a qualificação técnica a um nível próximo do que temos hoje. Em 1750, foi usado o primeiro fermento químico. Conhecido como pó de pérola (carbonato de potássio), foi criado a partir de cinza natural de madeira e outros recursos naturais. Antes de o carbonato de potássio estar disponível, a textura dos bolos era densa. A amônia também era usada como um agente de fermentação. A solução de água e amônia era preparada e uma gota dessa solução era posta no topo da massa. O centro do bolo crescia como na madalena (*madeleine*). O fermento para pão também era produzido comercialmente a partir do fim de 1800 e se baseava cada vez mais em matrizes naturais que se perpetuavam. Agentes químicos de fermentação adicionais (bicarbonato de potássio e bicarbonato de sódio) foram criados ao fim do século XIX, mas somente por volta de 1859 essas descobertas passaram a ser aceitas e usadas regularmente (Meyer, 1998, p. 10). Um dos empecilhos para a popularização do seu uso era que uma lista específica de ingredientes era necessária para ativar os agentes de fermentação. O primeiro fermento químico somente foi introduzido por volta de 1940 ao eliminar a necessidade de equilibrar ingredientes ácidos e básicos.

A partir da metade do século XIX, até seu fim, o cenário estava pronto para o renascimento da indústria da panificação. A panificação comercial estava começando a retornar, para o bem ou para o mal, graças a importantes avanços tecnológicos em inúmeras áreas.

O primeiro avanço foi o moinho moderno, criado em 1830. Esse invento mecanizou o trabalho humano e permitiu que grandes quantidades de grãos fossem processadas para uso em diversos produtos. Em 1875, o moinho foi adaptado para energia hidráulica, com inúmeros moinhos instalados próximo às cataratas do Niágara (Jacob, 1944, p. 350). O segundo invento foi a masseira, desenvolvida na França em torno de 1850, padronizada e usada em várias padarias 50 anos mais tarde. O avanço seguinte, ao fim de 1800, foi o crescente predomínio de fornos, com o surgimento dos primeiros fornos comerciais automáticos nos Estados Unidos por volta da Primeira Guerra Mundial, e mais tarde na Europa (ibidem, p. 354).

Outras inovações, como o divisor automático de massa, sistemas para crescimento do pão e empacotamento, propiciavam uma produção mais rápida e melhores condições sanitárias (ibidem, p. 356).

Conforme o século XX avançava, padarias comerciais regionais passaram a fornecer vastas quantidades de pães para a população em todos os Estados Unidos. Padarias pequenas, "artesanais", começavam a rarear, já que a eficiência e a diminuição de custos desses grandes conglomerados se consolidavam.

As padarias comerciais do começo do século XX eram empresas de grande porte capazes de manter grandes produções, além de poder comprar de volta os pães não vendidos. Um estudo da Universidade de Stanford, de 1923, constatou que, em média, de 6% a 10% da produção de pães não era vendida. O Food and Drug Administration (FDA) estimava que 600 mil barris de farinha, valendo milhões de dólares, eram desperdiçados anualmente. Como resultado, o FDA estabeleceu medidas para estender a durabilidade dos pães nas prateleiras, conservando os nutrientes e garantindo a saúde pública. Alguns padeiros mais econômicos tomavam medidas criativas transformando o pão não vendido em pão novo, até que, por volta da Segunda Guerra Mundial, surgissem leis federais proibindo a sua reutilização. O pão deveria ser consumido fresco, ou mesmo amanhecido (Jacob, 1944, p. 354).

O retorno aos alimentos artesanais

Ao longo da Segunda Guerra Mundial, grande parte do pão produzido nos Estados Unidos e na Europa era preparada utilizando processos altamente mecanizados. Masseiras de alta velocidade, combinadas com farinhas apropriadas, misturavam as massas de forma eficiente e apresentavam um produto final com textura firme, branca e de bastante volume. As massas podiam agora ser misturadas, assadas e empacotadas sem ao menos serem tocadas. Os padeiros preferiam as novas masseiras porque exigiam menos trabalho manual, e o consumidor apreciava o pão volumoso, branco e macio. Assim, por um curto período, todo mundo estava feliz. No entanto, a oxidação excessiva da massa, a falta de fermentação adequada e o uso exagerado de emulsificantes e estabilizantes proporcionaram vida longa aos pães, mas – da crosta ao miolo – retirou deles todo o sabor e as características particulares de cada padaria. Era difícil, portanto, encontrar pães de boa qualidade.

Por volta dos anos 1970, a baguete (*baguette*) tornou-se uma nova tendência para a indústria de panificação nos Estados Unidos. Grandes empresas da França foram para os Estados Unidos para atender a demanda. Empresários inauguraram inicialmente pequenas *delicatessen*, e mais tarde lojas com maior variedade de produtos. Com elas surgiram novos tipos diferentes de pães de forma. A crosta era crocante e o miolo mais airado. Em geral, a qualidade desse pão era mediana, o sabor, insípido, e durava apenas um dia. Problemas similares aos da produção de pães de forma também afetaram a qualidade desses pães: excesso de misturas, adição de melhoradores (para que o miolo ficasse branco e airado) e falta de fermentação adequada. A baixa qualidade do pão trouxe, para a indústria da panificação, jovens mais ambiciosos que desejavam produzir um pão diferenciado. Na época, não havia muitas publicações técnicas disponíveis, apenas na França era possível encontrá-las.

Na França, a qualidade do pão não era melhor. Os métodos tradicionais de preparo estavam desaparecendo, as receitas antigas não eram mais passadas adiante, e a mão de obra qualificada estava encolhendo.

A missão de trazer de volta a qualidade do pão ao seu mais alto nível estava nas mãos de um homem: Raymond Calvel. Ele não fazia concessões na sua visão sobre panificação. Não tinha receio de dizer o que pensava, nem quando se dirigia a um pequeno padeiro, nem a grandes empresas. O seu impacto na indústria foi lento, mas Calvel iniciou ali um processo muito sólido.

Na medida em que o conhecimento e as técnicas de Calvel foram se disseminando gradualmente nos diversos setores da indústria de panificação, a reação foi inteiramente positiva, e com razão. Pães recém-saídos do forno, com um miolo airado e de cor creme, sabor refinado e uma crosta fina, crocante e dourada acabaram convencendo até os mais resistentes consumidores de pão de forma. Os alunos de Calvel aprenderam suas teorias sobre misturas, fermentação e uso do forno; adotaram essas técnicas como suas e ensinaram outros padeiros e consumidores com essa abordagem mais refinada. O mais impressionante é que Calvel apresentou pela primeira vez a autólise, uma técnica que tem resultados muito positivos na textura do pão.

O surgimento de um movimento a favor de pães artesanais nos Estados Unidos foi resultado de muitos erros e tentativas. O que talvez tenha levado esse movimento tão longe é que não há limites para a criatividade de sabores. Isso trouxe aos pães comuns novidades como baguete com azeitonas e sementes, semolina, multigrãos, *ciabatta*, e pão *sourdough*.[2] Para obter melhor sabor, textura e durabilidade, a maioria desses pães era produzida com esponja de massa azeda, matriz líquida, massa úmida ou massa fermentada.

Por meio da evolução da panificação artesanal, o uso da esponja tornou-se mais comum, a massa era deixada a fermentar por mais tempo e num ritmo mais lento e a fermentação final prolongada. O tempo para se produzir baguetes nos anos 1970 era de 3 horas, da mistura da massa até assar. Hoje, a média é de 6 a 16 horas, e alguns procedimentos levam até 24 horas. O resultado do aumento na fermentação melhorou o sabor e a durabilidade. Além disso, ao empregar novas técnicas, os pães ficaram com o miolo mais aberto e leve, e pela primeira vez a coloração da crosta, mais escura. O movimento pelo pão artesanal trouxe como resultado o cruzamento de técnicas especiais de diversos países.

A parte mais interessante da evolução do pão artesanal nos Estados Unidos foi a criação de técnicas exclusivas pelas padarias. Tais técnicas algumas vezes foram mantidas em segredo.

Com esses novos avanços na panificação, os consumidores estavam dispostos a manter fidelidade ao produto, demonstrando não ser apenas um modismo. Pães de qualidade passaram a fazer parte do hábito alimentar de muitas pessoas. Mesmo com as dietas de baixo consumo de carboidratos em moda, o mercado de pães de qualidade não sofreu nenhuma alteração.

Com a evolução do pão veio a revolução na indústria do trigo e da farinha. Os padeiros buscavam uma farinha com alta quantidade de proteína e com menor quantidade de cinza. Farinhas orgânicas hoje são facilmente encontradas e a preço acessíveis. O nome de algumas poucas padarias

---

[2]   O termo *sourdough* também é conhecido como massa mãe ou massa azeda. "Azeda" refere-se ao pH da massa feita com a fermentação de lactobacilos. Trata-se de um pré-fermento originado de micro-organismos presentes no ambiente. Entende-se por *pão sourdough* aquele produzido com a massa mãe. (NRT)

pioneiras do movimento de pão artesanal são Acme Bread Co., Semifreddi's, La Brea Bakery, Della Factoria, Grace Baking, Essential Baking Company, Ecce Panis, Balthazar, Marvelous Market, Artisan Bakers e Amy's Breads. Como essas pequenas padarias se tornaram bem-sucedidas com pães artesanais, os supermercados também quiseram participar do movimento, já que havia uma demanda crescente por pães tradicionais de qualidade no mercado. Considerando o longo tempo dos procedimentos, falta de trabalhadores qualificados e demandas regionais, os supermercados precisavam resolver o problema da distribuição de pães sem que fossem acrescentados ingredientes químicos para aumentar o tempo de prateleira. A solução decisiva era assar parcialmente e congelar o pão. As grandes padarias que tinham contratos com os supermercados estabeleceram novos sistemas de produção para se ajustar aos novos procedimentos. A primeira indústria de pão desse tipo foi construída nos Estados Unidos. Essa fábrica tornou-se um sucesso tão grande que europeus foram para os Estados Unidos para aprender sobre seus sistemas de produção e distribuição e obter novas ideias sobre pães artesanais para melhorar seus produtos e sua qualidade.

Podemos concluir que o pão artesanal tem sabor suficiente para complementar um prato ou um sanduíche em razão da vasta seleção de sabores oriunda da fermentação e dos ingredientes adicionados à massa.

O movimento em favor do pão artesanal continua e se expande em direção à Ásia e à Austrália.

Essa tecnologia também está em expansão e se voltou para as especialidades vienenses: massa laminada como a do croissant e a do *danish* passaram por uma transição nos procedimentos que estabeleceram novos padrões de qualidade, sabor e duração. A pâtisserie está vivendo uma renovação com novos ingredientes, matérias-primas de qualidade, e intensificando sabores, texturas e apresentações.

PANIFICAÇÃO: UMA HISTÓRIA ABRANGENTE E COMPLEXA

Desde o modesto começo no período Neolítico até os dias de hoje, as pessoas têm sido atraídas para os grãos, especialmente para o trigo, pelos seus valores nutritivos e sua importância cultural. O surgimento e o desaparecimento de povos, doenças, pragas, guerras e esperanças têm sido atribuídos à abundância ou falta de trigo. Embora o conhecimento e a tecnologia voltados para a moagem, misturas e cozimento tenham mudado pouco ao longo dos tempos, estamos hoje, sem dúvida, no ápice: a combinação da mecanização com processos artesanais para produzir pães no estilo europeu tradicional para uma vasta população.

A especialização da profissão está sempre se expandindo e, embora muitos digam que não há nada de novo em panificação e pâtisserie, a inovação e a revitalização de ideias continuam a impulsionar a indústria. Um levantamento atual dos melhores pães e doces com certeza vai retratar apresentações e sabores originais obtidos com atenção aos detalhes e profissionalismo. Temos de reconhecer que em panificação e pâtisserie há muitas fases e modismos que vêm e vão, mas também temos de entendê-los. Eles fazem parte das transformações que marcam a evolução do negócio. Para entender a história da panificação e da pâtisserie também precisamos ter um olhar para o futuro.

PANIFICAÇÃO E PÂTISSERIE COMERCIAIS HOJE

Aqueles que hoje aspiram a tornar-se padeiro ou pâtissier devem estar preparados para mergulhar em uma carreira que pode ser desafiadora e gratificante em um ambiente que é quase sempre estimulante, mas às vezes exaustivo. Devem ser curiosos, criativos e precisos, prontos a participar de uma atividade dinâmica que ofereça inúmeras especialidades e variações regionais.

OPORTUNIDADES PARA PADEIROS E PÂTISSIERS

Tradicionalmente, padeiros e pâtissiers passam toda a sua carreira se aprofundando em apenas uma especialidade. Hoje, a facilidade de conseguir ingredientes e informações tornou mais comum o domínio em outros segmentos da profissão, incluindo especializações como chocolate, açúcar, pão, especialidades vienenses, tortas e bolos de casamento.

As artes da panificação e da pâtisserie estão em constante aperfeiçoamento com novas técnicas e apresentações. Longe de se esgotar, os elementos de prestígio e surpresa lançados por Carême há 200 anos ainda são explorados e adotados.

TREINAMENTO PARA SE TORNAR PADEIRO OU PÂTISSIER

No passado, o caminho tradicional para alcançar uma carreira na panificação era o das relações familiares, com as padarias familiares passando geralmente de pai para filho. Quando a panificação passa a atuar em níveis industriais no fim do século XIX, o treinamento começou a se desenvolver nos moldes existentes ainda hoje: escola ou aprendizado no trabalho. Em ambas as situações, aspirantes a padeiros aprendem com profissionais mais experientes. Cada programa de treinamento tem prós e contras, e cada aluno deve decidir qual escolha é a melhor.

Frequentar a escola

Normalmente, as escolas de panificação oferecem leituras baseadas em teorias sobre ingredientes, equipamentos, administração e composição; uma ampla variedade de ingredientes e fórmulas, métodos diferentes de produção e aulas práticas. Muitas escolas oferecem cursos com treinamento básico para aspirantes de padeiros e pâtissiers, assim como educação continuada para profissionais. Os cursos podem variar de alguns dias até vários anos.

A maior vantagem de frequentar uma escola é que o aluno pode conseguir muitas informações em um curto espaço de tempo, além de poder pôr em prática o que aprendeu nos estágios. Para quem está iniciando a carreira, esse procedimento oferece uma formação sólida, que pode ser muito enriquecedora ao longo de sua vida profissional.

Aprender no trabalho

O treinamento no trabalho é importante para adotar hábitos eficientes e voltados para a produção. Uma desvantagem desse método, entretanto, é que o grau de aprendizado de fórmulas e processos pode ser bem mais lento do que na escola. Quando se aprende no trabalho, os padeiros devem assumir seu próprio aprendizado e aproveitar cada oportunidade para aprender. Dependendo dos objetivos de cada um deles, devem procurar situações em que possam dominar habilidades e assumir responsabilidades adicionais. As vantagens do treinamento no trabalho são ampliadas quando os alunos podem trabalhar sob a orientação de vários profissionais, aprendendo o melhor de cada um deles para apresentar, por fim, o seu próprio estilo.

Educação continuada

Muitos padeiros e pâtissiers experientes completam sua educação e experiência com aulas ou seminários de educação continuada para complementar seu desenvolvimento profissional. Esses cursos intensivos são destinados a tratar de um tópico altamente especializado em um período curto. Aulas especializadas podem motivar e inspirar os alunos a melhorar a qualidade do seu trabalho, fortalecer as ligações com a indústria e elevar o profissionalismo da panificação e da pâtisserie. Os cursos de especialização acabam enriquecendo tanto o indivíduo como os estabelecimentos que investem nisso.

Outro método frequente visando o desenvolvimento profissional destinado a padeiros e pâtissiers é a realização de **estágio** (um período de trabalho curto para aprender técnicas e procedimentos específicos) em algum outro estabelecimento que não o seu próprio. Embora o tempo de duração do estágio possa variar, o objetivo é conquistar novas habilidades e inspiração para o aperfeiçoamento do seu trabalho.

Quaisquer que sejam os caminhos do treinamento que os alunos escolham, é importante permanecer bem informados a respeito de tendências do momento, novas técnicas e novos ingredientes. A participação em seminários e aulas com temas específicos, além da realização de estágios, são grandes recursos para se manter atualizado.

AS OPORTUNIDADES EM PANIFICAÇÃO E PÂTISSERIE

Padeiros e pâtissiers de competência comprovada frequentemente buscam novas oportunidades na administração, na pesquisa e no desenvolvimento, ensinando ou prestando consultoria, participando de competições, entre outros trabalhos. Essas novas atividades muitas vezes requerem um treinamento adicional com a finalidade de preparar para qualificações por demanda, incluindo aulas de ciência dos alimentos, administração e programas de qualificação para ensino.

Para uma carreira bem-sucedida é necessário muita motivação individual, foco e entusiasmo. Aqueles que enfrentam os desafios são muitas vezes responsáveis por treinar e motivar a geração seguinte de profissionais, e por elevar os níveis de qualificação das artes de panificação e pâtisserie a novos patamares.

RESUMO DO CAPÍTULO

Para entender inteiramente a panificação e sua influência na humanidade, é preciso considerar os diversos momentos históricos que a panificação ou a pâtisserie teve sobre a nossa cultura. Da fome à ascensão e queda de nações, a Revolução Industrial, a religião e as guerras, a influência da panificação e da pâtisserie tem sido imensa e duradoura. As diversas culturas do mundo desenvolveram seu próprio estilo de preparar alimentos que representam sua terra, suas lutas e seus sucessos, e esses produtos estarão para sempre entranhados em suas vidas. Embora a moagem, a mistura e o cozimento de pães e bolos tenham sido influenciados pela tecnologia, ainda hoje consumimos os mesmos alimentos consumidos pelos povos antigos ao longo da história. Por algum tempo, processos altamente mecanizados alteraram os princípios básicos e, dessa forma, perdemos a qualidade. Depois de muito tempo de produção de alimentos de qualidade ruim, o renascimento da panificação artesanal se estabeleceu e tem desde então frutificado. Com esse renascimento, cada vez mais oportunidades se apresentam aos padeiros e pâtissiers. O interesse do consumidor em pães de alta qualidade está crescendo, e novos profissionais deverão estar preparados para atender a essa demanda.

PALAVRAS-CHAVE

- ❖ biscoitos (*oublies*)
- ❖ centeio
- ❖ cevada
- ❖ espelta
- ❖ estágio
- ❖ *fornarii*
- ❖ milho
- ❖ painço

- ❖ pastas
- ❖ pastilhagem (escultura de açúcar)
- ❖ pâtissiers/confeiteiros
- ❖ *pièces montées*
- ❖ *pistores*
- ❖ *Oubloyers*
- ❖ trigo

QUESTÕES PARA REVISÃO

1. **Que função os grãos desempenharam na vida humana durante o período Neolítico?**

2. **Quais foram os resultados dos avanços em panificação e pâtisserie durante a Antiguidade?**

3. **Qual era a função das guildas na Idade Média?**

4. **Qual é a influência de Carême na pâtisserie?**

5. **Que medidas foram tomadas para renovar a qualidade do pão para que pudesse ser considerado pão artesanal hoje?**

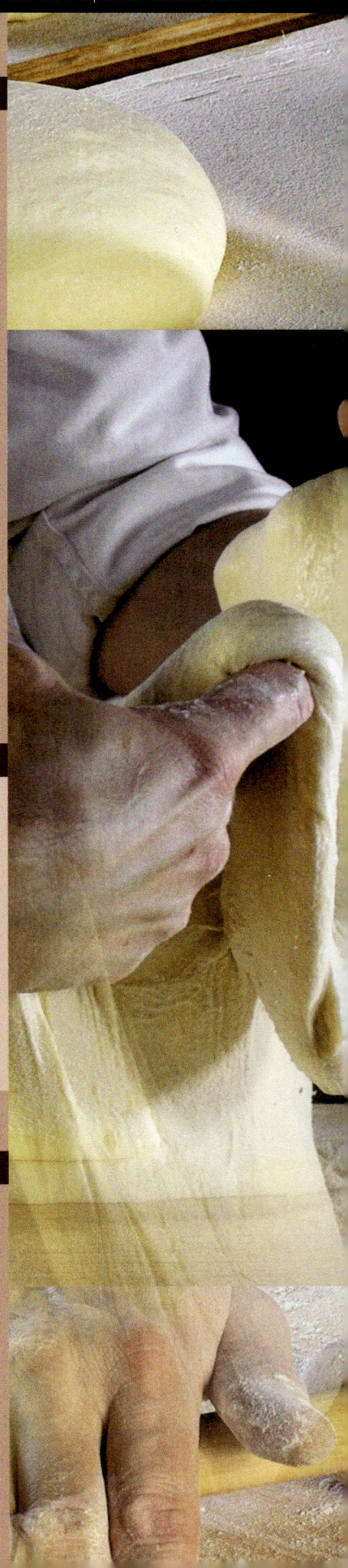

capítulo

2

SEGURANÇA ALIMENTAR E ASSEPSIA EM PANIFICAÇÃO

OBJETIVOS

Após a leitura deste capítulo você será capaz de:

- Discutir a importância das práticas de higiene e assepsia dos alimentos que definem a segurança alimentar em um ambiente de trabalho e obter um conhecimento básico das leis e regulamentos que tratam do tema.
- Descrever as leis e os regulamentos básicos referentes a higiene e assepsia dos alimentos.
- Explicar o sistema Hazard Analysis Critical Control Point – HACCP (Análise de Perigos e Pontos Críticos de Controle – APPCC).
- Explicar os Standard Sanitation Operating Procedures – SSOP (Procedimentos Padrão de Higiene Operacional – PPHO).

SEGURANÇA ALIMENTAR E ASSEPSIA NA INDÚSTRIA DE ALIMENTOS

A indústria de alimentos deve ter o compromisso de fornecer um alimento livre de qualquer dano potencial. Embora essa seja uma afirmação elementar, na prática não é tão simples de realizar e de manter esse princípio. As regras e as regulamentações para assepsia e higiene dos alimentos na panificação devem ser obedecidas e praticadas de forma que seus produtos sejam seguros e livres de quaisquer riscos. Proprietários de padarias e seus empregados devem observar as leis de segurança e de assepsia alimentar estabelecidas, e todos devem aprender e adotar a legislação. O sistema de **Hazard Analysis Critical Control Point – HACCP** e o **Standard Sanitation Operating Procedures – SSOP** são sistemas estabelecidos para oferecer uma compreensão básica e prática dessas leis fundamentais que garantam um alimento e um ambiente de produção seguros. A maior parte deste capítulo é dedicada às regras e regulamentações que regem essa indústria e os métodos aplicados para evitar problemas potencialmente perigosos.

DE QUE MODO A LEGISLAÇÃO SOBRE ALIMENTOS INFLUENCIA A PANIFICAÇÃO E A PÂTISSERIE

Nos mais de 70 anos desde que foi promulgado, em 1938, o **Federal Food, Drug and Cosmetic Act – FDCA** (Decreto Federal de Alimentos, Drogas e Cosméticos), não apenas manteve sua importância para a indústria da panificação, como também tem servido de base para a produção de alimentos seguros. Embora o FDCA seja de grande importância, não foi o início da legislação referente a alimentos. Esse decreto foi o resultado de muitos anos de história e experiência na tentativa de prevenir práticas arriscadas e enganosas na produção e comercialização de alimentos. Além disso, foi o resultado do conhecimento obtido pelo avanço na ciência e na tecnologia.

Dois dos mais importantes objetivos dessa legislação visam prevenir, sempre que necessário, a **adulteração** dos alimentos e punir os que a praticam. O dois tipos de adulteração, em geral, são de ordem econômica e de materiais estranhos no alimento. A adulteração econômica diz respeito à redução do valor nutritivo ao se agregar ingredientes de baixa qualidade (tais como diluir suco de laranja em água) ou substituir um ingrediente mais rico (como vender um bolo dizendo ser feito com manteiga, quando na realidade contém gordura vegetal).

A adulteração por materiais estranhos trata de um tema esteticamente desagradável (pelos de roedores, pedaços de insetos, e assim por diante) ou potencialmente danoso (micro-organismos patogênicos, vidro, aditivos químicos perigosos e outros) que podem ser encontrados nos produtos de panificação.

Referências históricas de adulteração alimentar são abundantes. Na Roma antiga, comerciantes muitas vezes vendiam óleos artificiais como azeite puro, e a legislação da época proibia a prática de misturar grãos estragados aos outros para disfarçar a deterioração. Por volta de 200 a.C., Cato descreveu um método para determinar se o vinho havia sido misturado com água. Mais tarde, no século XV, na Europa, foi promulgada uma lei proibindo a venda do vinho que comprometesse a sua região de origem.

Leis antigas sobre alimentos também tratavam da panificação. Em 1202, o rei João I, da Inglaterra, proibiu a adulteração do pão com ingredientes de menor qualidade do que a farinha de trigo, como ervilha ou feijões moídos.

Outros exemplos relativos à segurança alimentar incluem certa lei inglesa de 1723 que proibia o uso de tubos de chumbo no processo de destilação de bebidas, assim como determinada lei da Virgínia, de 1898, que considerava adulteração de doces tudo o que contivesse qualquer quantidade de substâncias minerais, cores ou sabores tóxicos ou outros ingredientes que pudessem causar danos à saúde.

Hoje, graças à indústria de panificação, todos os países industrializados possuem um fornecimento extremamente seguro desses produtos. Mesmo assim, substâncias estranhas ou aditivos químicos proibidos ocasionalmente aparecem em pães e doces. Se essas substâncias não são detectadas antes de os produtos serem lançados para consumo, podem se tornar alvos de *recalls* ou simplesmente serem retirados do mercado.

Os *recalls* podem ocorrer por iniciativa do proprietário da panificadora, ou por exigência da **Food and Drug Administration – FDA** dos Estados Unidos. Todas as empresas de panificação, sem considerar seu porte, estão sujeitas à possibilidade de *recalls* e, portanto, devem ter um sistema que permita rastrear o produto do seu início até a distribuição durante a sua validade. Os *recalls* são classificados em classes I, II, e III, com a classe I representando a mais alta probabilidade de que o uso ou a exposição do produto vai causar sérias consequências à saúde ou mesmo morte. A adulteração dos alimentos, intencional ou não, além de proibida, continua a ser um problema potencial que é o alvo específico da moderna legislação alimentar. Além disso, muitos dos esforços das agências governamentais – federal, estaduais e municipais – estão voltados para desvendar e tomar medidas contra empresas ou indivíduos envolvidos nessas práticas.

O **Nutrition Labeling and Education Act – NLEA** (Decreto de Rotulação e Educação Nutricional) de 1990 aperfeiçoou o FDCA, obrigando a rotulação nutricional em todos os produtos de panificação comercializados. Essa emenda decisiva marcou o início de uma nova era na regulamentação do fornecimento de alimentos nos Estados Unidos. Ao exigir a rotulação para prevenir informações falsas ou enganosas sobre produtos alimentícios, a legislação passou a oferecer ao consumidor melhores condições para a escolha de alimentos. O NLEA também reconheceu a relação vital entre dieta e saúde, oferecendo aos consumidores instrumentos que permitissem escolher produtos de panificação baseados em informações completas, acuradas e verdadeiras.

Atualmente, uma combinação de regulamentos em nível federal, estadual e municipal atua em conjunto para garantir que qualquer produto da indústria de panificação seja seguro. Por isso, antes de iniciar suas atividades, as novas empresas devem contatar a vigilância sanitária local para garantir o cumprimento das exigências legais necessárias. Em alguns Estados, jurisdições locais e instituições acadêmicas oferecem programas de certificação de higiene para padarias. A localização e disponibilidade desses programas variam de Estado para Estado e são facilmente encontrados *online*.

BOAS PRÁTICAS DE PRODUÇÃO NA PADARIA

As **Good Manufacturing Practices – GMP** (Boas Práticas de Produção) são parâmetros que fornecem um sistema de processos, procedimentos e documentação para assegurar que os produtos de panificação tenham a identidade, potência, composição, qualidade e pureza que representam ter.

A base legal para as GMP foi estabelecida a partir do FDCA de 1938, mas foi somente em 1960 que os regulamentos referentes à adulteração de alimentos foram concluídos para auxiliar a indústria de alimentos a cumprir as determinações do Decreto. As regulamentações são escritas como exigências e fazem uso da palavra *dever* em vez de *recomendar*. As GMP são auxiliares na aplicação da lei, aplicadas especialmente em parceria com a inspeção da unidade de produção ou depósito. São instrumentos valiosos para empresários de panificação e, quando adequadamente implantados, podem ajudar a evitar acusações de adulterações do FDCA.

Regulamentações detalhadas das GMP podem ser encontradas no Code of Federal Regulations, Título 21, Subparte A, Seção 110.10 abordando questões de pessoal:

(a) *Controle de doenças*. Qualquer pessoa que, por meio de exame médico ou observação administrativa, demonstrar ter ou aparentar ter uma doença, lesão exposta, incluindo furúnculos, feridas, machucados infeccionados, ou qualquer outra fonte anormal de contaminação microbiológica, com possibilidades de contaminar alimentos, superfícies de contato, ou materiais de embalagem, deve ser excluída de qualquer operação que possa resultar em contaminação até que a condição seja superada. Os empregados devem ser orientados a comunicar, aos supervisores, sobre suas condições de saúde.

(b) *Limpeza*. Todas as pessoas que trabalham no contato direto com alimentos, superfícies de contato e embalagens devem estar cientes das práticas de higiene durante o expediente, visando à proteção contra qualquer contaminação dos alimentos. Os métodos para a manutenção da limpeza incluem, mas não se limitam, a: (1) Trajar uniforme adequado às operações de modo a evitar a contaminação de alimentos, superfícies de contato, ou materiais de embalagens. (2) Manter a higiene pessoal adequada. (3) Lavar completamente as mãos (e assepsia se necessário para proteção contra micro-organismos indesejáveis) em local próprio antes de iniciar o trabalho, depois de cada ausência do local de trabalho, e a qualquer outro momento em que as mãos possam estar sujas ou contaminadas. (4) Remover qualquer joia ou outro objeto que possa cair na comida, em equipamentos, ou recipientes, além de anéis que não possam ser adequadamente higienizados durante a manipulação dos alimentos. Caso as joias não possam ser removidas, devem ser cobertas e mantidas intactas, limpas, e em condições higiênicas, de forma a efetivamente proteger os alimentos de contaminação. (5) Manter as luvas, quando forem usadas em manipulação de alimentos, em condições intactas, limpas e higiênicas. As luvas devem ser de material impermeável. (6) Usar, sempre que necessário, de forma adequada, redes, bandas no cabelo, bonés, protetor de barba, ou outros eficientes protetores de cabelos. (7) Guardar roupas e outros pertences pessoais em áreas externas ao local de trabalho ou longe de onde os equipamentos ou utensílios sejam lavados. (8) Evitar comer, mascar chiclete, beber refrigerantes ou fumar próximo de áreas onde alimentos estejam expostos ou equipamentos e utensílios sejam lavados. (9) Tomar quaisquer outras precauções necessárias para evitar contaminações nos alimentos, nas superfícies de trabalho, ou nos materiais de embalagem com micro-organismos, ou substâncias estranhas como suor, cabelos, cosméticos, fumo, material químico e medicamentos dermatológicos.

(c) *Qualificação e treinamento.* Os empregados responsáveis por identificar falhas na assepsia ou na contaminação alimentar devem ter qualificação para a função ou experiência anterior, ou ambas, para apresentar um nível de competência necessária para garantir a produção de um alimento higiênico e seguro. Manipuladores de alimentos e supervisores devem receber treinamento adequado, com técnicas de manuseio apropriadas e princípios de proteção dos alimentos. Também devem ser informados dos perigos das práticas anti-higiênicas e falta de assepsia dos empregados.

(d) *Supervisão.* A um supervisor competente cabe a tarefa de garantir o comprometimento dos empregados em relação a todas as exigências de segurança e assepsia dos alimentos (Atual Guia de Boas Práticas de Fabricação (BPF) – Anvisa).

NO BRASIL

Na área de alimentos, a Anvisa coordena, supervisiona e controla as atividades de registro, de informações, de inspeção, de controle de riscos e o estabelecimento de normas e padrões. O objetivo é garantir as ações de vigilância sanitária de alimentos, bebidas, águas envasadas, seus insumos, suas embalagens, aditivos alimentares e coadjuvantes de tecnologia, limites de contaminantes e resíduos de medicamentos veterinários. Essa atuação é compartilhada com outros ministérios, como o da Agricultura, Pecuária e Abastecimento, e com os estados e municípios que integram o Sistema Nacional de Vigilância Sanitária. As Boas Práticas de Fabricação (BPF) abrangem um conjunto de medidas que devem ser adotadas pelas indústrias de alimentos a fim de garantir a qualidade sanitária e a conformidade dos produtos alimentícios com os regulamentos técnicos. A legislação sanitária federal regulamenta essas medidas em caráter geral, aplicável a todo o tipo de indústria de alimentos e específico, voltadas às indústrias que processam determinadas categorias de alimentos (http://www.anvisa.gov.br/alimentos, acesso em 30/10/2010).

A Anvisa, em parceria com o Sebrae, participa do projeto APPC que visa estabelecer o Sistema APPCC, no qual os pré-requisitos são as Boas Práticas de Fabricação e a Resolução RDC nº 275, de 21 de outubro de 2002, sobre Procedimentos de Padrões de Higiene Operacional.

Outro projeto relacionado à qualidade na produção alimentícia é o Programa Alimento Seguro (PAS), a Empresa Brasileira de Pesquisa Agropecuária (Embrapa), através de uma parceria com as empresas do sistema "S", visa garantir, através do APPCC, a segurança alimentar, a redução de custos envolvidos, incentivar a produtividade e a competitividade entre as empresas.

É importante ressaltar que os conceitos e sistemas estabelecidos neste livro também são utilizados no Brasil; no entanto, algumas siglas foram modificadas para facilitar sua memorização, compreensão e aplicação nos empreendimentos de serviços ou produção de alimentos, como:

- Hazard Analysis Critical Control Point (HACCP) – Análise de Perigos e Pontos Críticos de Controle (APPCC)
- Standar Sanitation Operating Procedures (SSOP) – Procedimentos Padrões de Higiene Operacional (PPHO)
- Good Manufacturing Practices (GMP) – Boas Práticas de Fabricação (BPF)
- First-in First-out (Fifo) – Primeito a Entrar, Primeiro a Sair (PEPS)
- Integrated Pest Management (IPM) – Manejo Integrado de Pragas (MIP)

SEGURANÇA ALIMENTAR NA PANIFICAÇÃO

A expectativa dos consumidores é de comprar pães e doces sem risco de contaminação. Os produtos das padarias devem estar livres de riscos que possam causar desconforto, doença ou morte, sejam eles comprados para consumir em casa ou preparados por outros para consumo em restaurantes ou outro tipo de estabelecimento voltado à alimentação.

A **HACCP** iniciou-se no começo da década de 1960[1] como um esforço conjunto entre a Pillsbury Company, a Nasa (National Air and Space Administration), as Forças Armadas dos Estados Unidos (Natick Laboratories) e a Força Aérea dos Estados Unidos (Space Laboratory Project Group). O objetivo inicial da HACCP era produzir alimentos livres de defeitos ou riscos para consumo dos astronautas durante as viagens espaciais.

Recentemente, essa missão se expandiu significativamente. O FDA atingiu um nível que não era mais capaz de garantir uma segurança alimentar ampla, porque simplesmente não tinha os recursos necessários para supervisão, ações fiscalizadoras e programas de inspeção. Todos os segmentos da indústria alimentícia, incluindo as padarias, precisavam dividir as responsabilidades ao tomar medidas para evitar falhas no sistema de produção, processamento e fornecimento de alimentos. Essas medidas levaram ao desenvolvimento e ao esboço da regulamentação dos

---

[1] O sistema de controle APPCC chegou no Brasil em meados de 1993, através do Sebrae/Senai; esses órgãos foram responsáveis pela sua difusão em todo o Brasil. Em 2004, fortalece-se a importância do sistema e é criado o ABNT NBR 14991 – Sistema de Gestão da Análise de Perigos e Pontos Críticos de Controle – Qualificação de Auditores. (NRT)

programas da HACCP como elementos essenciais de segurança alimentar nos procedimentos das padarias em todo o país.

OS SETE ELEMENTOS DE UM PROGRAMA DE HACCP

Um programa de HACCP desenvolvido e implantado adequadamente deve ser destinado a prevenir riscos no processo de preparação, em vez de tentar detectá-los depois de ocorridos. Essa medida é realizada por meio de um programa de teste do produto final.

Analisar riscos

Ao desenvolver um programa de HACCP (ou Análise de Perigos e Pontos Críticos de Controle – APPCC), é necessário primeiro determinar que riscos podem ocorrer no local de produção de alimentos. Eles somente poderão ser identificados depois que a palavra *risco* tiver sido definida com precisão.

Em termos técnicos, considera-se risco a presença de substância tóxica ou danosa em um alimento de acordo com a seção 402(a) (1) do FDCA. O risco é mais específico que uma alteração. Um alimento que representa perigo é considerado adulterado, mas a presença de uma adulteração não constitui necessariamente risco. Um alimento pode ser adulterado com substâncias, como pedaços de insetos, que, embora esteticamente desagradável, não constituem necessariamente um risco para aquele que o consome.

O risco é normalmente definido como um micro-organismo ou como substâncias químicas ou físicas encontradas em um alimento. Caso o risco seja causado por um micro-organismo, ele é considerado patogênico; se causado por substância química, dependendo dos níveis apresentados, pode ser danoso; por substâncias físicas, como cacos de vidro ou fragmentos de metal, pode causar lesões na ingestão do alimento.

Após o bom entendimento do que constitui risco, o passo seguinte é examinar os processos de produção para detectar onde pode haver algum tipo de perigo de contaminação do alimento. Um exame completo das condições dos ingredientes, das fórmulas, dos processos e do armazenamento administrado por uma pessoa treinada vai determinar que riscos podem ocorrer na fase final do produto. As fontes mais evidentes são os ingredientes e outras matérias-primas utilizadas. Outra fonte pode ser alguma falha em algum aspecto do procedimento, como negligência no processo de esterilização.

As Figuras 2-1 e 2-2 apresentam exemplos de fluxograma de produção e de processos de avaliação de risco que devem ser utilizados na produção de baguete com *sourdough* (massa "azeda"). Note que, no fluxograma, cada passo no processo de produção está listado e os pontos críticos de controle estão claramente identificados. O processo de avaliação de risco é um relatório detalhado que auxilia os funcionários de uma padaria a determinar que riscos podem ocorrer no processo de panificação e em que fase poderia ocorrer.

Identificar os Pontos Críticos de Controle no processo de panificação

Os Critical Control Point – CCP (Pontos Críticos de Controle – PCC) são definidos como um ponto em que algum risco possa se desenvolver ou se instalar no alimento, no caso de a operação sair do controle. Se a perda de controle levar a um risco potencial, o ponto é considerado de controle *crítico*. No entanto, se resultar em um desvio dos padrões de qualidade, o ponto será considerado um ponto de controle de *qualidade*. Embora os programas de HACCP estejam voltados apenas

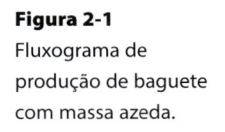

Figura 2-1
Fluxograma de produção de baguete com massa azeda.

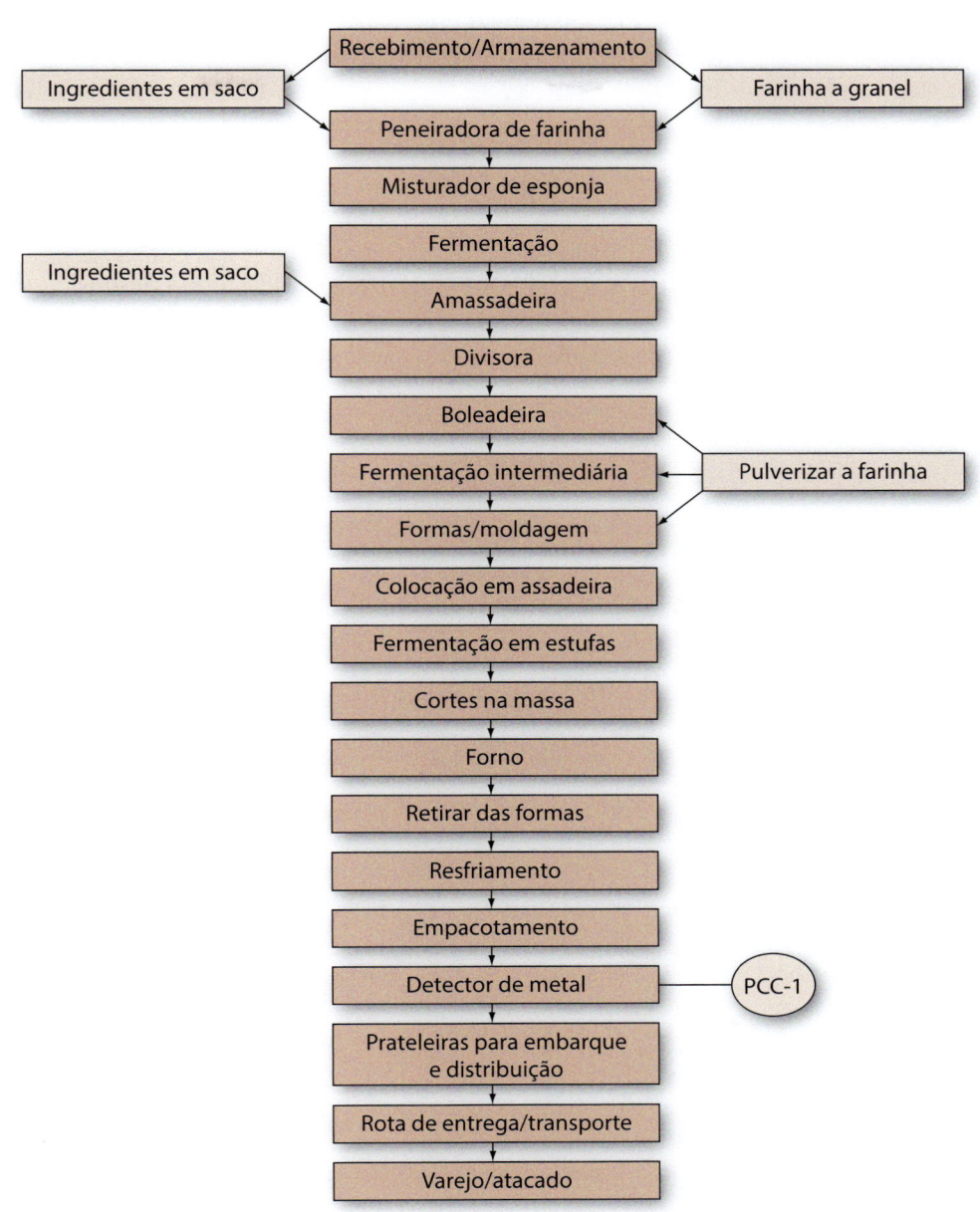

para os pontos críticos de controle, uma panificação com credibilidade deverá estar preocupada com os pontos críticos de risco e de qualidade também.

Ao determinar se os pontos de controle críticos ocorrem em uma operação de panificação, o uso de um fluxograma de decisão é sempre útil. Um exemplo dessa abordagem, conforme desenvolvido pelo National Advisory Committee on Microbiological Criteria for Foods – NACMCF, é apresentado na Figura 2-3.

Estabelecer limites para os Pontos Críticos de Controle

Em geral, para que alguma contaminação se desenvolva ou se instale no alimento é necessário que o ponto crítico esteja operando fora de controle. Para que haja uma prevenção efetiva é necessário determinar o ponto no qual surge o potencial para o risco. A habilidade para estabelecer os limites somente é possível se houver um conhecimento profundo tanto dos riscos como de todo

Figura 2-2 Avaliação dos processos de risco da produção de baguete com massa azeda.

1	2	3	4	5	6
Fases do processo	Risco introduzido por ingrediente ou nesta fase do processo (B) biológico (Q) químico (F) físico	O risco está controlado por programa de Pré-requisito (Sim ou não)? Se sim, indicar qual.	O risco foi eliminado em fase posterior (Sim ou não)?	Identificar a fase em que o controle eliminou o risco potencial	Ponto de controle crítico (PCC)
Recebimento de produtos a granel	(B) *Salmonela*, aflatoxina, vomitoxina (Q) Contaminação cruzada alergênica (F) Papel, plástico, madeira, metal	(B) Sim, especificação do produto (Q) Sim, recebendo procedimentos (F) Sim, boas práticas de fabricação (BPF)	(B) Sim (Q) (F) Sim	(B) Assar, o produto atinge temperatura interna 90 °C (Q) (F) Detector de metal PCC#1	
Recebimento de ingrediente inesperado	(B) Salmonela, aflatoxina, vomitoxina (Q) Contaminação cruzada alergênica (F) Papel, plástico, madeira, metal	(B) Sim, especificação do produto (Q) Sim, recebendo procedimentos (F) Sim, boas práticas de fabricação (BPF)	(B) Sim (Q) (F) Sim	(B) Assar, o produto atinge temperatura interna 90 °C (Q) (F) Detector de metal PCC#1	
Armazenagem dos ingredientes	(B) Mofo dos silos (Q) Contaminação cruzada de alergênico (F) Papel, plástico, madeira, metal	(B) MCS (sensibilidade química múltipla) (Q) Sim, BPF, protocolo de controle de alergênicos (F) Papel/plástico: sim: BPF. Metal: não	(B) (Q) (F) Sim	(B) (Q) (F) Detector de metal PCC#1	
Peneiradora de farinha a granel	(B) Nenhum (Q) Nenhum (F) Papel, plástico, metal	(B) (Q) (F) Papel/plástico: Sim: BPF	(B) (Q) (F) Sim	(B) (Q) (F) Detector de metal PCC#1	
Pesagem de ingredientes	(B) Mofo (Q) Contaminação cruzada alergênica de ingredientes anteriores (F) Metal	(B) MCS (Q) Sim, BPF, protocolo de controle de alergênicos (F) Papel/plástico: sim: BPF. Metal: não	(B) Não se aplica (Q) (F) Sim	(B) Assar, o produto atinge temperatura interna 90 °C (Q) (F) Detector de metal PCC#1	
Mistura da esponja/massa	(B) Nenhum (Q) Contaminação cruzada alergênica de ingredientes anteriores (F) Metal	(B) Não se aplica (Q) Sim, BPF, protocolo de controle de alergênicos (F) Papel/plástico: sim: BPF. Metal: não	(B) Não se aplica (Q) (F) Sim	(B) (Q) (F) Detector de metal PCC#1	
Fermentação	(B) Mofo (Q) Contaminação cruzada alergênica de ingredientes anteriores (F) Metal	(B) MCS (Q) Sim, BPF, protocolo de controle de alergênicos (F) Papel/plástico: sim: BPF. Metal: não	(B) (Q) (F) Sim	(B) (Q) (F) Detector de metal PCC#1	
Divisora e modeladora	(B) Nenhum (Q) Contaminação cruzada alergênica de ingredientes anteriores (F) Metal	(B) Não se aplica (Q) Sim, BPF, protocolo de controle de alergênicos (F) Metal	(B) Não se aplica (Q) (F) Sim	(B) (Q) (F) Detector de metal PCC#1	

(continua)

Figura 2-2 Avaliação dos processos de risco da produção de baguete com massa azeda. (*continuação*)

1	2	3	4	5	6
Fases do processo	**Risco introduzido por ingrediente ou nesta fase do processo** **(B) biológico** **(Q) químico** **(F) físico**	**O risco está controlado por programa de Pré-requisito** **(Sim ou não)?** **Se sim, indicar qual.**	**O risco foi eliminado em fase posterior** **(Sim ou não)?**	**Identificar a fase em que o controle eliminou o risco potencial**	**Ponto de controle crítico (PCC)**
Assadeiras e/ou pás de forno	(B) Mofo (Q) Contaminação cruzada alergênica de ingredientes anteriores (F) Metal, madeira	(B) Rodízio de pás (Q) Sim, BPF, protocolo de controle de alergênicos (F) Não	(B) Sim (Q) (F) Sim	(B) Cozimento do produto atinge temperatura interna 90 °C (Q) (F) Detector de metal PCC#1	
Estufas	(B) Nenhum (Q) Contaminação cruzada alergênica de ingredientes anteriores (F) Metal	(B) Não se aplica (Q) Sim, BPF, protocolo de controle de alergênicos (F) Não	(B) Não se aplica (Q) (F) Sim	(B) Não se aplica (Q) (F) Detector de metal PCC#1	
Cortes na massa	(B) Nenhum (Q) Contaminação cruzada alergênica de ingredientes anteriores (F) Metal	(B) Não se aplica (Q) Sim, BPF, protocolo de controle de alergênicos (F) Não	(B) Não se aplica (Q) (F) Sim	(B) Não se aplica (Q) (F) Detector de metal PCC#1	
Desenformar	(B) Nenhum (Q) Contaminação cruzada alergênica de ingredientes anteriores (F) Metal	(B) Não se aplica (Q) Sim, BPF, protocolo de controle de alergênicos (F) Metal; Não	(B) Não se aplica (Q) (F) Sim	(B) Não se aplica (Q) (F) Detector de metal PCC#1	
Cooling	(B) Nenhum (C) Contaminação cruzada alergênica de ingredientes anteriores (P) Metal	(B) Não se aplica (C) Sim, produção GMPs, protocolo de controle de alergênicos (P) Plástico: Sim: GMPs. Metal: Não	(B) Não se aplica (C) (P) Sim	(B) Não se aplica (C) (P) Detector de metal CCP#1	
Embalagem	(B) Nenhum (Q) Impressão de alergênico com erro ou embalagem errada, contaminação de outros produtos (F) Nenhum	(B) Não se aplica (Q) Sim, protocolo de controle de produção alergênicos (F)	(B) Não se aplica (Q) (F)	(B) Não se aplica (Q) (F)	
Detector de metal	(B) Nenhum (Q) Contaminação cruzada alergênica de ingredientes anteriores (F) Metal	(B) (Q) Sim, produção de BPF, protocolo de controle de produção alergênicos (F) Não	(B) (Q) (F) Sim	(B) (Q) (F) Detector de metal PCC#1	PCC#1
Distribuição e armazenamento	(B) Nenhum (Q) Impressão de alergênico com erro ou embalagem errada, contaminação de outros produtos (F) Material estranho	(B) (Q) Sim, protocolo de controle de produção alergênicos (F) Controle de animais e insetos	(B) (Q) (F)	(B) (Q) (F)	

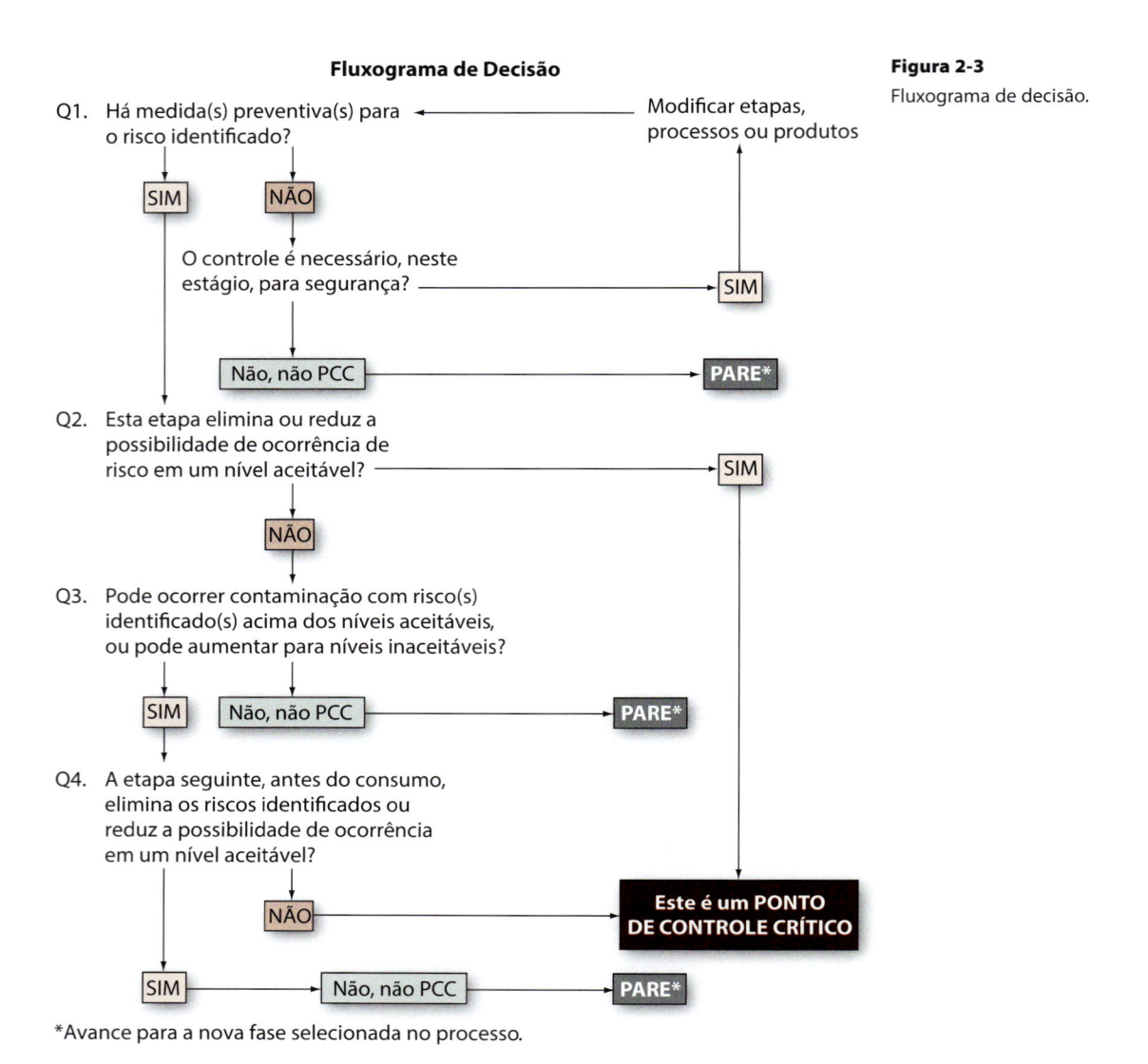

Fluxograma de Decisão

Figura 2-3
Fluxograma de decisão.

*Avance para a nova fase selecionada no processo.

o processo. Definir limites para cada PCC não é uma tarefa fácil, mas é um passo fundamental para desenvolver um programa de HACCP.

Monitoramento dos Pontos Críticos de Controle

Após concluir que os PCC estão dentro dos limites aceitáveis, deve ser implantado um sistema de monitoramento. Essa medida vai assegurar que, se o processo ultrapassar seus limites, e se existe um risco em potencial, uma ação corretiva deverá ser tomada imediatamente. Para manter uma possível perda de produtos em um nível mínimo, um sistema de monitoramento contínuo é recomendado. Se for adotado um monitoramento contínuo ou frequente, também será possível identificar tendências que possam resultar em uma situação sem controle.

Detalhamento de ação adequada e efetiva

A identificação e monitoramento dos pontos críticos de controle é apenas o começo do processo. Um plano completo de APPCC também especifica as ações corretivas que devem ser tomadas quando o sistema de monitoramento revelar que o ponto de controle crítico está fora dos limites estabelecidos. Essa medida pode incluir a interrupção da linha de processamento do produto até que ações corretivas sejam concluídas. Exemplos de medidas corretivas incluem rejeitar o fornecimento de um ingrediente, como farinha, que possa conter um micro-organismo patogênico em um nível acima do aceitável, ou ajustar um equipamento de medida, como o divisor ou moldador de massa, que pudesse fazer que uma operação saísse do controle. Farinha, por exemplo, pode ter níveis inaceitáveis de aflatoxinas (mofo) que são normalmente encontradas nesse ingrediente. Se um lote de farinha chega à padaria com CA (Certificado de Análise) de um fornecedor mostrando um nível percentual de umidade acima do normal, significa que o produto pode ter níveis de aflatoxinas que excedam os limites estipulados pelo programa de HACCP. Levando-se em conta essa informação, o cliente deve rejeitar tal lote de farinha.

Desenvolver um sistema de registro para a padaria

Um sistema de registro completo para a padaria é essencial para demonstrar a implantação de um sistema de fato, para documentar sua utilização e verificar sua eficácia na produção de alimentos seguros. Embora os programas de HACCP representem um esforço cooperativo, dividindo responsabilidades para assegurar a qualidade do alimento fornecido, uma agência reguladora como a FDA necessita mais do que afirmações verbais de que um plano efetivo vem sendo desenvolvido e utilizado. Um plano organizado e atualizado produz transparência e oferece à agência instrumentos para acessar o plano e sua validade para o funcionamento da padaria.

Tanto a administração da panificação como fiscais normalmente examinam informações e registros de ações corretivas para assegurar-se de que o sistema de HACCP venha sendo aplicado de modo correto. Esses registros também podem incluir documentação relativa a treinamento realizado pelos empregados responsáveis pela implantação do programa. Os registros de treinamento asseguram que um sistema efetivo esteja sendo cumprido.

Verificação de procedimentos

A etapa final, ao se desenvolver e implantar um programa de HACCP, é verificar se todas as ações e procedimentos descritos previamente são eficazes. Os pontos críticos de controle devem ser revistos periodicamente, e as mudanças devem ser feitas sempre que necessário. Cabe à administração verificar regularmente se os limites dos pontos de controle ainda estão adequados e se os registros estão completos e com fácil acesso. Deve ficar evidente que ações corretivas foram de fato tomadas quando um ponto de controle foi encontrado fora dos limites. Além disso, o resultado dessas verificações deve ser registrado de forma que a eficiência do programa de HACCP possa ser apresentada para a fiscalização e para outras pessoas.

Resumo da HACCP

Embora os programas de HACCP não apresentem um novo conceito em segurança alimentar, eles são considerados positivos como meio de conseguir uma prevenção total e abrangente dos problemas de segurança alimentar. Um programa eficaz de HACCP contém sete componentes:

- Determinação dos riscos potenciais de cada processo.
- Identificação de pontos de controle de risco potencial.
- Definição de limites para pontos críticos de controle.
- Definição de procedimentos para monitorar pontos de controle.
- Definição de ações corretivas quando os pontos de controle excedam os limites.
- Definição de um sistema de registro adequado.
- Definição de um programa para verificar a eficácia do programa de HACCP.

HIGIENE DOS ALIMENTOS NA PANIFICAÇÃO

Uma higiene alimentar adequada é essencial para garantir que os produtos de certa padaria destinados ao mercado sejam seguros para o consumo. Quando as práticas recomendadas são seguidas, a reputação da empresa e a saúde de seus clientes vão estar protegidas. É claro que o cumprimento de práticas de boa higiene é também uma exigência da lei.

Considerando que as bactérias que causam intoxicação alimentar se reproduzem facilmente, todo o possível deve ser feito para evitar que ela ocorra. Intoxicação alimentar pode provocar, no mínimo, um grande desconforto; em casos extremos, pode levar a doença grave ou até morte.

Há quatro medidas de segurança contra o crescimento e a propagação de bactérias:

- Garantir que as áreas de preparação de alimentos estejam limpas e manter bons padrões de **higiene pessoal**.
- Armazenar, preparar e cozinhar os alimentos de forma adequada.
- Manter os alimentos na temperatura correta.
- Prevenir a contaminação cruzada.

Para obter bons padrões de higiene, essas medidas devem ser tomadas a cada fase do processo, desde o momento em que o alimento ou ingredientes crus são recebidos até a venda do produto final. Se os padrões de higiene falharem em qualquer etapa do processo, o resultado poderá ser intoxicação alimentar.

HIGIENE PESSOAL

Ao ser manipulado, o alimento pode ser contaminado muito facilmente. Por isso, todos os funcionários de padarias que trabalham com massas ou outros ingredientes devem sempre manter bons padrões de higiene pessoal, além de adotar uma rotina para garantir que o produto não seja contaminado com germes nocivos, sujeira ou outro material estranho.

Em especial, as mãos devem ser lavadas e secas regularmente durante a preparação dos seguintes procedimentos:

- Antes de começar a trabalhar.
- Antes de manusear alimentos prontos para o consumo.
- Depois de manipular alimentos crus, particularmente carne e frango crus.
- Depois de ir ao banheiro.
- Depois do intervalo.

Os empregados devem ser orientados sobre os métodos adequados para higienização das mãos e praticar essas medidas. Usar água morna e sabão líquido para lavar completamente as mãos. Ensaboar e lavar bem as mãos e os punhos, os dedos, entre eles e as unhas. Enxaguar e secar as mãos por completo usando papel-toalha ou secador automático; jamais secar as mãos no uniforme ou em outro tecido.

Os funcionários que trabalham em áreas de preparação de alimentos também devem:

- Vestir roupas limpas, avental, ou outra vestimenta de proteção, limpos.
- Evitar tocar cabelos e rosto.

- Proteger cortes ou feridas com curativos limpos, impermeáveis e cobrir com luvas descartáveis.
- Lavar as mãos depois de assoar o nariz.
- Evitar tossir ou espirrar sobre os alimentos.
- Evitar fumar.
- Evitar usar joia ou unhas postiças que possam cair nos alimentos.

Treinamento e supervisão

Proprietários de padarias ou aqueles que supervisionam a preparação de pães e doces devem garantir que os empregados recebam orientação sobre higiene dos alimentos, bem como a supervisão adequada para esse tipo de trabalho. As agências locais de vigilância sanitária devem estar preparadas para fornecer informações, incluindo detalhes a respeito de programas de treinamento, além de oferecer aconselhamento.

Funcionários doentes

Funcionários que vão para o trabalho apresentando sintomas de intoxicação alimentar como diarreia, vômito ou dores estomacais não devem trabalhar nas áreas de preparação ou manuseio de alimentos, uma vez que podem facilmente contaminar o local e os colegas.

INGREDIENTES

Para garantir a segurança dos alimentos devem-se escolher fornecedores de confiança, além de tomar medidas para garantir que os produtos comprados sejam armazenados, processados e manuseados de forma segura. No momento da entrega dos ingredientes devem ser conferidos se:

- A nota de compra está correta.
- Produtos refrigerados ou congelados estão na temperatura adequada.
- A embalagem está intacta.

Armazenar alimentos

Os alimentos devem ser armazenados de forma correta para se manter seguros. Em especial, certifique-se de que:

- O controle de temperatura esteja correto.
- Os alimentos crus, especialmente carne e lacticínios, estejam separados dos alimentos prontos para consumo. O ideal é mantê-los em refrigeradores separados.
- A carne e os ovos estejam armazenados em recipientes vedados e colocados na parte inferior da geladeira de forma a não contaminar alimentos prontos para o consumo.
- Os refrigeradores não estejam sobrecarregados de modo a impedir a circulação de ar frio, o que pode resultar em alimentos não resfriados de modo adequado.
- Os alimentos secos, tais como farinha, grãos e nozes estejam armazenados longe do chão. O ideal é colocá-los em recipientes vedados para evitar insetos e outros animais.
- A data de validade do produto esteja vigente. Jamais utilizar alimento depois da data indicada, já que seu consumo poderá não ser seguro.
- Os alimentos com prazo de validade curto devem ser conferidos a cada dia para garantir que a data não seja ultrapassada.
- As instruções de armazenamento no rótulo do produto ou embalagem sejam seguidas.

Como uma sugestão prática, ao se armazenar alimentos, a regra de **primeiro a entrar, primeiro a sair** deve ser seguida. Esse método envolve o rodízio de alimentos para que aqueles que estejam prestes a ter a data de validade vencida fiquem à frente nas prateleiras para serem consumidos primeiro.

Preparar alimentos

É bastante comum que o alimento seja contaminado durante a sua preparação. Para evitar essa contaminação, as pessoas que manipulam alimentos devem:

- Manter a higiene pessoal.
- Usar pranchas e superfícies de contato diversas para alimentos crus e alimentos prontos para o consumo.
- Utilizar equipamentos e utensílios diferentes para alimentos crus e alimentos prontos para o consumo sempre que possível.
- Limpar equipamentos e superfícies de contato completamente antes e depois de usá-los.
- Evitar usar as mãos para transferir alimentos, preferir o uso de pinças, pratos ou bandejas.
- Retornar para a geladeira os alimentos refrigerados imediatamente após o uso.

Cozinhar e assar

O cozimento adequado elimina bactérias tóxicas como *Salmonella*, *Campylobacter*, *Escherichia coli* 0157:H7 e *Listeria*. Por isso, é importante cozinhar e reaquecer o alimento por completo, especialmente lacticínios e carnes, quando utilizados. O alimento não deve ser reaquecido mais de uma vez, e também é aconselhável esperar que resfrie antes de colocá-lo no refrigerador. Essa medida vai prevenir que o calor do alimento passe para outros alimentos próximos. Além disso, a orientação do FDA define que o alimento deve esfriar de 57 °C para 21 °C em duas horas e que esse alimento deve esfriar de 21 °C para 5 °C em mais quatro horas.

CONTROLE DE TEMPERATURA

Deve ser observado um controle restrito de temperatura para que alguns alimentos se mantenham protegidos. Alimentos prontos para o consumo, alimentos cozidos, carne ou peixes defumados e alguns tipos de lacticínios devem, por lei, ser mantidos quentes ou frios até serem servidos. Caso contrário, bactérias nocivas podem se desenvolver, ou podem se formar toxinas no alimento causando intoxicação ao consumidor.

Certos **patógenos**, ou micro-organismos causadores de doenças, podem sobreviver em todos os níveis de temperatura. No entanto, o ambiente mais propício para o desenvolvimento dos muitos micro-organismos que podem causar doenças é aquele em que a temperatura vai de 5 °C a 57 °C – uma variação conhecida como **zona de perigo**. Acima de 57 °C muitos dos patógenos ou são destruídos ou não vão se reproduzir. Abaixo de 5 °C o ciclo de reprodução será retardado ou interrompido.

Por esse motivo, os alimentos que são mantidos quentes antes de ser servidos devem permanecer acima de 63 °C e sua temperatura deve ser continuamente monitorada. Aqueles alimentos que forem servidos frios devem ser mantidos a 4 °C ou abaixo dessa temperatura.

CONTAMINAÇÃO CRUZADA

A expressão **contaminação cruzada** descreve a transferência de micro-organismo de um alimento, normalmente cru, para outros. A bactéria pode ser transferida diretamente, quando o alimento contaminado toca outro alimento, ou indiretamente, pelas mãos, por meio de equipamentos, superfícies de contato, facas e/ou outros utensílios. A contaminação cruzada pode ocorrer facilmente em uma panificação na qual ovos e laticínios são ingredientes comuns. A contaminação cruzada ocorre com muita frequência e é uma das maiores causas de intoxicação alimentar. Um dos determinantes mais comuns inclui o armazenamento de alimentos crus ao lado de alimentos prontos para o consumo, não lavar as mãos depois de manusear alimentos crus e usar a mesma prancha ou faca para alimentos crus e cozidos.

DOENÇAS DE ORIGEM ALIMENTAR

No total, 76 milhões de casos de doenças causadas por alimentos ocorrem a cada ano nos Estados Unidos. Desse total, em torno de 500 resultam em morte.

CAUSAS

Embora as bactérias ou suas toxinas causem a maior parte das intoxicações alimentares, também podem estar relacionadas a parasitas (triquinose), vírus (hepatite) e agentes químicos (fungos). A contaminação dos alimentos pode ocorrer durante cultivo, colheita, manuseio, armazenamento, transporte ou preparação.

FATORES DE RISCO

Gestantes, idosos, crianças e pessoas com problemas crônicos de saúde, como diabetes, cirrose, falência renal crônica, Aids e câncer, estão mais expostas aos riscos de contrair uma intoxicação alimentar.

Em torno de 79% dos surtos de intoxicação alimentar nos Estados Unidos é atribuído a bactérias, sendo a *salmonela* responsável por mais da metade dos casos constatados. A *salmonela* pode ser contraída ao se consumir ovos, carne e frango. Ao todo, um em cada 20 mil ovos apresenta *salmonela*. *Campylobacter*, que se reproduz no leite, frango, carne e animais de estimação, causam 4 milhões de casos de doenças alimentares por ano nos Estados Unidos. É menos incidente e normalmente não está associada a surtos.

DIAGNÓSTICOS

Os sintomas de intoxicação alimentar são similares à gastroenterite. Os doentes reclamam de cólicas estomacais, náusea, vômito e diarreia. Em alguns casos podem ocorrer febre, dor de cabeça, dores no corpo e desidratação. Um diagnóstico adequado tem como base o histórico de ingestão de algum alimento em especial e em testes laboratoriais. O exame do alimento consumido, quando possível, ajuda bastante.

TRATAMENTO

A maioria das intoxicações alimentares é relativamente leve e dispensa tratamento, a não ser aumentar o consumo de líquidos para repor o perdido. Os pacientes que apresentarem sintomas mais sérios como sangramento, febre, sintomas neurológicos, dificuldade em respirar e tontura devem consultar um médico imediatamente. Em alguns casos é necessária a hospitalização para hidratação ou outros cuidados médicos.

PATÓGENOS DOS ALIMENTOS

Todos aqueles envolvidos na atividade de preparação de alimentos devem instruir-se sobre patógenos, saber de onde eles vêm e como evitá-los. Os mais comuns e mais problemáticos são:

- *Campylobacter*, a causa bacteriana mais comum de diarreia nos Estados Unidos – Suas fontes são leite cru, água não tratada e carne ou frango crus ou não cozidos adequadamente.
- *Clostridium botulinum*, um organismo que produz uma toxina que causa o botulismo – Essa doença, que pode ser fatal, impede os músculos respiratórios de bombear o ar para os pulmões, pode ser causada por alimentos preparados em casa e por óleos de ervas. Também, pela possível presença de *Clostridium botulinum*, não se deve dar mel a crianças com menos de 1 ano de idade.
- *Escherichia coli* 0157:H7, uma bactéria que pode produzir uma toxina mortal – *E. Coli* 0157:H7 causa aproximadamente 73 mil casos de intoxicação alimentar a cada ano nos Estados Unidos. Suas fontes são o leite cru e a carne, especialmente hambúrguer mal cozido ou cru.
- *Listeria monocytogenes* causa a listeriose, uma doença muito perigosa para gestantes, recém-nascidos e adultos com sistema imunológico frágil – as fontes principais são solo e água, e tem sido encontrada em lacticínios, incluindo queijo fresco, bem como em carne crua ou mal cozida, frangos, frutos do mar e legumes.
- *Norovírus* é o maior causador de diarreias nos Estados Unidos – Qualquer alimento pode ser contaminado com norovírus caso seja manipulado por alguém que esteja infectado.
- *Salmonela* é responsável por milhões de casos de intoxicação alimentar a cada ano – É a causa mais comum de mortes por intoxicação alimentar, suas fontes incluem ovos crus ou mal cozidos, frango e carne mal cozidas, lacticínios, frutos do mar, frutas e legumes.
- *Staphylococcus aureus*, uma bactéria com toxinas que causam vômitos imediatamente após a ingestão – É encontrada em alimentos com altos níveis de proteína, como porco, saladas, produtos de padarias e lacticínios.
- *Shigella*, estima-se que 3 milhões de casos de diarreia por ano são causados por essa bactéria – A *shigella* é causada por falta de higiene, o que facilita a transmissão de uma pessoa a outra. Suas fontes são saladas, lacticínios e água não tratada.
- *Toxoplasma gondii* é um parasita que causa a toxoplasmose – Essa doença grave pode causar alterações no sistema nervoso central, especialmente retardo mental e perda da visão em crianças. Gestantes e adultos com sistema imunológico frágil estão sob alto risco se contraírem a doença.
- *Vibrio vulnificus* é uma bactéria que causa gastroenterite ou uma síndrome conhecida como septicemia – Pessoas com doenças hepáticas estão sob alto risco se contraírem a *Vibrio vulnificus*. É encontrada em frutos do mar crus ou mal cozidos.

ALIMENTOS ALERGÊNICOS

Alimento alergênico é um produto ou ingrediente que contém certas proteínas que podem potencialmente causar reações graves, por vezes fatais, em uma pessoa que seja alérgica àquele alimento. Proteínas alergênicas ocorrem naturalmente e não são eliminadas mediante cozimento. O curioso é que muitos dos alergênicos mais comuns e perigosos, indicados na seção a seguir, são empregados na indústria de panificação.

Alergias alimentares ativam o sistema imunológico que pode variar de um desconforto a uma reação fatal. Atualmente, não há medicamentos disponíveis para curar alergias, embora epinefrina ou adrenalina sejam utilizadas normalmente para controlar a reação alérgica a uma proteína alimentar. O único modo de prevenir uma reação alérgica é evitar o alimento causador da alergia.

OS OITOS PRINCIPAIS

De acordo com o *Guidance Document for Food Investigators*, do FDA, são oito alimentos que contêm as proteínas que causam 90% de todas as reações alérgicas. Ao compor essa lista, o FDA se concentrou nos principais alimentos que causam anafilaxia, incluindo:

- Leite
- Ovos
- Amendoim
- Oleaginosas (castanhas, nozes, amêndoas, avelãs)
- Peixes
- Frutos do mar
- Soja
- Trigo

No Canadá, a lista dos alimentos alergênicos mais importantes inclui semente de gergelim e sulfito. A categoria nozes inclui noz europeia e pecã, amêndoa, avelã, pistache, castanha-de-caju, pinoli, macadâmia e castanha-do-pará. Frutos do mar incluem siri, caranguejo, lagosta, camarão, mariscos e ostras. Trigo inclui também cevada, centeio, aveia e espelta, tanto em grão, farinha ou em outra forma. Em todas as categorias, ainda não se sabe a quantidade exata de proteína alergênica suficiente para provocar uma reação alérgica.

Todos os alimentos alergênicos são proteínas, mas nem todas as proteínas são alergênicas. Aproximadamente 170 alimentos diferentes foram identificados como capazes de causar uma reação alérgica e, portanto, devem ser objeto de atenção especial por parte dos panificadores. Entre esses alimentos estão sementes de algodão, sementes de papoula, sementes de girassol, gergelim, legumes, sulfito, e a lista continua a crescer. Normalmente são incluídos também, nas listas de alergênicos, a sensibilidade aos sulfitos e ao amarelo FS&C #5. No entanto, os sulfitos acrescentados em nível menor do que dez partes por milhão (ppm) não precisam ser indicados no rótulo.

Os alergênicos devem ser incluídos como parte das análises de ingredientes de risco em um programa de HACCP nas panificadoras. Caso a panificadora não tenha um programa de HACCP, deve ser feita análise independente para alergênicos nos ingredientes. Deve-se desenvolver uma metodologia para diferenciar ingredientes alergênicos de não alergênicos, e os alergênicos devem ser identificados como um ingrediente isolado ou como parte de uma combinação nas especificações de ingredientes. As panificadoras podem usar muitos métodos diferentes para identificar os ingredientes, desde que o programa seja seguido. A análise de risco do ingrediente deve incluir também auxílios no processamento ou aditivos involuntários que possam conter alergênico, sulfitos, ou amarelo FS&C #5.

A solução para controlar alergênicos durante o processamento é evitar a contaminação cruzada. A fim de informar mais acertadamente, deve-se indicar a respectiva área em que os alergênicos são adicionados ao longo do processo produtivo. Caso o mesmo ingrediente alergênico seja empregado em todos os produtos, não há risco de contaminação cruzada. Infelizmente, isso não ocorre na maioria dos casos. A possibilidade de contaminação cruzada nas panificadoras pode ocorrer, por exemplo, quando a produção de um pão com sementes ou nozes muda para outro que não contenha no seu rótulo tais ingredientes. A higienização adequada ou a limpeza do equipamento e superfícies de contato, além da separação de panelas e formas, vai evitar a contaminação cruzada de alergênicos.

ROTULAÇÃO

O rótulo de ingredientes deve incluir todos aqueles usados na fabricação de qualquer produto, e todos os alergênicos devem ser claramente indicados. Além disso, os ingredientes empregados para a fabricação de um produto especial devem ser confirmados com o rótulo para assegurar-se de que são idênticos.

Desde janeiro de 2006 passou a vigorar, nos Estados Unidos, as exigências do FDA que requer que todos os produtos alimentícios rotulados para venda adotem novos padrões para declarar a presença de gorduras trans e alergênicos. Informações específicas em relação às exigências de rotulação para gorduras trans podem ser obtidas no site do FDA: http://www.fda.gov./oc/iniciatives/transfats. Para informações sobre rotulação de alimentos alergênicos, contate o site do Center for Food Safety and Applied Nutrition do FDA: http://www.cfsan.fda.go~dms/alrguid.html.[2]

PRÁTICAS ADEQUADAS DE LIMPEZA E HIGIENIZAÇÃO EM PANIFICADORAS

Em todo o processo de produção de alimentos, o local e todos os equipamentos e superfícies de contato diretamente relacionados com alimentos devem ser mantidos limpos e, quando necessário, desinfetados. Uma rotina de higiene e um conjunto de limpeza correta são boas medidas para assegurar que os níveis adequados de limpeza foram alcançados.

Um plano de higienização completa para a panificadora deve consistir de um programa escrito para as atividades de assepsia que devem ocorrer diária, semanal e mensalmente, ou periodicamente. Também deve incluir o Standard Sanitation Operating Procedures – SSOP (Procedimento Padrão de Higiene Operacional – PPHO), ou por escrito, passo a passo, os procedimentos de assepsia e higienização para cada atividade de limpeza. Por fim, deve adotar uma lista para registrar as atividades de higienização conforme forem completadas. Essas atividades devem ser rigorosamente mantidas.

LIMPEZA *VERSUS* HIGIENIZAÇÃO

Limpeza remove a sujeira e resíduos mais visíveis, incluindo poeira e restos de comida, enquanto a **higienização** diminui o número de micro-organismos causadores de doenças para um nível seguro. Uma bancada de trabalho não poderá ser adequadamente higienizada se não for completamente limpa antes, porque a sujeira e os resíduos de alimento podem abrigar as bactérias dos efeitos de uma higienização.

---

[2] Consulte também os endereços: http://portal.anvisa.gov.br/wps/portal/anvisa/home/alimentos e http://www.abre.org.br/rotulagem.php. (NE)

Processo básico de limpeza e higienização

A seguir, o processo para uma limpeza e higienização básicas de superfícies de contato de alimentos:

▶ Limpar sujeira, resíduos e restos de comida.
▶ Enxaguar com água limpa.
▶ Lavar e escovar com detergente para soltar as partículas remanescentes.
▶ Enxaguar uma segunda vez com água quente.
▶ Higienizar com material aprovado para uso em superfícies de contato com alimento.
▶ Secar com ar quente (o uso de pano ou papel-toalha pode resultar em contaminação cruzada).

Esse procedimento também pode ser aplicado em outras superfícies que não para alimentos, como chão, paredes e tetos.

AGENTES DE LIMPEZA

Procedimentos adequados de limpeza garantem as bases de um programa efetivo de higienização das instalações. Como foi afirmado, a limpeza com detergentes apropriados deve ser realizada antes da higienização. A escolha do detergente depende do tipo de sujeira a ser removida, o volume de limpeza necessária, o tipo de superfície a ser limpa e o tipo de equipamento usado para limpeza.

Fatores que afetam a limpeza

Há dois fatores que afetam a limpeza: a concentração do produto e os tipos de detergentes empregados. A concentração envolve a especificidade do detergente, já que produtos diferentes funcionam melhor para os vários tipos de sujeira. Outros fatores nessa categoria incluem o tempo em que o detergente permanece na área a ser limpa, o grau de espuma, a temperatura da solução de limpeza, a ação mecânica de escovação, o tipo e a quantidade de sujeira, a água utilizada, incluindo os níveis de solidificação.

Quatro tipos de detergentes são apropriados para uso em panificadoras:

▶ Detergentes para uso geral são leves, e da linha de pH neutro. São seguros para uso em superfícies pintadas ou corrosíveis.
▶ Detergente alcalino contém níveis alcalinos (cáusticos) de moderado a alto, que são mais efetivos em resíduos de alimentos.
▶ Detergentes clorados ou alcalinos clorados são eficazes em remover sujeira de origem proteica.
▶ Detergentes ácidos são os melhores para remover depósitos de mineral inorgânico como crostas e cal.

HIGIENIZADORES

Cloro, produtos com iodo e composto de amônia quaternária são os três produtos químicos mais empregados como higienizadores. Quando é usada a água quente como etapa de higienização, a temperatura deve ser mantida no mínimo a 76,7 °C e não mais do que 90,6 °C por 30 segundos.

Fatores que afetam a higienização

Produto para higienização adicionado em excesso pode criar uma solução tóxica e ineficaz; se, ao contrário, for adicionado em menor quantidade, a solução será fraca e sem efeito. A solução deve ser testada no momento de sua preparação e continuar ao longo do processo para garantir que a concentração adequada seja mantida. Devem-se considerar os seguintes pontos ao desenvolver um programa de higienização:

» Um plano para um rodízio de higienização para prevenir a formação de **biofilme**, ou uma comunidade de micro-organismos que ataca superfícies sólidas expostas à água excretando uma substância fina, colante – Biofilmes colonizam imediatamente superfícies, incluindo pias, bancadas e outras superfícies de contato de alimentos. Práticas de assepsia malfeitas e produtos de limpeza ineficazes podem aumentar a incidência de doenças relacionadas a eles.
» O tipo de superfície a ser higienizada – Produtos diferentes funcionam melhor para cada tipo de superfície.
» O tempo que um produto permanece em contato com a área a ser higienizada.
» A temperatura da solução para higienização.
» As possibilidades de que um produto entre em contato com material orgânico reduzindo sua eficácia.

As concentrações de produtos mais usadas

A Figura 2-4 mostra os quatro higienizadores mais aplicados, juntamente com as concentrações recomendadas para alimentos e superfícies em geral. Os valores mais altos da lista indicam a concentração máxima permitida sem o enxágue necessário. Para atingir a concentração correta, siga as instruções do rótulo do produto para diluição proporcional. Testes de papel em tiras são encontrados facilmente e podem ser usados para verificar se foram alcançadas as concentrações corretas.

CONTROLE DE PRAGAS NA PANIFICADORA

Um dos muitos cuidados que vai garantir uma produção e armazenamento higiênico, seguro e integral dos bens produzidos em uma panificadora é a aplicação do **Integrated Pest Management – IPM** (Manejo Integrado de Pragas – MIP) para o controle de pragas. O IPM tornou-se hoje o método preferido no processamento de alimentos e operações em panificadoras. No entanto, é necessário um entendimento básico para a aplicação do programa de controle de pragas, seja ele terceirizado ou administrado pela própria empresa.

Figura 2-4

Concentrações de produto.

Produto	Superfície de contato com alimento	Superfícies em geral
Cloro	100-200	400
Iodo	25	25
Composto de amônia quaternária	200	400-800
Ácido peracético	200-315	200-315

INFESTAÇÃO DE INSETOS EM ALIMENTOS ARMAZENADOS

Milhares de insetos, literalmente, estão associados à indústria panificadora. Cereais, nozes, frutas e doces, todos os ingredientes comuns em panificação estão sob alto risco de atrair insetos.

Os **insetos** mais comuns em alimentos armazenados em panificadoras são:

- Caruncho da farinha
- Besouro da farinha
- Besouro de grãos
- Caruncho do fumo

- Traças de farinha
- Traças dos cereais
- Gorgulho mercador

O ciclo de vida ou a **metamorfose completa** dos insetos de alimentos consiste de quatro estágios: (1) ovo, (2) larva, (3) crisálida, e (4) adulto. O ciclo começa quando o ovo é depositado dentro ou próximo dos alimentos. Durante a fase larval, o inseto provoca os maiores estragos no produto e no seu entorno. A pequena larva se desenvolve e começa a se alimentar imediatamente. Na medida em que a larva cresce, ela se transforma em uma crisálida. Esta solta a pele e o inseto adulto emerge.

Insetos secundários

Um segundo grupo de insetos pode infestar a área de estoque e os produtos armazenados ali. Conhecidos como insetos secundários, fazem parte de programas de eliminação e higienização. Os insetos secundários mais comuns encontrados em panificadoras são as baratas de esgoto e as baratinhas alemãs. Esses insetos podem ser controlados por meio de um programa organizado que inclui a inspeção de todas as matérias-primas e pacotes recebidos para se ter certeza de que não estão infestados. Além disso, todas as rachaduras e fendas das instalações devem ser vedadas para eliminar quaisquer possibilidades de dar abrigo aos insetos. Por fim, uma prática sólida de boas técnicas de higienização e aplicação de pesticidas ou iscas e armadilhas quando necessário pode controlar a população desses insetos.

As moscas, que são portadoras de doenças e estão associadas à sujeira, fazem parte de um outro problema sério nas panificadoras. Elas podem ser controladas usando-se muitos dos métodos aplicados ao controle de baratas. Além disso, o uso de barreiras mecânicas como telas, cortinas de ar e armadilhas elétricas para moscas podem ser muito eficazes no controle de infestações desses insetos.

TIPOS, HÁBITOS E CARACTERÍSTICAS DE ROEDORES

Camundongos, ratos de telhado e ratazanas podem causar muitos problemas aos profissionais de panificação. Esses animais transitam por paredes e superfícies. Os camundongos necessitam de menos água e são mais fáceis de capturar do que ratazanas, que nas grandes cidades dos Estados Unidos têm uma população igual ou maior do que a humana. Além da magnitude dos números, os ratos podem transmitir doenças como tifo e pragas.

O primeiro passo no controle de roedores é criar barreiras. Em outras palavras, é essencial vedar adequadamente todas as portas. Construções antigas com deficiências estruturais como rachaduras e fendas que podem permitir a passagem de roedores devem ser vedadas ou consertadas.

Pontos com iscas podem ser usados ao longo das áreas externas das instalações. Devem ser bem vedados, colocados em lugar seguro e claramente identificados. As iscas para roedores nunca devem ser colocadas na área de produção ou de armazenamento. Para a área interna armadilhas, sem iscas, podem ser utilizadas, mas devem ser de modo claro identificadas e inspecionadas semanalmente.

TIPOS, HÁBITOS E CARACTERÍSTICAS DE PÁSSAROS

Pardais, estorninhos e pombos são considerados pestes no interior e nas imediações das instalações de produção de alimentos.

O controle de pássaros pode ser feito tomando-se três medidas preventivas: eliminar todas as fontes de alimento e água, prevenindo a entrada e a instalação das aves, ou construindo barreiras e armadilhas ou iscas para pássaros.

PESTICIDAS

Dois tipos de **pesticidas** são normalmente empregados na indústria de panificação. São de uso generalizado, o que oferece pouco risco às pessoas ou ao ambiente quando aplicados de acordo com as recomendações do rótulo, e pesticidas de uso restrito, que podem oferecer riscos potenciais mesmo quando utilizados adequadamente.

PROCEDIMENTOS OPERACIONAIS GERAIS PARA O CONTROLE DE PRAGAS

Os procedimentos a seguir são recomendados para receber e armazenar ingredientes e material embalado para prevenir a invasão de pragas no interior das instalações:

- Inspecionar todo o material entregue na panificadora antes de aceitá-lo para assegurar a ausência de pestes ou descobrir contaminação que possa ter ocorrido durante o transporte.
- Estabelecer um rodízio eficiente de PEPS (Primeiro a entrar, primeiro a sair, do inglês Fifo – First In, First Out) de todo o material do estoque não apenas para alimentos.
- Armazenar todos os produtos e materiais a 45 cm da parede e nunca diretamente no chão.
- Manter materiais tóxicos (produtos de limpeza, pesticidas) a uma distância segura dos alimentos para evitar a possibilidade de contaminação.
- Limpar de modo imediato qualquer respingo líquido ou seco. Embalagens danificadas ou perfuradas, em que o produto fica exposto, devem ser inspecionadas diariamente.
- Pense seriamente em adotar equipamentos mecânicos de controle de pestes como a armadilha múltipla para roedores, cartões colantes e lâmpadas para atrair insetos. As iscas para roedores e/ou outros venenos tóxicos devem ser empregados como último recurso e somente com a supervisão de um profissional.
- Manter um registro ou uma anotação de todas as ocorrências com pesticidas e as medidas de controle tomadas. Um manual do programa de controle de pestes com registro de contratos, seguros e serviços deve ser mantido na empresa.
- Realizar inspeções internas e/ou externas para avaliar a eficácia completa do programa de controle de pestes. Essas inspeções devem ser realizadas regularmente e considerar as necessidades e as exposições da panificadora.
- Promover treinamentos contínuos para funcionários sobre práticas de eliminação de pestes e boa higienização.

BIOSSEGURANÇA

Um dos resultados do ataque terrorista de 11 de setembro de 2001 tem sido uma crescente conscientização da necessidade de ampliar a segurança nos Estados Unidos. A resposta do Congresso foi a aprovação da Lei de 2002 (**Lei do Bioterrorismo**), transformada em lei pelo presidente Bush em 12 de junho de 2002.[3]

A Lei do Bioterrorismo está dividida em cinco títulos. O FDA foi responsável por desenvolver alguns temas da lei, especialmente o Título III, Subtítulo A – Proteger o fornecimento de alimentos e medicamentos garantindo segurança.

DESTAQUES DA LEI DO BIOTERRORISMO, TÍTULO III, SUBTÍTULO A

A Section 305 (Registration of Food Facilities – Registro das Instalações de Alimentos) exigia que o proprietário, o operador ou o agente responsável por uma empresa alimentícia, no mercado interno ou externo, fizesse seu registro no FDA até dezembro de 2003. Instalações são definidas como fábrica, depósito ou outro estabelecimento, incluindo importadoras. A Lei do Bioterrorismo exclui fazendas, restaurantes e outros estabelecimentos de venda a varejo, e instituições sem fins lucrativos nos quais o alimento é preparado ou servido diretamente para o cliente. As empresas estrangeiras sujeitas às exigências de registro estão restritas àquelas que manufaturam, processam, empacotam, estocam alimentos, somente se o alimento de tais empresas chegam aos Estados Unidos sem processamento ou empacotamento adicional fora do país.

SEGURANÇA ALIMENTAR

Para prevenir manipulação intencional, as grandes empresas estão voltadas para desenvolver programas de segurança alimentar para suas operações. Embora não se limitem a eles, esses programas cobrem os seguintes pontos:

- Vulnerabilidade de avaliação e risco gerencial.
- Desenvolvimento de diretrizes e programas escritos.
- Definição de uma equipe de segurança alimentar.
- Revisão das instalações.
- Medidas de segurança para prédios e terrenos.
- Controle de acesso.
- Segurança para depósitos.
- Preparação para *recall*.
- Crise de programas de gerenciamento.
- Inspeções de segurança.
- Relacionamento entre cliente-fornecedor.

---

[3] Para mais informações, com relação ao Brasil, consulte o site: http://www2.desenvolvimento.gov.br/sitio/secex/negInternacionais/MedTerrorismo/Lei.php.

INICIAR UM EMPREENDIMENTO EM PANIFICAÇÃO

Seja no caso de um pequeno empresário apenas começando, seja no de uma empresa já estabelecida em busca de expansão, operar uma panificação em um ambiente regulatório em constante mudança pode ser uma tarefa assustadora.

As informações a seguir fornecem um painel básico para iniciar o empreendimento criando uma estrutura sólida para uma nova empresa, ou simplesmente para expandi-la. A Vigilância Sanitária local é uma boa fonte para se conhecer o que será requisitado para o tipo de operação contemplada, bem como sobre o segmento do mercado escolhido – seja varejo, fornecimento de refeições, atacado, ou um pouco de cada um deles. Quando essas informações puderem ser reunidas, será possível avançar.

Não importa se determinada operação é conduzida em uma cozinha doméstica de 30 m² ou em uma instalação comercial de 3.000 m², a exposição e a responsabilidade do proprietário são as mesmas. A única diferença é que, na operação de maior porte, os fatores do programa de segurança alimentar serão mais elaborados e complexos.

PROCEDIMENTOS PARA AVALIAR O FUNCIONAMENTO DA PANIFICADORA

Dependendo do que será produzido na empresa, haverá inúmeras variáveis a serem consideradas. A seguir, são indicadas algumas das práticas a serem observadas:

- Calcular o tamanho das instalações ou da área (em metros quadrados).
- Determinar os tipos de pães e/ou doces a serem produzidos.
- Fazer uma relação dos equipamentos a serem utilizados nos procedimentos.
- Criar uma lista de ingredientes a serem usados nos procedimentos.
- Se houver empregados, decidir quantos serão e se haverá necessidade de treinamento.
- Se ingredientes e materiais embalados serão armazenados no local, determinar o tamanho e o tipo de depósito ou sala de estoque necessária.
- Determinar como os produtos serão distribuídos, se por meio de veículos do proprietário, transporte de terceiros, ou outros meios.

PROCEDIMENTOS PARA DETERMINAR O TAMANHO DAS INSTALAÇÕES E A DISTRIBUIÇÃO DOS EQUIPAMENTOS

Um programa bem-sucedido de segurança alimentar é determinado pelo tamanho das instalações e pelos tipos de equipamentos a serem utilizados na produção. Ao planejar um espaço de trabalho, deve-se investir em um fluxo de produção eficiente e ter certo espaço amplo para ajudar a estabelecer um local de trabalho organizado e limpo. A seguir, algumas indicações:

- Criar um diagrama das instalações incluindo a distribuição dos equipamentos e a separação de áreas relativas à produção.
- Indicar no diagrama todas as portas principais e as giratórias entre as áreas ou de entrada e saída da panificadora.
- Determinar as áreas em que serão armazenadas matérias-primas ou outros materiais usados no processamento ou no apoio da operação.
- Indicar a área de limpeza para o preparo das atividades de limpeza e de higienização.
- Se for o caso, mostrar o espaço destinado aos funcionários (copa, armários).

CONSIDERAÇÕES SOBRE O CONTROLE DE PRAGAS

Depois de definir o plano para as operações da panificadora, deve-se consultar ou contratar uma empresa especializada no controle de pragas. As pequenas empresas podem se beneficiar do profissionalismo dessas firmas nos locais onde a operação será realizada. Esse tipo de firma também poderá fornecer proteção contra pragas, como ratos, pássaros e insetos, que possam invadir as instalações, para áreas internas e externas.

Ao contratar esse tipo de serviço para o controle de pragas, o contratante deve assegurar-se de que a empresa tenha experiência na indústria alimentícia. Mesmo quando uma empresa externa é contratada, a responsabilidade final é do proprietário da panificadora, caso um procedimento ou um produto final seja exposto à pesticida. Os proprietários de panificadoras devem estar cientes de suas responsabilidades ao executar o controle de pragas.

As empresas de controle de pragas terceirizadas devem manter um registro de suas atividades quando contratadas. Somente devem ser contratadas empresas licenciadas que concordem em fornecer toda a documentação necessária ao realizarem a atividade. O empregado da empresa contratada deve checar toda a área acompanhado de um funcionário da panificadora para que qualquer dúvida ou problema que surja possa ser resolvido em tempo.

Caso seja necessária a aplicação de um pesticida, uma documentação conhecida como **Material Safety Data Sheets – MSDS** (Folhas de Dados de Segurança do Produto) deve ser fornecida para garantir que tanto os trabalhadores como o pessoal de segurança no trabalho conheçam os procedimentos adequados para manuseio ou funcionamento de uma determinada substância.

PROCEDIMENTO PARA CRIAÇÃO DO PERFIL DO PRODUTO

Ao terminar de assar um produto, o padeiro ou confeiteiro ainda não terá concluído seu trabalho. O manuseio e o armazenamento dos produtos são tão importantes quanto seu preparo. Especialmente os de confeitaria, que contêm frutas frescas, creme fresco ou cozido e nozes, devem ser armazenados e rotulados de modo adequado para diminuir os riscos de intoxicação alimentar. A seguir, algumas indicações básicas:

- Desenvolver o perfil do produto para cada item a ser produzido de forma que possam ser definidos parâmetros para o controle de sensibilidade de temperatura ou problemas alergênicos.
- Estabelecer a validade de um produto em relação à segurança e ao frescor.
- Determinar as exigências de rótulo e de embalagem que se aplicam para cada item, quando necessário.
- Especificar as exigências de duração e armazenamento de produtos acabados.
- Estabelecer as exigências para distribuição e/ou procedimentos.

PROCEDIMENTO PARA MATÉRIAS-PRIMAS E EMBALAGENS

O armazenamento de matérias-primas e material de embalagem é considerado um ponto de controle. A garantia de um produto finalizado depende da segurança das matérias-primas utilizadas e dos materiais usados para a embalagem. A seguir, algumas considerações básicas:

❱ Listar as matérias-primas necessárias para o procedimento.

❱ Determinar qualquer exigência especial para o manuseio e armazenamento de matérias-primas, incluindo controle de temperatura, manuseio ou armazenamento especial de ingrediente alergênico, e assim por diante.

❱ Indicar local adequado de armazenamento que permita a separação de ingredientes e material de embalagem.

❱ Certificar-se de que quaisquer e todos os rótulos usados nas embalagens estejam de acordo com as exigências legais.

PROCESSOS PARA IMPLANTAR PROCEDIMENTOS DE LIMPEZA E HIGIENIZAÇÃO

Implantar procedimentos padronizados de limpeza e higienização é o melhor meio de garantir instalações limpas e higiênicas. Estabelecer as diretrizes juntamente com a empresa fornecedora de material químico e com empregados garante que todos estarão cientes da importância da limpeza e higiene e, portanto, vão seguir as orientações do **Standard Sanitation Operating Procedures – SSOP**. Monitorar as atividades de limpeza e higienização diariamente, ou mesmo por turnos, assegura confiança e ajuda a manter um ambiente de produção asseado.

❱ Consultar empresas do ramo fornecedoras de material químico com experiência na indústria de alimentos para determinar quais os produtos necessários para a assepsia de panificadoras.

❱ Solicitar assistência dos fornecedores de material químico para delinear procedimentos de limpeza em várias aplicações nas instalações.

❱ Obter o Material Safety Data Sheets (MSDS) para todos os produtos de limpeza usados nas instalações.

❱ Solicitar à empresa de produtos químicos auxilio no treinamento de pessoal nas práticas seguras de manuseio de produtos químicos a serem usados, incluindo aplicação, especialmente se a empresa encontra-se em expansão.

CONSIDERAÇÕES PARA CONSULTORES EXTERNOS E INSTITUIÇÕES LOCAIS DE ENSINO

O responsável por uma panificadora deve ter conhecimento básico das leis e procedimentos exigidos para o funcionamento de sua empresa. Cursos de Higiene e Manipulação de Alimentos são, com frequência, promovidos por universidades públicas ou pela Divisão de Vigilância Sanitária. No entanto, para a solução de situações mais complexas e específicas uma consultoria pode ser de grande ajuda.

❱ Ao iniciar a atividade, faça uma consultoria ou frequente um curso em escolas especializadas; ambos são recursos valiosos.

❱ Ao contratar os serviços de um consultor, verifique as referências e credenciais.

❱ O dinheiro gasto em serviços de consultoria, no início, pode ajudar a evitar situações mais dispendiosas no futuro.

RESUMO DO CAPÍTULO

Os princípios básicos de higiene e assepsia alimentar são definidos por lei. Os responsáveis por panificadoras ou confeitarias que adotam esses princípios básicos e mantêm a produção livre de riscos podem oferecer um produto mais seguro aos consumidores. Produtos que apresentem riscos potenciais podem ser evitados se a panificadora ou confeitaria seguir os procedimentos de APPCC e POPH. A partir do momento que os procedimentos forem incorporados à rotina da produção, as chances de contaminação alimentar são em grande parte reduzidas. Se esses procedimentos forem seguidos diariamente, é possível que muitos problemas sejam prevenidos.

PALAVRAS-CHAVE

❖ adulteração

❖ alimento alergênico

❖ Análises de Perigos e Pontos Críticos de Controle (APPCC)

❖ biofilme

❖ Boas Práticas de Produção

❖ contaminação cruzada

❖ decreto do Federal Food, Drug and Cosmetic (FDCA)

❖ Food and Drug Administration (FDA)

❖ higiene pessoal

❖ higienização

❖ insetos

❖ Manejo Integrado de Pragas (MIP)

❖ Lei do Bioterrorismo

❖ Material Safety Data Sheets (MSDS)

❖ metamorfose completa

❖ Nutrition Labeling and Education Art (NLEA)

❖ patógenos

❖ pesticidas

❖ primeiro a entrar, primeiro a sair (PEPS)

❖ Procedimentos Padrão de Higiene Operacional (PPHO)

❖ zona de perigo

QUESTÕES PARA REVISÃO

1. Qual a diferença entre as palavras *dever* e *recomendar* das Boas Práticas de Produção?

2. Quais são as quatro principais defesas contra o crescimento e disseminação das bactérias?

3. A intoxicação alimentar é causada por bactéria ou por suas toxinas, parasitas, vírus, e por quais outros riscos?

4. Podem as proteínas alergênicas ser eliminadas por cozimento ou aquecimento?

5. O que deve ser feito antes de uma superfície de contato ser completamente higienizada?

PARTE

2

PANIFICAÇÃO

A Parte 2 deste livro explora os ingredientes e processos envolvidos na fabricação do pão, inicia-se com a tradicional baguete, estendendo-se ao item mais contemporâneo, o pão de avelãs carameladas. Com a intenção de oferecer aos alunos capacitação para produzir uma seleção de pães crocantes, leves e saborosos, vamos começar esta seção com um panorama do processo de cozimento, assim como uma visão detalhada do processo de mistura, fermentação, cozimento, tecnologia avançada da farinha e procedimentos alternativos para assar o pão.

PROCESSO DE PANIFICAÇÃO E MISTURA DA MASSA

OBJETIVOS

Após a leitura deste capítulo, você será capaz de:

- Apresentar as dez fases do processo de cozimento.
- Demonstrar, do ponto de vista histórico, a mistura da massa e sua evolução ao longo do tempo.
- Explicar a teoria básica de mistura da massa e as fases corretas a seguir.
- Explicar as três principais técnicas de mistura e entender seus respectivos resultados na massa e no produto final.
- Explicar o conceito de textura e como esta se relaciona com as várias técnicas de mistura.
- Misturar adequadamente a massa aplicando os métodos apresentados neste capítulo.

INTRODUÇÃO

Este capítulo inicia-se com uma visão breve sobre cozimento e prossegue com um exame detalhado sobre o processo de mistura.

O PROCESSO DE COZIMENTO

O processo de cozimento pode ser definido como uma sucessão natural e lógica de fases que vão garantir a transformação adequada de ingredientes básicos em um pão. Conforme detalhado no Capítulo 5, o processo de cozimento tem efeito direto nas características do produto final.

Quando o padeiro executa todas as fases adequadamente, a pureza dos ingredientes é mantida e o pão apresenta uma aparência agradável e um sabor muito bom e complexo. Se qualquer uma das fases estiver incompleta ou for ignorada (especialmente a mistura e o tempo de fermentação), ou se a massa é trabalhada de forma errada, vai haver perda de qualidade do produto final (ver Figura 3-1).

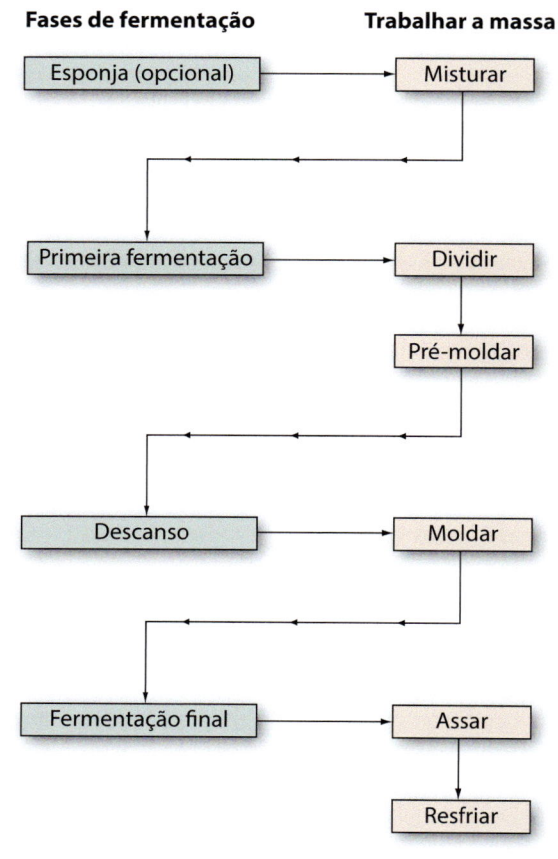

Fases de fermentação   **Trabalhar a massa**

Esponja (opcional) → Misturar

Primeira fermentação → Dividir

Pré-moldar

Descanso → Moldar

Fermentação final → Assar

Resfriar

Figura 3-1
As dez fases do processo de cozimento.

MÉTODO TRADICIONAL

A despeito da evolução das técnicas de cozimento, os processos modernos ainda seguem os princípios básicos dos métodos tradicionais empregados há milênios. O **método tradicional** (também conhecido como método indireto) inicia-se com a elaboração da **esponja** (uma porção de massa que é fermentada e então adicionada à massa final) usando fermento natural, como a massa azeda (*sourdough*), ou fermento comercial. Uma vez preparada, a esponja é reservada para fermentar e desenvolver os benefícios que serão transferidos para a massa e para o pão. Depois de adequadamente crescida, a esponja retorna à masseira e tem início, assim, a mistura final da massa.

A massa se desenvolve até o estágio desejado de acordo com as características do produto final descritas mais adiante, neste capítulo, na Figura 3-23. A massa, então, é deixada para fermentar por um período de tempo correspondente ao tempo de mistura e à proporção dos ingredientes da fórmula. Essencial para desenvolver um sabor aprimorado, essa primeira fermentação é considerada a fase mais importante da fermentação quanto à qualidade do pão. Durante esse processo, a massa se beneficia do próprio efeito do crescimento, criando condições perfeitas para alcançar uma fermentação completa.

Depois que a massa atingir um crescimento esperado, é dividida e pré-moldada de acordo com peso e formato definidos. As massas divididas são postas para descansar até atingir o formato final. Essas massas moldadas passam, então, para o próximo estágio de fermentação, quando o fermento produz um gás (dióxido de carbono – CO_2) que é captado pela massa. Esse gás gera o volume e a textura típicos do pão.

Uma vez produzido CO_2 suficiente, a massa é marcada com cortes e levada ao forno. Já no início do processo de cozimento, nota-se um importante avanço na massa. A "estufada do forno", quando ocorre a expansão final da massa e a saída de gases da água em razão da alta temperatura, também conhecida como *oven kick*, é quando o pão atinge seu volume final. Depois de assado, o pão é retirado da forma e posto para esfriar antes de ser embalado ou consumido pelos clientes.

Ainda que equipamentos sofisticados substituam o trabalho manual para algumas operações, os mesmos estágios devem ser seguidos para criar, fermentar e fazer com que a massa se desenvolva até a sua apresentação final como pão.

Ao final do capítulo, encontra-se a terminologia correta para cada estágio e explica-se rapidamente o que acontece em cada um deles.

Esponja

A esponja é um estágio opcional que ocorre antes da mistura e pode ser um recurso muito valioso para aumentar a qualidade do produto. Durante essa etapa, uma porção da massa é fermentada por certo tempo e em condições específicas. Depois é misturada à massa final para aprimorar suas características físicas, assim como a aparência, o sabor e a durabilidade do produto. Conforme descrito no Capítulo 7, tipos diferentes de esponja podem ser usados de acordo com a variedade do produto e suas características finais.

Mistura

A **mistura** é o primeiro passo importante no processo de panificação. Durante esse estágio, o profissional combina todos os ingredientes juntos para fazer a massa.

Diversos princípios importantes devem ser respeitados para alcançar uma qualidade superior para a massa e para o pão.

Primeira fermentação

A **primeira fermentação**, também chamada **fermentação principal**, ocorre quando a totalidade da massa é posta para fermentar. O efeito criado permite condições excelentes para aproveitar todos os benefícios que a fermentação traz à massa (ver Capítulo 4), incluindo a melhoria da textura e o desenvolvimento do sabor.

Divisão

Durante o estágio da **divisão**, a massa toda é repartida em pedaços menores de acordo com o peso final do pão e a perda de peso que ocorre durante o cozimento. Para a divisão manual, o padeiro deve manusear a massa com muito cuidado para evitar danificar ou desorganizar a estrutura do glúten. Além disso, quando dividir a massa em porções menores, é preferível separar um pedaço de massa de uma única vez em vez de vários pedacinhos para depois juntá-los no tamanho desejado.

Para a divisão mecânica, a escolha do equipamento é crucial para preservar o peso correto, a estrutura do glúten e a retenção de CO_2 que assegure a integridade da massa. Divisores de massa hidráulicos e sem pressão são os preferidos, porque minimizam os danos à massa e mantêm o volume adequado e a estrutura do miolo do produto.

Pré-moldagem (Boleamento)

Nesse estágio, os pedaços de massa cortados são moldados com a mão ou por máquina usando-se um boleador automático. A **pré-moldagem** é feita tendo em mente a forma final desejada; por exemplo, bolas isoladas são apropriadas para formas curtas como filões (*bâtards*) ou broas[1] (*boules*), enquanto retângulos são usados para formas mais longas como as baguetes.

Durante a pré-moldagem, se necessário, a textura da massa pode ser ajustada. No caso de uma massa fraca, ela vai se beneficiar de uma pré-moldagem mais firme que reforce a estrutura do glúten, enquanto uma massa mais forte deve ser manuseada com mais delicadeza. É muito importante que o padeiro observe cuidadosamente as características da massa e ajuste a pré-moldagem para corrigi-la. Trabalhar a massa demais ou de menos, nesse estágio, pode diminuir a qualidade do produto final.

Por fim, a simples pré-moldagem vai formar uma fina "pele" por fora da massa que vai moldar de forma correta e aprimorada, assim como vai produzir uma crosta com características melhores.

Figura 3-2

Descanso da massa moldada.

---

[1] Optamos pelo uso de "broa" (pão arredondado) em vez de "bola" (*boule*), como consta no original, para denominar os pães arredondados. (NRT)

FIGURA 3-3   MOLDAGEM DA BAGUETE

1 O retângulo da massa está pronto para a moldagem final.

2 Ao dobrar a massa, as duas partes são unidas.

3 A massa está pronta para ser moldada.

Fermentação secundária ou intermediária

Entre o pré-moldagem e a moldagem, a massa é deixada em **descanso** (Figura 3-2), o que permite que o glúten relaxe e torne a massa mais fácil de moldar. A **fermentação secundária** continua a produzir CO_2, o que vai melhorar a estrutura de célula do miolo no produto final.

Durante o descanso, a massa dever ser sempre protegida para evitar que a superfície resseque dificultando a moldagem. Se é muito fácil prevenir o ressecamento, é muito difícil hidratar novamente a massa depois que ela resseca. Armários fechados ou plásticos são duas opções para proteger a massa de ressecamento.

Moldagem

Depois de um período de descanso, a massa terá atingido a sua forma final. Essa operação pode ser realizada manualmente ou por máquina. Nesse estágio, o profissional deve observar cuidadosamente as características da massa e adaptar a moldagem com as mãos ou ajustar a máquina. A massa fraca deve ser moldada de forma firme, enquanto a massa mais forte vai se beneficiar com uma moldagem mais delicada. Essa será a última oportunidade para modificar a massa e conseguir um produto com a melhor qualidade possível. Para a moldagem mecânica, o melhor equipamento é o que oferece menor força e pressão na massa. Essa escolha vai garantir a manutenção da estrutura do glúten produzindo um miolo airado depois de assado. (Ver Moldagem da baguete na Figura 3-3, Moldagem do filão na Figura 3-4, e Moldagem da broa na Figura 3-5).

Fermentação final

Figura 3-6
Baguetes crescendo sobre tecido.

Essa fase da fermentação ocorre entre a moldagem e o começo do cozimento. Durante a **fermentação final**, o CO_2 produzido pelo fermento vai acumular e criar uma pressão interna na estrutura do glúten. Em razão de suas propriedades físicas, o glúten pode se estender enquanto mantém sua forma para resultar em um pão de grande volume e excelente textura. A massa também deve ser protegida durante esse estágio para evitar o ressecamento, o que pode produzir uma crosta grossa, dura e com uma cor pálida e sem vida. A massa poderá ser coberta ou mantida em armário fechado a fim de prevenir-se o ressecamento no período de crescimento à temperatura ambiente (ou em níveis adequados de umidade ajustados nas estufas). São usados tecidos (de algodão ou linho) também para manter o nível correto de umidade da massa durante o crescimento (Ver Figura 3-6), ou pode ser usado um retardador *proofer* com controle de umidade.

4 A baguete é enrolada com as duas mãos.

5 A moldagem final da baguete está completa.

FIGURA 3-4   MOLDAR O FILÃO

Fazer a primeira dobra para o filão.

Realizar a segunda dobra para o filão.

Fazer a terceira dobra para o filão. Uma "costura" é criada com a palma da mão, e está pronto para a dobra final. Depois de formar a costura com a palma, dobrar novamente a massa para a modelagem final.

O formato final do filão está pronto.

FIGURA 3-5   MOLDAR A BROA

A bola pré-moldada está pronta para o formato final.

Realizar uma segunda dobra e sovar a broa.

Sovar a broa.

Sovar uma última vez a broa.

Figura 3-7
Pães esfriando em prateleiras.

Levar a massa ao forno

Depois da fermentação adequada, a massa é levada ao forno para assar. o **carregamento da massa para o forno** pode ser feito manualmente, ou com auxílio de uma pá ou um carregador, ou com um sistema de carregamento automático para grandes produções. Muitas precauções devem ser tomadas ao levar a massa ao forno, bem como o máximo de cuidado possível para evitar que ela murche; às vezes, é recomendável usar uma pá para minimizar danos ao transportá-la da placa até o carregador. A distribuição proporcional dos pães no carregador é essencial para garantir a distribuição de calor necessária para um cozimento completo e formação de uma crosta de cor uniforme no produto final.

Cortes

Os **cortes** criam uma incisão na superfície da massa. Conforme descrito no Capítulo 5, o corte na massa tem um impacto direto no volume e na aparência final do pão.

Tirar os pães do forno

A operação pode ser feita com uma pá ou com um carregador. Em ambos os casos deve-se retirar o pão com muito cuidado para evitar danos à crosta, que é muito delicada e frágil nesse estágio do cozimento.

RESFRIAMENTO

Os padeiros normalmente subestimam a importância do **resfriamento** (ver Figura 3-7) e acreditam que o processo termina quando o pão sai do forno. No entanto, o pão passa por uma série de transformações durante o processo de resfriamento. Se não forem tomadas as precauções descritas no Capítulo 5, a qualidade do pão vai estar comprometida.

Os dez passos do método tradicional são necessários para assar um pão de modo adequado. A qualidade final do produto depende da atenção ao detalhe em cada um desses estágios.

O PROCESSO DE MISTURA

Muitos profissionais consideram a mistura o estágio mais importante no processo de panificação. Embora todas as fases da panificação estejam interligadas, e cada uma delas tenha sua importância, a mistura é o primeiro passo obrigatório na produção de pão. Por esse motivo, muita atenção deve ser dada a esse estágio.

Inúmeras características funcionais e essenciais da massa, como **consistência** ou nível de firmeza ou maciez do sistema da massa, e o **desenvolvimento do glúten**, também descrito como a formação da estrutura e temperatura da massa, são determinados durante a mistura.

Ao analisar o que ocorre quando a massa é misturada, esta seção do capítulo considera os seguintes tópicos:

- Procedimentos para uma mistura de massa bem-sucedida.
- O que ocorre durante a mistura.
- Precauções a tomar quando misturar ingredientes adicionais.

- Diferentes técnicas de mistura e suas aplicações.
- Como determinar o tempo de mistura.
- Fatores que afetam o tempo de mistura.
- Quais técnicas escolher em um ambiente de produção.

QUATRO ESTÁGIOS ESSENCIAIS NA MISTURA

A mistura é um procedimento que pode ser dividido em quatro fases importantes: pesar os ingredientes, checar a temperatura, incorporar os ingredientes e desenvolver a massa. Se todos esses passos forem cuidadosamente seguidos, o resultado será uma massa bem misturada e um produto final consistente.

PESAR OS INGREDIENTES

Antes de misturar, é importante pesar todos os ingredientes de forma precisa. Esse primeiro passo pode parecer muito simples, mas é decisivo, porque pesar os ingredientes vai assegurar uma fórmula bem balanceada e um produto mais bem acabado.

MONITORAR A TEMPERATURA DA ÁGUA

A temperatura da massa final é um fator essencial na mistura, já que está diretamente relacionada ao grau de fermentação. A temperatura ideal para criar um ambiente favorável à fermentação da maioria das massas é de 23 °C a 25 °C. Essa variação é conhecida como a **temperatura desejada da massa (Tdesejada)**.[2] Se a massa está acima da temperatura desejada, o fermento vai crescer muito rapidamente, e o limite da fermentação será alcançado antes de atingir o equilíbrio da textura e o sabor adequado. Se a água for muito fria, o fermento se tornará lento, e o crescimento levará muito tempo.

Diversos fatores contribuem para a temperatura final da massa. Entre eles estão a temperatura ambiente, a farinha e a água; a quantidade de calor criada pela ação da masseira (também conhecido como fator de fricção); e a temperatura da esponja, quando usada.

A única temperatura que pode ser controlada é a da água, já que a temperatura ambiente e a da farinha estão normalmente definidas. Em relação ao fator de fricção, esse varia dependendo do tipo de massa e o tipo da masseira utilizada. Para calcular o fator de fricção, primeiro calcule quantos graus a massa vai crescer quando misturada na segunda velocidade em um minuto. Depois, multiplique esse número pelo número de minutos que a massa será misturada na segunda velocidade. Esse teste deve ser feito na primeira massa do dia e registrado. Poderá então ser aplicado ao restante da massa misturada ao longo daquele dia. A média do fator de fricção para uma masseira espiral é de 3,6 °C por minuto de mistura. Ao usar uma masseira planetária, algumas experiências devem ser feitas para calcular o fator exato de fricção. Nenhum fator de fricção mais preciso pode ser fornecido, já que o tamanho da cuba e a forma do gancho vão afetar o fator de fricção da mistura.

Os exemplos a seguir ilustram os processos utilizados para determinar a temperatura correta da água para atingir a temperatura desejada da massa (Tdesejada). Neste exemplo, a tempe-

---

[2] O autor utiliza na versão original a sigla TDM, no entanto, en artigos especializados em panificação, a sigla TDM significa: Tempo de desenvolvimento de massa. Alguns autores, como Paulo Sebbes (*Técnicas de padaria profissional*. Rio de Janeiro: Senac Nacional, 2010) não usam nenhuma sigla para determinar a temperatura desejável da massa. Utilizaremos "Tdesejada", termo comum em apostilas de panificação.

ratura ambiente e da massa é de 18,3 °C, o fator de fricção é de −13,3 °C, e a Tdesejada é de 23,8 °C. Neste exemplo não é empregada a esponja.

Para calcular a temperatura base, deve-se multiplicar a Tdesejada pelo número de fatores que contribuem para essa temperatura: 23,8 °C × 3 = 71,4 °C. O fator de fricção não é incluído na média porque não é temperatura, mas um valor que determina uma mudança de temperatura. As temperaturas conhecidas podem então ser subtraídas da temperatura base para determinar qual deve ser a temperatura da água.

CÁLCULO	
Temperatura base – TB	107 °C
Menos temperatura ambiente	18 °C
Menos temperatura da farinha	18 °C
Menos o fator de fricção	−13 °C
Temperatura da água	30 °C

Se todas as temperaturas estiverem certas, e o fator de fricção determinado corretamente, usando a água a 22 °C o resultado final da temperatura da massa será de 24 °C.

Se for usada uma esponja como a massa azeda, deve ser considerado um quarto fator no cálculo. A Tdesejada deve ser multiplicada por quatro em vez de três (24 °C × 4 = 96) e a temperatura da esponja deve ser subtraída da temperatura base.

CÁLCULO	
Temperatura base	96 °C
Menos temperatura ambiente	18 °C
Menos temperatura da farinha	18 °C
Menos temperatura da esponja	20 °C
Menos fator de fricção	−13 °C
Temperatura da água	34 °C

Se todas as temperaturas estiverem certas, e o fator de fricção determinado corretamente, usando a água a 34 °C o resultado final da temperatura da massa será de 24 °C.

É importante lembrar que essa fórmula deve ser usada apenas como orientação. Anotações devem ser mantidas na padaria para registrar as temperaturas de forma a criar um padrão a seguir, e quaisquer mudanças serão notadas imediatamente. Isso vai permitir que se realize ajustes antes que a consistência do produto final fique comprometida.

MISTURAR OS INGREDIENTES

Garantir equipamentos limpos

O próximo passo é garantir que a cuba e o gancho estejam limpos. Leva apenas alguns segundos para se tirar restos de massa seca que ficam colados no equipamento, e que, se não são retirados, podem aderir à próxima massa e deixar pedaços duros no produto final.

Acrescentar os ingredientes na masseira

Finalmente, para prevenir alterações na fórmula, a farinha deve ser o primeiro ingrediente a ir para a masseira, seguida da água e do restante. Seguir essa ordem é importante porque as fórmulas são concebidas nas porcentagens do padeiro, em que todos os ingredientes são baseados no peso total da farinha. Se a água, por exemplo, é adicionada antes da farinha, e a massa fica muito úmida, deverá ser acrescentada mais farinha. Como todos os outros ingredientes foram calculados a partir do peso original da farinha, caso seja acrescida uma quantidade grande dela o resultado será alterado.

Para massas misturadas em batedeira planetária, ou com cuba fixa, se a farinha é adicionada antes, uma parte pode ficar no fundo sem ser incorporada à massa. Um modo de prevenir esse problema é adicionar primeiro metade da água, e depois toda a farinha e o restante da água, até se obter a consistência adequada.

Após os ingredientes serem pesados e a temperatura da água definida, a farinha e a água são colocadas na cuba e a batedeira é ligada na primeira velocidade para a incorporação dos ingredientes. Caso seja utilizada a esponja, ela deve ser adicionada à massa nesse estágio. Dependendo do tipo de esponja (hidratação alta ou baixa), a consistência da massa deve mudar, e um pouco de água talvez seja necessária. Nos três ou quatro minutos seguintes, a farinha, a água e a esponja vão combinar com a ação mecânica do gancho da batedeira. Durante esse tempo, o profissional deve observar atentamente a consistência da massa para decidir se é necessário mais água, já que esse é o melhor momento de adicionar mais água.

Ao experimentar a fórmula pela primeira vez, é melhor reter um pouco da água para o caso da farinha usada ter uma baixa absorção. Se for necessário, a água pode ser adicionada para obter a consistência desejada.

Ao obter a exata consistência, há duas opções possíveis. O profissional pode continuar a mistura, incorporando os outros ingredientes da massa, como o fermento fresco e o sal. A outra opção é realizar a autólise da massa.

Autólise

A **autólise** é um processo desenvolvido pelo **professor Raymond Calvel**, um mestre francês de panificação conhecido por seus estudos aprofundados sobre a massa, em que a farinha e a água são misturadas e deixadas para descansar por um mínimo de 15 a 20 minutos. Durante esse tempo, duas reações importantes ocorrem na massa. A primeira é que as proteínas da farinha se hidratam melhor, levando ao aprimoramento das propriedades da estrutura do glúten de textura e retenção de CO_2. A segunda é a ação natural de uma **enzima** específica chamada **protease**, que está naturalmente presente na farinha. Em geral, uma enzima é um componente orgânico com uma ação específica e natural de degradação. As proteases são responsáveis pela degradação da proteína. Quando deixadas a atuar por algum tempo, reagem sobre a proteína e degradam algumas das ligações do glúten. Como resultado, vai aumentar a extensibilidade da massa e aprimorar seu desempenho nos processos mecânicos.

Um mínimo de 15 a 20 minutos é tempo suficiente para a ativação das enzimas. A autólise pode se estender até uma hora para ter efeito na massa. Outra opção é fazer a autólise em apenas uma parte da massa usando uma porção do total da farinha da fórmula, porém por um período mais longo (em geral de 8 a 12 horas, ou durante a noite). A porção dessa massa é então colocada na masseira e misturada com o restante dos ingredientes como de rotina. Essa técnica permite obter o benefício da autólise sem ter de parar o processo de mistura para esperar que a atividade enzimática ocorra.

O fermento, o sal e a esponja firme são adicionados à massa depois de uma autólise porque esses ingredientes funcionam em oposição ao seu efeito. O sal diminui a ação das proteases da farinha, enquanto o processo de crescimento iniciado com o fermento cria uma acidez que aumenta a força da massa e diminui a sua **extensibilidade**. A extensibilidade pode ser definida como a propriedade da massa em se estender facilmente, ou não, quando submetida a uma ação de alongamento.

Considerações especiais para a autólise Uma exceção importante para a regra de não colocar o fermento antes da autólise é quando se utiliza o fermento seco instantâneo. Nesse caso, é melhor incorporar o fermento com a farinha por um minuto no começo da mistura, já que as células nesse tipo de fermento têm uma baixa quantidade de água e exigem mais tempo para se reidratar. Caso seja incorporado mais tarde no processo, o fermento seco não vai se dissolver totalmente na massa e o seu crescimento ficará comprometido.

O mesmo princípio pode ser aplicado à autólise. Como o tempo de mistura é reduzido, é melhor incorporar o fermento seco imediatamente antes da autólise. Até esse momento as células estarão dissolvidas na massa, o tempo da autólise estará quase terminando e a fermentação ainda será mínima.

Esponjas líquidas (*poolish*) ou levedura líquida devem ser incorporadas no início do processo de mistura mesmo quando a autólise estiver pronta, pois a baixa quantidade de fermento não vai afetar realmente a textura da massa. No entanto, uma esponja firme com mais fermento, como massa fermentada, deve ser incorporada depois da autólise.

Em termos técnicos, quando não é feita autólise, farinha, água, fermento e sal podem ser incorporados no começo da mistura. Apesar da crença comum de que o sal anula o fermento, nenhuma alteração ocorre nas características da massa ou do pão. O sal e o fermento estão em contato com a massa de quatro a seis horas depois da mistura, portanto há tempo suficiente caso algo negativo tiver de ocorrer.

Para ter, porém, um controle melhor na incorporação dos ingredientes e a certeza de que nada foi esquecido, é melhor seguir um padrão de procedimentos ao adicionar ingredientes na massa. Se o padeiro, por exemplo, sempre adiciona fermento e depois sal antes de partir para a segunda velocidade, vai haver menos chance de erro.

DESENVOLVER A MASSA

Figura 3-8
Avaliar o desenvolvimento da massa.[4]

Depois que todos os ingredientes estiverem bem incorporados e a consistência adequada da massa for alcançada, o próximo passo é o **desenvolvimento da massa**[3] (ver Figura 3-8). Dependendo do desenvolvimento desejado do glúten, esse estágio pode ser feito na primeira ou

[3] Ao movimento mecânico de desenvolvimento da massa é dado o nome de *sova*. (NRT)
[4] A este ponto da massa é dado o nome *ponto de véu*. (NRT)

segunda velocidade. Um período mais longo na segunda velocidade é usado para uma massa bem desenvolvida, e um período curto de mistura na primeira velocidade é usado para massa pouco desenvolvida. O método usado será determinado pelas características desejadas para o produto final. Orientações mais precisas vão ser apresentadas mais adiante no capítulo.

Temperatura da massa

Considerando que a atividade da fermentação depende da temperatura da massa, o profissional deve confirmar sempre se a temperatura desejada foi alcançada. Se a temperatura for a esperada, o padeiro pode seguir normalmente o processo de cozimento. Se a temperatura estiver muito baixa, o tempo da primeira fermentação deve ser estendido; se estiver mais alta, o tempo deve ser diminuído. Essas diferenças devem ser levadas em consideração para aumentar ou diminuir a temperatura da água ao utilizar a massa na fornada seguinte.

Um erro comum em muitas padarias é continuar a misturar quando a temperatura da massa está muito fria. Embora a fricção extra criada por esse processo aqueça a massa, o tempo de mistura adicional também vai continuar a desenvolver o glúten da massa. O resultado final talvez alcance a temperatura desejada, mas é possível que a massa se torne muito desenvolvida, criando glúten com excesso de extensibilidade (por causa da quebra da força de parte do glúten) e falta de **elasticidade**. Elasticidade é a propriedade da massa de retornar à posição inicial depois de ser esticada. Além disso, a massa também pode ficar pegajosa e muito difícil de trabalhar, e o resultado final será um produto pesado, com miolo denso e fechado. Ajustar a massa durante a primeira fermentação, portanto, é um procedimento muito mais seguro e bastante recomendável.

Mudanças físicas durante a formação da massa

No momento em que a farinha e a água entram em contato, a água hidrata os componentes da farinha, que são basicamente amido e proteína. Os dois principais tipos de amido são o natural e o danificado. A estrutura do amido natural permanece a mesma, mas a estrutura do amido danificado é quebrada durante o processo de moagem. O amido natural absorve água somente na parte externa da partícula, enquanto o amido danificado absorve quase todo o seu peso em água. Ambos desempenham o papel de agentes permeáveis no sistema da massa.

As duas principais proteínas do trigo – **glutenina** (proteína que tem algum efeito na elasticidade da massa) e **gliadina** (proteína que afeta a extensibilidade da massa) – são responsáveis pela formação da massa. Dependendo da qualidade, essas proteínas podem absorver de 200% a 250% do seu peso em água. Na medida em que inflam, elas se atraem mutuamente e formam cadeias de proteínas chamada **glúten** (ver Figura 3.9).

Depois de o glúten se formar, a operação mecânica do gancho vai produzir uma estrutura organizada por meio de dois movimentos distintos. O primeiro estende as cadeias de glúten, enquanto o segundo atrai as cadeias de volta. Depois de um período de mistura, essas cadeias se alongam cada vez mais, e se tornam cada vez mais finas, e mais sobrepostas. Esse método cria uma estrutura de glúten tridimensional da massa.

Um processo de mistura mais longo gera uma estrutura de glúten bem desenvolvida, enquanto uma mistura

Figura 3-9

Visão microscópica da formação do glúten.

mais curta produz uma estrutura menos desenvolvida. Deve-se ter o cuidado de não misturar a massa por muito tempo, pois isso pode esticar demais as cadeias de glúten a ponto de quebrá-las. É o que se chama mistura excessiva da massa.

Em razão da sobreposição e melhor organização da cadeia de glúten, a estrutura do glúten se tornará mais firme, e uma mudança notável na **reologia da massa** (propriedades da massa de deformar e escoar durante o cozimento) pode ser observada (ver Figuras 3-10 e 3-11). As propriedades de viscosidade e elasticidade se desenvolvem, ou mais simplesmente, a massa se torna menos extensiva, mais elástica, e com capacidade maior de captar e reter CO_2.

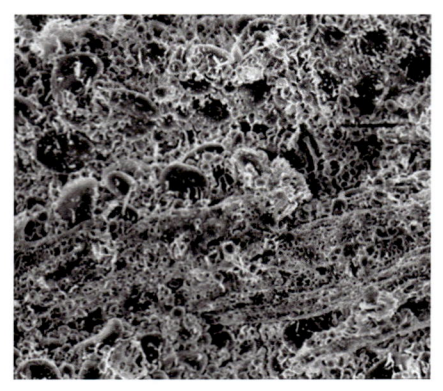

Figura 3-10
Visão microscópica de mistura aprimorada.

Hidratação da proteína e tempo de mistura na primeira velocidade A hidratação da proteína é mais lenta que a do amido, o que torna necessária a mistura na primeira velocidade por no mínimo 5 ou mesmo 6 minutos, no caso de uma grande quantidade de massa para garantir uma boa qualidade do glúten. Se a velocidade mudar para o segundo nível antes do tempo, pode ocorrer que o glúten se organize quando mal se formou, e o desenvolvimento de todo o glúten, então, será afetado negativamente.

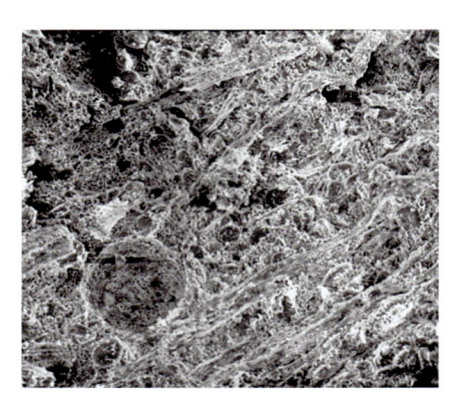

Figura 3-11
Visão microscópica de mistura intensiva.

Mudanças químicas durante a formação da massa

Quando a água é adicionada à mistura, as duas principais reações químicas naturais são as atividades de fermentação e enzimática. O padrão dessas reações depende da quantidade de água empregada. Massa úmida, por exemplo, vai gerar uma fermentação mais rápida. Consequentemente, a quantidade de fermento necessário para manter o controle talvez tenha de ser reduzida durante o processo.

Oxidação da massa Outra importante mudança química que ocorre durante a mistura é a **oxidação** da massa. A oxidação ocorre quando o oxigênio é naturalmente incorporado à massa durante a mistura. Muitos dos efeitos dessa reação são positivos. À medida que o oxigênio reage quimicamente com as moléculas da proteína, uma cadeia melhor de glúten é formada; há um reforço da estrutura de glúten e da tolerância da massa.

Caso a massa tenha um tempo de mistura excessivo, uma quantidade grande de oxigênio será incorporada à massa e os **pigmentos carotenoides** (componentes naturais do núcleo do trigo responsável pela cor creme da farinha e por algum sabor) serão negativamente afetados. Excesso de oxigênio deteriora esses pigmentos e, consequentemente, leva a um produto final com um miolo de cor clara e sem sabor.

Embora seja necessário oxigênio na massa, o seu excesso é ruim. As microcélulas de ar que são introduzidas na massa durante a mistura desempenham um papel importante mais adiante no processo de cozimento ao formar o centro da estrutura do miolo. Durante a fermentação, o CO_2 produzido pelo fermento se acumula nessas microcélulas e forma a estrutura de célula do miolo ou **alvéolos**.

Para minimizar os efeitos negativos da oxidação, o padeiro pode utilizar as propriedades naturais do sal para diminuir as reações químicas (essa é a razão por que o sal é usado para aumentar a durabilidade de alimentos, tais como carne seca ou peixes salgados). Ao adicionar sal à massa no começo do processo de mistura (enquanto está na primeira velocidade), o processo de oxidação será retardado. Ao contrário, caso o padeiro queira uma estrutura de miolo muito branca, a incorporação do sal deve ser retardada, mas o sabor ficará comprometido.

Incorporação de ingredientes secundários na massa

Mesmo que não seja possível discutir sobre cada ingrediente adicionado à massa em cada padaria, algumas observações sobre ingredientes básicos podem ajudar.

Incorporação de gordura Uma pequena porcentagem (de 2% a 4%) de gordura sólida, como manteiga ou margarina, pode ser incorporada à farinha e à água no começo da mistura. Uma percentagem maior (de 5% a 15%) de gordura sólida deve ser incorporada quando a massa estiver no meio do seu desenvolvimento (em geral, no meio tempo da segunda velocidade). Caso a adição ocorra antes do tempo (no começo da mistura) ela vai "lubrificar" as cadeias de proteína, retardando a cadeia e o desenvolvimento do glúten.

Mais do que 15% de gordura sólida deve ser adicionada quando o glúten estiver quase completamente desenvolvido. Esse método vai garantir uma estrutura de massa firme capaz de suportar uma grande quantidade de gordura (ver Incorporação de gordura na Figura 3-12).

Gorduras líquidas, como óleo, são em geral parte da hidratação da farinha e devem ser incorporadas à massa no começo da mistura. Caso seja necessária uma grande quantidade de óleo, também pode ser adicionada depois que o glúten estiver completamente desenvolvido (muito lentamente na primeira velocidade).

Incorporação do açúcar Uma pequena quantidade de açúcar (até 12%) pode ser incorporada à massa no começo da mistura. Quantidades maiores devem ser incorporadas em vários estágios. Por ser um ingrediente hidrófilo, o açúcar absorve muita água. No caso de se adicionar à massa grande quantidade de açúcar de uma única vez, poderá retirar água da proteína e desorganizar a estrutura do glúten.

Quando os níveis de açúcar são muito altos (de 20% a 30%), alguns padeiros usam a mesma técnica para os altos níveis de manteiga, deixando para acrescentar à massa quando o glúten estiver bem desenvolvido.

Incorporação de ovos Os ovos devem ser adicionados no começo da mistura porque têm um papel importante na hidratação da farinha. Embora algumas fórmulas peçam ovos somente para hidratar a farinha, eles não têm as mesmas características que a água para a sua hidratação. Para garantir uma boa qualidade do glúten, pelo menos 10% da água deve ser acrescentada além dos ovos. O produto final apresentará uma textura de miolo hidratada e leve.

Incorporação de ingredientes secos Ingredientes como malte ou leite em pó podem ser adicionados à farinha e à água no começo da mistura.

FIGURA 3-12 INCORPORAÇÃO DA GORDURA

1 Uma grande quantidade de manteiga é adicionada ao final do desenvolvimento da massa.

2 A manteiga deve estar macia para ser incorporada adequadamente.

Incorporação de ingredientes sólidos, como nozes, frutas secas e lascas de chocolate Quaisquer ingredientes em pedaços que não vão se dissolver na massa devem ser adicionados no final do processo de mistura. Depois que o glúten estiver completamente desenvolvido, ligar a masseira na primeira velocidade e gradualmente acrescentar os ingredientes até que fiquem bem distribuídos na massa.

Essa incorporação cuidadosa terá dois efeitos positivos para a massa e para o pão. Primeiro, os ingredientes adicionados vão se manter intactos na massa. Segundo, incorporando os ingredientes de forma cuidadosa vai reduzir danos à estrutura do glúten. Caso seja usada a segunda velocidade, os ingredientes vão atuar como navalhas na massa, cortando todas as cadeias de glúten formadas durante o período de mistura (ver Incorporação de ingredientes sólidos na Figura 3-13).

CONCLUSÃO DO PROCESSO DE MISTURA

A mistura da massa envolve quatro fases distintas: a pesagem dos ingredientes, a checagem de temperaturas, a incorporação dos ingredientes e o desenvolvimento da massa. Observar esses passos com precisão e atenção ao detalhe normalmente produz uma massa corretamente misturada e um produto final consistente e de acordo com o planejado.

TÉCNICAS PARA MISTURAR

O conhecimento completo de várias técnicas de mistura usadas para a produção de pão é essencial para alcançar os resultados desejados de forma consistente para diversos produtos. O objetivo da segunda metade deste capítulo é descrever as várias técnicas de mistura empregadas nas padarias e perceber como o desenvolvimento do glúten pode mudar a qualidade do pão. As três principais técnicas de mistura tratadas neste capítulo são a básica, a intensiva e a aprimorada. Além disso, há um rápido debate sobre a técnica de dupla hidratação utilizada para pães muito hidratados.

MISTURA BÁSICA

Para entender as três principais técnicas de mistura, é preciso examinar a história recente da panificação. Antes que as masseiras mecânicas se tornassem facilmente acessíveis, em torno de

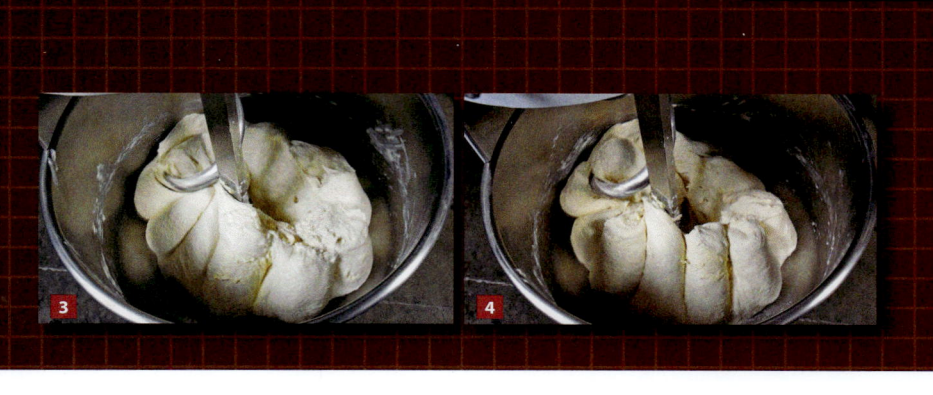

3 Com 80% da incorporação, pedaços pequenos de manteiga ainda permanecem na superfície da massa.

4 Com 100% da incorporação, a manteiga não está mais visível.

50 a 60 anos atrás, os padeiros misturavam[5] as massas com as mãos. A energia dessa operação manual não era suficiente para que o glúten atingisse pleno desenvolvimento; na realidade, a estrutura do glúten era muito pouco desenvolvida. Para completar o desenvolvimento do glúten e tornar a massa firme suficientemente para moldá-la e deixar crescer, é necessário um longo período de fermentação. Todo esse processo é conhecido como **mistura básica**.

MISTURA INTENSIVA

Depois da Segunda Guerra Mundial, houve um aumento na oferta de equipamentos para panificação. As primeiras masseiras eram básicas, funcionando apenas com uma velocidade. O processo de mistura ainda era bastante lento e o glúten, pouco desenvolvido. Quando apareceram as masseiras mais rápidas, de duas velocidades, os padeiros perceberam que um desenvolvimento mais intensivo do glúten permitia uma redução no tempo da primeira fermentação. Essa mudança trouxe uma novidade: produzir mais pão em um turno significava mais horas de sono. Além disso, os consumidores da época apreciavam o pão de grande volume e de miolo branco. Essa combinação levou à criação da técnica de **mistura intensiva**, que é caracterizada por um período de mistura longo com uma primeira fermentação curta.

Com o passar do tempo, os consumidores começaram a notar que faltava sabor ao pão, e que ficava ressecado muito mais rápido que antes. Primeiro culparam as masseiras mecânicas, atribuindo as mudanças aos padeiros e aos equipamentos. No entanto, com a evolução da ciência e um melhor entendimento do processo de panificação, ficou evidente que as masseiras não eram responsáveis pela baixa qualidade do pão. Mas, ao contrário, era o modo como as masseiras estavam sendo usadas.

Ao misturar a massa até seu completo desenvolvimento, foram criados dois fatores que comprometiam a qualidade do pão. O primeiro era a oxidação excessiva da massa, o que resulta em miolo branco e insosso. O segundo estava relacionado à atividade de fermentação da massa. Ao reduzir o tempo da primeira fermentação a quase zero, não havia tempo para a acidez se desenvolver, não havia tempo para se criar o aroma, e a durabilidade do produto foi consideravelmente reduzida.

---

[5] Misturar ou *sovar*, termo mais correto, pois refere-se ao movimento necessário para a formação do glúten. (NRT)

FIGURA 3-13   INCORPORAÇÃO DE INGREDIENTES SÓLIDOS

1 Misturar na primeira velocidade ao acrescentar nozes à massa.

2 Com 80% da incorporação, as nozes ainda aparecem na superfície.

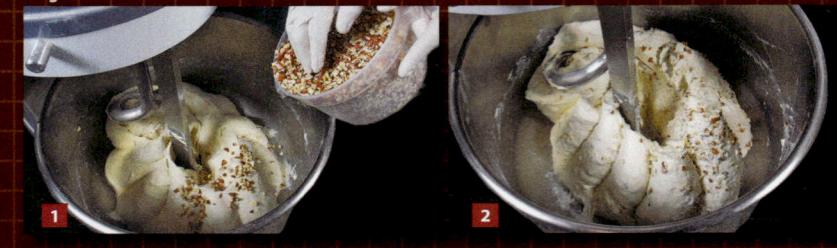

MISTURA APRIMORADA

Com o objetivo de vender grandes quantidades de pães de melhor qualidade, esses profissionais começaram a pensar em como melhorar o processo de panificação. Abandonar as masseiras mecânicas e retornar à mistura básica, certamente, estava fora de questão. Com a ajuda da comunidade científica de panificação, criou-se o método da **mistura aprimorada**. Essa técnica melhora a qualidade do pão ao reduzir o tempo de mistura na segunda velocidade. Como resultado, o glúten não se desenvolve totalmente e a massa ainda necessita de algum tempo na primeira fermentação para ganhar força.

Essa técnica completa duas ações positivas: o tempo de mistura mais curto limita a oxidação e preserva a integridade do núcleo do trigo, e a primeira fermentação mais longa desenvolve acidez que aumenta o aroma e o tempo de prateleira do produto.

Atualmente, os padeiros ainda têm variedades técnicas ao misturar a massa. As seções a seguir descrevem cada técnica mais detalhadamente e explora seus efeitos nas características do produto final.

DESCRIÇÃO DA MISTURA BÁSICA

A mistura básica, o método de mistura mais lento que utiliza apenas a primeira velocidade, é a que mais se assemelha às características da mistura básica.[6] Esta incorpora os ingredientes e permite muito pouco desenvolvimento do glúten, resultando em uma estrutura de glúten reduzida e um longo tempo de fermentação (ver Figura 3-14). Normalmente, são necessárias de duas a quatro dobras durante a primeira fermentação para que a massa desenvolva força (ver Dobrar a massa, Figura 3-15). Considerando que é necessária uma boa extensibilidade para facilitar a dobra da massa, é preferível uma massa de consistência

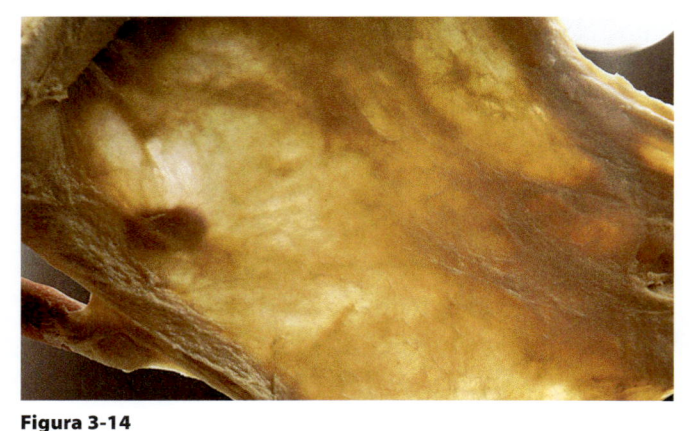

Figura 3-14
Teste de glúten na mistura básica.

---

[6] A mistura básica, método de mistura mais lento que utiliza apenas a primeira velocidade, é a que mais se assemelha às características da *mistura feita à mão*.

macia. Além disso, em razão da longa primeira fermentação, uma porcentagem menor de fermento deve ser usada. No estágio da moldagem, a massa estará bastante airada e macia, mas ainda fácil de trabalhar.

OS EFEITOS DA MISTURA BÁSICA NAS CARACTERÍSTICAS DO PÃO

A mistura básica quase não gera oxidação, produzindo um miolo com uma coloração creme intensa. Em razão do baixo desenvolvimento do glúten, a estrutura da célula do miolo será aberta e assimétrica, já que o CO_2 se acumula em bolsas de ar irregulares na massa. Além disso, o longo tempo da primeira fermentação vai produzir uma grande quantidade de acidez, incrementando muito o sabor e a durabilidade do produto final. Finalmente, como o glúten não estará bem organizado, não haverá muita retenção de CO_2, e o volume do pão será assim ligeiramente reduzido.

DESCRIÇÃO DA MISTURA INTENSIVA

Durante a mistura intensiva, os ingredientes são incorporados na primeira velocidade, e a massa é desenvolvida ao máximo na segunda velocidade. É um método de mistura rápido e eficiente e que produz uma massa que funciona facilmente em processos altamente mecanizados.

A mistura intensiva produz uma massa consistente, bem desenvolvida, e que é suficientemente firme para ser moldada quase que imediatamente. Normalmente, a fermentação da massa leva de 15 a 20 minutos e é, de fato, mais um tempo de descanso do que de fermentação. Para algumas massas, uma primeira fermentação muito longa depois de misturar automaticamente resulta em massa muito sólida e de difícil manuseio (ver Figura 3-16).

EFEITOS DA MISTURA INTENSIVA NAS CARACTERÍSTICAS DO PÃO

Uma mistura longa automaticamente acrescenta muito ar na massa, aumentando a oxidação e seus efeitos negativos, incluindo um miolo de cor muito branca. Em razão do pleno desenvolvimento do glúten, a estrutura da célula do pão se torna muito aglutinada e parelha, criando uma estrutura de miolo com granulação idêntica. Além disso, a organização perfeita da estrutura do glúten retém muito CO_2 no sistema da massa, resultando em um produto final de grande volume. Infelizmente, o sabor e a durabilidade acabam sendo diminuídos por causa do tempo excessivamente curto da primeira fermentação.

DESCRIÇÃO DA MISTURA APRIMORADA

A mistura aprimorada é uma combinação entre a mistura básica e a mistura intensiva. Esse método permite ao padeiro alcançar uma eficiência maior da mistura intensiva, e ao mesmo tempo manter grande parte da qualidade do produto da mistura básica.

Com essa técnica os ingredientes são incorporados na primeira velocidade, e a massa é misturada na metade de seu desenvolvimento na segunda velocidade. Quanto à consistência, a maciez da massa deve ser média (suficientemente extensível), já que a firmeza da massa vai aumentar ainda mais durante a longa primeira fermentação. A massa resultante desse método ficará perfeitamente adaptada à moldagem manual ou para um processo semimecanizado (ver Figura 3-17).

FIGURA 3-15   DOBRAR A MASSA

1 Na metade da primeira fermentação, a massa é muito extensiva.

2 Colocar a massa em uma superfície com farinha e dobrar um terço da massa a partir da direita.

3 Dobrar a massa a partir da esquerda.

EFEITOS DA MISTURA APRIMORADA NAS CARACTERÍSTICAS DO PÃO

A leveza do processo dessa técnica ajuda a reter a coloração creme e o miolo airado, além de que a longa fermentação resulta em um produto mais saboroso e com uma boa durabilidade. O volume é uma combinação entre os pães menores caracteristicos da mistura básica e os maiores obtidos com a mistura intensiva (ver Figura 3-18).

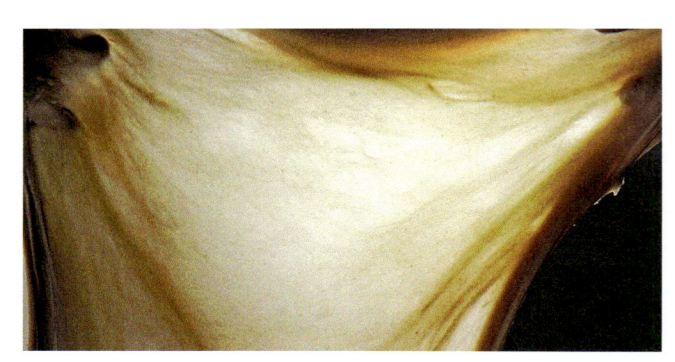

Figura 3-16
Teste de glúten para a mistura intensiva.

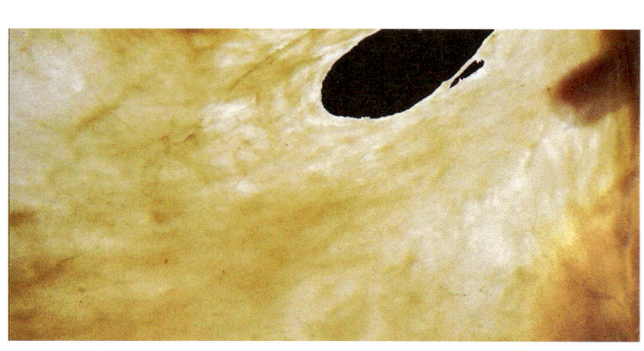

Figura 3-17
Teste de glúten para a mistura aprimorada.

DUPLA HIDRATAÇÃO

O fim dos anos 1990 presenciou a popularidade crescente de massas bem hidratadas como *ciabatta*, *pugliese* e *francese*. Para misturar esse tipo de massa em larga escala pode ser empregado outro método chamado dupla hidratação.

A técnica de dupla hidratação envolve a incorporação da água em duas fases. Na primeira, água suficiente é incorporada no começo da mistura para obter uma consistência da massa de maciez média. Após, a massa é misturada e o glúten se desenvolve. Quando o glúten atingir aproximadamente dois terços de seu desenvolvimento total, o restante da água é acrescentado aos poucos, até que seja bem incorporada à massa (ver Técnica de dupla hidratação, Figura 3-19).

A hidratação dupla pode criar uma massa bastante macia com firmeza suficiente para operação mecânica. Essa técnica funciona bem quando o equipamento usa a tecnologia sem pressão, que exige boas propriedades da massa para uso em máquinas como boa fluência e firmeza.

Figura 3-18
Comparação de miolos de misturas intensiva, aprimorada e mistura básica (do alto para baixo).

COMO CALCULAR O TEMPO DE DESENVOLVIMENTO DA MASSA (TDM)

Para cada técnica de mistura, a comunidade científica de panificação desenvolveu orientações para determinar o tempo necessário para conseguir a estrutura de glúten desejada. Essas orientações estão baseadas no movimento do gancho durante a mistura e seu efeito na organização do glúten. Pelo fato de que cada movimento ou rotação estica e dobra o glúten, é preciso conhecer o número de rotações necessárias para uma estrutura de glúten correta.

FIGURA 3-19 TÉCNICA DE DUPLA HIDRATAÇÃO

1 Para a técnica de dupla hidratação a água é adicionada quando o glúten já está desenvolvido.

2 A água é adicionada em estágios para obter uma incorporação completa.

Para uma estrutura de glúten, no caso da mistura básica, o gancho precisa fazer 600 rotações na massa em primeira velocidade. Para a massa aprimorada são necessárias mil rotações do gancho na segunda velocidade. A mistura intensiva requer 1.600 rotações do gancho em segunda velocidade. Cada um desses cálculos leva em conta o fato de que todos os ingredientes foram já incorporados e o glúten foi formado antes do começo das rotações. Esses cálculos se aplicam especificamente ao tempo de mistura, quando o glúten está sendo desenvolvido (ver Figuras 3-20 e 3-21).

A fórmula para calcular o tempo de mistura serve como ponto de partida para definir o tempo de mistura adequado para um equipamento específico. O tempo de mistura indicado na Figura 3-21 refere-se apenas a orientações baseadas em padrões de velocidades dos equipamentos e nas quantidades de massa. A variedade dos fatores pode afetar o tempo de mistura; isto explica por que a textura da massa e o desenvolvimento do glúten (teste do glúten) devem ser sempre os elementos decisivos (ver Figura 3-19, estágio 3).

FATORES QUE AFETAM O TEMPO DE MISTURA

O tempo de mistura pode ser ajustado conforme as variáveis que possam afetar o desenvolvimento da massa, incluindo tipo e *design* do equipamento, tamanho da massa, características da farinha, hidratação da massa e incorporação de ingredientes adicionais.

O cálculo a seguir pode ser usado para determinar o tempo de mistura da massa:

$$\frac{\text{Rotações totais exigidas (conforme especificadas pelo método de mistura)}}{\text{Rotações por minuto (RPM) da masseira}} = \text{Tempo de Mistura Total}$$

As RPM podem variar com a marca do equipamento, portanto, antes de calcular o tempo de mistura, é importante conferir o manual técnico para as especificações da máquina. Essa informação está também disponível pelo fornecedor de seu equipamento.

Figura 3-20
Cálculo do tempo de mistura.

As RPM dos equipamentos usados nestes exemplos são os seguintes:

Misturador em espiral:	100 RPM em 1ª vel.	200 RPM em 2ª vel.
Misturador oblíquo:	40 RPM em 1ª vel.	80 RPM em 2ª vel.
Misturador planetário: (20-qt Hobart)	107 RPM em 1ª vel.	198 RPM em 2ª vel.
Misturador planetário: (60-qt Hobart)	70 RPM em 1ª vel.	124 RPM em 2ª vel.

Observação: com relação a outros misturadores planetários, por favor, consulte o manual técnico para saber as exatas RPM para as várias velocidades.

Esses valores representam a média de RPM para a maioria desses tipos de misturadores.

Mistura básica

Misturador em espiral: 600/100 = 6 minutos na 1ª velocidade.
O tempo de mistura será: de 4 a 5 minutos na 1ª velocidade para incorporação dos ingredientes, 6 minutos na 1ª velocidade para desenvolvimento do glúten.
Misturador oblíquo: 600/40 = 15 minutos na 1ª velocidade.
O tempo de mistura será: de 4 a 5 minutos na 1ª velocidade para incorporação dos ingredientes, 15 minutos na 1ª velocidade para desenvolvimento do glúten.

Mistura aprimorada

Misturador em espiral: 1.000/200 = 5 minutos na 2ª velocidade.
O tempo de mistura será: de 4 a 5 minutos na 1ª velocidade para incorporação dos ingredientes, 5 minutos na 2ª velocidade para desenvolvimento do glúten.
Misturador oblíquo: 1.000/ 80 = 12 ½ minutos na 1ª velocidade.
O tempo de mistura será: de 4 a 5 minutos na 1ª velocidade para incorporação dos ingredientes, 12 ½ minutos na 2ª velocidade para desenvolvimento do glúten.

Mistura intensa

Misturador em espiral: 1.600/200 = 8 minutos na 2ª velocidade.
O tempo de mistura será: de 4 a 5 minutos na 1ª velocidade para incorporação dos ingredientes, 8 minutos na 2ª velocidade para desenvolvimento do glúten.
Misturador oblíquo: 1.600/80 = 20 minutos na 2ª velocidade.
O tempo de mistura será: de 4 a 5 minutos na 1ª velocidade para incorporação dos ingredientes, 20 minutos na 2ª velocidade para desenvolvimento do glúten.

Figura 3-21 Exemplo de cálculo para o tempo de mistura.

Tipo e *design* do equipamento

A velocidade do motor, o formato do gancho e o *design* do equipamento podem afetar o movimento da máquina de esticar e dobrar a massa. Um bom exemplo é comparar os misturadores espirais com os oblíquos. Para uma mistura aprimorada um misturador requer apenas cinco minutos de mistura na segunda velocidade, enquanto um oblíquo vai precisar de 12 minutos e meio. No caso de uso de diversos estilos de equipamentos na padaria, a mesma massa vai requerer tempos de mistura diferentes, dependendo do tipo de misturador usado.

O tamanho da massa

O tamanho da massa talvez seja um dos fatores mais importantes a se examinar no tempo de mistura. Considerando que os equipamentos normalmente são concebidos para funcionar em sua plena capacidade, pequenas quantidades de massa geralmente vão misturar mais rápido do que grandes quantidades, já que a massa entra em contato com o gancho mais frequentemente.

Para quantidades médias de massa, o tempo de mistura deve ser reduzido, mas não há correlação direta entre o tamanho da cuba e o tempo de mistura (metade da massa não será misturada na metade do tempo, por exemplo). Serão necessárias algumas experiências para determinar o tempo de mistura de modo mais preciso.

Características da farinha

Farinhas mais pesadas[7] exigem um tempo de mistura mais longo porque o glúten é menos extensivo e requer mais tempo para alcançar a estrutura desejada. Farinha de centeio, por exemplo, contém qualidade e quantidade menores de proteína, o que torna preferível misturar mais na primeira velocidade e menos na segunda. A ação mais leve do gancho na primeira velocidade vai proteger a frágil estrutura do glúten da massa de centeio.

Hidratação da massa

A baixa hidratação produz uma massa mais dura com um glúten menos extensível, que requer um tempo de mistura mais longo, ao contrário da massa de consistência meio macia.

Incorporação de ingredientes adicionais

Conforme mencionado anteriormente, se sementes, frutas, nozes ou outros ingredientes forem utilizados, devem ser adicionados depois que estiver completado o desenvolvimento da massa. Essa incorporação deve ser feita em primeira velocidade. Caso contrário, esses ingredientes "robustos" podem cortar a cadeia de glúten e retardar seu desenvolvimento.

COMPARAÇÃO ENTRE AS PRINCIPAIS TÉCNICAS DE MISTURA

A Figura 3-22 resume as informações sobre o cálculo dos tempos de mistura e fornece orientações para cada fórmula de mistura e processos de cozimento. Estão incluídas também algumas explicações sobre diferentes aspectos técnicos.

---

[7] Farinha mais "pesada" ou "mais forte", refere-se à quantidade de proteína na farinha. (NRT)

Fórmula clássica

	Mistura básica	Mistura aprimorada	Mistura intensiva
Farinha	100%	100%	100%
Água[1]	70%	67%	65%
Fermento fresco[2]	0,5%	1,5%	2%
Sal[3]	2%	2%	2%

Figura 3-22

Comparação entre as principais técnicas de mistura.

Processo de cozimento

Temperatura da água[4]	17 °C	13 °C	3 °C
Temperatura da massa	24 °C a 25 °C	24 °C a 25 °C	24 °C a 25 °C
1ª Vel. (100 RPM)[5]	3 a 4 minutos + 6 minutos	3 a 4 minutos	3 a 4 minutos
2ª Vel. (200 RPM)[6]	0	5 minutos	8 minutos
Primeira fermentação	3,5 horas	1,5 hora	20 minutos
Sovar e dobrar	3	0 ou 1	0
Descansar a massa	20-25 minutos	20-25 minutos	20-25 minutos
Fermentação final[7]	45 minutos a 1 hora	1 a 1,5 hora	1,5 a 2 horas

[1]A proporção de água nas fórmulas de mistura básica e aprimorada é mais alta porque uma quantidade extra de água vai dar à massa a extensibilidade necessária para dobrá-la durante a primeira fermentação.

[2]Menor quantidade de fermento evita que o crescimento ocorra muito rapidamente, permitindo uma longa primeira fermentação para a mistura básica e aprimorada.

[3]Uma quantidade maior de sal acrescenta sabor à mistura intensiva, mas para os outros métodos é necessário menos sal, porque a fermentação permite que a massa desenvolva mais sabores próprios. Algumas fórmulas de mistura básica reduzem o sal em até 1,8%, outras, de mistura intensiva, aumentam o sal em até 2,5%.

[4]A fricção da mistura produz calor. Ajustar a temperatura da água equilibra o calor gerado durante a mistura, permitindo obter uma temperatura da massa final de 24% a 25%. As temperaturas indicadas aqui são apenas sugestões e talvez precisem ser ajustadas dependendo das condições da padaria.

[5]No método de mistura básica, usar a primeira velocidade tanto para incorporar os ingredientes como para desenvolver o glúten. Este método possibilita repetir mais aproximadamente os efeitos da mistura básica.

[6]O tempo de mistura é baseado na capacidade plena e em rotações padronizadas. É possível que o tempo de mistura tenha de ser ajustado dependendo do tipo de equipamento empregado, quantidade da massa, tipo de farinha, e assim por diante.

[7]O tempo da fermentação final aumenta nas misturas aprimoradas e intensivas porque essas massas são mais consistentes e podem reter mais CO_2.

COMPARAÇÃO ENTRE OS PROCESSOS DE MISTURA E OS EFEITOS NO PRODUTO FINAL

A Figura 3-23 apresenta os efeitos de cada método de mistura na massa e as características finais do produto. Também são fornecidas as explicações referentes às diversas características apresentadas.

PARA DESENVOLVER UM PROCESSO PRÓPRIO

A mistura e a fermentação podem ser "balanceadas" para se obter as características desejadas para o pão, criando, assim, padrões de produção. A maneira correta de misturar depende espe-

Figura 3-23
Gráfico: Os processos de mistura e os efeitos no produto final.

Efeito na massa	Mistura básica	Mistura aprimorada	Mistura intensiva
Consistência	Bastante macia[1]	Meio macia	Firme
Firmeza	Falta força	Falta levemente força	OK a forte
1ª fermentação	Longa	Média	Curta
Mecanização	Difícil[2]	Possível	Ideal
Fermentação final	Curta[3]	Média	Longa

Efeito no pão	Mistura básica	Mistura aprimorada	Mistura intensiva
Volume	Pequeno	Médio	Grande
Cor	Creme	Menos creme[4]	Branco
Miolo	Aberto, irregular	Aberto, irregular	Fechado, regular
Sabor	Bastante complexo	Complexo	Sem sabor
Durabilidade	Longa	Média	Curta

[1]Aqui é necessária uma massa mais macia para obter uma extensibilidade do glúten suficiente para poder dobrar a massa de forma eficiente. É necessário sovar e dobrar a massa para desenvolver a estrutura do glúten.

[2]Será difícil trabalhar a massa usando equipamentos mecânicos totalmente automatizados, mas podem ser adotados os processos semiautomatizados como o divisor de massa hidráulico e moldadores de baguete.

[3]Menos CO_2 pode ser retido na massa por causa da estrutura de glúten pouco desenvolvida.

[4]Embora a coloração seja menos creme do que a mistura básica, a cor ainda é bastante aceitável.

cialmente das qualidades que o profissional deseja conseguir para a massa, e cada técnica tem suas vantagens e desvantagens.

Embora apenas três principais técnicas de mistura sejam descritas neste capítulo, quando há o controle e o conhecimento de cada uma delas, pode-se dizer que há tantas maneiras de misturar massa quantas há de fazer pães. O profissional, no entanto, deve saber que a mistura e a fermentação funcionam em conjunto, e, se a mistura for alterada, o tempo de fermentação talvez tenha de mudar também.

QUAL MÉTODO UTILIZAR?

Alguns princípios também se aplicam a qualquer tipo de pão produzido em uma padaria, incluindo pão integral e massa azeda, por isso é importante saber como os diversos métodos de mistura afetam o produto final antes de escolher a técnica.

Ao entender as diferenças entre cada método e seus efeitos no produto final, o profissional estará capacitado para escolher o método que melhor funcione no seu próprio ambiente. Comece esse processo respondendo às seguintes questões:

▶ Quais são as características do pão que eu quero?
▶ Quais são os pontos de programação e tempo que tenho de considerar?
▶ Quais são os equipamentos necessários (tamanho da cuba, tipo de misturador etc.)?

As respostas vão determinar qual é a técnica de mistura que vai fornecer as qualidades mais importantes para fazer um tipo específico de produto.

Às vezes, podem ser necessários alguns ajustes ao método. As características necessárias para produzir um pão de forma, por exemplo, são de um miolo fechado e simétrico obtido por mistura intensiva. Como já foi discutido, infelizmente a mistura intensiva produz um pão insosso. Para contrabalançar esse efeito, o profissional pode acrescentar a esponja na receita em vez de optar por uma mistura básica ou aprimorada, que produz um miolo mais irregular.

É importante lembrar que, quando os métodos de mistura são alterados para obter determinada característica, todas as outras características do método escolhido estarão presentes também. A massa, por exemplo, não pode ser desenvolvida para adquirir um miolo fechado e posta para fermentar por um longo período, pois se tornará muito desenvolvida e perderá sua extensibilidade. O resultado final será uma massa muito difícil de trabalhar.

Do mesmo modo, escolher um método para alongar a fermentação vai trazer todas as outras características junto, incluindo o excesso de CO_2, o que torna a massa muito difícil de manusear.

Entender essas interconexões essenciais permite ao profissional maior flexibilidade para equilibrar as qualidades do produto com os métodos que melhor se adaptam aos seus planos de produção.

MISTURA E APRENDIZADO

Em uma produção em larga escala, o profissional encarregado deve conferir todos os produtos finais resultantes da mistura do seu turno. Essa medida pode se tornar uma grande experiência de aprendizado, pois, como já afirmamos antes, uma série de características do pão, como volume, miolo e cortes, pode ser afetada positiva ou negativamente pelo tempo de mistura.

A padronização do procedimento de mistura em grandes panificações é também muito importante para garantir uma boa solidez na produção, sem considerar qual é o padeiro responsável, ou em qual turno a massa foi misturada.

Há inúmeros pontos críticos durante o processo de mistura em que é possível ocorrer erros. No entanto, mediante uma execução organizada e cuidadosa de cada atribuição, os resultados devem ser bastante consistentes e satisfatórios.

PESAGEM

Se a massa não é propriamente pesada, a proporção dos ingredientes da fórmula não vai funcionar, e o resultado esperado será difícil de alcançar, se não impossível. Os resultados podem ser observados dentro dos primeiros minutos, como no caso da água quando não for adequadamente medida. Por sua vez, problemas com sal ou fermento talvez só sejam notados na primeira fermentação, ou depois que o cozimento estiver completo. O profissional deve conferir se todos os ingredientes estão corretamente pesados ao comparar as medidas e os pesos feitos com aquelas impressas na fórmula.

INCORPORAÇÃO DOS INGREDIENTES

Embora todos os ingredientes possam ter sido pesados corretamente, é possível que algo não saia bem na massa. As razões dependem de algum ingrediente esquecido, entre os mais comuns estão o fermento, o sal, o açúcar e a manteiga. Mas é difícil alguém esquecer as azeitonas para o pão com azeitonas.

A correção do problema vai depender do que foi esquecido e quanto tempo se passou. No caso do sal ter sido esquecido, ou o fermento, e a massa apenas tiver acabado de ser misturada, o sal, ou o fermento, deve ser dissolvido com um pouco de água e acrescentado à massa na primeira velocidade. A mesma técnica pode ser adotada para o fermento esquecido até uma hora depois da mistura, no caso de não ter sido usada a esponja. No caso de esquecimento de sal é mais complicado, já que a massa passou por um processo de fermentação. Misturar a massa depois desse estágio terá um efeito negativo na sua reologia.

DESENVOLVIMENTO DA MASSA

As características físicas, tanto da massa como do pão, podem mudar em razão da mistura excessiva ou insuficiente. Esse erro pode afetar o tempo da primeira fermentação, e que por seu turno pode afetar o restante do processo de cozimento. O profissional deve conferir os gráficos neste capítulo para resultados específicos vinculados ao desenvolvimento excessivo ou insuficiente da massa.

Pão *sourdough* (Pão com massa "azeda")

RESUMO DO CAPÍTULO

A mistura não é um estágio complicado, mas requer um grande cuidado e precisão. É bastante simples de entender e, se for feita com cuidado, todos os estágios seguintes serão fáceis. Caso a massa não esteja boa depois da mistura, o profissional deve saber como corrigir e resolver o problema para que, no processo de cozimento, apresente um pão de alta qualidade. Um erro na mistura pode tornar uma rotina normal de trabalho em um dia muito complicado. A incorporação dos ingredientes deve ser feita na ordem adequada, a massa desenvolvida usando as técnicas corretas de mistura, e a temperatura ideal da massa deve ser observada para conseguir as características desejadas do produto final.

PALAVRAS-CHAVE

- ❖ alvéolos
- ❖ autólise
- ❖ carregamento da massa para o forno
- ❖ consistência
- ❖ cortes
- ❖ descanso
- ❖ desenvolvimento da massa
- ❖ desenvolvimento do glúten
- ❖ divisão
- ❖ elasticidade
- ❖ enzima
- ❖ esponja
- ❖ extensibilidade
- ❖ fermentação final
- ❖ fermentação principal
- ❖ fermentação secundária ou intermediária
- ❖ gliadina
- ❖ glúten
- ❖ glutenina
- ❖ método tradicional
- ❖ mistura
- ❖ mistura aprimorada
- ❖ mistura básica
- ❖ mistura intensiva
- ❖ oxidação
- ❖ pigmentos carotenoides
- ❖ pré-moldagem
- ❖ primeira fermentação
- ❖ protease
- ❖ Raymond Calvel (professor)
- ❖ reologia da massa
- ❖ resfriamento
- ❖ temperatura desejada da massa (Tdesejada)
- ❖ Tempo de Desenvolvimento de Massa (TDM)
- ❖ tempo de mistura
- ❖ tempo de preparo (*floor time*)

QUESTÕES PARA REVISÃO

1. Quais são os três principais métodos de mistura e que efeitos cada um deles tem sobre o pão?

2. Por que é importante saber e controlar a temperatura da água quando misturar a massa?

3. Verdadeiro ou falso: Ao misturar uma baguete no Método aprimorado com a temperatura final de 22 °C é recomendado continuar misturando até alcançar a temperatura desejada?

4. O que é oxidação da massa? Como pode ser controlada?

5. O que é dupla hidratação, quando e como é usada?

capítulo
4

FERMENTAÇÃO

OBJETIVOS

Depois de ler este capítulo, você deverá ser capaz de:

▶ Explicar o que é a fermentação e por que é um passo muito importante no cozimento.
▶ Colocar em prática várias técnicas de retardamento.
▶ Explicar as diferentes formas de utilização de fermentação e como controlá-la de modo a assegurar qualidade do produto consistente.
▶ Explicar a ligação entre fermentação e sabor.

FERMENTAÇÃO

O processo de panificação é um equilíbrio harmonioso entre o domínio técnico do padeiro e a transformação natural que ocorre durante a fermentação. Esta inicia-se quando são combinados dois dos principais ingredientes do pão: farinha e água. Com a adição de sal, fermento, tempo e temperatura, o profissional equilibra todos os elementos da fermentação. Esse processo pode ser dividido em duas fases distintas: o período do manuseio, quando o padeiro trabalha manualmente para misturar, dividir e moldar a massa, e o período da fermentação, quando as características da massa são transformadas. Ambas as fases são essenciais para a qualidade final do produto. O estilo ou o modo da fermentação determina o sabor e o aroma final do pão. Compreender a fermentação é entender as preferências e as expectativas do padeiro em relação ao produto final.

A **fermentação** está ligada à transformação do conjunto de moléculas em substâncias orgânicas sob o efeito de fungos (levedura e mofos) e bactérias. Tipos diferentes de fermentação são responsáveis por uma série de produtos consumidos diariamente. A fermentação láctica, por exemplo, é usada para fazer queijo, manteiga e alguns iogurtes; a fermentação acética é utilizada para produzir vinagre de vinho; e a fermentação alcoólica, para produzir álcool, cidra, cerveja e uma série de outros produtos.

Na panificação, a fermentação ocorre quando alguns dos açúcares ou **glicídios** (o grupo de carboidratos que inclui açúcares, amidos, celulose e muitos outros componentes encontrados em organismos vivos) naturalmente presentes na farinha são convertidos em álcool e dióxido de carbono (CO_2) sob o efeito de fungos e bactérias produzidos pela indústria ou de forma natural. Esse tipo de fermentação é definido como fermentação alcoólica (ver Figura 4-1).

A TRANSFORMAÇÃO DO AÇÚCAR

A farinha de trigo contém diversos tipos de glicidios que são absorvidos em momentos diferentes durante a fermentação. Esses glicidios podem ser classificados de acordo com a complexidade de suas estruturas. Alguns são absorvidos diretamente. Outros glicidios, com uma composição mais complexa, são degradados por enzimas ou substâncias orgânicas com diferentes propriedades de degradação. Essas substâncias estão naturalmente presentes na farinha e no fermento, ou são adicionadas durante o processo de moagem (ver Figura 4-2).

Figura 4-1
Processo de fermentação.

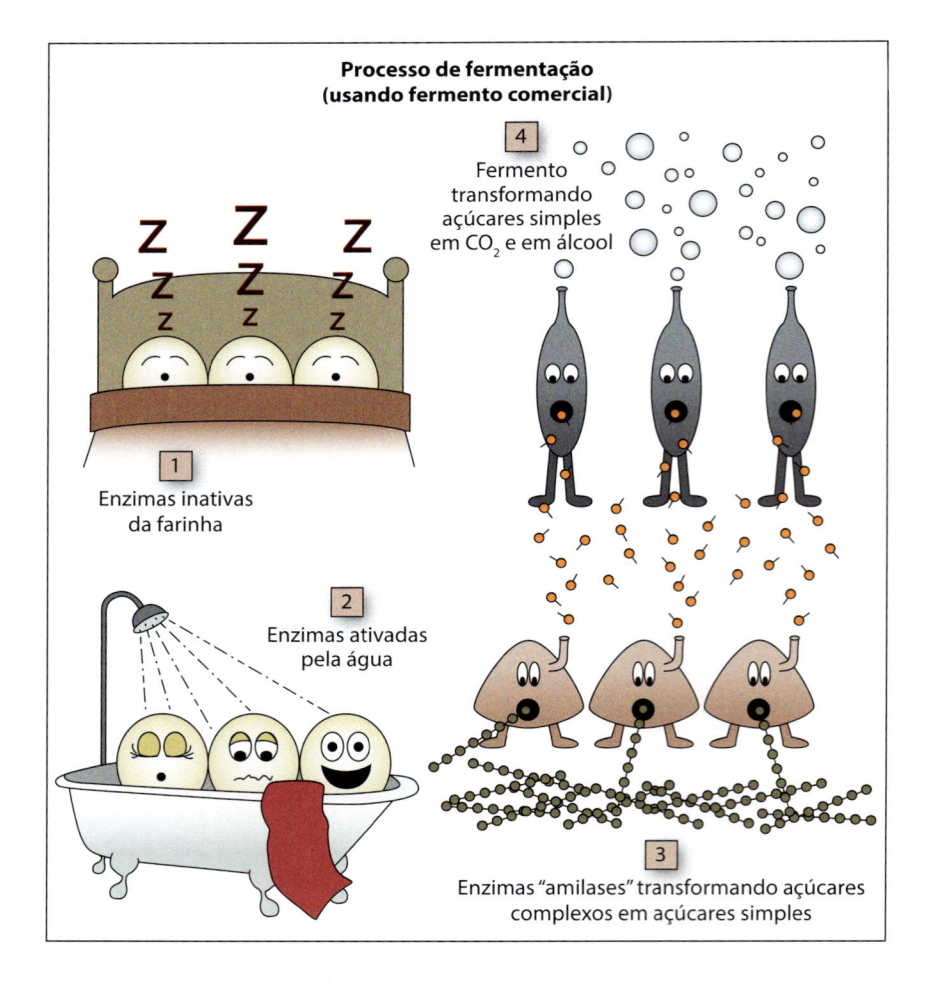

Processo de fermentação
(usando fermento comercial)

4 — Fermento transformando açúcares simples em CO_2 e em álcool

1 — Enzimas inativas da farinha

2 — Enzimas ativadas pela água

3 — Enzimas "amilases" transformando açúcares complexos em açúcares simples

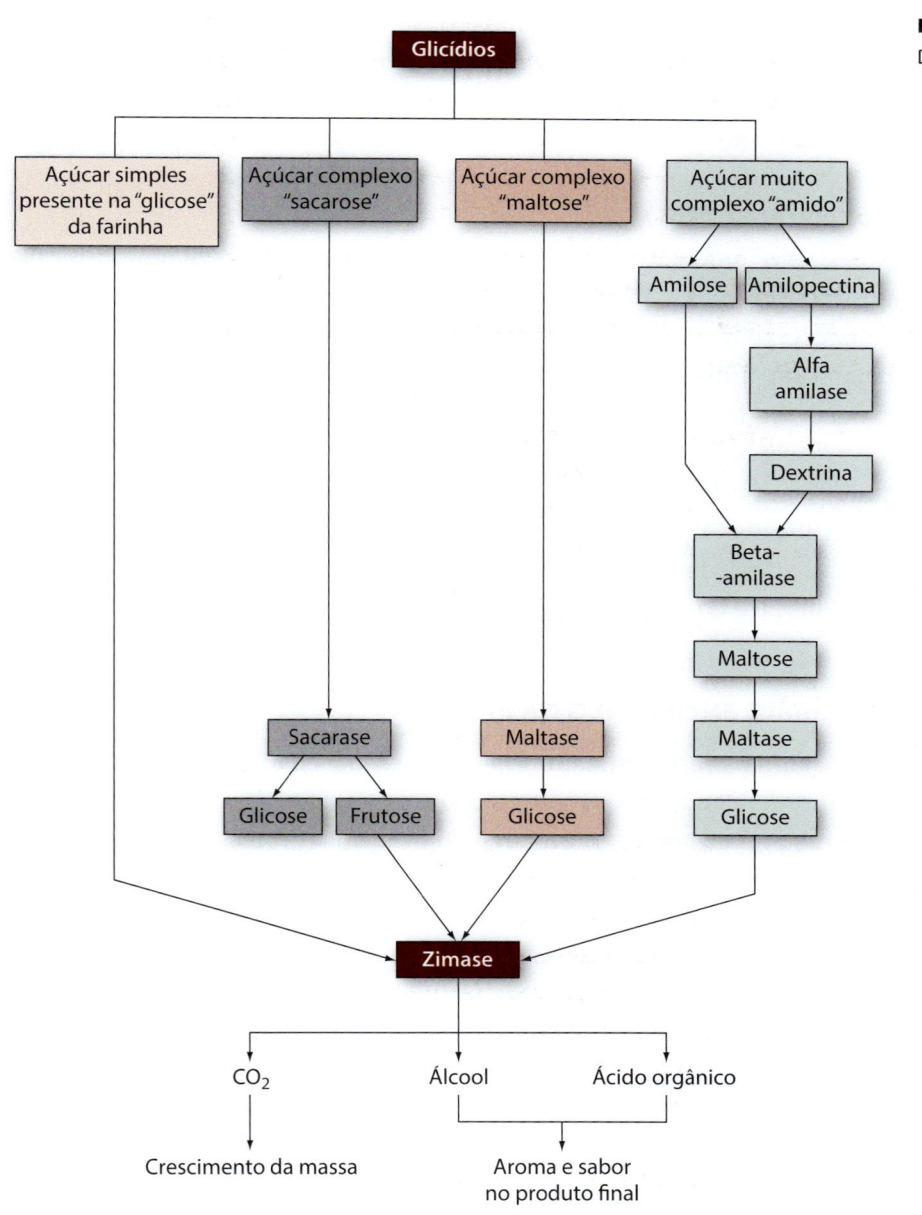

Figura 4-2
Degradação do açúcar.

Glicídios simples (carboidratos)

Os glicídios simples básicos (**açúcares simples**) são glicose e frutose, que juntos representam em torno de 0,5% da farinha. São diretamente assimilados quando o fermento penetra a membrana da célula. Os açúcares simples são transformados em álcool e dióxido de carbono pela zimase, a enzima naturalmente presente nas células do fermento. A absorção fácil faz com que esses açúcares sejam usados primeiro, durante os 30 minutos iniciais do processo de fermentação.

Glicídios complexos (carboidratos)

A sacarose e a maltose, os dois principais glicídios complexos, representam aproximadamente 1% da farinha. Em razão de sua composição complexa, nos primeiros 30 minutos de fermentação ocorre uma mudança enzimática e os glicídios se transformam em açúcares simples, que mais tarde serão absorvidos no processo de fermentação. A sacarose é transformada em glicose e frutose pela enzima sacarase, e a maltose é transformada em glicose pela enzima maltase. As duas enzimas estão naturalmente presentes na farinha e nas células do fermento. A glicose e a frutose produzidas são então transformadas em dióxido de carbono e álcool pela enzima zimase que ocorrem nas células do fermento.

Glicídios mais complexos (carboidratos)

O principal glicidio complexo é o amido, que representa 70% da farinha. São encontrados dois tipos de amido: a amilose e a amilopectina. A amilose é degradada em maltose pela enzima beta-amilase, e a maltose é então degradada em glicose pela enzima maltase. A amilopectina é degradada em dextrina pela enzima alfa-amilase, e a dextrina é degradada em maltose pela beta-amilase. A maltose resultante é então degradada em glicose pela maltase. Finalmente, o fermento utiliza a glicose para gerar dióxido de carbono e álcool.

A maior parte do amido usado durante a fermentação é danificada durante o processo de moagem. Essas partículas danificadas absorvem facilmente água durante a elaboração da massa, que, por sua vez, desencadeia a atividade enzimática. Uma partícula de amido não danificada vai reter água apenas na sua periferia, e não dentro da partícula.

A IMPORTÂNCIA DO EQUILÍBRIO ENZIMÁTICO NA FARINHA

Embora as enzimas alfa e beta-amilase estejam naturalmente presentes na farinha, a quantidade de alfa-amilase pode variar, dependendo da **germinação** ou do estágio de brotação do trigo. Quando o trigo está se preparando para começar um novo ciclo de vida (brotação), o germe envia enzimas ao **endosperma**, o tecido nutritivo da semente. Essas enzimas transformam os componentes complexos do endosperma em pequenos nutrientes para que o germe possa absorver.

Normalmente, a farinha tem falta de enzimas alfa-amilase, pois em razão de manutenção de estoques a colheita é feita antes da brotação do trigo. Para facilitar o trabalho do padeiro e manter a fermentação mais padronizada e consistente possível, os moinhos compensam a falta de enzimas adicionando farinha maltada ou enzimas com levedura.

Apenas uma quantidade mínima de amido é empregada durante o processo de fermentação. Tecnicamente, a fermentação pode se estender por muito tempo, mas a massa tem um limite para a retenção de gás. Por esse motivo, é importante para o padeiro entender e controlar a atividade da fermentação.

OS EFEITOS DA ATIVIDADE DA FERMENTAÇÃO NA MASSA

O efeito mais evidente da atividade da fermentação é o crescimento da massa em razão da produção de dióxido de carbono. No começo, o gás é disperso pela água livre (não absorvida pela farinha). Na medida em que a água se torna saturada pelo gás, uma acumulação crescente gera pressão interna que alonga a estrutura do glúten da massa. Em razão das propriedades físicas de extensibilidade e elasticidade, o glúten é capaz de manter a estrutura da massa e reter o dióxido de carbono necessário para realizar um bom crescimento.

O segundo efeito da fermentação é a **acidificação** da massa, a produção de ácidos orgânicos que diminuem o seu pH. A acidificação da massa fornece uma indicação da boa atividade de fermentação e medi-la é um bom modo de garantir uma fermentação consistente no dia a dia (o medidor de pH ainda é o melhor recurso para medir a acidificação da massa). Outro aspecto muito importante da acidez é que ela adia o processo de envelhecimento e aumenta a durabilidade do produto.

E, por fim, outro efeito também importante da fermentação é a produção do aroma. Alguns aromas são criados pela produção de álcool, outros são obtidos por meio de ácidos orgânicos e ainda outros são criados por reações secundárias que ocorrem durante a fermentação. A formação do aroma leva tempo, o que pode ser observado durante o estágio secundário da fermentação. Por exemplo, bactérias e vários tipos de fermentos "nativos" naturalmente presentes na farinha produzem os aromas relacionados às reações secundárias. Esse fato explica por que é necessário um longo tempo de fermentação, no começo do processo, para obter um pão com uma boa complexidade de sabor.

Independentemente das mudanças físicas que ocorrem durante o manuseio da massa, a fermentação altera suas características. Durante a longa primeira fermentação, a massa cresce e se fortalece, produzindo extensibilidade reduzida e elasticidade crescente.

Considerando que os conceitos de extensibilidade, elasticidade e força são amplamente discutidos neste capítulo, precisamos ter, inicialmente, um entendimento preciso de como esses termos são aplicados. A extensibilidade se refere à propriedade de alongamento da massa, e a descrição conhecida como "fácil de esticar" é considerada a massa com boa extensibilidade. A elasticidade se refere à capacidade da massa de retornar à sua posição inicial depois de esticada. A força da massa se refere ao equilíbrio entre extensibilidade, elasticidade e uma terceira propriedade chamada força.

FATORES QUE AFETAM A FERMENTAÇÃO

Diversos fatores vão afetar a fermentação durante o processo de cozimento, incluindo a quantidade de fermento, sal e açúcar usados; a temperatura e o pH. O profissional deve controlar cada um desses fatores para conseguir resultados esperados e consistentes.

Quantidade de fermento

O grau de fermentação está diretamente relacionado à quantidade de fermento usado na massa. Mais especificamente, a quantidade de fermento deve ser limitada para controlar a fermentação e permitir à massa tempo suficiente para obter seus benefícios. Dependendo do produto e do processo de cozimento, deve ser em torno de 0,5% a 2% (fermento fresco compacto) tendo como base a farinha para massa sem gordura. Para massas doces, é necessária uma quantidade maior.

Temperatura

A atividade do fermento é mais rápida em altas temperaturas e lenta nas mais baixas. Para obter uma produção melhor de gás e acidez, a massa deve ser mantida a aproximadamente 24 °C. Se estiver muito quente, a produção de gás vai aumentar, mas a produção do aroma estará comprometida.

Quantidade de sal e de açúcar

O sal torna a atividade da fermentação mais lenta. Em geral, a quantidade de sal para uma fermentação normal e consistente é de 2%, tendo como base a totalidade da farinha indicada na fórmula. Uma pequena quantidade de açúcar (5%) vai aumentar a atividade da fermentação em razão das altas quantidades de nutrientes para o fermento. Uma grande quantidade (12%) vai ter o efeito contrário, atrasando a fermentação em razão de mudança na função da célula do fermento.

O pH da massa

O fermento industrial funciona melhor quando o pH da massa está entre 4 e 6. Um dos efeitos de um pH baixo é a redução na atividade da fermentação que muda as características da massa. Os fermentos "naturais" e leveduras são mais adaptados ao pH baixo, por isso funcionam tão bem nessas condições presentes no processo *sourdough*.

A RELAÇÃO ENTRE FERMENTAÇÃO E MANUSEIO DA MASSA

O processo de cozimento vai determinar a maior parte das características do pão, incluindo sabor, textura do miolo, volume e durabilidade. A panificação é mais bem descrita como uma sucessão de estágios que incluem o manuseio da massa (tais como mistura, divisão, moldagem, cortes e cozimento) e sua fermentação.

O processo de cozimento é muito interessante porque todos esses estágios estão interconectados; tecnicamente não é possível isolar nenhum deles. Qualquer mudança nas características da massa durante um dos estágios afetará, positiva ou negativamente, todos os passos seguintes do processo de cozimento.

Relação entre a primeira fermentação e a mistura

Uma primeira fermentação longa aumenta consideravelmente a força da massa e traz inúmeros benefícios ao pão, sendo os mais importantes o aumento do sabor e a durabilidade.

O processo começa durante a mistura. A essa altura, a água provoca a coesão em todos os ingredientes da farinha criando o glúten. O gancho da masseira fornece estrutura ao glúten ao estender e dobrar seus tecidos sobre elas mesmas. Quanto mais a massa for misturada, mais a estrutura do glúten vai se organizar, e mais forte a massa se tornará. Esse efeito continua até a estrutura do glúten alcançar o estágio máximo, a partir do qual seus tecidos começam a se romper.

Caso o padeiro decida aumentar a força da massa por meio de uma longa fermentação, será necessário diminuir o tempo de mistura. Quanto mais longa for a primeira fermentação, mais a estrutura da massa será reforçada pela ação da acidez. Limitar o tempo de mistura, nesse caso, vai evitar o duplo aumento da força que terá um efeito negativo na massa durante os estágios seguintes do processo de cozimento.

Um tempo de mistura mais curto também reduz os efeitos negativos da oxidação que ocorre quando o oxigênio é incorporado à massa durante o processo de mistura. Uma pequena quantidade de oxigênio é necessária para reforçar a ligação dos tecidos do glúten, mas seu excesso tem efeito negativo nos componentes da farinha responsáveis pelo sabor e pela coloração do miolo.

É possível obter as vantagens e características do pão feito à mão com um equipamento mecânico adaptando o tempo de mistura. Para compensar a estrutura do glúten pouco desenvolvida criada pela masseira na mistura básica, o padeiro deve combinar uma primeira fermentação longa com a técnica da dobra. As duas vantagens de dobrar a massa são:

- Reorganização da estrutura do glúten, duplicando a ação física do gancho durante o processo de mistura.
- Expulsão do dióxido de carbono acumulado na massa durante a primeira fermentação, o que melhora a atividade do fermento. (As transformações físicas e químicas da célula do fermento são afetadas quando o ambiente está saturado de dióxido de carbono e álcool.)

Os padeiros que combinam um tempo longo de mistura com uma primeira fermentação longa podem produzir uma massa excessivamente firme, o que vai comprometer a sua extensibilidade durante a moldagem. Além disso, produzirá um pão com um corte transversal arredondado, cortes não abertos, e uma estrutura de miolo muito fechada, em oposição a determinada estrutura com abertura natural e irregular. O inverso também se aplica: massa pouco desenvolvida requer uma primeira fermentação mais longa com ajuda das dobras para evitar certa aparência comum e pouco atraente.

Relação entre a primeira fermentação e a divisão

Quando a primeira fermentação estiver completa, a massa é dividida. Nesse estágio, os tecidos do glúten foram esticados e estão mais frágeis, a massa apresenta-se com gás e mais difícil de manusear. Por isso, é importante evitar danificar a massa durante esse estágio.

Se a divisão for feita à mão, o padeiro deve encontrar o peso desejado em duas ou três tentativas. Muitos pedaços pequenos de massa podem desorganizar a estrutura do glúten e vão aumentar a dureza da massa como efeito secundário. Nesse caso, será preciso um trabalho adicional para reorganizar o glúten durante o passo seguinte, que é o da pré-moldagem.

Caso a divisão seja feita por equipamento, o padeiro deve optar por um que não vá danificar ou rasgar o glúten durante o processo. As máquinas divisoras que funcionam por sucção, por exemplo, normalmente não são adequadas para massa com gás, pois danificam o glúten. Esse dano torna a pré-moldagem difícil e produz uma massa excessivamente dura. A massa com excesso de gás também produz alguma irregularidade no peso dos pães, já que a variação nos níveis de dióxido de carbono gera proporções diferentes de volume e peso em cada peça de pão. Por sua vez, divisores hidráulicos ou divisores sem pressão são mais adequados para massas com um período de primeira fermentação mais longo.

Relação entre as características da massa e a pré-moldagem

Quando a relação entre a mistura e a primeira fermentação é feita com cuidado, a massa apresenta uma força bem equilibrada nesse estágio da fermentação. No entanto, alguns fatores podem ocorrer prejudicando esse equilíbrio, como uma farinha mais pesada ou que tenha proteína de baixa qualidade, ou temperatura inadequada da massa.

Caso a massa apresente uma força excessiva ou insuficiente, as correções podem ser feitas durante a pré-moldagem. Se a massa apresentar muita extensibilidade, pode-se aumentar a sua força ao realizar uma pré-moldagem mais firme de forma a dobrar os tecidos do glúten uma vez mais. Se a massa estiver muito firme, deve ser manuseada com mais cuidado evitando dobraduras excessivas dos tecidos do glúten.

Relação entre as características da massa e a moldagem

Se as características da massa não estiverem bem equilibradas nessa etapa do processo, a moldagem é a última oportunidade de corrigi-las. Massa sem força requer moldagem firme. Para isso é preciso um manuseio firme e dobrar um pouco mais a massa. Caso a moldagem seja feita à máquina, deve-se diminuir o espaço entre os dois primeiros rolos. Se a massa estiver muito dura, é aconselhável uma moldagem mais leve. A massa deve ser manuseada na medida certa para que se obtenha um formato definitivo e se mantenha assim até a fermentação final.

Relação entre a fermentação final e a moldagem

Em comparação com a massa que foi moldada à mão, a massa moldada à máquina vai permanecer mais tempo na fermentação final. O moldador faz a massa ficar mais firme e expulsa mais gás na prensa. Já que a massa se torna mais forte e com menos gás, a fermentação final leva mais tempo até atingir o ponto em que o pão estiver pronto para ser assado. A massa moldada à mão, com alta quantidade de gás e com a estrutura do glúten menos firme, estará pronta para ser assada depois de um período mais curto.

Relação entre as características da massa e cortes

Os cortes devem ser adaptados para se adequarem às características da massa ao final da última fermentação. Caso a massa fique levemente fermentada demais, o corte deve ser superficial para evitar a saída de gás. No caso de ficar pouco fermentada, um corte mais profundo vai beneficiar a massa, pois cria uma expansão melhor durante a estufada do forno e propicia alguma compensação pela falta de volume.

O método pelo qual o corte é feito na superfície do pão também muda a sua aparência. Um corte transversal ou um corte *chevron* dá ao pão um talho cruzado arredondado, enquanto o corte paralelo ao comprimento do pão cria um talho cruzado mais achatado. Por esse motivo, massas mais frágeis têm aparência melhor com cortes transversais ou *chevron*.

PRÉ-FERMENTOS

Outra forma de fermentação amplamente usada em panificação é o pré-fermento. Ele fornece um meio simples e barato de melhorar a qualidade do pão, assim como as características da massa e do pão como força e aroma.

O pré-fermento é uma massa criada a partir da receita de farinha, água, fermento (natural ou industrial) e, às vezes, sal. É preparado antes de misturar a massa final, e deixado para fermentar por um período controlado de tempo, adicionado à massa final.

Tipos de pré-fermento

Dependendo do tipo de pão a ser assado, da programação da produção e da disponibilidade de equipamentos, pode-se escolher entre os vários tipos de pré-fermentos. Entre esses se incluem a massa pré-fermentada, fermento *poolish*, esponja e biga. É possível também desenvolver receitas e processos únicos de pré-fermentos inspirados nos mesmos conceitos básicos.

Massa pré-fermentada A **massa pré-fermentada** (*patê fermentée*), às vezes chamada massa velha, é justamente um método novo e fácil, que foi criado originalmente para compensar a pouca qualidade do pão produzido com uma primeira fermentação curta. A massa pré-fermentada permite a produção de um pão de melhor qualidade mesmo quando a primeira fermentação precise ser encurtada em razão da programação de produção ou mecanização.

O processo é bastante simples: uma parte da massa normal (feita com farinha, água, fermento e sal) é deixada para fermentar por um período antes de ser incorporada à mistura final. Para conseguir o melhor desse processo, a massa pré-fermentada deve ficar pelo menos três horas fermentando e não deve exceder seis horas em temperatura ambiente.

Para períodos mais longos antes de usar o pré-fermento, é aconselhável deixar a massa fermentar por uma ou duas horas em temperatura ambiente e, então, manter no refrigerador até a incorporação à massa final. A massa pré-fermentada pode ser mantida até 48 horas em temperaturas entre 2 °C a 7 °C. Ao empregar esse procedimento, deve-se retirar a massa pré-fermentada uma ou duas horas antes de incorporá-la à massa final. Caso não seja possível, a temperatura da água na massa final deve ser ajustada para compensar a massa pré-fermentada fria.

A massa pré-fermentada pode também ser uma parte da massa separada de uma mistura anterior. Parte da massa de farinha integral, por exemplo, pode ser usada como pré-fermento para os dias seguintes de produção de pães integrais. Em geral, no entanto, os profissionais preferem reservar a massa da baguete porque contém apenas os quatro ingredientes básicos de qualquer massa (farinha, água, fermento e sal), o que oferece a versatilidade necessária para ser utilizada em qualquer tipo de mistura final.

A quantidade de massa pré-fermentada necessária para diversas fórmulas varia de 10% a 180%, baseada na farinha da mistura final. Em geral, 40% a 50% é a proporção mais usada. O mais conveniente para definir a quantidade de fermento necessária para a fornada seguinte é retirar a massa a ser usada como pré-fermento logo após a primeira fermentação e armazená-la no refrigerador.

Outra opção para a massa pré-fermentada é misturá-la como massa separada na véspera, ou ao menos três horas antes de incorporar à massa final. Nesse caso, normalmente em torno de 20% a 30% da farinha da fórmula total são usados na esponja. A absorção deve ser ajustada para se obter uma consistência média (normalmente 64% a 66%). O sal é de 2%, e o fermento é de um a 1,5% (fresco). Todas as porcentagens são calculadas conforme a quantidade de farinha da esponja.

Enfim, não importa como a massa pré-fermentada seja feita, pois pode ser usada em diversos produtos, de viennoiserie – como croissant, brioche e *danish* – até vários tipos de pães, incluindo baguetes, pão de forma e pães integrais e de centeio. A maior desvantagem desse método é que é necessário um grande espaço no refrigerador para armazená-la de véspera.

Poolish O **poolish** é um dos primeiros pré-fermentos elaborados com o fermento industrial. A origem do seu nome vem dos padeiros poloneses, a quem se atribui a criação desse pré-fermento na Polônia em fins do século XIX. O método foi então adaptado na Áustria e mais tarde levado à França por alguns padeiros vienenses. O pão feito com o *poolish* era leve em textura e menos ácido do que o pão *sourdough*, bastante comum na época. Essa qualidade, juntamente com a facilidade de obter o fermento industrial levaram o *poolish* a uma rápida popularidade.

Em termos técnicos, pode-se considerar o *poolish* uma transição entre o *sourdough* e o fermento industrial empregando-se um processo direto. Ainda hoje, nas vitrines de alguma confeitaria antiga de Paris podem-se encontrar dois tipos de avisos. Um diz: "Pão vienense", ou pão de Viena feito com fermento industrial, e um outro que indica: "Pão francês", ou pão da França feito com *sourdough*. O *poolish* pode ser usado em diversos tipos de pães ou doces e é geralmente o pré-fermento preferido para a massa da baguete.

Tradicionalmente, a quantidade do *poolish* foi calculada a partir da medida de água da fórmula. Padeiros usam de 20% a 80% de água para preparar o *poolish*, que é elaborado usando a mesma quantidade de farinha e água. Esse método gera uma hidratação de 100% e produz uma consistência líquida. O *poolish* normalmente não contém sal. É importante observar que o *poolish* é deixado para fermentar em temperatura ambiente; portanto, a quantidade de fermento é calculada dependendo do tempo de fermentação. Embora seja difícil precisar em números, a Figura 4-3 apresenta algumas indicações para calcular a quantidade de fermento necessária.

Essas orientações são dadas considerando uma temperatura ambiente de 27 °C a 29 °C e uma temperatura da água de 16 °C. Se a temperatura ambiente for mais quente, a quantidade de

Figura 4-3
Cálculo para a quantidade de fermento para o *poolish*.

Tempo de fermentação	3 horas	7 a 8 horas	12 a 15 horas
Quantidade de fermento (fresco)*	1,5%	0,7%	0,1%

* Com base na quantidade de farinha empregada no *poolish*.

fermento ou a temperatura da água deverá ser diminuída. O objetivo é conseguir um *poolish* que esteja perfeitamente maduro na hora de misturar a massa final. A maturação completa é indicada quando o *poolish* forma uma leve cúpula no topo e apenas começa a murchar, o que cria algumas formas na superfície que são um pouco mais côncavas. Quando o *poolish* não amadurece de modo adequado, acaba não desenvolvendo os benefícios da acidez. Se o fermento estiver bastante maduro pode criar outros tipos de acidez que vão afetar negativamente o sabor do produto final (ver Figura 4-4).

Se a produção e o armazenamento forem adequados, a melhor opção é o *poolish* da véspera. Esse método produz aromas mais complexos e requer menos fermento, aumentando o tempo de uso para até duas horas e meia sem maturar em excesso.

Sugestão: Quando forem necessárias grandes quantidades de *poolish* para diversas massas, é muito mais fácil dividir o fermento em vasilhas separadas para cada massa final logo depois de misturá-las, em vez de medi-las depois de maturada.

Esponja Antigamente, a **esponja** era usada como fermento na produção de pão de forma na Inglaterra. Hoje, o processo de esponja para a produção de pão de forma foi quase que totalmente substituído pelo método direto de massa, com melhoradores de massa substituindo a esponja. As esponjas também eram, e ainda são, utilizadas na produção de massa doce em países europeus e nos Estados Unidos.

O processo da esponja é similar ao do *poolish*; a principal diferença está na hidratação da massa. Enquanto o *poolish* tem uma consistência líquida, a absorção da esponja está em torno de 60% a 63%, criando uma consistência mais firme e tornando o seu manuseio mais fácil. Assim como o *poolish*, a esponja normalmente não contém sal, e a quantidade de fermento é calculada conforme o tempo de fermentação. Na verdade, as orientações para o *poolish* também servem para o método da esponja. No que se refere a sabor, a esponja e o *poolish* produzem aromas muito semelhantes, porém a esponja tem um sabor levemente mais adocicado do que o *poolish*.

Figura 4-4
O *poolish* maduro, pouco desenvolvido e superdesenvolvido (de cima para baixo).

A esponja deve ser usada depois que atingir a plena maturação. Na sua superfície é possível observar inúmeros sinais que ajudam a determinar o momento certo de maturação, como várias bolhas que ao se romperem causam certo colapso na fermentação. Nesse estágio, a esponja está pronta para ser incorporada à massa final. Uma esponja não maturada não vai produzir os benefícios esperados em razão do desenvolvimento inadequado da acidez, ao passo que uma esponja muito maturada terá excesso de acidez, afetando de modo negativo a força da massa e o sabor do pão (ver Figura 4-5).

A esponja que utiliza pouco fermento e levedura durante a noite oferece ao padeiro um tempo longo entre pouca maturação e excessiva maturação. Esse longo tempo de fermentação gera acidez suficiente para garantir um sabor diferenciado e durabilidade.

A esponja pode ser usada em muitos produtos. A massa doce é a que mais se beneficia do método da esponja, pois a consistência mais firme da esponja melhora a firmeza da massa. Esse aumento da força da massa normalmente é suficiente para compensar o enfraquecimento potencial do glúten criado pelo açúcar e pela gordura frequentemente encontrados nas fórmulas de pão doce.

Biga Muitas das fórmulas de pães italianos são feitos com **biga**. Um estudo mais detalhado dessas receitas mostra que, mesmo os ingredientes básicos da biga sendo os mesmos, o pré-fermento final pode ter características muito diferentes. Algumas bigas são líquidas, outras firmes, ou "azedas", algumas são fermentadas em temperatura ambiente, e outras ainda são fermentadas em ambiente frio.

Depois de alguns estudos (incluindo entrevistas com padeiros italianos) chegou-se à conclusão de que biga é um termo mais genérico para pré-fermento do que uma referência a um processo específico. Nos Estados Unidos, o termo é ocasionalmente utilizado em vez de "massa pré-fermentada", "*poolish*", ou "esponja" para acrescentar um toque de "autenticidade italiana" ao pão. Assim como os outros pré-fermentos, as vantagens da biga são sabor e durabilidade.

Figura 4-5
A esponja madura, pouco desenvolvida e superdesenvolvida (de cima para baixo).

Originalmente, a biga era um pré-fermento muito consistente empregado para reforçar a fragilidade da massa, que na época era elaborada com um trigo mais pobre. A biga tradicional é preparada com farinha, água e fermento, com uma hidratação de aproximadamente 50% a 55%. Ao contrário dos métodos "*poolish*" e "esponja", a quantidade de fermento, temperatura da fermentação e tempo de fermentação são constantes, usando normalmente de 0,8% a 1% de fermento industrial fresco. A biga é mantida em torno de 16 °C por aproximadamente 18 horas.

A biga pode ser usada para produtos que requeiram uma massa com características fortes, como brioche ou *Stollen* (pão com frutas secas e cobertura de açúcar). Além disso, é uma boa escolha para massas com alta hidratação. Em razão da alta quantidade de fermento, da consistência bem firme, temperatura mais fria e longo tempo de fermentação, a biga desenvolve naturalmente níveis mais altos de acidez. Por isso, a biga deve ser usada corretamente com farinha mais forte para evitar danos à extensibilidade. Caso a extensibilidade seja comprometida, uma alta hidratação ou autólise vai ajudar a recuperar o equilíbrio.

Vantagens e desvantagens do pré-fermento

Ao analisar as vantagens e desvantagens do pré-fermento, os profissionais devem aprender primeiro quais as principais vantagens de cada método e decidir qual pré-fermento vai funcionar melhor com uma farinha específica ou determinada massa. Mesmo com algumas desvantagens, os pré-fermentos são úteis, especialmente quando o aumento da qualidade do produto final é levado em consideração.

Vantagens A principal vantagem do pré-fermento é trazer todos os benefícios da fermentação para a massa final, incluindo gás, álcool e acidez.

- *Produção de gás*: No estágio do cozimento, o gás não tem a mesma importância que tem depois que a massa final foi misturada, pois os pré-fermentos são usados para preparar a massa final, não o produto final.
- *Produção de álcool*: Durante o pré-fermento, o álcool reage com outras substâncias para gerar **ésteres**, os componentes aromáticos do pão que são muito importantes na produção do sabor do produto final.
- *Produção de ácido*: Nessa etapa, a acidez desempenha um papel mais importante do que o gás ou álcool. Os três principais efeitos na massa e no produto final são firmar as proteínas para fortalecer a massa, diminuir o pH, desencadeando assim um aumento na durabilidade do pão ao retardar o processo de deterioração e inibindo o crescimento de mofo. Por fim, como resultados da fermentação secundária, são formados ácidos orgânicos, produzindo aromas na massa. Esses aromas são muito importantes para o sabor do produto final.

Há duas outras vantagens que vale mencionar. A primeira é que, quando a farinha não é da melhor qualidade, o pré-fermento pode ser um grande aliado ao fortalecer a massa e compensar as deficiências da farinha. A segunda é que o pré-fermento propicia uma melhor organização do trabalho. Ao testar a quantidade de pré-fermento na fórmula, pode-se aumentar ou diminuir o tempo da primeira fermentação sem danificar a qualidade do produto final. Uma primeira fermentação longa, por exemplo, requer menos pré-fermento, enquanto uma primeira fermentação mais curta, o que é mais comum nas padarias, exige mais fermento.

Desvantagens A principal desvantagem de utilizar o pré-fermento é o trabalho adicional antes da mistura da massa final. Para preparar o pré-fermento, é necessário mistura adicional e pesar os ingredientes, ou na véspera ou ao menos três horas antes de misturar a massa final.

Outra desvantagem é a necessidade de mais espaço em condições ideais (temperatura ambiente ou, às vezes, refrigerado) essencial para que ocorra a pré-fermentação. No caso de produções em escala, essa desvantagem pode se tornar um problema importante, especialmente se a área de produção é pequena ou o espaço de refrigeração é limitado. Ao projetar novas instalações, é uma boa ideia planejar um espaço reservado especificamente para o pré-fermento. Um sistema adicional de controle de temperatura pode ser uma vantagem para manter a atividade de fermentação de uma forma mais completa.

Uma última desvantagem é a dificuldade em planejar a exata quantidade de pré-fermento necessária para atender à produção. Um modo de contornar esse problema é solicitar aos clientes que façam os pedidos ao menos com um dia de antecedência.

Considerações técnicas

Os principais fatores a considerar na escolha de um tipo de pré-fermento específico são a produção e o espaço necessários, as características da farinha e o sabor. Considerando esses parâmetros, o profissional deve ser capaz de decidir que tipo de pré-fermento é melhor para sua produção. Depois de feita a escolha, é melhor limitar o pré-fermento a dois ou três tipos.

Para conseguir as melhores vantagens do uso do pré-fermento, o padeiro deve entender e respeitar certos aspectos técnicos definidos desse método. Mais precisamente, misturar o pré-fermento e incorporá-lo na massa final.

Misturar os pré-fermentos Um estágio bem básico, mas extremamente importante na mistura, é a pesagem precisa de todos os ingredientes. Esse ponto é essencial para regular a atividade da fermentação e garantir consistência no produto final.

A temperatura da água deve ser de aproximadamente 16 °C, mas pode ser ajustada caso o padeiro queira aumentar ou diminuir o tempo de pré-fermentação. Água muito fria pode ter um efeito negativo no funcionamento do fermento, sendo necessário diminuir a quantidade de fermento quando houver uma fermentação mais longa.

Considerando que a retenção de gás não é importante, a estrutura do glúten não precisa ser desenvolvida. O tempo de mistura deve ser longo o suficiente para incorporar totalmente os ingredientes, mas suficientemente curto para evitar a oxidação excessiva da massa. Dependendo do tamanho da massa, um misturador espiral pode completar a mistura em primeira velocidade de 5 a 8 minutos. Para misturadores mais lentos, do tipo obliquo ou vertical, de 2 a 3 minutos em segunda velocidade pode ser adicionado ao tempo de mistura depois da incorporação para garantir a assimilação completa dos ingredientes.

Para pré-fermentos líquidos, é preferível o uso de paleta para conseguir uma mistura perfeita em um curto espaço de tempo. Ao preparar o *poolish* na véspera (usar uma pequena quantidade de fermento), dilui-lo primeiro em água para que o fermento fique completamente amalgamado.

Incorporação dos pré-fermentos na massa final O tempo e a quantidade exatos devem ser considerados ao adicionar o pré-fermento à massa final.

Os pré-fermentos geralmente são adicionados no começo ou durante o período de incorporação da mistura. No entanto, às vezes é preferível adiar a incorporação do pré-fermento, como é o caso da massa pré-fermentada retirada de uma mistura anterior completa. Nesse caso, o pré-fermento deve ser incorporado ao final do tempo de mistura para evitar a dupla mistura.

Ao fazer a massa usando autólise, o pré-fermento deve ser adicionado à massa final somente depois da realização da autólise, assim como o fermento e o sal. (Conforme exposto no Capítulo 3, os pré-fermentos líquidos são adicionados à massa antes da autólise, pois a proporção de água faz parte da hidratação total da massa.) Em razão da lenta atividade de fermentação, a *sourdough* possivelmente seja a exceção a essa regra. A levedura pode ser incorporada antes de a autólise começar. No entanto, se a temperatura da água estiver muito fria, é melhor incorporar a **levedura** (cultura *sourdough* suficientemente madura para ser usada para fermentar a massa final) depois da autólise para evitar o retardamento do processo de fermentação da cultura.

A quantidade de pré-fermento que o padeiro pode incluir nas fórmulas depende do processo de cozimento. Uma série de fatores, tais como a qualidade da farinha, a hidratação e o tipo de pré-fermento, ajuda a calcular a quantidade final. Como regra geral, qualquer redução no tempo da primeira fermentação, a quantidade do pré-fermento deve ser aumentada para evitar danificar a qualidade do produto final. É claro que há certos limites. Se uma quantidade excessiva de pré-fermento é acrescentada, por exemplo, o nível de acidez da massa pode ser muito alto. É possível determinar a porcentagem certa do pré-fermento por meio de vários testes de cozimento. Além disso, questões práticas como área disponível e/ou necessidades de produção devem ser consideradas.

Observação: O pré-fermento também pode ser usado para alterar a temperatura da água. A massa pré-fermentada saída do resfriador, por exemplo, é uma boa substituta da água gelada para regular a temperatura da massa. Deve-se, entretanto, diminuir a temperatura da água da massa final ao usar uma grande quantidade de *poolish* que ficou fermentando em temperatura ambiente. (Em certas circunstâncias, ao menos a metade da água usada para o *poolish* já está em temperatura ambiente.)

Os efeitos secundários do pré-fermento

As atividades enzimáticas começam quando a farinha e a água são incorporadas. Algumas enzimas geram a degradação do açúcar (amilase), enquanto outras provocam a degradação da proteína (protease).

Durante a pré-fermentação, o fermento absorve a maioria dos açúcares simples da farinha, especialmente durante um longo período de fermentação em temperatura ambiente. Quando essa porção de farinha é adicionada de volta à massa final, a quantidade total de açúcar fermentável está abaixo do que o normalmente encontrado para o fermento no método direto da massa. O resultado disso é que será difícil obter uma crosta de coloração satisfatória. Esse problema pode ser observado, às vezes, quando uma alta porcentagem de *poolish* ou esponja da véspera é utilizada na massa final, ou quando a atividade da enzima da farinha está no lado de baixo. Para contornar esse problema, pode ser adicionado de 0,5% a 1% de malte diastático (com base na farinha total) à massa final.

Os pré-fermentos como o *poolish* ou a esponja às vezes geram baixos níveis de açúcares fermentáveis, que são produzidos ao final do período de pré-fermentação. Em certos casos, esses açúcares podem ser usados para beneficiar o trabalho do padeiro. Uma alta quantidade de pré-fermento deve ser adicionada à massa final quando houver grande quantidade de enzima na farinha (índice de queda baixo – *falling number*). Ao aumentar a porcentagem do pré-fermento, a porção de farinha com menos açúcar para o fermento também aumenta. Essa medida reduz tanto a atividade da fermentação como a crosta de coloração avermelhada que normalmente se obtém quando muitas enzimas estão presentes na farinha.

Em razão de sua consistência, os pré-fermentos líquidos como o *poolish* favorecem a atividade da amilase e da protease. O resultado é uma massa final mais extensiva. O mesmo efeito da protease também acontece em pré-fermento como a esponja, sem sal, deixada a fermentar por um longo tempo em temperatura ambiente, ao contrário de temperaturas mais frias que inibem a atividade enzimática. A ausência de sal na preparação também encoraja os altos níveis de atividade da protease, já que a protease é muito sensível ao sal. Massas mais frias com sal não produzem o mesmo nível de atividade enzimática. Nesse caso, é mais recomendável adotar o método de autólise ao usar massa pré-fermentada do que usar o *poolish* ou levedura. Além disso, farinhas com a tendência de gerar massas fortes vão apresentar um cozimento melhor quando adotado o *poolish*.

Um excesso de atividade enzimática pode causar danos ao pré-fermento, que se torna líquido, especialmente no final do estágio de maturação, o que pode comprometer as características da massa final. Para corrigir esse problema, deve-se adicionar de 0,1% a 0,2% de sal durante a preparação do pré-fermento. A adição de sal pode também retardar a atividade do pré-fermento e reduzir o risco de maturação excessiva em climas mais quentes ou durante os meses de verão.

No que se refere ao sabor, cada pré-fermento produz aromas diferentes dependendo de suas caracteristicas. A consistência, a temperatura, a quantidade de sal e o tipo de fermento, todos eles têm algum efeito nos tipos de aroma produzidos e o sabor final do produto. Embora seja difícil descrever todos os sabores de cada pré-fermento, o *poolish* é geralmente descrito como tendo um sabor de nozes, a esponja é adocicada com mais acidez, e a massa pré-fermentada é um pouco mais acética sem ser "azeda".

SOURDOUGH

Alguns historiadores afirmam que o pão *sourdough* surgiu no Egito por volta de 4.000 a 3.000 a.C. De acordo com a tradição, enquanto preparava um pão sem fermento, típico da época, uma mulher esqueceu uma parte da massa que ficou fora, no calor úmido à beira do rio Nilo. Mais tarde, quando percebeu seu esquecimento, a massa tinha crescido bastante. Ela teria incorporado essa massa a uma nova fornada e levado para assar. O resultado desse esquecimento teria sido a descoberta do método *sourdough*. Por um longo tempo esse método de panificação intrigou a maioria dos padeiros. No entanto, com o desenvolvimento da ciência, em especial da microbiologia, esse processo de fermentação natural está se tornando mais bem compreendido.

O método *sourdough* em geral

De forma geral, o método *sourdough* envolve a criação de uma cultura de **micro-organismos** (fungos (levedura) e bactérias), cultivando-os para aumentar a sua quantidade, e usando essa cultura para fermentar a massa final. Depois desse último passo, o padeiro reserva uma parte da **cultura** (crescimento de micro-organismos em condições controladas) e perpetua o fermento ao adicionar mais farinha e água para manter a sua atividade (ver Figura 4-6).

O método *sourdough*

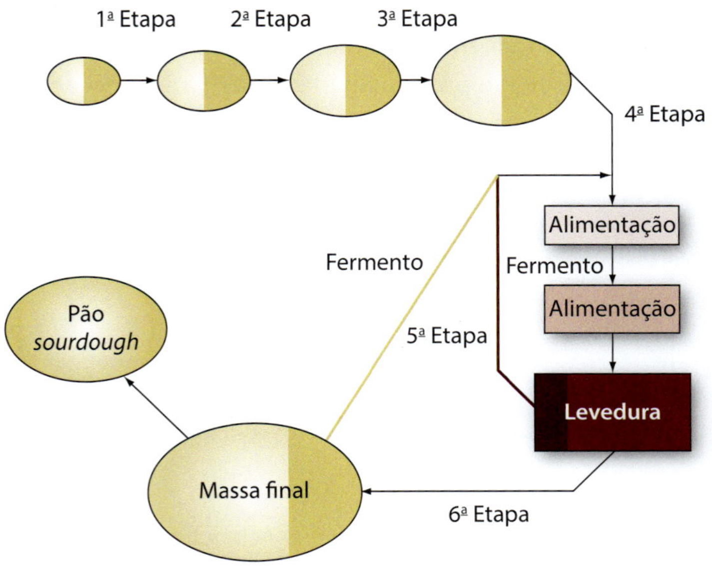

Etapas
1. Criar uma cultura.
2. Elaboração da cultura.
3. Preparar a cultura para usá-la quando estiver suficientemente forte e ativa. Nesse ponto a cultura é chamada fermento.
4. Alimentar o fermento. Depois de alimentar uma ou duas vezes a cultura é chamada fermento. Depois da alimentação final antes de incorporar à massa final, a cultura é chamada levedura.
5. Perpetuar a cultura. Uma parte da massa é reservada da 1) levedura, ou 2) massa final. Nesse estágio, a cultura é novamente chamada *starter*.
6. Incorporar a levedura à massa final e preparar o pão.

Figura 4-6   O método *sourdough*.

Os micro-organismos do método *sourdough*

Fungos e bactérias são os dois tipos de micro-organismos que compõem a flora presente no método *sourdough*. Como cada micro-organismo precisa de um ambiente específico com condições favoráveis para reprodução, o tipo e a quantidade de cada um deles serão afetados pelas características do *sourdough*, incluindo hidratação, ingredientes, temperatura, acidez, entre outras.

Esses dois micro-organismos podem ser encontrados por toda a parte: no ar, na água, no equipamento – e mesmo no padeiro! A maior fonte, no entanto, é a própria farinha, na qual um grama contém um total de 13 mil células de fermento nativo e aproximadamente 320 células de bactéria láctica.

Fermento O fermento transforma açúcares simples como glicose e frutose em álcool (etanol) e gás (dióxido de carbono) durante o processo de fermentação. O fermento é chamado "nativo" porque está presente em qualquer ambiente natural. A maior parte das células do fermento nativo faz parte da família *Saccharomyces cerevisiae*, a mesma do fermento industrial, mas suas características genéticas são levemente diferentes. Outros tipos de fermentos nativos, tais como o *Saccharomyces exiguus*, *Candida tropicalis* e *Hansenula anômala*, também foram identificados. Em termos gerais, o fermento nativo é mais resistente à acidez em comparação ao fermento industrial, tornando-o mais bem adaptado ao método *sourdough*.

Bactéria A bactéria láctica é parte da família "bacillus" (Lactobacillus) ou da família "coque" (Lactocoque) e são divididas em dois tipos: **homofermentativa** e **heterofermentativa**. Cada uma delas tem uma morfologia e uma reação diferentes na massa. A bactéria láctica também funciona em certos açúcares, convertendo-os em ácidos orgânicos que são transformados em aromas. Os dois principais tipos de ácidos são láctico e acético. O ácido láctico tem um papel direto no sabor do pão, enquanto o ácido acético parece reforçar o sabor de outros aromas e acentua o sabor ácido do produto final com um sabor muito mais acentuado.

A bactéria homofermentativa produz apenas ácido láctico; a bactéria heterofermentativa produz ácido láctico, ácido acético e dióxido de carbono (ver Figura 4-7).

Começar a cultura

Há muitas maneiras de começar uma cultura *sourdough*, mas o princípio é sempre o mesmo. Os micro-organismos iniciais provêm da flora naturalmente presente na farinha. Para começar um

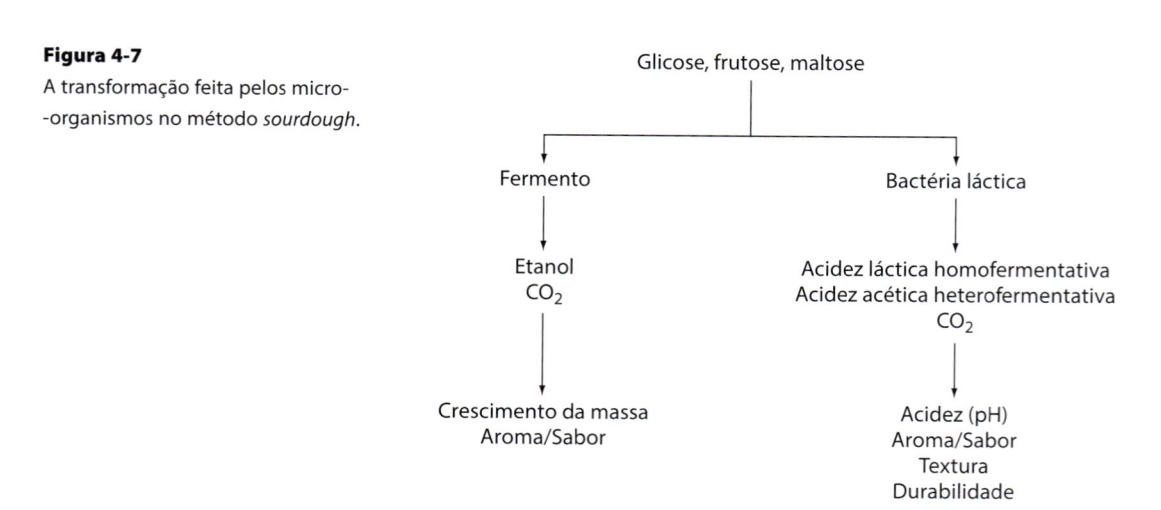

Figura 4-7

A transformação feita pelos micro-organismos no método *sourdough*.

Glicose, frutose, maltose

Fermento → Etanol / CO_2 → Crescimento da massa / Aroma/Sabor

Bactéria láctica → Acidez láctica homofermentativa / Acidez acética heterofermentativa / CO_2 → Acidez (pH) / Aroma/Sabor / Textura / Durabilidade

método *sourdough* bem-sucedido, o padeiro desenvolve e ativa essa flora o suficiente para fermentar a massa final. Todas as condições ambientais necessárias têm de ser respeitadas para que isso aconteça.

Os micro-organismos precisam de três coisas para se reproduzir e gerar as transformações adequadas: alimento, que é fornecido pelos açúcares simples encontrados naturalmente na farinha ou pela atividade enzimática; água, que é acrescentada à farinha; e oxigênio, presente no ar e naturalmente captado durante a mistura.

As farinhas orgânicas podem aumentar as chances de começar uma cultura bem-sucedida. Pelo fato de não ter herbicidas e pesticidas químicos, são ricas em micro-organismos. A farinha de centeio é uma outra opção. Por natureza, a farinha de centeio contém mais fermento nativo e bactéria que a farinha de trigo e é mais rica em minerais, outra fonte de nutrientes que impulsiona a atividade da cultura. O malte diastáltico, que é bastante rico em açúcares simples, também pode ser adicionado à cultura para aumentar a oferta de nutrientes para alimentar os micro-organismos (ver Figura 4-8).

Elaboração da cultura

Durante a primeira etapa da elaboração da cultura, farinha e água são misturadas, e o oxigênio é absorvido para começar a atividade dos micro-organismos. Nesse estágio, diversos tipos de micro-organismos estão presentes na cultura.

No começo, oxigênio suficiente na massa e flora limitada criam as condições para uma atividade aeróbica favorável para a reprodução dos micro-organismos. Depois de muitas horas, um crescimento da flora começa a reduzir a quantidade de oxigênio, e os micro-organismos mudam para uma forma de vida anaeróbica. A atividade da fermentação começa, estimulada por uma temperatura constante e relativamente morna. Depois de 22 horas, a cultura cresceu o dobro de seu volume original.

Figura 4-8 Começar o *starter*.[1]

Programação	Farinha	Água	Starter	Tempo antes da próxima alimentação
1º dia – manhã[1]	500 g de farinha integral e 500 g de farinha branca	1 kg	—	24 horas
2º dia – manhã	500 g de farinha branca	500 g	500 g	6–8 horas
2º dia – tarde	500 g de farinha branca	500 g	500 g	16 horas
3º dia – manhã	500 g de farinha branca	500 g	500 g	6–8 horas
3º dia – tarde	500 g de farinha branca	500 g	500 g	16 horas
4º dia – manhã	500 g de farinha branca	500 g	500 g	6–8 horas
4º dia – tarde	500 g de farinha branca	500 g	500 g	16 horas
5º dia – manhã	500 g de farinha branca	500 g	500 g	6–8 horas
5º dia – tarde	500 g de farinha branca	500 g	500 g	16 horas

[1] Acrescentar 15 g de malte na primeira alimentação para ajudar a iniciar a fermentação.

Essa programação é um guia para iniciar um *starter* desde o início. Durante esse processo, o *starter* deve ser mantido em temperatura de 27 °C para estimular a fermentação. Uma cultura madura será capaz de multiplicar três vezes em volume em um espaço de 8 a 10 horas.

---

[1]   Iniciador de fermento natural para produção de *sourdough*. (NRT)

Durante a elaboração da cultura, ocorre um equilíbrio natural (quantidade e qualidade) do fermento e da bactéria. A seleção é feita baseada no fato de que alguns micro-organismos são mais ou menos resistentes à falta de alimento, falta de oxigênio ou acidificação da cultura. A convivência do fermento e da bactéria é também possível, porque não estão competindo pelo mesmo tipo de nutrientes.

Estudos mostraram que, em razão dessa seleção natural, a flora de algumas leveduras formada com os mesmos tipos de fungos e bactéria difere em quantidade de elementos, dependendo das condições de preparo da cultura. Também podem ser encontradas outras populações menores de fermentos nativos e bactérias específicas de determinado lugar ou de certo método. Isso explica por que, mesmo quando os principais tipos de bactéria são os mesmos, cada levedura será única e produzirá pães com aparência e sabores diferentes.

Para manter a flora viva e ativa é preciso garantir que as condições vitais (alimento/açúcar da farinha/água/oxigênio) sejam renovadas. Esse processo, completado diversas vezes durante a elaboração, é chamado **alimentar** a cultura. Uma indicação importante do momento em que a cultura precisa ser alimentada é a superfície começar a se tornar côncava, ou murcha, no centro.

O tempo entre duas alimentações depende das características da cultura, incluindo temperatura, atividade, hidratação e ingredientes. Uma cultura bem construída em termos de atividade de fermentação e produção de ácidos deve crescer quatro vezes o seu volume inicial em 6 a 8 horas de fermentação em temperatura ambiente. Quando esse nível de atividade é alcançado, a cultura se torna um *starter*. O nome provém do fato de que *starter* é a cultura que começa o método *sourdough*.

A elaboração da cultura pode ser acelerada ao usar outros ingredientes além da farinha e da água, como malte, mel, água, em que frutas secas foram deixadas de molho, leite em pó, iogurte, frutas frescas e uvas. O objetivo é acrescentar nutrientes extras na forma de açúcares simples para auxiliar o começo do processo de fermentação, além de, às vezes, cultivar uma flora diferente.

Do *starter* à levedura

Depois que o *starter* foi elaborado, é preciso manter a atividade viva o suficiente para garantir a fermentação da massa final. Um processo de alimentação em que a farinha e a água são adicionadas ao *starter* a certos intervalos consegue esse objetivo (ver Figura 4-9). A proporção de farinha e água depende da atividade da cultura, a programação de alimentação (uma, duas, três vezes ao dia) e a programação de produção.

O processo, na Figura 4-9, prevê duas alimentações ao dia. A última alimentação (segunda alimentação, neste exemplo) é chamada levedura. A levedura é um pré-fermento natural usado para fermentar a massa final.

Dependendo do tempo de fermentação entre as duas alimentações, a proporção do *starter* ou primeira alimentação deve ser adaptada. Uma fermentação mais longa em temperatura ambiente requer uma quantidade menor de *starter* ou primeira alimentação durante a preparação do alimento. Um tempo de fermentação mais curto requer mais do *starter*.

Conservando a cultura

Há dois métodos possíveis de obter o *starter* usado para conservar a cultura. No primeiro método, um pedaço da massa final retirada exatamente antes de adicionar o sal torna-se o primeiro alimento (farinha e água foram acrescentadas durante a incorporação da massa final). Esse método tem a vantagem de eliminar um alimento, mas há o risco de mudar as características da cultura,

Farinha	100%
Água	50%
Starter	50%
Total do primeiro alimento	200%

Figura 4-9
Exemplo de alimentação
do *sourdough*.

Fermentação por 12 horas em temperatura ambiente de 24 °C a 27 °C.

Farinha	100%
Água	50%
Primeiro alimento	50%
Total do primeiro alimento	200%

Fermentação por 12 horas em temperatura ambiente de 24° C a 27° C e preparação da massa final.

porque os ingredientes da massa final e a temperatura são geralmente diferentes dos usados para alimentar a cultura (ver Figura 4-10).

No segundo método, o *starter* é retirado da levedura apenas antes de a levedura ser incorporada na massa final. Esse método tem a vantagem de manter o *starter* puro, já que não teve contato com a massa final. No entanto, requer uma alimentação extra (ver Figura 4-11).

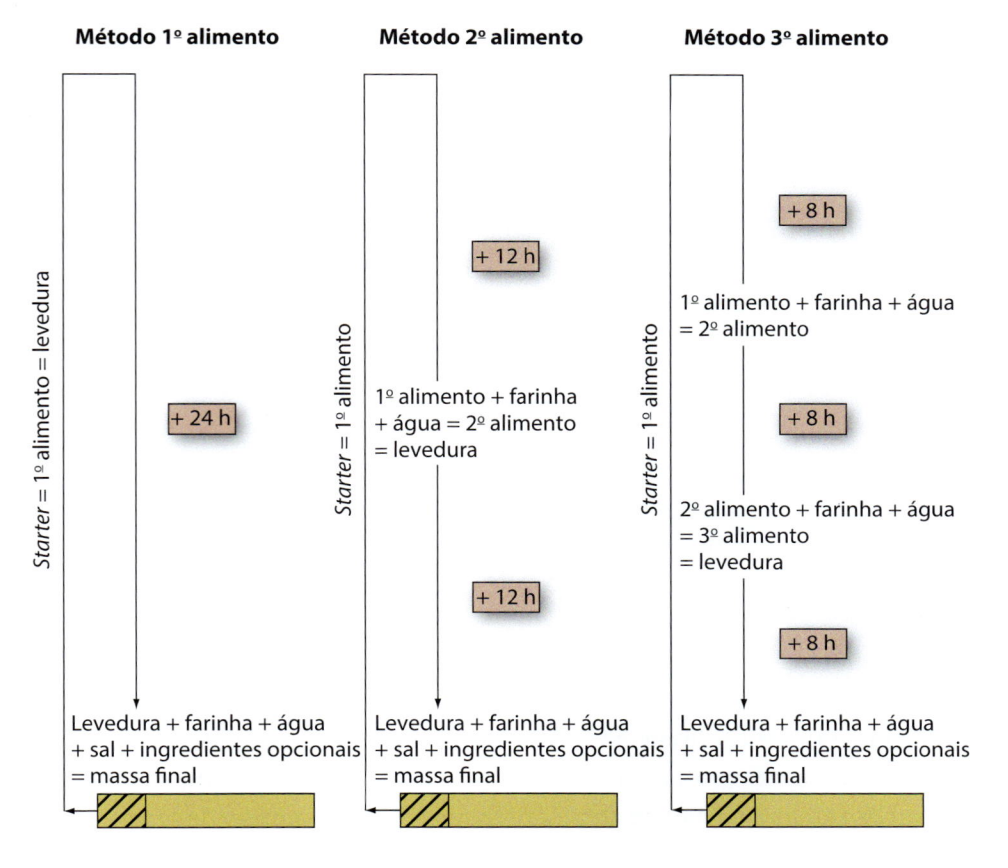

Figura 4-10
Método de alimentação do
sourdough (quando o starter
é retirado da massa final).

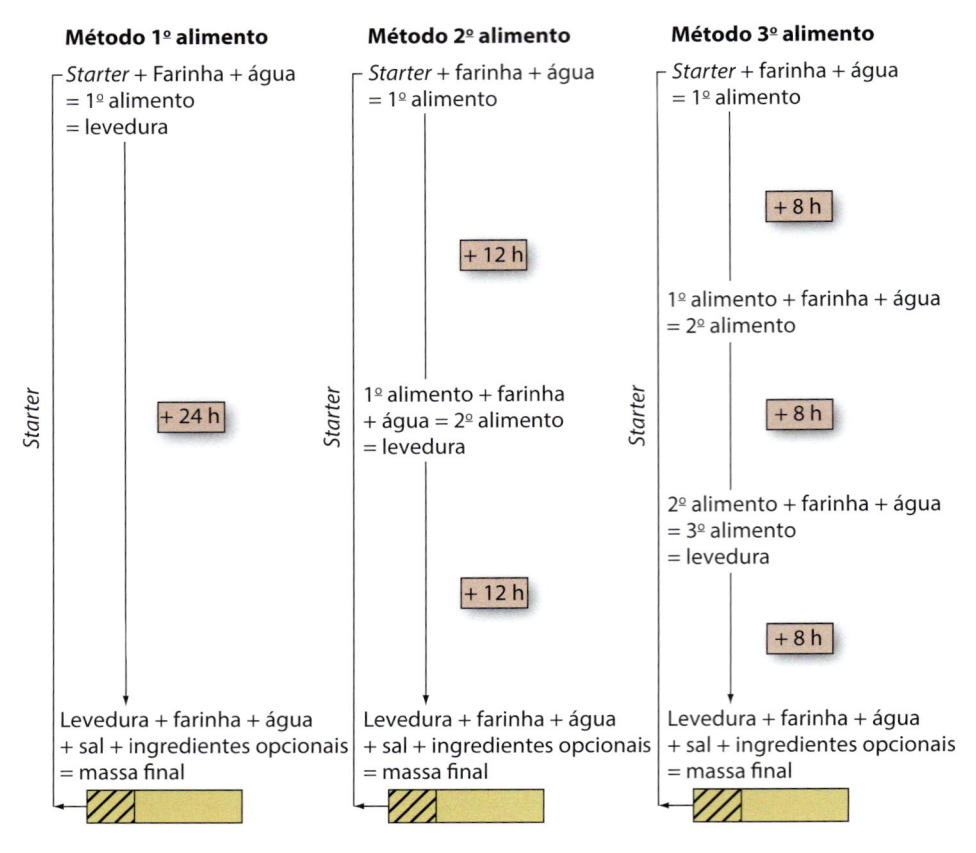

Figura 4-11
Método de alimentação do *sourdough* (quando o *starter* é retirado da massa final).

Método 1º alimento

Starter + Farinha + água = 1º alimento = levedura

Starter

+ 24 h

Levedura + farinha + água + sal + ingredientes opcionais = massa final

Método 2º alimento

Starter + farinha + água = 1º alimento

Starter

+ 12 h

1º alimento + farinha + água = 2º alimento = levedura

+ 12 h

Levedura + farinha + água + sal + ingredientes opcionais = massa final

Método 3º alimento

Starter + farinha + água = 1º alimento

Starter

+ 8 h

1º alimento + farinha + água = 2º alimento

+ 8 h

2º alimento + farinha + água = 3º alimento = levedura

+ 8 h

Levedura + farinha + água + sal + ingredientes opcionais = massa final

Fatores que afetam as características da cultura

Diversos fatores podem mudar a atividade microbiológica da cultura durante o processo de alimentação e afetam as características finais do pão. A Figura 4-12 resume os principais fatores que podem afetar a cultura *sourdough* e ajudarão o padeiro a visualizar melhor todas essas considerações importantes.

Hidratação Uma cultura mais firme tenderá a desenvolver mais ácido acético, enquanto a levedura mais líquida vai aumentar a produção de ácido láctico.

Temperatura Temperaturas mais altas (29 °C a 32 °C) favorecem a atividade bacteriana e a produção de ácido láctico, mas a fermentação é mais difícil de controlar em razão da alta atividade do fermento. Baixas temperaturas favorecem a produção de ácido acético e inibem a atividade da fermentação.

As temperaturas em torno de 25 °C parecem melhorar a atividade da fermentação, o desenvolvimento da massa e a produção de aromas. A atividade da fermentação também favorece a produção de ácido láctico.

Farinha A atividade enzimática e a quantidade de farelo determinam o volume de açúcar simples e minerais disponíveis aos micro-organismos. Em geral, a farinha com altos níveis de extração fornece melhor atividade e produção mais alta de ácidos. A cultura *sourdough* São Francisco é também elaborada normalmente com farinha de alto teor de glúten para compensar um alto nível de acidez que vai degradar a estrutura do glúten depois de longo tempo de fermentação.

Figura 4-12 Considerações importantes sobre o *sourdough*.

Ingredientes	Elaboração da cultura	Elaboração final da massa
Farinha de trigo Com alto nível de extração tem efeito positivo sobre a produção de gás, mas efeito negativo no volume do pão.	**Hidratação** A levedura mais líquida aumenta a produção de ácido láctico (efeito positivo sobre o volume do pão, torna-o menos ácido). A cultura mais firme aumenta a produção de ácido acético	**Hidratação** A maior hidratação aumenta o volume do pão e da atividade microbiologica.
Atividade enzimática Determina a disponibilidade de nutrientes para os micro-organismos. **Farinha de centeio** Auxilia a atividade microbiológica. Tem efeito negativo sobre o volume do pão.	**Temperatura** Baixas temperaturas favorecem a produção de ácido acético. Altas temperaturas favorecem a produção de ácido láctico e a atividade bacteriana. O mesmo é válido para o armazenamento da levedura durante a fermentação.	**Temperatura** Ao final da mistura, a temperatura que proporciona o melhor desenvolvimento é a de 25 °C a 26 °C.
Sal Inibe a multiplicação do fermento. Limita a atividade da protease em bactérias lácticas.	**Atividade da levedura** O crescimento do fermento aumenta a atividade láctica.	**Fermentação** É necessário um longo tempo de fermentação (pelo menos 1h30) para ativar a massa (processo lento, em comparação com o fermento comercial).
Água Elevado teor de cloro irá atrasar a atividade do *sourdough*.		**Oxigenação da massa** Fator que ajuda a produção de aromas. Amassar e dobrar aumenta o aroma durante produção.

Sal Uma pequena quantidade de sal (0,1%) pode ser benéfica para uma cultura com alta atividade de protease, enquanto quantidades maiores que 0,1% podem inibir a atividade de alguns micro-organismos.

Manutenção da cultura

Manter a proporção correta dos ingredientes, programação de alimentação, temperatura da água, temperatura da fermentação e tempo de fermentação é essencial para uma cultura consistente e saudável. Para manter a levedura na sua condição mais pura, o padeiro deve também estar atento à higiene. As bancadas e os equipamentos devem estar limpos durante o processo de alimentação e de mistura da massa final, tendo o cuidado de remover raspas de massa seca feita com fermento industrial para evitar a "contaminação" da cultura.

Soluções para a cultura *sourdough*

A atividade da cultura *sourdough* pode ser afetada por vários fatores, incluindo a fermentação e a produção de ácido. É importante para o profissional corrigir imediatamente os problemas antes que as características mudem muito e a qualidade do pão seja afetada. A Figura 4-13 resume algumas das deficiências que podem ocorrer na cultura *sourdough* e como corrigi-las de forma eficiente.

O *sourdough* na massa final

A quantidade de levedura usada na massa final depende de suas características, bem como das características desejadas no produto final. Uma grande quantidade de levedura, por exemplo,

Figura 4-13   Principais desvantagens da cultura *sourdough*.

Desvantagem	Origem	Solução
Falta de acidez Falta de força Pão com pouco sabor	• Levedura não madura • Falta de fermentação (extensão da atividade) • Tempo de fermentação muito curto entre duas alimentações • Quantidade pequena de *sourdough* na massa final	• Aumento do processo de maturação • Fermentar em temperatura e umidade mais altas • Usar farinha com alta quantidade de farelo • Evitar água com muito cloro • Tempo mais longo de fermentação (de 8 a 10 horas, por exemplo) • Aumentar a quantidade de levedura (50%, por exemplo)
Excesso de acidez Pão com sabor muito acentuado	• Massa muito líquida • *Sourdough* velho • Programação alimentar sem consistência suficiente • Tempo de fermentação muito longo entre as duas alimentações, ou com temperaturas muito altas • Atividade bacteriana muito intensa • Quantidade muito grande de levedura na massa final	• Começar uma nova cultura • Diminuir o tempo de fermentação entre as duas alimentações e diminuir a temperatura • Adicionar um pouco de sal para diminuir a atividade • Diminuir a quantidade de levedura (30%, por exemplo)
Pouco desenvolvimento do pão	• Pouca atividade de fermentação (baixa produção de gás) • Pouco fermento para produzir mais fermento • Excesso de acidez, o que inibe a atividade do fermento (mesmo com uma grande população) • Armazenamento longo em baixa temperatura • Armazenamento longo no freezer	• Adicionar um pouco de fermento industrial (máximo 2%) • Tornar a massa final um pouco mais quente e macia • Tornar a massa um pouco mais quente e deixar a levedura fermentar em temperatura mais alta • Manter o *sourdough* em temperatura mais alta do que 10 °C • Evitar deixar o *sourdough* no freezer por muito tempo
Falta de força na levedura	• Falta de acidez • Falta de produção de gás • Massa muito fria ao final da mistura • Pouca levedura na massa final	• Primeira fermentação mais longa • Sovar e dobrar mais • Usar temperatura mais quente • Aumentar a quantidade de levedura

aumenta o nível de acidez (ou reduz o do pH) da massa. É importante lembrar que há alguns limites à quantidade de *sourdough* que pode ser incorporada na fórmula.

Fórmula

A fórmula na Figura 4-14 vai produzir 44 peças de pão de 500 g cada.

Figura 4-14

Exemplo de fórmula para primeira alimentação, levedura e massa final.

1ª alimentação

	Fórmula do padeiro %	Peso
Farinha	100	0,85 kg
Água	50	0,65 kg
Starter	80	0,65 kg
Total da 1ª alimentação	230	1,95 kg

Fermentação por oito horas em temperatura ambiente de 24 °C a 27 °C.[1]

(continua)

Levedura

	Fórmula do padeiro %	Peso
Farinha	95	2,32 kg
Farinha de centeio[2]	5	0,12 kg
Água	50	1,22 kg
1ª alimentação	80	1,95 kg
Levedura total[3]	230	5,65 kg

Fermentação por oito horas em temperatura ambiente de 24 °C a 27 °C.[4]

Massa final

	Fórmula do padeiro %	Peso
Farinha	100	10 kg
Água[5]	70	7 kg
Sal[6]	2,66	266 gz
Levedura	50	5 kg
Massa total	222,5	22,25 kg

Mistura[7]	Mistura aprimorada
1ª fermentação	3 horas
Divisão	500 g
Tempo de descanso	30 a 40 minutos
Moldagem	Filões
Fermentação final	5 horas
Cozimento[8]	238 °C por 45 minutos; abrir a porta do forno por 10 a 15 minutos para que a crosta fique crocante

Figura 4-14

Exemplo de fórmula para primeira alimentação, levedura e massa final. (*continuação*)

Notas

[1] O tempo de fermentação pode mudar, dependendo da atividade da fermentação da cultura.

[2] Ao usar uma pequena quantidade de farinha de centeio na preparação da levedura ocorre uma série de pequenos, mas importantes, efeitos no produto final. Como a farinha de centeio tem grandes quantidades de minerais, isso ajuda a manter a atividade da levedura. Além disso, o centeio tem menos proteína, com proteínas de baixa qualidade em comparação com a farinha de trigo, o que acaba impedindo a estrutura da levedura de ficar muito forte.

[3] A quantidade de levedura inclui a levedura necessária para a massa final, mais o *starter* usado para perpetuar a cultura.

[4] O tempo de fermentação pode mudar, dependendo da atividade da fermentação da cultura.

[5] A quantidade de água pode mudar dependendo da absorção da farinha.

[6] Os 2% de sal são baseados no peso total da farinha (farinha da levedura mais a farinha da massa final).

[7] Incorporar todos os ingredientes na 1ª velocidade por 3 a 4 minutos. Mudar, então, o equipamento para a 2ª velocidade e misturar só até a massa começar a ficar macia. O objetivo é conseguir uma estrutura de glúten levemente desenvolvida.

[8] O tempo de cozimento e a temperatura vão variar dependendo do tipo de forno.

CONCLUSÃO SOBRE A FERMENTAÇÃO

A fermentação é uma etapa essencial na panificação; é fundamental para conseguir um produto saboroso e durável. Outro aspecto importante é que a fermentação contribui para algumas mudanças físicas na massa relativas às reações mecânicas, como a pressão do dióxido de carbono, e reações químicas, como produção de ácido.

Uma bem-sucedida produção de pães depende da capacidade do padeiro de entender e controlar cada etapa da sequência. A capacidade de sentir a massa e prever mudanças ou defeitos no produto final é também muito importante para fazer as correções e manter os resultados esperados.

Infelizmente, o conhecimento sobre a massa não pode ser aprendido em livros, deve ser assimilado por meio da experiência diária com a massa. Esse aprendizado pode ser um pouco frustrante no começo, mas o prazer de produzir um belo pão é uma recompensa enorme pelo tempo gasto em dominar sua complexidade.

RETARDAR O PROCESSO

Retardar prolonga a fermentação da massa durante qualquer momento do processo de panificação. Esse método de panificação bastante novo tem sido desenvolvido não apenas para atender às expectativas dos consumidores por pão fresco ao longo do dia, mas também para oferecer ao padeiro uma qualidade de vida melhor ao reduzir o trabalho noturno.

Mesmo apresentando vantagens, essa técnica também tem algumas desvantagens. Equipamentos específicos, energia necessária para produzir a temperatura adequada e espaço adicional acabam contribuindo para aumentar os custos de fabricação do produto final. Além disso, são necessários métodos muito precisos de panificação como temperatura, hidratação e tempo de fermentação, o que exige que os padeiros desenvolvam bons conhecimentos técnicos para produzir regularmente pães de alta qualidade.

CONSIDERAÇÕES TÉCNICAS

Devem-se levar em consideração quatro fatores ao retardar a fermentação da massa: temperatura, produção de gás, retenção de gás e o processo de degradação natural da massa.

Temperatura

Todos os métodos empregados para retardar a fermentação estão baseados no fato de que os fermentos usados em panificação são muito sensíveis à mudança de temperatura. O fermento industrial, o fermento natural e a bactéria geram excelente atividade de fermentação quando a temperatura da massa está entre 23 °C e 27 °C. Em temperaturas mais altas, esses micro-organismos aumentam sua atividade, e os fermentos industrial e natural produzem mais gás. Em temperaturas mais baixas, o fermento e as bactérias diminuem seu metabolismo e a produção de dióxido de carbono e a acidez diminuem. Quando a temperatura desce para 4 °C, o fermento e a bactéria adormecem e a maior parte de sua atividade para.

Produção de gás

O nível de produção de dióxido de carbono depende tanto da temperatura como da quantidade de fermento. Dependendo do método de retardamento escolhido, a quantidade de fermento deve ser ajustada. Quando a massa permanece em temperatura baixa por um longo tempo, o metabolismo da célula do fermento pode ser alterado, afetando a atividade da fermentação mais tarde.

O fermento fresco e de qualidade é muito importante quando se planeja um retardamento longo e em baixa temperatura. É interessante observar que algumas empresas produtoras de fermento oferecem vários tipos do produto, dependendo do método de panificação a ser usado (fermento destinado especificamente para massas congeladas, por exemplo, já está disponível no mercado).

No método *sourdough*, a produção de gás dependerá da atividade de fermentação da cultura. A cultura mantida em um estágio líquido em temperatura ambiente normalmente produz mais gás, em comparação a uma cultura mantida mais firme em temperatura mais baixa. A porcentagem de levedura usada na massa final também vai afetar a produção de dióxido de carbono.

Retenção de gás

Considerando suas propriedades de elasticidade e extensibilidade, o glúten pode ser esticado quando a pressão do gás produzido pelo fermento aumenta e vai manter a sua estrutura até se consolidar no cozimento. O objetivo do processo de retardamento é adiar até o ponto em que o glúten atinge o máximo de extensibilidade e quebra sob a pressão do gás. Para ser mais preciso, o tempo necessário para retardar a massa depende completamente de quanto gás foi produzido nela antes de ser colocada para retardar.

É por esse motivo, na maioria dos casos, que é necessário uma primeira fermentação mais curta para retardar o momento em que a massa atinge o limite de retenção de gás. No entanto, essa redução do tempo diminui a produção de ácido. Por isso, uma quantidade maior de pré-fermento deve ser usada na massa final para compensar a falta de acidez.

Outro fator que diminui a atividade de fermentação é a farinha com baixo dano do amido. As enzimas usam e transformam imediatamente as partículas do amido danificado, fornecendo açúcares simples e, portanto, aumentando a oferta de nutrientes para o fermento.

Para retardar a produção de gás no início do processo, antes de a massa ser colocada em temperatura mais baixa, a temperatura depois da mistura deve ser mantida em aproximadamente 23 °C.

Deterioração natural da massa

Para entender de forma completa a deterioração da massa, deve-se lembrar que ela se expande significantemente durante o processo de cozimento. Essa evolução se deve especialmente a dois tipos de transformação: reações físicas relativas à mudança no glúten e reações bioquímicas relacionadas à atividade enzimática e fermentação.

Como qualquer coisa viva, a massa também se deteriora. Essa deterioração ocorre naturalmente quando a farinha e a água são colocadas em contato durante a mistura, e continua durante a fermentação. A sua intensidade é proporcional ao tempo de fermentação.

A deterioração da massa ocorre em grande parte pela ação da protease, a enzima que quebra as proteínas que são os principais componentes do glúten. Na medida em que essas proteínas se deterioram, a própria estrutura da massa também se degrada. Como a protease está naturalmente presente no trigo, é preferível usar a farinha com uma atividade enzimática levemente mais baixa do que a normal para o método de retardamento. Dessa forma, a fermentação será retardada no começo do processo de cozimento e diminui o risco de coloração avermelhada da crosta que pode ocorrer quando há um período mais longo de contato entre a farinha e a água. Quando a atividade dessa enzima é acionada, aumenta a degradação do açúcar, juntamente com o risco de açúcar residual que reforça a caramelização no final do processo de cozimento.

Observação: A baixa atividade enzimática não significa que deva ser usada a farinha com um índice de queda (*falling number*) não corrigido. Sempre que possível, farinhas com um índice de queda levemente alto (em torno de 350 a 380 segundos) indicando que é preferível um nível ligeiramente baixo de enzima. (Favor consultar o Capítulo 6 para mais informações sobre índice de queda.)

Outra forma de adiar a deterioração é iniciar com uma massa suficientemente forte para resistir ao retardamento. Devem ser usadas farinhas com proteína de boa qualidade para obter uma estrutura de glúten com boa tolerância à fermentação. Quando a qualidade não é suficiente, podem ser necessários oxidantes de massa como o ácido ascórbico ou uma alta porcentagem de pré-fermento para reforçar o glúten. É importante notar que qualidade e quantidade de proteína são duas coisas diferentes. Para um bom processo de retardamento, uma proteína de alta qualidade é mais importante do que uma de alta quantidade. Altos níveis de proteína podem produzir um excesso de elasticidade que torna a massa difícil de manusear depois de um longo tempo em baixas temperaturas.

Algumas adaptações devem ser feitas também durante a mistura. Primeiro, a hidratação deve ser levemente baixa para diminuir a quantidade de água disponível para as enzimas, o que diminui a sua atividade (em especial a protease). Segundo, uma massa mais firme produzirá uma estrutura de glúten mais forte. Finalmente, o tempo de mistura deve ser calculado para desenvolver a massa suficientemente e obter uma estrutura de glúten forte e bem organizada. Para um tempo de retardamento longo, é necessário o desenvolvimento do glúten entre uma mistura aprimorada e mistura intensiva, e a temperatura da massa deve ser mais fria do que o normal (em torno de 23 °C).

Como observação final, quantidades menores de massa que são mais rápidas de processar garantem que a fermentação não vai começar muito antes do retardamento. A moldagem mais firme também aumenta a força da massa.

TÉCNICAS BÁSICAS DE RETARDAMENTO

Há três técnicas básicas que podem ser usadas para retardar a fermentação: prolongar a primeira fermentação, prolongar a fermentação final e o método de retardar a fermentação.

Dependendo do método usado, o retardamento pode ser feito em várias etapas do processo de panificação (ver Figuras 4-15 e 4-16).

Prolongar a primeira fermentação

Para a técnica de prolongar a primeira fermentação, é adotado o método de mistura aprimorada; a quantidade de fermento fresco fica em torno de 1,2%. A hidratação deve ser suficiente para obter uma consistência meio macia na massa final. É aconselhável usar o pré-fermento para reforçar a estrutura do glúten. A temperatura da massa deve ser de 23 °C no final da mistura.

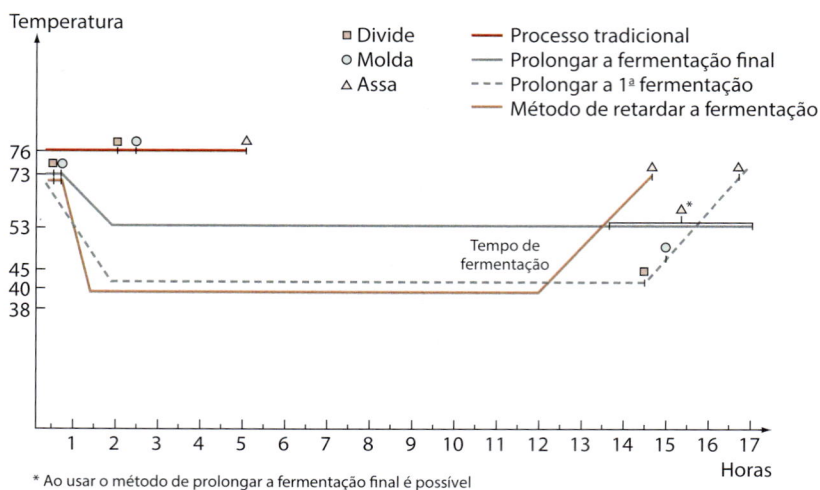

Figura 4-15
Visualização do processo de retardamento.

* Ao usar o método de prolongar a fermentação final é possível assar o pão durante uma janela de várias horas.

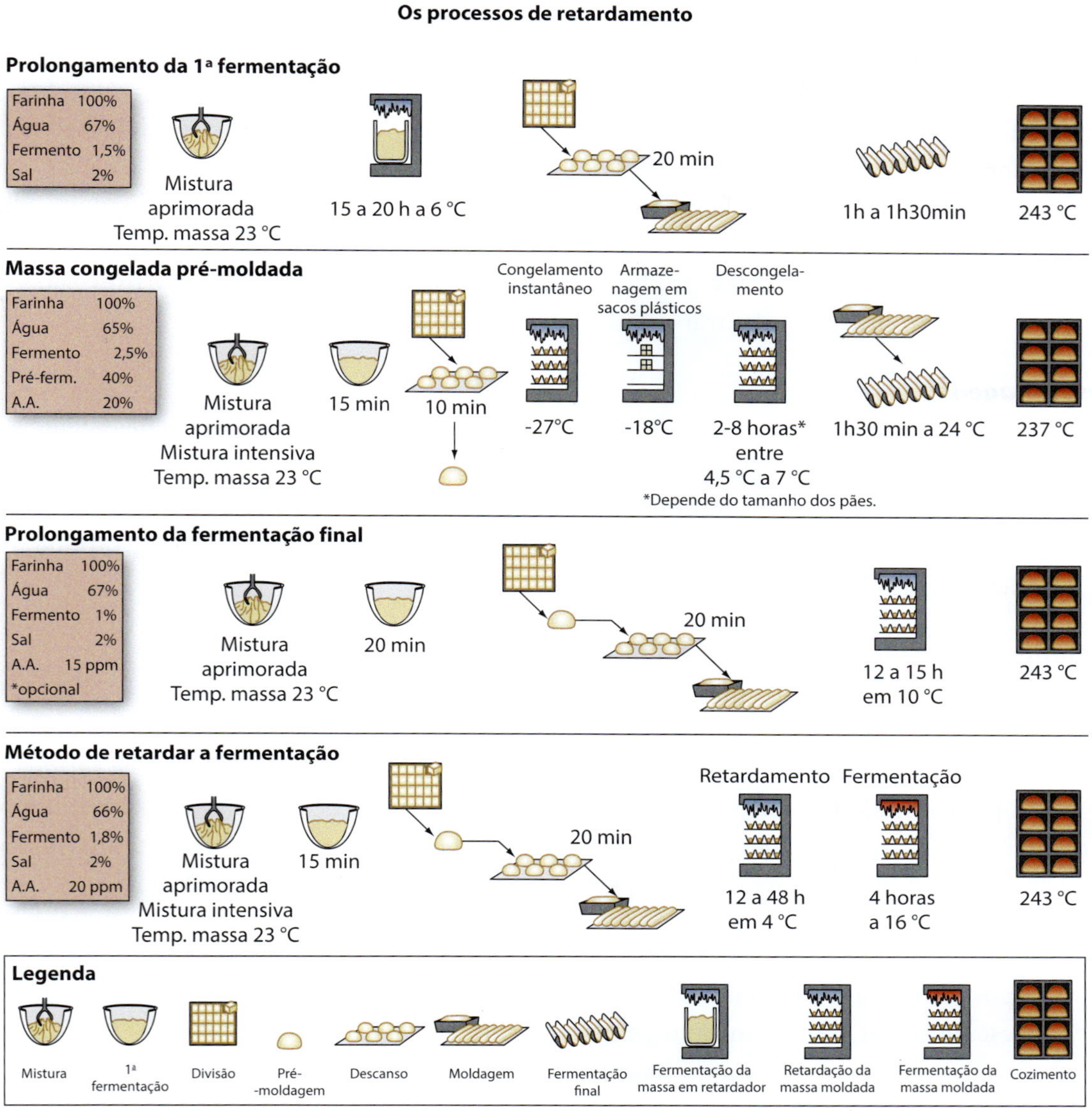

Os processos de retardamento

Prolongamento da 1ª fermentação

Farinha	100%
Água	67%
Fermento	1,5%
Sal	2%

Mistura aprimorada
Temp. massa 23 °C

15 a 20 h a 6 °C

20 min

1h a 1h30min

243 °C

Massa congelada pré-moldada

Farinha	100%
Água	65%
Fermento	2,5%
Pré-ferm.	40%
A.A.	20%

Mistura aprimorada
Mistura intensiva
Temp. massa 23 °C

15 min

10 min

Congelamento instantâneo Armazenagem em sacos plásticos Descongelamento

-27°C   -18°C   2-8 horas* entre 4,5 °C a 7 °C   1h30 min a 24 °C   237 °C

*Depende do tamanho dos pães.

Prolongamento da fermentação final

Farinha	100%
Água	67%
Fermento	1%
Sal	2%
A.A.	15 ppm
*opcional	

Mistura aprimorada
Temp. massa 23 °C

20 min

20 min

12 a 15 h em 10 °C

243 °C

Método de retardar a fermentação

Farinha	100%
Água	66%
Fermento	1,8%
Sal	2%
A.A.	20 ppm

Mistura aprimorada
Mistura intensiva
Temp. massa 23 °C

15 min

20 min

Retardamento   Fermentação

12 a 48 h em 4 °C   4 horas a 16 °C   243 °C

Legenda

Mistura | 1ª fermentação | Divisão | Pré-moldagem | Descanso | Moldagem | Fermentação final | Fermentação da massa em retardador | Retardação da massa moldada | Fermentação da massa moldada | Cozimento

Figura 4-16 Gráfico do processo de retardamento.

Método

▶ Depois de misturar, colocar a massa em vasilhas no retardador programado para 7 °C a 9 °C. O tempo de retardamento pode durar de 12 a 18 horas.

▶ Depois do retardamento, retirar a massa do retardador e dividi-la imediatamente, ou esperar em torno de uma hora antes de pesá-la.

▶ Dividir e pré-moldar normalmente. Será necessário um longo período de descanso para permitir que a massa amorne e recomece a fermentação.

▶ Seguir essas etapas com a moldagem e fermentação final normais.

▶ Completar o cozimento com a temperatura e o tempo normais.

Vantagens

▶ Com temperaturas de 7 °C a 9 °C, a fermentação da massa não cessa completamente. A produção de gás e acidez ainda acontece em um nível menor, mas por um longo período. A qualidade do produto final não é afetada pelo retardamento.

◗ Quando é usada farinha de boa qualidade, não há necessidade de melhoradores, como ácido ascórbico, mantendo a rotulação do produto "limpa", sem acrescentar esse tipo de ingrediente.

◗ Massas com alta quantidade de água, como a *ciabatta*, podem ser retardadas sem problemas adotando essa técnica.

◗ Como a massa é retardada na sua totalidade antes da moldagem, não se formam bolhas durante o cozimento.

◗ O padeiro pode organizar a produção de tal forma, que possa oferecer pão fresco ao longo do dia sem precisar misturar muitos lotes de massa.

Desvantagens

◗ A principal desvantagem é a necessidade de um retardador com capacidade suficiente para armazenar uma grande quantidade de massa.

◗ O pão não pode ser assado imediatamente depois do tempo de retardamento. São necessárias de três a quatro horas para dividir, moldar, fermentar e assar o pão. O produto final não estará pronto imediatamente.

Prolongamento da fermentação final

Com o método do prolongamento da fermentação final, o tempo de mistura deve ser ajustado para obter uma estrutura de glúten entre a mistura aprimorada e a intensiva, e a consistência da massa deve ser um pouco mais firme. A quantidade de fermento fresco usado deve ser de 0,8% a 1%, mas pode ser adaptada dependendo da duração do período de retardamento (um tempo de fermentação mais longo requer uma porcentagem de fermento menor). É recomendável acrescentar o pré-fermento na massa final, e a temperatura da massa deve ser de 23 °C.

Método

◗ Após a mistura, deixar a massa fermentar por 20 a 30 minutos e então dividir e pré-moldar. Descansar por 20 a 30 minutos, e moldar normalmente.

◗ Colocar a massa moldada no retardador graduado em 10 °C.

◗ Retardar por 12 a 15 horas. Depois desse período, os pães podem ser assados imediatamente, ao sair do retardador.

Vantagens

◗ Com temperatura de 10 °C, a fermentação da massa não cessa completamente, mas o fermento produz apenas uma pequena quantidade de dióxido de carbono. Essa pequena produção por um longo período de tempo permite ao padeiro obter a quantidade exata de dióxido de carbono necessária para assar a massa imediatamente após ser retirada do retardador.

◗ A massa pode estar pronta para assar após 12 horas. Entretanto, a grande vantagem é que, em razão da lenta produção de dióxido de carbono, a massa do mesmo lote pode também ser assada depois de 15 horas.

◗ O padeiro pode planejar a produção para ter pão fresco para o café da manhã e almoço sem precisar misturar muitos lotes de massa.

Desvantagens

◗ Normalmente, é necessário de 15 a 20 ppm de ácido ascórbico para reforçar a estrutura do glúten da massa.

❱ A superfície da massa pode se tornar desidratada. Por esse motivo, é importante ter um bom sistema para umidificação.

O método de retardamento da fermentação

Para esse método, o tempo de mistura é ajustado para obter uma estrutura de glúten entre a mistura aprimorada e a intensiva, e a consistência da massa deve ser firme. A quantidade de fermento usada normalmente é entre 1,8% e 2%. O pré-fermento é definitivamente recomendado na massa final para fornecer força e sabor ao produto, e a temperatura deve ser de 23 °C.

Método

❱ Após a mistura, dividir e pré-moldar; deixar, então, a massa fermentar por 20 a 30 minutos e moldá-la de forma mais firme do que o normal.

❱ Colocar as massas pré-moldadas no retardador em 3 °C a 4 °C. Retardar por 12 a 48 horas.

❱ Há duas opções para o próximo passo. A primeira é retirar a massa do retardador e deixá-la em temperatura ambiente para a fermentação final.

❱ Caso o retardador seja também uma estufa, a segunda opção é programar o relógio para um aumento automático na temperatura (22 °C a 24 °C) depois do período de retardamento para obter a fermentação final.

Vantagens

❱ Ao se adotar o segundo método, o padeiro pode assar o pão imediatamente no dia seguinte e ter um produto fresco uma hora depois de chegar à padaria.

Desvantagens

❱ São necessários melhoradores para reforçar a massa e, às vezes, para evitar a formação de bolhas durante o cozimento.

❱ São necessários grandes retardadores no caso de toda a produção ser retardada, o que aumenta os custos de produção do produto final.

❱ Considerando que o ar é mais seco em temperaturas mais baixas, é necessário que os equipamentos produzam umidade suficiente para evitar a desidratação da superfície da massa, o que geralmente ocorre em altos níveis.

O MÉTODO DE RETARDAMENTO NO *SOURDOUGH*

Quando o *sourdough* é utilizado como pré-fermento, o retardamento se torna um pouco mais simples. A alta quantidade de acidez reforça naturalmente as características da massa, e o glúten pode suportar um longo período de fermentação sem se deteriorar muito. Os melhoradores de massa não são normalmente necessários. As farinhas de centeio e trigo integral (que geralmente são muito frágeis para prolongar a fermentação) também podem ser empregadas no processo de retardamento, pois a acidez produzida pela cultura *sourdough* fornece a força complementar.

EQUIPAMENTO

Diversos tipos de equipamentos podem ser utilizados no processo de retardamento. Embora muitos fornecedores de equipamentos ofereçam uma variedade de retardadores ou de estufas-retardadoras, a prioridade deve ser com a temperatura, produção de umidade e difusão de ar.

Para garantir umidade em um retardador, a água deve ser automaticamente vaporizada para manter o ambiente úmido o suficiente a fim de evitar o ressecamento da superfície do pão. Quando for usado o método de retardamento da fermentação, deve ser produzida umidade suficiente durante a fermentação para reidratar a superfície das massas que normalmente são assadas imediatamente após sair da estufa. Às vezes, o efeito da condensação na transição de certa temperatura fria para uma mais quente é suficiente para criar uma fina camada de vapor sobre a massa.

CONCLUSÃO SOBRE O RETARDAMENTO

O retardamento do pão oferece ao padeiro um bom método de organizar a produção de forma eficiente e pode aumentar a qualidade de vida. Mas essas melhorias têm um custo. A escolha certa dos ingredientes (especialmente da farinha), do método e dos equipamentos é essencial para evitar o comprometimento da qualidade.

Para que o processo de retardamento seja bem-sucedido, os padeiros devem ter um bom conhecimento e habilidades técnicas. A falta de atenção às considerações técnicas vai levar, inevitavelmente, à queda de qualidade do produto final. Mas, quando o processo é feito corretamente, o trabalho noturno pode ser substancialmente diminuído, para grande satisfação dos profissionais.

A FORÇA DA MASSA

A força da massa é o resultado direto da seleção dos ingredientes, mistura e fermentação. Embora seja muito importante ter uma ideia clara da força da massa, essa é uma das propriedades mais difíceis de conseguir. É quase impossível aprender como avaliar a força da massa apenas ao ler um manual técnico. Somente uma grande quantidade de trabalho prático com muita massa na padaria vai habituar às mãos sentir (ou avaliar) a força da massa e fazer as correções quando necessárias.

Muitas variáveis podem afetar a força ao longo de todo o processo de panificação. O restante deste capítulo trata das principais questões para auxiliar o profissional a entender o que pode dar errado e como solucionar os problemas.

A DEFINIÇÃO DE FORÇA

A força é o equilíbrio entre três características físicas da massa: extensibilidade, elasticidade e firmeza.

Extensibilidade

A extensibilidade é a propriedade da massa de ser alongada. Uma massa com boa extensibilidade é fácil de esticar. Essa característica é muito importante para a moldagem manual de produtos de forma alongada como a baguete, bem como para a produção de massas laminadas.

Elasticidade

A elasticidade é a capacidade da massa de retornar à sua posição depois de ser esticada. A massa que retorna visivelmente depois de ser esticada é considerada bastante elástica.

Firmeza

A firmeza é a propriedade que resiste à ação de esticar. Essa propriedade pode influenciar a parte de alongamento no processo de moldagem. Se a massa oferece muita resistência aos esforços de alongá-la, é considerada firme.

Existe uma relação ou conexão sólida entre firmeza e elasticidade. A massa elástica vai resistir naturalmente à ação de alongamento, e a massa com bastante firmeza tem a tendência de retrair à sua posição inicial rapidamente. Por esse motivo, em panificação, a força da massa é frequentemente descrita como um balanço entre extensibilidade e elasticidade. Entretanto, em laboratório, as três características são levadas em consideração ao avaliar as características da farinha e, especialmente, as propriedades do glúten.

MASSA FORTE *VERSUS* MASSA FRACA

Massa elástica, massa extensível, massa forte e massa fraca são expressões comuns em panificação. Muitas vezes, esses conceitos importantes são confundidos.

A massa forte é definida precisamente como a massa com falta de extensibilidade e excesso de elasticidade. Para o profissional, isso significa uma massa difícil de esticar durante a moldagem à mão ou à máquina, além de apresentar a tendência de retrair quando a extensão desejada for atingida. Massas fortes resultam em pães mais curtos com cortes arredondados e cortes inferiores abertos. Esses defeitos podem ser facilmente explicados pela falta de extensibilidade do glúten, que compromete o desenvolvimento do pão durante a fermentação e/ou o *oven spring* (estufada do forno).

Por sua vez, a massa fraca apresenta tanta extensibilidade que é fácil de esticar, mas tem tão pouca elasticidade que não retorna à posição anterior durante a moldagem. Apesar de funcionar bem na máquina, falta força ao glúten para reter mais gás durante a fermentação e o cozimento. Como resultado direto, os produtos finais têm um volume bem menor, um corte liso, estrutura de miolo densa e abertura dos cortes pouco desenvolvidas.

FATORES QUE AFETAM A FORÇA DA MASSA

A força da massa é afetada pelos ingredientes, pela mistura e pela fermentação.

Ingredientes

Farinha Em razão de a farinha ser o principal ingrediente da massa, tem um enorme impacto na sua força. A farinha com um alto nível de proteína vai fornecer mais glúten, resultando uma massa com alta elasticidade e baixa extensibilidade. Farinha com baixo nível de proteína tem um efeito contrário, e farinha com nível de proteína muito baixo vai produzir uma massa definitivamente com falta de força.

Qualidade da proteína A farinha feita de trigo macio, como a farinha para bolos e tortas, não tem a mesma capacidade de formar glúten como aquela feita com trigo forte, como a farinha para pão. Por isso, o pão feito com a farinha de trigo macio produz uma massa fraca e com pouca retenção de gás. Ao mesmo tempo, diversos tipos de trigo forte contêm níveis variados de proteína, o que pode criar massas e pães com características muito diferentes. Por esse motivo, é difícil definir a exata quantidade de proteína necessária, mas, em média, farinhas entre 10,5% e 12% devem fornecer um bom equilíbrio entre extensibilidade e elasticidade.

Teor de cinza Uma grande quantidade de farelo deixada na farinha depois da moagem vai interferir na formação do glúten, o que geralmente resulta em massa com menos força. Farinhas integrais, por exemplo, produzem uma massa que é sempre mais extensiva e com uma retenção de gás mais baixa do que as massas feitas com as farinhas normais de pão. Farinhas com baixo teor de cinza, como as farinhas puras (*patent flour*) geram uma massa com a tendência de desenvolver um pouco de força extra. Novamente, é difícil precisar a quantidade exata de cinza presente na farinha, mas, em geral, é aceitável um teor de cinza em torno de 0,5%.

Tratamento da farinha Alguns tratamentos da farinha, tais como oxidantes, ácido ascórbico ou bromato de potássio, geram imediatamente um aumento de força. O agente branqueador peróxido de benzoíla não afeta tanto a força da farinha, mas a coloração do miolo no produto final. O ADA ou azodicarbonamida, um agente de expansão, também aumenta a força da massa. O malte ou a amilase do fungo tem apenas um efeito secundário na força ao promover a atividade enzimática e fermentação.

Maturação natural A maturação natural, que está diretamente relacionada à oxidação natural da farinha, tem um impacto na força da farinha. A farinha fresca possui a tendência a pouca força, enquanto a farinha adequadamente madura é mais equilibrada. É por isso que é sempre recomendável permitir que a farinha amadureça por duas a três semanas antes de usá-la na panificação.

Água A qualidade e a quantidade da água podem ter efeitos nas características da massa. Os minerais encontrados em águas pesadas e macias[2] são usados como nutrientes para o fermento no sistema da massa e apresentam um papel importante durante a atividade da fermentação. A água pesada, em razão de seu alto teor de minerais, gera uma massa com alta atividade de fermentação e com bastante força, em comparação à massa feita com água macia e índices mais baixos de minerais.

A hidratação da massa, que está diretamente relacionada com a quantidade de água usada na fórmula, também vai afetar a força da massa. As proteínas pouco hidratadas criam glúten com pouca extensibilidade e têm excesso de elasticidade. Proteínas hidratadas em excesso criam uma massa bastante extensiva com falta de elasticidade, o que requer algumas mudanças no processo de panificação. Essas mudanças incluem adotar um tempo de mistura maior, mais dobraduras, ou um tempo maior de fermentação.

Outros ingredientes Alguns ingredientes, como manteiga ou grande quantidade de açúcar (+15%), aumentam a extensibilidade da massa. Outros ainda do tipo sementes ou ingredientes em pedaços como nozes, chocolate ou frutas enfraquecem o glúten. Neste último caso, devem ser tomadas certas precauções para retomar um bom equilíbrio para a massa, incluindo uma mistura mais longa ou mais dobraduras. Para evitar qualquer dano ao glúten e preservar o máximo possível a estrutura e a força, os ingredientes em pedaços devem ser adicionados no final do tempo de mistura, depois que a estrutura do glúten for adequadamente formada.

Mistura

Autólise Ao adotar o método da autólise, o padeiro muda automaticamente as características do glúten. Ao deixar a farinha e a água incorporadas para descansar em média de 20 minutos a uma hora, as proteínas terão mais tempo para absorver a água e criar melhores limites, aprimorando a rede da estrutura do glúten. Ao mesmo tempo, a protease vai degradar algumas cadeias de proteínas, enfraquecendo levemente a estrutura do glúten e criando um efeito positivo na extensivi-

---

[2] Água macia refere-se ao "grau de dureza" (quantidade de íons de cálcio e magnésio por partes por milhão): 1. Macia, menos 50 partes; 2. Média, 100-150 partes, e dura, acima de 200 partes. (NRT)

dade. O tempo de mistura pode ser reduzido, já que o glúten, mais extensivo, vai se organizar mais rapidamente sob a ação mecânica do gancho do misturador.

Além disso, as características de manuseio da massa e a facilidade na máquina serão aprimoradas. Os pães terão uma melhor estrutura de célula do miolo (mais aberta e de coloração creme por causa do tempo menor de mistura), um volume levemente aumentado, e melhor abertura dos cortes em razão de uma expansão adequada durante o primeiro estágio de cozimento.

Fermento desativado O fermento desativado serve para melhorar a extensibilidade da massa sem utilizar o processo da autólise. Como o fermento desativado é um produto natural com uma rotulação "limpa", tem tido um uso crescente em massas laminadas e fórmulas para pães de forma alongada como a baguete. Esse tipo de fermento não gera nenhuma atividade de fermentação.

Tempo de mistura A mistura mecânica por períodos extensos estica e dobra os tecidos do glúten de forma a torná-los mais longos e mais apertados, criando uma estrutura de glúten mais organizada e mais forte. Tempos mais curtos de mistura criam menos ligas e geram estruturas de glúten mais fracas. Para corrigir esse aspecto, o padeiro pode aumentar o tempo da primeira fermentação e alongar e dobrar a massa uma ou mais vezes.

Temperatura A temperatura da massa tem um impacto indireto na força. Massa mais quente gera mais atividade de fermentação e massa mais forte, ao passo que massa mais fria diminui a atividade de fermentação e produz massa mais fraca.

Fermentação

No seu estágio mais avançado, a fermentação cria acidez, e é responsável por três reações importantes. A primeira é a criação de aromas por meio de ácidos como o ácido organoléptico. A segunda é a diminuição do pH da massa, o que aumenta a durabilidade do pão. E a última reação, que está mais relacionada à força, é o fortalecimento físico e químico da cadeia de glúten.

Todas as três reações ocorrem ao mesmo tempo. Isso significa que aqueles que desejam conseguir um sabor característico por meio de uma longa fermentação também vão obter uma massa forte (às vezes excessivamente forte). Para evitar isso, devem ser feitos ajustes no processo de panificação, incluindo tempo mais curto de mistura e hidratação mais alta. Para massa feita sem a primeira fermentação, são necessários tempo de mistura mais longo e, às vezes, oxidantes de massa. Essa medida é importante para construir força suficiente para a massa, pois não será produzida acidez depois da mistura.

Efeito da massa A quantidade de massa deixada para fermentar também desempenha um papel importante na força, e uma peça maior de massa aumenta sua força mais rapidamente que uma pequena. As reações químicas acontecem de forma mais rápida em quantidades maiores, criando assim um ambiente mais propício para a atividade dos micro-organismos. É o que chamamos na indústria de panificação de "efeito da massa". O efeito da massa é particularmente importante na adaptação de fórmulas desenvolvidas para uso doméstico para uma produção em escala, e vice-versa. Para pequenos lotes de massa, de até 2,5 kg, talvez seja necessário um tempo de fermentação mais longo, enquanto grandes lotes de 20 kg ou mais requerem um tempo de fermentação ligeiramente menor.

Pré-fermentos Como regra geral, em qualquer momento em que um pré-fermento é acrescentado, aumenta a força da massa. No entanto, outros fatores relativos aos pré-fermentos devem também ser levados em consideração, incluindo tipo, quantidade e o grau de maturação quando incorporado.

Tipos de pré-fermentos Como há grande quantidade de água em suas fórmulas, os pré-fermentos líquidos como o *poolish* desenvolvem mais atividade enzimática. Nesse caso, a atividade da protease é especialmente interessante, já que apresenta todas as vantagens da autólise. O pré-fermento deixado para crescer em temperatura ambiente e sem sal (como a esponja) também produz alguma atividade de protease. Se a esponja for firme, menos atividade enzimática é gerada, mas a quantidade é normalmente suficiente para produzir efeitos positivos. Quando é usado o método *sourdough*, a massa automaticamente desenvolve mais força em razão do alto nível de acidez. Esse aumento na força pode retardar uma parte da massa. Por causa da sua consistência, o *sourdough* líquido promove uma melhor extensibilidade na massa e é recomendado para a produção de pães alongados como a baguete *sourdough*.

Quantidade usada na massa final Quando o pré-fermento é utilizado, o aumento na força é proporcional à quantidade empregada. Os padeiros consideram esse fator ao desenvolver fórmulas.

A quantidade de pré-fermento está diretamente relacionada à extensão da primeira fermentação. Quando ocorre uma primeira fermentação curta, uma quantidade maior de pré-fermento pode e deve ser usada. No caso de uma primeira fermentação longa, a quantidade deve ser diminuída. Esse é um erro comum em algumas padarias, em que os padeiros pensam em pré-fermento apenas em termos de sabor.

O pré-fermento também pode ser usado para contornar problemas. No caso de uma farinha com falta de tolerância ao fermento, ou falta de maturação, ela vai se beneficiar de uma alta porcentagem de farinha fermentada nas fórmulas.

Níveis de maturação Os pré-fermentos devem ser adequadamente maturados para que se aproveite todo o seu potencial. Aqueles muito maturados podem conferir força excessiva à massa e, por fim, levar os níveis de acidez tão altos que podem causar a deterioração do glúten. A massa leva mais tempo para se misturar e começa a murchar durante a primeira fermentação, resultando em um produto de qualidade muito ruim. Quando isso acontece, é necessário diminuir a quantidade de pré-fermento na massa final e recalcular as porcentagens para solucionar o problema. Os pré-fermentos não maturados totalmente requerem uma primeira fermentação mais longa para compensar a falta de acidez.

Manuseio da massa A forma como a massa for manuseada, seja manualmente ou por equipamentos, também terá um efeito direto sobre a força. A pré-moldagem e a moldagem firmes aumentam a elasticidade e diminuem a elasticidade, embora uma pré-moldagem e moldagem leves preservam a extensibilidade, mas danificam a elasticidade. Os padeiros devem aprender como avaliar a força da massa para manuseá-la corretamente. A análise da força, ou a avaliação da percepção da massa, é possivelmente a lição mais difícil na profissão de padeiro e a melhor forma de aprender é trabalhando com a massa.

Em muitas padarias acredita-se que, quanto mais firme e forte a massa for manuseada, é melhor. Na verdade, se todas as etapas forem cuidadosamente seguidas, uma pré-moldagem e moldagem cuidadosa é tudo do que se precisa.

Os cortes também são importantes para a força da massa. Cortes perpendiculares ao lado dos pães favorecem uma expansão vertical durante o *oven kick* e são mais adequados para massas fracas como as de centeio ou trigo integral. A expansão vertical naturalmente favorece os cortes cruzados do pão e, portanto, o seu volume e aparência final. Cortes paralelos ao lado do pão favorecem uma expansão lateral do pão. Esses cortes criam grandes aberturas que são mais adequadas para massas fortes como baguete e *sourdough*.

RESUMO DO CAPÍTULO

É fácil compreender por que a fermentação é a etapa mais importante da panificação. A qualidade do pão em grande parte depende de uma série de fatores, incluindo a duração da fermentação, temperatura, hidratação e quantidade de fermento, entre outros. O desenvolvimento de aromas e o perfil de sabor são realizados por meio da fermentação e de seu manuseio.

Da massa simples com uma primeira fermentação curta ou longa, do pré-fermento ao *sourdough*, ou do cozimento no mesmo dia ou o prolongado até o dia seguinte, o padeiro tem inúmeras escolhas. Sem considerar o método de fermentação escolhido, é importante que o profissional tenha conhecimento completo das reações bioquímicas e das mudanças físicas que ocorrem na massa durante essa etapa crucial. Não apenas serão capazes de produzir regularmente pães de alta qualidade diariamente, como também de desenvolver sabores bem diversos para atender às necessidades de seus clientes.

PALAVRAS-CHAVE

- ❖ acidificação
- ❖ açúcares simples
- ❖ alimentar
- ❖ biga
- ❖ cultura
- ❖ endosperma
- ❖ esponja
- ❖ ésteres
- ❖ fermentação

- ❖ germinação
- ❖ glicídios
- ❖ heterofermentativos
- ❖ homofermentativos
- ❖ levedura
- ❖ massa pré-fermentada
- ❖ micro-organismos
- ❖ *poolish*
- ❖ *starter*

QUESTÕES PARA REVISÃO

1. **O que é fermentação?**

2. **Quais são os resultados da atividade da fermentação na massa e no pão?**

3. **Qual é a relação entre mistura e fermentação?**

4. **Quais são os fatores técnicos a considerar ao usar o pré-fermento?**

5. **Quais são os dois principais micro-organismos envolvidos no método *sourdough*? Quais são os seus efeitos na massa e no produto final?**

capítulo
5

ASSAR O PÃO

OBJETIVOS

Depois de ler este capítulo, você será capaz de:

- Demonstrar competência no processo de assar massa fermentada.
- Avaliar a fermentação da massa e determinar sua fermentação final.
- Explicar e demonstrar os objetivos e as técnicas dos cortes
- Explicar a evolução dos produtos e os cuidados a serem tomados após o cozimento.

O PROCESSO DE ASSAR

Depois de concluídas corretamente a mistura e a fermentação, a nova etapa é assar a massa. Na busca para criar o pão perfeito, os padeiros foram beneficiados com uma vasta seleção de fornos que levam em conta capacidade de produção, tipos de pão a serem assados e custo da energia. Mas igualmente importante para produzir um pão harmonioso é o conhecimento sólido das mudanças químicas e físicas que ocorrem na massa durante o processo de cozimento. O desafio é manter controle suficiente sobre essas mudanças para produzir pães saborosos e apetitosos em bases regulares. O objetivo deste capítulo é explicar o processo de cozimento, passo a passo, para auxiliar o profissional a alcançar resultados consistentes.

ANTES DE ASSAR

AVALIAÇÃO DA FERMENTAÇÃO FINAL

Um cozimento bem-sucedido inicia-se antes de a massa ser colocada no forno. O primeiro critério importante é avaliar corretamente a conclusão da fermentação final. Os padeiros se baseiam em práticas como o período depois da moldagem, a aparência e o toque na massa. Todas essas técnicas são boas e necessárias para pães que devem ser assados em determinados períodos visando à produção, já que o mais preciso é o toque na massa (ver Figuras 5-1 e 5-2).

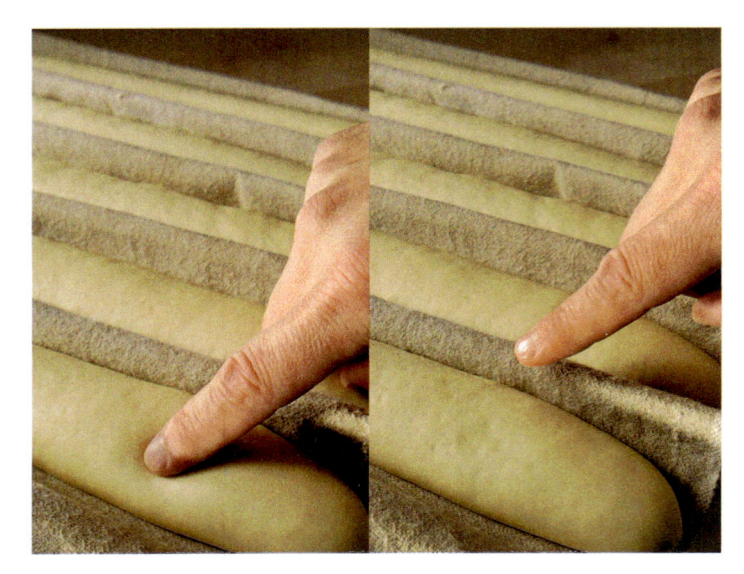

Figura 5-1

Ao ser pressionada com o dedo, uma baguete pronta para ir ao forno deve retornar à posição anterior deixando uma leve marca.

Figura 5-2

Ao ser pressionada com o dedo, uma baguete excessivamente fermentada deixa marca e não retorna à posição anterior.

O padeiro deve ser capaz de determinar se a massa fermentou o suficiente ao pressionar levemente o pão com os dedos. O pão que estiver pronto para ir ao forno, ao ser pressionado, deve retornar à posição anterior deixando uma leve marca. A massa que ainda não fermentou o suficiente retorna rapidamente e tem uma textura firme, ao passo que massa excessivamente fermentada mantém a marca do dedo e fica achatada (ou começa a murchar) no ponto onde foi pressionada.

Um padeiro experiente também pode perceber corretamente o gás produzido durante a fermentação na massa em crescimento. A sensação é um pouco como pressionar um balão inflado. Essa análise requer experiência, mas o padeiro pode aprender ao observar o pão depois de assar e considerar os resultados para futuras avaliações.

Deve-se ter em mente que a fermentação não termina quando a massa vai para o forno. Na verdade, a etapa mais intensa da fermentação ocorre nos primeiros minutos de cozimento. O glúten somente vai se desenvolver plenamente e alcançar o volume esperado se suas características físicas (especialmente extensividade) retiverem a grande quantidade de gás produzido durante esse estágio. Do contrário, o volume do pão permanecerá pequeno e o produto final, sem atração.

Se a massa sair do retardador, a temperatura mais baixa vai retrair o glúten e possivelmente dar a aparência de que a massa está pouco fermentada. Nesse caso, o padeiro deve avaliar o volume e o tamanho do pão para determinar se a massa está pronta.

Uma crença comum é a de que a massa saída do retardador deve ficar em temperatura ambiente antes de ir ao forno; entretanto, o fator mais importante é a quantidade de gás retida pelo glúten. A massa pode ser assada quando for produzido gás suficiente, independentemente da temperatura. Para evitar o problema de quebras nas laterais de grandes peças de pão durante o cozimento, é melhor assá-los quando a temperatura interna da massa for de aproximadamente 10 °C.

CORTES

Quando o pão tiver completado a fermentação, o padeiro pode ir à próxima etapa: fazer os **cortes** no pão, ou fazer incisões na superfície da massa antes de assá-la.

Origem

A origem dos cortes data de 1834, quando Vaudry menciona "pães com cortes na sua superfície" (Guinet & Godon, 1994, p. 23). Vaudry era um cientista francês que escreveu diversos livros sobre a técnica de panificação, descreveu esses cortes como um melhoramento na aparência do pão. Antigamente, pães com cortes eram feitos somente para as famílias ricas e para os restaurantes famosos de Paris e, portanto, apenas uma pequena quantidade deles fazia parte da produção total de pães.

Os cortes são uma característica dos pães feitos na França, mas não são exclusivos dos pães de origem francesa. Quando feitos corretamente, muitos tipos de pães vão se beneficiar dos "cortes na superfície".

Há três principais motivos para talhar a massa. O primeiro envolve a estética do pão como um todo. O padeiro pode cortar o pão de diversas maneiras para melhorar a aparência, sem esquecer-se de que cada técnica de corte vai produzir um resultado diferente depois de assado.

O segundo motivo é técnico. Incisões na superfície criam pontos fracos na parte externa da massa que reduzem a "firmeza" ou resistência à expansão. Consequentemente, os cortes na massa vão expandir mais durante a estufada de forno – *oven spring* – (quando a pressão do dióxido de carbono é muito importante) e o pão aumentará de volume.

Finalmente, ao fazer cortes nos pães, o padeiro cria caminhos precisos para que o dióxido de carbono escape quando a pressão se torna muito forte dentro da massa durante o *oven spring*. Cada técnica de corte permitirá ao padeiro controlar, de uma maneira precisa, a expansão do pão durante o cozimento e, portanto, a sua aparência final.

Se a massa não for cortada antes de assar, o produto final terá menos volume e, frequentemente, rupturas na superfície. Essas rupturas são criadas quando a expansão do dióxido de carbono cria pressão dentro da massa e busca uma rota de escape durante o *oven spring*. Quando a pressão se torna muito grande, a parte externa da massa se rompe nos seus pontos mais frágeis e cria aberturas que não são visualmente atraentes (ver Figura 5-3).

Utensílios

Os cortes podem ser feitos com diversos utensílios. Originalmente, os padeiros usavam lâminas metálicas (ou *lames* em francês) com uma variedade de curvas que criavam efeitos diferentes nos cortes. Afiavam as lâminas com uma pequena pedra de amolar entre cada fornada. Hoje lâminas de barbear são normalmente usadas. Mesmo que a lâmina seja fixada em suporte de metal (ou *porte lames*), o padeiro deve verificar, por segurança, se cada lâmina está firme no seu suporte.

Outros utensílios para talhar a massa incluem facas, cortadores e tesouras. Para conseguir um corte mais preciso e elegante possível, os utensílios mais afiados vão apresentar os melhores resultados. Isso se aplica especialmente para massas mais delicadas como a da baguete ou pão integral. Para garantir a higiene dos cortes, as lâminas deverão ser bem limpas sempre. Para isso elas podem ser armazenadas em um copo com água próximo ao forno. Há duas vantagens nesse método de armazenamento: melhora a higiene, desde que a água seja renovada frequentemente, e facilita o corte ao longo da superfície da massa.

Figura 5-3

Efeito sem cortes, corte inadequado, corte correto e sem vapor (da esquerda para direita, do topo à base).

Técnica

Mesmo que pareça um movimento simples, o corte na massa exige precisão, destreza, flexibilidade, regularidade, leveza e experiência.

Antes de cortar, o padeiro deve prestar atenção à força e ao grau de fermentação da massa. Massa subfermentada com excesso de força vai requerer um corte mais profundo para formar uma boa abertura durante um *oven spring* mais intenso. Massas com fermentação excessiva, ou que não são muito fortes, devem ser talhadas muito levemente para evitar que murchem.

Cortes para pães alongados

Para pães com formas alongadas, podem ser usados quatro tipos principais de cortes: o clássico, o "salsicha", o "corte cruzado" ou "polca" e o *chevron*.

Corte clássico O **corte clássico** é usado para baguetes e filões, ou sempre que um corte bonito e elegante for desejado. É um dos cortes mais difíceis de ser executado corretamente. Para fazer um corte clássico, o padeiro segura a lâmina o mais horizontal possível, ou ao menos em um ângulo de 45° da superfície, e faz um talho horizontal. Apenas uma fina camada da massa é cortada para formar a "orelha" que vai se separar da superfície durante o *oven spring*.

É importante notar que o ângulo usado também tem um efeito técnico. Se o ângulo não for realizado corretamente e o corte for feito com a lâmina na vertical, os dois lados da massa vão se espalhar rapidamente durante o *oven spring* e expor uma área enorme ao calor. A crosta começará a se formar muito cedo – às vezes antes do fim do *oven spring* – penalizando o desenvolvimento do pão. Se o corte for feito corretamente na horizontal, os lados do pão vão se espalhar mais lentamente. A camada de massa criada pela incisão vai proteger a superfície parcial e temporariamente do calor e reforçar melhor *oven spring* e desenvolvimento.

Se apenas constar um corte clássico, esse deve ser feito paralelo ao lado da massa, seguindo uma linha reta a 1,5 cm à direita do meio do pão (para um padeiro destro). Para obter um desenvolvimento normal durante o cozimento, a incisão deve começar em uma extremidade e terminar na outra. Não é necessário curvar o corte. Se o pão for moldado corretamente, a curvatura vai acontecer de modo natural durante o desenvolvimento do pão.

Se vários cortes forem feitos, esses deverão aparecer o mais paralelamente possível do lado do pão e concentrar-se no meio. Nunca deverão ser feitos como cortes diagonais no lado do pão para conseguir uma aparência mais bonita. O segundo corte deve avançar um terço do comprimento do primeiro, e assim por diante. Se não for feito esse avanço, a massa vai se desenvolver de forma irregular, e o produto final terá uma aparência irregular. Além disso, cada corte deve ter o mesmo comprimento. O número de cortes fica a critério do padeiro, mas, em geral, poucos cortes criam aberturas melhores. A baguete, por exemplo, pode ser talhada com cinco a oito cortes, dependendo do seu comprimento (ver Figuras 5-4 e 5-5).

Figura 5-4
Baguete com corte incorreto (esquerda) e baguete com corte correto (direita).

Corte "salsicha" O **corte salsicha** (**cortes transversais**) é empregado para filões, pães artesanais (centeio, integral) e baguete vienense. É normalmente

Figura 5-5
Técnicas de cortes
para filões.

Um corte   Dois cortes   Três cortes   Corte "salsicha"

usado quando o padeiro procura por um corte arredondado para o produto final. Para essa técnica, o padeiro mantém a lâmina perpendicular à massa e faz cortes diagonais, quase perpendiculares ao lado do pão. O número de cortes fica a critério do padeiro, mas, para uma aparência mais satisfatória, o espaço entre cada corte não deve ser maior do que 1,5 cm. O primeiro corte deve começar em uma extremidade e o último deve cobrir a extremidade oposta (ver Figura 5-5 Corte "salsicha").

Corte polca ou corte cruzado O **corte polca**, ou corte cruzado, é usado quando o padeiro quer obter filões ou pãezinhos com o topo mais achatado. Assim como no corte "salsicha", a lâmina é mantida perpendicular à massa. Os cortes são feitos em diagonal, começando de um lado do pão e terminando no lado oposto. Então, usando o mesmo movimento, o padeiro faz outro corte em ângulo oposto para criar a cruz. O número de cruzes depende do tamanho do pão, mas devem cobrir toda a superfície.

Corte chevron O **corte *chevron*** é utilizado normalmente para pães de forma curta e alongada como os filões. Como o corte "salsicha", o *chevron* dá ao pão uma abertura arredondada. Para fazer o corte, a lâmina é presa de forma perpendicular à massa. As incisões são feitas nos dois lados, deixando em torno de 0,5 cm no meio do topo da superfície, como se o padeiro fosse fazer um corte "salsicha" nos dois lados do pão. Assim como os outros cortes, toda a superfície deve ser coberta para uma harmonia maior.

Cortes para outros formatos de pães

Técnicas de cortes ou padrões para outros formatos de pães incluem cortes folha, onda e diamante. Embora os padeiros sejam limitados apenas por sua imaginação, devem lembrar que cada técnica terá um efeito diferente na forma final do pão.

Se, por exemplo, um padeiro decidir cortar uma massa redonda com apenas cortes paralelos, a bola se tornará oval durante o *oven spring*. Nesse caso, a fraqueza criada na massa permite que o dióxido de carbono pressione para expandir o volume do pão em apenas uma direção. Para manter a forma redonda, os cortes devem ser feitos em forma quadrada (embora os quatro cortes não precisem estar unidos) para permitir que o pão se expanda em todas as direções (ver Figura 5-6).

É também possível cortar o pão com tesoura para criar desenhos diferentes como o pão *épi* (ou corte espiga), um pão artesanal que imita o ramo de trigo, com o cortador de massa para produzir pães como a *focaccia*.

Figura 5-6
Técnicas de cortes
para as broas.

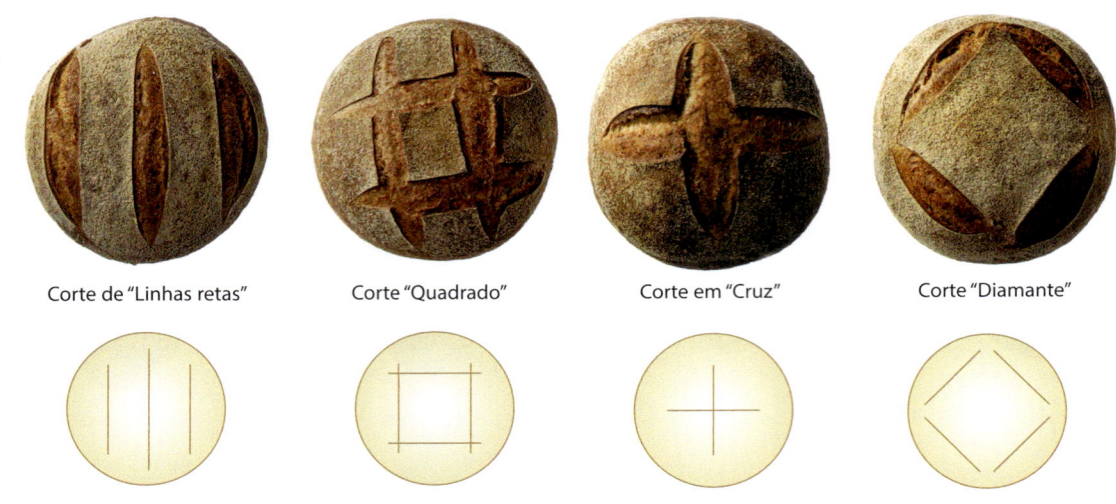

Corte de "Linhas retas"   Corte "Quadrado"   Corte em "Cruz"   Corte "Diamante"

Qual técnica usar A escolha da técnica depende do tipo de massa, o tipo de pão e a aparência final desejada.

Para massas que tendem a desenvolver pouca força, como centeio ou integral, é melhor optar pelo corte "salsicha" ou *chevron*. Como esses cortes são feitos de forma perpendicular ao lado da massa, eles estimulam a expansão vertical e uma abertura arredondada é mais atraente ao cliente. Os cortes clássicos aplicados a esses tipos de massa terão uma aparência achatada, já que os cortes paralelos estimulam a expansão horizontal. Qualquer espécie de corte, portanto, pode ser usado para massa feita com farinha branca comum. Muitas vezes a tradição determina a técnica; por exemplo, a tradicional baguete normalmente tem de cinco a oito cortes clássicos.

Quando os padeiros consideram todos os aspectos técnicos e estéticos que determinam um tipo de corte a ser feito em um determinado tipo de pão, devem manter essa prática. Não apenas isso vai assegurar uma produção consistente, mas os clientes, que normalmente identificam o pão pelos seus cortes distintivos, não ficarão confusos.

Além das considerações técnicas relacionadas aos cortes, o lado artístico dos padeiros também deve ser levado em conta. Alguns pães, como o *sourdough*, são suficientemente preparados para suportar muitos desenhos diferentes. Para esses tipos de pães, o padeiro pode empregar sua criatividade para encontrar padrões originais e diferenciar seu pão da concorrência.

Quando fazer cortes

Muitos pães são talhados apenas antes de ir para o forno, mas algumas massas requerem atenção especial. Massa feita com farinha com glúten de pouca qualidade, como a farinha de centeio, deve ser cortada logo após a moldagem para evitar que murche depois da fermentação final, quando a massa está mais frágil. Massa mais densa, como a de multigrãos, pode também ser talhada depois da moldagem para manter melhor o desenho na superfície do pão depois de assado.

Cortes como forma artística

Para o padeiro profissional, conseguir cortes perfeitos é sinal de que todas as etapas do processo de panificação foram respeitadas, da seleção da farinha ao cozimento. Do ponto de vista do cliente, a exibição de pães com aparência harmônica e bem acabada gera um sentimento positivo em relação à empresa. Se, porém, os pães parecem desorganizados e pouco atrativos, os clientes terão uma péssima primeira impressão.

O corte no pão é muitas vezes considerado a assinatura do padeiro. Olhar para os cortes permite ao cliente julgar a qualidade e o refinamento do pão e a precisão do padeiro. Em resumo, o corte no pão é uma expressão artística que requer muita atenção e cuidado.

LEVAR O PÃO AO FORNO

Depois dos cortes, os pães são levados ao forno. Essa operação pode ser feita manualmente, ou pode ser automatizada. Em ambos os casos deve-se ter grande cuidado com a massa, que é bastante frágil e não sustenta mudanças bruscas. Se for tratada com descuido, o gás retido pela estrutura do glúten começará a escapar, e as características do produto final serão afetadas negativamente. Como exemplo, os cortes podem não abrir, o miolo pode ficar denso, e as incisões podem ficar lisas.

Quando os pães são colocados no forno, deve haver espaço suficiente entre eles para obter o máximo da circulação de calor visando produzir uma crosta crocante e de cor apropriada. Além disso, como o bom senso indica, as grades do forno devem estar limpas para prevenir que o produto final fique com uma base "suja" e pouco atraente.

Vapor

Durante o cozimento, o vapor desempenha um papel importante no desenvolvimento do pão, na crocância da crosta e na cor. Depois que o pão for colocado no forno, um vapor quente entra em contato com a superfície mais fria do pão, e a condensação resultante produz uma película de água que cobre levemente o pão. Esse processo faz a superfície da massa ficar mais extensiva e mais bem preparada para se desenvolver sob a pressão do gás no começo do cozimento, promovendo um volume maior.

Ao diminuir a evaporação na superfície da massa, a cobertura de vapor adia a formação da crosta, produzindo uma crosta mais fina e crocante. Também gera uma leve diluição do amido presente na superfície da massa, apresentando um efeito brilhante depois de assada.

Para obter os melhores efeitos da condensação, o vapor deve ser lançado na câmara antes e depois de serem colocados no forno. Se o lançamento do vapor for mais tarde, com o aumento da temperatura será formada uma película no pão antes que o vapor atinja a sua superfície, diminuindo a condensação e minimizando os efeitos positivos do vapor.

Quando são usados os fornos de prateleiras (*rack*) ou de convecção, o padeiro não tem a opção de vaporizar antes de pôr os pães no forno. No entanto, esses fornos são normalmente bem equipados com geradores de vapor potentes e eficientes que rapidamente enchem a câmara com vapor logo após a introdução das prateleiras com os pães.

A quantidade de vapor deve ser suficiente para formar uma leve película de água na superfície da massa. Em razão da variedade de fornos equipados com geradores de vapor de eficiência variada, é muito difícil, se não impossível, determinar exatamente em quantos segundos a vaporização deve ser feita. O padeiro deve observar a superfície dos pães, que devem ser ligeiramente cobertos com vapor e levemente brilhantes. Outra evidência visual é a constatação de vapor na porta do forno, indicando que a câmara tem umidade suficiente.

Gotas de água na superfície dos pães indicam que ocorreu muito vapor. Isso pode comprometer a qualidade do produto final, incluindo a crosta, que não será suficientemente crocante, cortes que não se abrem, e uma aparência muito brilhante, quase artificial.

O vapor é necessário apenas no começo do cozimento. Depois que o pão começou a ser assado, desprende um pouco de umidade que vai ter o mesmo efeito que o vapor.

DURANTE O COZIMENTO

Logo que o calor alcança a massa e aumenta a sua temperatura, uma sucessão de reações químicas e físicas faz essa massa se transformar em pão. Durante os primeiros 4 a 6 minutos de cozimento, a atividade do fermento e das enzimas é estimulada pelo rápido aumento de temperatura. Essa mudança causa uma grande quantidade de **dióxido de carbono** (gás) a ser produzida e retida pela estrutura do glúten, que por sua vez desenvolve o volume do pão. Isso é o que normalmente chamamos **oven kick** ou **oven spring**. Os padeiros deveriam lembrar sempre dessa intensa produção de gás ao avaliar o término da fermentação final para assegurar-se de que o glúten é capaz de reter uma quantidade suficiente de gás adicional no momento em que a massa for para o forno.

Quando a temperatura do interior da massa atinge 50 °C, os grânulos de amido começam a inchar, e o fermento inicia a fase de perda de atividade. A 60 °C, o amido começa a se gelatinizar assim que os grânulos de amido explodem, liberando numerosas cadeias de amido que formam uma matriz do tipo gelatina bastante complexas. Esse processo é conhecido como **gelatinização do amido**. Depois do resfriamento, essa matriz produz o miolo do pão.

A 63 °C, todas as células do fermento foram destruídas, e a sua atividade cessa. No entanto, o gás produzido pelo fermento começa a se expandir sob efeito do calor, e o pão continua a aumentar o volume. A 67 °C a gelatinização do amido está completa. A 74 °C o glúten começa a coagular, e as cadeias de proteína começam a se solidificar. Esse processo é conhecido como **coagulação do glúten**. Nesse estágio, a estrutura do pão está totalmente organizada. A 82 °C toda a atividade enzimática terminou, e não ocorrerá mais nenhuma transformação química.

Quando a superfície do pão alcança a temperatura de 100 °C, um pouco da umidade evapora, criando o começo da crosta. Aumentar a temperatura por um período mais longo vai criar uma crosta final com características fina e crocante.

A coloração da crosta ocorre em temperatura mais alta, quando os açúcares, naturalmente presentes na massa, começam a caramelizar. Esses açúcares, que são o resultado da atividade enzimática da farinha, são também chamados **açúcares residuais**. São denominados assim porque o fermento não absorveu totalmente esses açúcares durante a fermentação.

Os pães feitos com farinha sem enzimas muitas vezes não adquirem boa coloração durante o cozimento. A menor atividade enzimática produz menos açúcar simples e, portanto, menos açúcar residual. Como resultado, o pão se tornará pálido e pouco atrativo. Para resolver esse problema adiciona-se malte diastático à farinha (0,5% a 1%, com base no peso total da farinha).

Um produto com a coloração apropriada apresenta uma crosta inicialmente com um matiz dourado-laranja. Em temperaturas mais altas, a coloração se intensifica, chegando próximo ao caramelo. É interessante notar que o aroma produzido durante a caramelização apresenta um papel importante no sabor do produto final e ajuda a explicar por que especialistas em pão valorizam sempre uma crosta com boa coloração.

Durante o processo de cozimento, outra reação química muito importante ocorre: a **reação Maillard**. Ela se refere à cor escura e aos aromas que ocorrem quando **açúcares simples**, que não são usados pelo fermento durante o processo de fermentação, se misturam aos aminoácidos (os componentes básicos das proteínas) e são aquecidos. À medida que os pães assam, a cor da crosta e o aroma se tornam mais intensos; na verdade, a fragrância causada pela reação Maillard tem um efeito essencial no sabor do pão.

É importante notar que, se um dos componentes da reação aumenta, toda a reação será mais intensa. Se a massa, por exemplo, contém excesso de açúcar, a reação Maillard acontecerá com grande intensidade e produzirá uma crosta com uma cor bastante escura e poderá apresentar

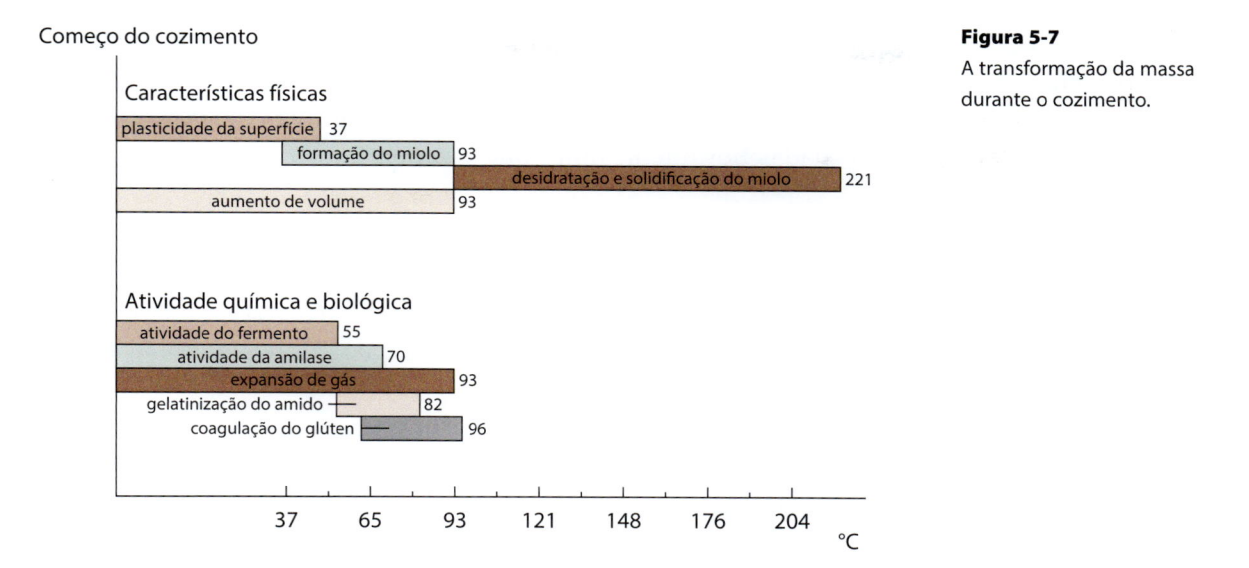

Começo do cozimento

Figura 5-7
A transformação da massa durante o cozimento.

Características físicas

- plasticidade da superfície — 37
- formação do miolo — 93
- desidratação e solidificação do miolo — 221
- aumento de volume — 93

Atividade química e biológica

- atividade do fermento — 55
- atividade da amilase — 70
- expansão de gás — 93
- gelatinização do amido — 82
- coagulação do glúten — 96

37   65   93   121   148   176   204   °C

um aroma amargo. Para contrabalançar o excesso de açúcar, o padeiro deve assar o pão em temperatura mais baixa. Esse é o caso de pães feitos com massa doce.

Se o nível de proteína da farinha aumentar em razão do uso de farinha com alto teor de glúten, a quantidade de aminoácidos vai automaticamente ser mais alta, e o nível da reação Maillard aumentará. Isso também vai gerar uma crosta com uma cor excessivamente marrom, e às vezes deixa um gosto levemente amargo.

A Figura 5-7 resume as transformações importantes que ocorrem à massa durante o processo de cozimento.

COMO SABER QUANDO O PÃO ESTÁ PRONTO

Às vezes é difícil avaliar se o pão está realmente cozido. Os padeiros normalmente se baseiam em tempo, cor, percussão ou pressão sobre a crosta.

A cor não é sempre a melhor forma de determinar quando o cozimento terminou, já que um forno quente pode dar cor ao pão muito rapidamente sem assar o interior da massa. Quando associado ao fator tempo, entretanto, a cor é um dos principais parâmetros para avaliar o cozimento. É interessante notar que, nos Estados Unidos, regiões diferentes têm preferências determinadas pela coloração do pão, que vão de levemente dourada a marrom-escura.

Muitos padeiros testam o cozimento do pão ao ouvir um som oco quando batem levemente na base do pão com o dedo. Embora não haja nada científico a respeito dessa técnica, um profissional com um pouco mais de experiência pode confiar nesse método para determinar se o pão está pronto para ser retirado do forno.

Pressionar o lado do pão depois de retirá-lo do forno pode também oferecer alguma informação sobre o cozimento. Maciez excessiva é uma indicação segura de que o pão não ficou no forno tempo suficiente para formar a crosta. É importante observar que às vezes a crosta parece dura e suficientemente cozida, mas se torna mole assim que o pão esfria. Isso ocorre muitas vezes com pães feitos de farinha de trigo integral que tem um alto teor de cinza.

O amolecimento da crosta acontece quando o farelo de trigo absorve a água que não foi evaporada durante o cozimento e é então lançada na crosta durante o resfriamento. O padeiro pode evitar isso ao deixar a crosta secar antes de tirar o pão do forno simplesmente abrindo a porta do forno por alguns minutos no final do cozimento. O pão vai então assar em uma atmosfera seca, perdendo umidade sem acrescentar cor à crosta. Se o forno for equipado com válvula de escape[1] também será possível abri-los ao final do cozimento para permitir que o vapor saia. É claro que as vávulas deverão ser fechadas novamente antes que o vapor seja injetado na câmara na fornada seguinte.

TEMPERATURA DO FORNO

Não existe realmente uma temperatura padrão para cozimento do pão, já que há muitos fatores que acabam afetando a temperatura dos fornos.

Entre esses fatores se incluem tipos de fornos, tamanhos e energia empregada, além de cada uma das inúmeras características das massas como tipo, tamanho, hidratação e formato.

Uma afirmação normalmente aceita é a de que massas mais enxutas como as usadas para baguetes devem ser assadas a 248 °C. Mesmo considerando que seja verdade para forno tipo *deck*, fornos de prateleiras devem ser programados para uma temperatura mais baixa como 227 °C a 238 °C em razão do ar quente que atinge a superfície da massa.

Há mais orientações precisas para garantir um bom controle sobre o cozimento do pão. Em geral, uma baguete de 350 g (de massa) deve ser assada entre 20 e 23 minutos. Se assar mais rápido, a temperatura do forno está muito alta e deve ser ajustada. Tempo mais longo de cozimento indica uma temperatura muito baixa e resultará em um produto mais ressecado.

Outra orientação importante para definir uma temperatura do forno mais adequada é que peças maiores de massa requerem um tempo mais longo em temperatura mais baixa para evitar uma cor excessivamente mais escura, antes que o interior do pão esteja propriamente cozido. Pãezinhos, por exemplo, se beneficiam de um período mais curto e temperatura mais alta para evitar que ressequem.

RESFRIAMENTO

Quando os pães são retirados do forno, algumas reações continuam a ocorrer. A primeira reação, bem visível, é a equalização do calor: na medida em que o pão esfria, o ambiente aquece. Embora esse fato pareça muito simples e lógico, não deixa de ser importante. No caso de uma padaria que funcione com fornos de prateleiras, por exemplo, cada vez que uma prateleira sai do forno, a padaria aquece um pouco mais. Isso pode afetar o tempo de fermentação da massa que estiver crescendo, o que explica o fato de algumas padarias terem um espaço reservado especialmente para o resfriamento de pães.

Durante o resfriamento, bastante umidade é lançada gerando uma perda de peso do produto final. Caso essa umidade não seja dissipada no ar, ela se condensará na superfície do pão, que vai reabsorvê-la fazendo que a crosta fique amolecida. Por esse motivo, é recomendável resfriar o pão em bandejas perfuradas e em ambiente bem ventilado. É muito importante deixar que o pão resfrie totalmente antes de embalá-lo. Essa medida vai minimizar mudanças negativas nas características no miolo e na crosta.

A pressão interna do pão também vai se equilibrar durante o processo de resfriamento. Quando o gás que se expande durante o cozimento sai do pão, esse é tomado pelo ar frio que

---

[1] Espécie de chaminé que se pode abrir e fechar. (NRT)

necessita de um espaço menor. Como resultado, o pão encolhe e diminui o seu volume. O miolo pode se retrair sem problemas por causa da sua elasticidade. A crosta, entretanto, não consegue se retrair e vai se quebrar em algum ponto. Os sons da crosta se quebrando, que são sempre bom sinal, compõem uma pequena "música" que o padeiro escuta quando o pão esfria. Uma crosta que não quebra, nem "canta" e se retrai muito facilmente não se apresentará crocante depois de esfriar.

A reação final importante que acontece durante o resfriamento é a propagação do aroma. Para apreciar totalmente o sabor real do pão, é necessário esperar que ele esfrie completamente antes de comê-lo. O aroma do miolo será difundido pela crosta e o aroma da crosta será difundido pelo miolo, criando uma complexidade de sabores característicos de um pão delicioso.

Aromas são substâncias muito voláteis, e, consequentemente, escapam do pão. Diz-se que o padeiro recebe o melhor do sabor do pão porque quando o pão esfria, a padaria cheira maravilhosamente. Alguns padeiros se aproveitam do aroma para atrair clientes. Ao fazer croissant de chocolate de manhã ou pizzas na hora do almoço ou do jantar, por exemplo, o aroma nunca deixa de atrai-los.

ENVELHECIMENTO DO PÃO

A partir do momento que o pão esfria, começa o processo de **envelhecimento** em diferentes partes do pão.

A deterioração do miolo se dá em grande parte pela migração da água. A água que circunda as partículas de amido na massa se move para o interior durante a gelatinização e cozimento, rompendo as partículas de amido e estendendo algumas cadeias das moléculas de amido. Na medida em que o pão esfria, essas cadeias se retraem à posição original, tornando o miolo denso e causando a perda de maciez. Esse processo é mais ativo quando o pão é guardado em temperatura de aproximadamente 4 °C, por isso que deve-se evitar guardar o pão em geladeira.

Essa mudança na estrutura do pão é termorreversível. Quando o pão é reaquecido, o miolo ganha um pouco de maciez e se torna mais agradável. Infelizmente, esse recurso não dura muito tempo e o pão só pode ser reaquecido uma vez.

Quando alguns pães são congelados, eles passam duas vezes pela fase de ressecamento (uma vez durante o resfriamento, outra vez durante o reaquecimento). É importante congelar e reaquecer o pão o mais rápido possível para evitar a zona de temperatura crítica entre 4 °C e 10 °C. Para melhores resultados em congelamento, é recomendado um ultracongelador.

Durante o processo de envelhecimento do pão, a crosta perde o brilho, e a crocância muda, dependendo do clima. O miolo vai se tornar mais duro em clima seco, amolecido em clima úmido, e, em ambos os casos, pouco apetitosos.

Uma grande parte do aroma se evapora durante o resfriamento, e mais ainda durante o envelhecimento. Além do mais, mudanças na estrutura do pão modificam o aroma tanto da crosta como do miolo, tornando-os menos prazerosos a não atraentes aos clientes.

ADIANDO O ENVELHECIMENTO DO PÃO

O processo de cozimento pode fazer uma grande diferença no nível de envelhecimento do pão. Massa com alta hidratação gera pães que se deterioram mais lentamente, assim como o tempo mais longo de fermentação, que produz naturalmente acidez. Manter o volume do pão a um tamanho razoável também ajuda a evitar excesso de ressecamento. Depois de assado, a superfície do pão não deve ser exposta às correntes de ar, o que pode causar perdas significativas de umidade.

Outra maneira de retardar o envelhecimento é o processo de congelamento. Tecnicamente, o processo de envelhecimento cessa quase que completamente em temperaturas bem baixas como –22 °C a –4 °C. Mas, depois de quatro ou cinco dias nessas temperaturas, a crosta pode se partir, especialmente em pães de formas alongadas, como as baguetes. Pães de formas menores ou pães com gorduras na massa resistem mais no freezer sem uma deterioração considerável.

São necessárias algumas precauções ao congelar pães. O padeiro só deve congelar pães frescos, que devem ser colocados em bandejas para facilitar a circulação de ar frio e acelerar o processo de congelamento. Congelados, os pães devem ser armazenados em sacos plásticos para evitar mau cheiro e ressecamento (**queimadura por congelamento**).

Há duas maneiras de descongelar pães eficientemente. A primeira é colocar os pães congelados no forno com vapor a 204 °C por 4 ou 5 minutos, removê-los e completar o descongelamento em temperatura ambiente evitando as correntes de ar. A segunda maneira é manter o pão em temperatura ambiente até o descongelamento total, também evitando as correntes de ar. Então levar ao forno em temperatura de 248 °C por 2 a 3 minutos com vapor. Quando o congelamento e o descongelamento são feitos corretamente, ambos os métodos resultam em produtos de boa qualidade.

Exceto no congelamento, o processo de deterioração não pode ser evitado ou cessado. É natural que o pão mude suas características com o tempo. O que não é natural é o pão permanecer fresco por três a quatro semanas nas prateleiras. Para que isso aconteça, é necessário que a fórmula contenha uma quantidade significativa de substâncias químicas.

Pães artesanais com sourdough

RESUMO DO CAPÍTULO

O cozimento do pão é uma sucessão de etapas muito importantes que envolvem desde saber avaliar quando a massa está pronta para assar, escolher o tipo de corte, a quantidade de vapor necessária, até o momento de retirar os pães do forno, todos esses passos, quando bem realizados resultarão num produto de grande qualidade.

A escolha do forno também é essencial numa padaria. Antigamente, os padeiros costumavam dizer que o forno era a alma de uma padaria, e, de fato, é um sentimento que ainda é verdadeiro. Ao assar pães, é muito importante manter alguns fatores sob controle, como temperatura e tempo de cozimento para obter a melhor crosta e o melhor miolo no produto final.

Para que os pães sejam produzidos da melhor maneira possível, é também importante que o padeiro entenda a sucessão de transformações que ocorrem na medida em que a massa se transforma em pão durante o cozimento. Mesmo considerando que os padeiros gostam de "pôr a culpa no forno", ele não é sempre o culpado quando o pão não sai como deveria.

PALAVRAS-CHAVE

- ❖ açúcares residuais
- ❖ açúcares simples
- ❖ aminoácidos
- ❖ coagulação do glúten
- ❖ corte *chevron*
- ❖ corte clássico
- ❖ corte polca
- ❖ corte salsicha

- ❖ cortes
- ❖ dióxido de carbono
- ❖ envelhecimento
- ❖ gelatinização do amido
- ❖ queimadura por congelamento
- ❖ reação Maillard
- ❖ *oven kick* ou *oven spring* (estufada no forno)

QUESTÕES PARA REVISÃO

1. **Como a fermentação final deve ser avaliada?**
2. **Quais são os principais objetivos dos cortes na massa?**
3. **Qual é o efeito do vapor sobre o pão?**
4. **O que é a reação Maillard? Quais são seus efeitos no produto final?**
5. **O que ocorre durante o processo de envelhecimento do pão? Como isso pode ser adiado?**

TECNOLOGIA AVANÇADA PARA FARINHAS E MELHORADORES DE MASSA

OBJETIVOS

Depois de ler este capítulo, você será capaz de:

▸ Apresentar os testes científicos aplicados para avaliar o desempenho da farinha para pães.

▸ Explicar como desenvolver um teste de cozimento para avaliar o desempenho da farinha para pães.

▸ Dominar as técnicas para compensar as deficiências da farinha.

▸ Explicar os diversos tipos de melhoradores de massa e seus efeitos na massa e no produto final.

▸ Apresentar os vários tipos de farinhas especiais e seus usos.

INTRODUÇÃO

Quando o padeiro atinge um bom nível de controle sobre o processo de cozimento, também é importante que adquira um profundo conhecimento sobre as características da farinha e saiba selecionar aquela mais adequada. As especificações técnicas da farinha são um grande auxílio para aprender mais sobre seu desempenho durante o cozimento, mas, de forma geral, elas não fornecem um quadro completo da qualidade do produto final. Essa informação só pode ser obtida com um teste de cozimento. A primeira parte deste capítulo explica como entender corretamente as especificações da farinha, como interpretar a informação fornecida e como conduzir um teste de cozimento para avaliar o seu desempenho.

COMO LER AS ESPECIFICAÇÕES TÉCNICAS DA FARINHA

Cada estágio da produção da farinha pode afetar sua atuação, incluindo variedade do trigo, cultivo, irrigação, fertilização, colheita, armazenamento, variedade, melhoradores, moagem e distribuição. O padeiro é desafiado diariamente a produzir pão com uma farinha que pode apresentar características diversas em razão do seu complexo processo de transformação.

Para auxiliar os padeiros a prever a atuação da farinha, os moinhos fornecem um tipo de "formulário de identidade", que acompanha a farinha, normalmente chamado **especificações técnicas do produto (*spec sheet*)**. O objetivo deste capítulo é explicar, da perspectiva do padeiro, as informações presentes nas especificações técnicas. O mais importante é que explica como essas informações se relacionam às características físicas e químicas da massa e à qualidade do produto final.

As especificações técnicas variam de moinho para moinho, mas geralmente incluem o mesmo tipo de informação (ver Figuras 6-1 e 6-2).

INFORMAÇÃO GERAL

Esta parte das especificações técnicas inclui o nome e o endereço do moinho e a marca da farinha. O nome do laboratório e o nome da pessoa que realizou o teste também podem ser incluídos.

Figura 6-1
Especificações
técnicas 1.

INFORMAÇÃO SOBRE ESPECIFICAÇÕES DO PRODUTO

NOME E DESCRIÇÃO DO PRODUTO

OFICINA DE PADEIROS ARTESÃOS MAIS FARINHA MALTADA ORGÂNICA NÃO BRANQUEADA
– Farinha de trigo não branqueada
– Item nº: 0501800

DEFINIÇÃO DO INGREDIENTE

Mistura dos trigos Hard Red Winter e Hard Red Spring (duro vermelho de inverno e duro vermelho de primavera)

TRATAMENTO DA FARINHA

Farinha orgânica de cevada maltada

CARACTERÍSTICAS FÍSICAS

O produto é de cor cremosa/esbranquiçada. O odor deve ser fresco, limpo, doce e livre de qualquer mofo, impurezas ou cheiro de alho, ou qualquer outro odor indesejável.

ESPECIFICAÇÕES DE EMBALAGEM

O produto deve ser transportado lacrado e em sacos rotulados multiprotegidos ou em contêineres com pneus devidamente aprovados.

RECOMENDAÇÕES PARA ARMAZENAMENTO

Quando devidamente cuidado pelo proprietário para manter um ambiente limpo e seco, a durabilidade do produto ultrapassa seis meses. O Moinho Central recomenda que o produto passe por rodízio a cada mês em ambiente com temperatura de 18 °C e abaixo de 60% de umidade.

ESPECIFICAÇÕES ANALÍTICAS

Umidade: 13% mínimo	**Cinza:** máximo 0,65%
Proteína: 11.0 mínimo	**Falling Number:** 240-260

** Isenção de Responsabilidade em Relação à Proteína: A proteína pode mudar a cada ano dependendo das condições do trigo.

** Todos os produtos do Moinho Central são alimentos não trangênicos.

ESPECIFICAÇÕES CARACTERÍSTICAS DA PRODUÇÃO

Todos os produtos são produzidos de acordo com as seguintes orientações: [FC: 1999, FDA: Part 123.6, REF FDA: 123.7 (C) (5) 123.8 (C).:USDA [usado como orientação{416.1, incl. Sections 2,3,4, 6, 12, 13, 14, 16}]

Os produtos rotulados "ORGÂNICOS" são produzidos sob as orientações referidas acima e além das seguintes: [OTA; Seções 2-4, 7-9, 12 US Departamento de Agricultura 7 CFR part 205 {Docket # TMD-00-02-FR} RIN 051- AA40- Ação: Regra Final}]

AGÊNCIA DE CERTIFICAÇÃO ORGÂNICA CERTIFICADO	**KOSHER**
Departamento de Agricultura e Alimentos de Utah.	

Figura 6-2   Especificações técnicas 2.

Moinhos Gerais
Farinha para Padeiros

**Especificações do
Produto-Formulário
de Informações Técnicas**

HARVEST KING FARINHA DE TRIGO Enriquecida, Maltada	Código 53722	Tamanho 50#	Moinhos AV BC KC GF VN	Data de Revisão 01-01-05 Harvest King ENR MT ING Código 249896

DEFINIÇÃO
- Este produto deve ser classificado como alimento e em todos os aspectos, incluindo a rotulação, de acordo com o Federal Food, Drug and Cosmetic Act de 1938, conforme emendas e em todos os regulamentos aplicados sob o decreto. Deve atender os Padrões Alimentares para Enriquecimento de Farinha de Trigo do FDA, conforme o 21 CFR 137.165.
- Farinha para pão de alta qualidade, com moagem feita de uma seleção balanceada de trigo duro. A seleção do trigo é compatível com excelentes características e desempenho de cozimento. Não é permitida a ampla variação de tipos de trigos para esta farinha. A farinha deve ser produzida sob as condições de higiene de acordo com as Boas Práticas de Fabricação (BPF).

EMBALAGEM/DURABILIDADE/CONDIÇÕES DE ARMAZENAMENTO/CONFIGURAÇÃO DO *PALLET*
1. O saco de 25 kg, multiprotegido.
2. Armazenamento de acordo com BPF em temperatura de 26,6 °C e 70% de umidade relativa (UR), a vida útil é de um ano a partir da data da fabricação.
3. Para preservar a qualidade, é recomendável o armazenamento em lugar seco, em temperatura ambiente com inspeções e rodízios constantes.

Tamanho	Sacos/*pallet*	Sacos/camadas	Peso bruto/saco	Cubo	Dimensão do *pallet*
50# (Oeste)	55	5	25 kg	1,3	53"H/41.5"W/52"D
50# (Leste)	50	5	25 kg	1,3	48"H/41.5"W/52"D

CARACTERÍSTICAS FÍSICAS
1. Cor – Límpida, cremosa, sem resíduos de farelo.
2. O produto deve estar sem sabores ou odores rançosos, amargos, mofado ou outros desagradáveis.
3. O produto deve estar livre de todos os tipos de materiais estranhos conforme BPF.
4. *Falling number* – 240-280

APROVAÇÃO KOSHER: União Ortodoxa	INFORMAÇÃO ALERGÊNICA: Alergênico – Trigo

LEGENDA DO INGREDIENTE:
Farinha de trigo, farinha maltada de cevada, niacina, ferro, mononitrato de tiamina, riboflavina, ácido fólico.

COMPOSIÇÃO QUÍMICA (14,0% Umidade base)			TRATAMENTO	
1. Umidade	14,0%	Máximo	1. Enriquecida	2. Cevada maltada
2. Proteína	12,0%	+/– 0,3%		
3. Cinza	0,52%	+/– 0,3%		

NUTRIÇÃO (por 100 g aproximada)						Orientações microbiológicas: indicadas como orientações e não como especificações controláveis	
Calorias	357		Tiamina (B1)	0,64	mg	Contagem padrão	<50.000/g
Proteína	11,9	g	Riboflavina (B2)	0,40	mg	Coliformes	<500/g
Gordura	1,0	g	Niacina	5,30	mg	Fermento	<500/g
Saturada	0,14	g	Ácido Fólico	0,15	mg	Mofo	<500/g
Trans	0		Ferro	4,40	mg	Staph	<10/g
Monoinsaturada	0,08	g	Sódio	1,0	mg	E. Coli	<3/g
Poli-insaturada	0,45	g	Potássio	205	mg	Salmonela	Negativo
Carboidrato	73,1	g	Fósforo	95	mg		
Complexo	71,7	g					
Açúcares	1,4	g					
Fibras	2,9	g					
Solúvel	1,8	g					
Insolúvel	1,2	g					

DESCRIÇÃO DO PRODUTO

A seção descrição do produto do formulário de especificações técnicas descreve a origem e o tipo de trigo usado para produzir a farinha (ver Figura 6-3) e garante que o trigo foi selecionado e limpo de acordo com o Federal Food, Drug and Cosmetic Act (FFDCA) dos Estados Unidos.

DECLARAÇÃO DE INGREDIENTES

Esta especificação lista os ingredientes presentes na farinha. Além da farinha de trigo, outros ingredientes podem ser acrescidos para melhorar a qualidade dietética ou para aumentar o desempenho do cozimento. A seguir, a lista com os ingredientes mais comuns e seu significado no processo de panificação.

Enriquecimento

Para aumentar o valor nutricional, vitaminas como tiamina, niacina e riboflavina e minerais como ferro foram acrescentados à farinha desde os anos 1930. Desde janeiro de 1998 o ácido fólico também foi incluído. Esse processo é conhecido como **enriquecimento**, não tem efeitos evidentes sobre o processo de cozimento.

Bromato de potássio

O bromato de potássio é um oxidante; seus efeitos são evidentes quase ao final da panificação (no final da fermentação e começo do cozimento). O bromato de potássio reforça o glúten e aumenta a tolerância da fermentação da massa. Em razão de o bromato se manifestar mais tarde, ele acaba tendo pouco efeito nas etapas em que a massa é manuseada e requer boa extensibilidade, como divisão e moldagem. Quando o bromato de potássio é usado, o produto final exibe um volume aumentado com grandes aberturas. Os estados da Califórnia, do Oregon e inúmeros países ao redor do mundo baniram o uso do bromato de potássio em razão de suas propriedades carcinogênicas. No Brasil, a Lei 10.273 de 5 de setembro de 2001 proibiu o uso de bromato em qualquer quantidade.

Ácido ascórbico

O ácido ascórbico é vitamina C sintetizada e classificada na mesma categoria de oxidante como o bromato de potássio. Os efeitos do ácido ascórbico são percebidos logo no início da panificação. Ao contrário do bromato de potássio, pode diminuir a extensibilidade da massa durante a moldagem. *Observação*: Uma longa primeira fermentação vai naturalmente aumentar a oxidação da massa, e, quando a qualidade da proteína for suficiente, pode ser substituída por bromato de potássio ou ácido ascórbico.

Peróxido de benzoíla

Um agente branqueador adicionado para clareamento, o peróxido de benzoíla reage com os pigmentos naturalmente presentes na farinha. Essa reação afeta negativamente a coloração cremosa natural do miolo e o sabor do pão, já que os pigmentos carotenoides são responsáveis por alguns aromas da massa.

Azodicarbonamida

Embora classificado como agente branqueador, a azodicarbonamida (ADA) reage mais como um oxidante com propriedades de maturação. Quimicamente, induz a farinha à **maturação**, ou envelhecimento, para melhorar a sua atuação na panificação. A farinha recém-moída, ou "verde", normalmente não tem um bom resultado por causa da falta de oxidação e maturação.

Figura 6-3 Quadro das categorias do trigo.[1]

Categorias de trigo: As abreviações são usadas para indicar as diversas classificações do trigo. A ordem das abreviações é sempre a mesma nos formulários técnicos: dureza, estação do ano e cor.

Categoria	Descrição	Performance
Duro, macio, ou *durum* (D, M, Dm)	Refere-se à "dureza" do miolo do trigo, determinada por sua estrutura molecular (a forma e a densidade do miolo).	Essa característica afeta o desempenho da farinha, mais precisamente a sua capacidade de formar glúten. A farinha para pão é feita com trigo duro, enquanto a farinha de trigo macio normalmente é usada para fazer massas doces. O trigo *durum* tem o miolo muito duro e é usado para fazer pasta ou para produzir farinhas especiais como a de semolina.
Inverno ou primavera (I, P)	É a estação do ano em que o trigo é plantado. O trigo da primavera é cultivado nos estados do nordeste dos Estados Unidos (MN, ND etc.) onde é semeado em abril e colhido no fim de agosto ou início de setembro. O trigo de inverno cresce em climas mais amenos. As sementes são semeadas no outono, alcançam o estágio de grama antes das temperaturas mais frias, e então permanecem dormentes ao longo do inverno. Quando as temperaturas se elevam novamente, o ciclo de crescimento da planta retoma até a colheita em junho ou julho.	O trigo de inverno tende a ter um desempenho melhor quando são usados os longos períodos de fermentação.
Vermelho ou branco (V-B)	A cor se refere à "cápsula" em torno do miolo do trigo, que contém naturalmente uma substância química que produz uma coloração avermelhada. Estudos mostraram que essa substância química pode causar um amargor no produto final. Para eliminar o amargor, pesquisadores desenvolveram uma nova variedade de trigo chamada "branca" em razão da coloração mais clara da cápsula.	A coloração do farelo não parece afetar o desempenho da farinha. O sabor, especialmente nos pães de farinha integral, é o grande beneficiário da, relativamente nova, classe de trigo branca.

[1] Para informações sobre o trigo e moagem no Brasil, ver: http://criareplantar.com.br/agricultura/lerTexto.php?categoria=48&id=657; http://www.abitrigo.com.br/; e http://www.portalsaofrancisco.com.br/alfa/trigo/trigo-1.php. (NE)

Observação: Os agentes de maturação podem ser evitados quando a farinha é deixada para descansar por duas a três semanas depois de ser moida. O processo de oxidação natural melhora a qualidade da proteína e o desempenho da farinha na produção de pães.

Malte

O malte é uma forma de farinha de cevada maltada adicionada para corrigir a atividade enzimática (para mais informação, ver a seção de "Atividade enzimática", na página 152).

Amilase do fungo

A amilase do fungo refere-se às enzimas produzidas em laboratório a partir de uma base de cultura de fungo. Assim como o malte, a amilase é adicionada à farinha para suplementar a atividade enzimática.

Observação: Embora o malte naturalmente contenha enzimas, além das amilases, que podem produzir outras amilases com efeitos menos controláveis na massa, as amilases do fungo permitem que o moinho adicione à farinha apenas a amilase (a enzima mais importante para a degradação do açúcar).

ESPECIFICAÇÕES ANALÍTICAS

O formulário de especificações técnicas detalha os resultados (**informação analítica**) de diversos testes de análises realizadas na farinha que determinam, de forma precisa, as suas características. Informações como teor de umidade, de cinza, de proteína e atividade enzimática podem ser fornecidas ao padeiro.

Teor de umidade

De acordo com o regulamento, a farinha não deve ter um teor de umidade acima de 14% ao final do processo de moagem. Mais tarde, o teor de umidade pode variar dependendo das condições climáticas e de armazenamento.

Teor de cinza

O **teor de cinza** representa a quantidade de farelo presente na farinha depois da moagem. O termo "cinza" refere-se ao teste de laboratório usado para determinar o conteúdo de farelo, no qual uma amostra da farinha é incinerada a 900 °C. Os componentes orgânicos queimam completamente, e restam somente as cinzas dos componentes minerais. Um teor de cinza de 0,5 representa 0,5 g de minerais presentes em 100 g de farinha (com 14% de umidade).

O teor de cinza também está relacionado com o grau de extração durante o processo de moagem. Na farinha de trigo integral, 100% de extração produzem um teor de cinza de aproximadamente 1,5. Um nível menor de extração (de 75% a 77%) produz um teor de cinza de aproximadamente 0,48 a 0,50.

O teor de cinza na farinha incide sobre as características e na atividade de fermentação. O alto teor de farelo produz uma massa com maior extensibilidade, já que partículas encapsuladas interferem na cadeia de proteínas e têm impacto na formação do glúten, aumentando a porosidade da massa. E o contrário, baixo teor de farelo, pode formar massa com menos extensibilidade.

Como os minerais presentes no farelo fornecem nutrientes ao fermento, tanto o natural como o industrial, a farinha com alto teor de farelo gera uma atividade de fermentação adicional. O padeiro pode corrigir isso ao diminuir a quantidade de fermento da fórmula para manter o equilíbrio da produção de gás e acidez durante a fermentação. Para uma fermentação mais longa e extensibilidade adequada, é preferível um teor de cinza entre 0,47 e 0,52.

Teor de proteína

O teor de proteína é uma informação especialmente útil para os padeiros, já que os níveis de proteína na farinha afetam diretamente as características da massa. Para medir a proteína, uma amostra da farinha é submetida a um longo processo de combustão que avalia o seu teor de nitrogênio (o principal componente da proteína). Os resultados são expressos na forma de porcentagem. Um teor de proteína de 13%, por exemplo, significa simplesmente que 13% da farinha (14% de umidade) é proteína. Um teste mais rápido, porém menos preciso, utiliza um sinal infravermelho para indicar os resultados quase que imediatamente.

Alta quantidade de proteína (ao menos 12,5% a 13%) cria uma estrutura de glúten forte e pode resultar em tempos de mistura mais longos, dependendo da qualidade da proteína. A proteína também afeta a extensibilidade da massa e o volume do pão. Os pães feitos de farinha com alto teor de glúten tendem a ter uma crosta forte ou emborrachada e uma estrutura de miolo muito fechada. Pode ter também uma cor mais escura e um leve sabor amargo no final por causa da reação Maillard mais pronunciada. Para muitos produtos artesanais ou tradicionais, farinha com teor de proteína entre 10,5% e 12% é o ideal. Entretanto, farinhas com alto teor de glúten têm excelentes resultados para uma produção mais mecanizada de certos tipos de pães como o de forma, *bagels*, ou *sourdough*, quando é desejado um pão com crosta e miolo mais elásticos (como o pão *sourdough* São Francisco, por exemplo).

Falling number: Método indireto de medir a atividade enzimática

O trigo possui naturalmente enzimas que se originam no germe e se estendem ao endosperma durante a maturação da planta. Essas enzimas transformam nutrientes complexos como amido e proteína em nutrientes simples para uso no próximo ciclo de vida. A atividade da enzima da farinha depende de quão avançada estava a germinação do trigo na época da colheita.

O teste do ***falling number*** mede indiretamente a atividade enzimática da farinha. O resultado é um indicador importante do desempenho, já que certo nível de atividade é necessário para manter um longo período de fermentação. O teste é realizado usando-se uma solução homogênea de farinha e água. Um tubo de teste com uma amostra da farinha é colocado em água fervente e agitado com uma vareta apropriada. A solução é aquecida até o amido gelatinizar. Quando a vareta ficar firme, "em pé", na superfície da solução, a agitação cessa, significando que o amido presente na farinha foi gelatinizado.

Após o amido gelatinizar a vareta que estava já inserida, começa a afundar na massa viscosa formada. E o tempo que a vareta leva para "cair" (*fall*) afundar é cronometrado em segundos. Esse valor em segundos é o *falling number*. A diferença de tempo de queda da vareta é por causa da atividade da enzima na farinha. Uma farinha com muita atividade enzimática vai implicar muito açúcar originado da quebra do amido presente. Logo uma solução menos viscosa.

Elevados valores de *falling number* implicam que o amido da farinha sofreu muito pouco ataque das enzimas ou não sofreu ataque nenhum. Assim, uma solução mais viscosa e mais difícil de afundar.

Um *falling number* entre 250 e 350 segundos representa o nível de atividade enzimática desejado para uma produção artesanal. Um número menor que 200 segundos indica que a farinha é muito rica em enzimas e vai resultar em uma fermentação mais rápida e um pão com uma crosta de coloração avermelhada e miolo mais pegajoso.

Nos moinhos, às vezes, são acrescentados aditivos como a amilase do fungo, ou malte para suplementar o baixo teor de enzimas. Quando a amilase do fungo é empregada, uma versão modificada do texto do *falling number* deve ser realizada para assegurar que a atividade enzimática da farinha foi restabelecida.

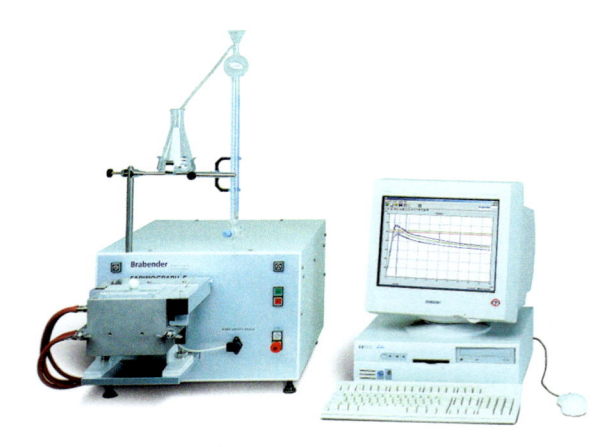

Figura 6-4 Farinográfico.

FARINOGRÁFICO

O **farinográfico** define a qualidade da farinha ao medir as propriedades de mistura da massa para determinar a capacidade de absorção, tempo de desenvolvimento e estabilidade da estrutura (ver Figura 6-4).

Esse instrumento científico é composto de três partes principais:

▶ Cuba com ganchos para misturar a massa.
▶ Dinamômetro para medir a força ou fricção da massa contra os ganchos durante a mistura.
▶ Computador para calcular e ilustrar a curva que identifica os diversos valores.

Com o farinográfico, os seguintes valores podem ser registrados:

▶ A capacidade da farinha de absorver água é expressa em porcentagem. Esse valor não se refere à quantidade de água a usar quando preparar a massa na padaria, mas pode ser útil para avaliar a hidratação ou comparar a farinha. Os padeiros, por exemplo, podem empregar esse valor para determinar se em uma nova fornada de massa vai ser preciso mais ou menos água do que na anterior.

▶ O máximo de tempo, ou o **tempo de desenvolvimento da massa (TDM)**, mede a quantidade de tempo entre a primeira adição de água e o desenvolvimento da massa até a consistência máxima.

▶ A **estabilidade** define quanto tempo a massa pode ser misturada antes que a estrutura do glúten se rompa.

▶ O **índice de tolerância de mistura (ITM)** indica a rapidez com que a estrutura do glúten se rompe depois de atingir seu desenvolvimento pleno.

Como interpretar a curva do farinográfico

As duas curvas na Figura 6-5 mostram as curvas do farinográfico para farinha de alto teor de glúten e farinha para pão. Suas características diferentes (especialmente o conteúdo de farinha) vão afetar as curvas durante o teste do farinográfico. A seção seguinte vai se concentrar em como interpretar esses dois gráficos.

É importante primeiro entender o gráfico: os números embaixo do quadro (leitura horizontal) são os minutos, enquanto os números na vertical são as unidades farinográficas (UF). *Observação*: As UF costumavam se chamar unidades Brabender (UB). A linha mais importante é a de 500 UF. É empregada como referência para desenvolvimento da massa durante o processo de mistura.

Tempo de chegada O **tempo de chegada** é o tempo necessário para que o topo da curva alcance a linha de 500 UF depois que o misturador tenha começado e a água acrescentada. Esse valor é a medida do nível no qual a farinha absorve água durante a formação da massa. Em determinada variedade de trigo, o tempo de chegada geralmente aumenta à medida que aumenta a proteína.

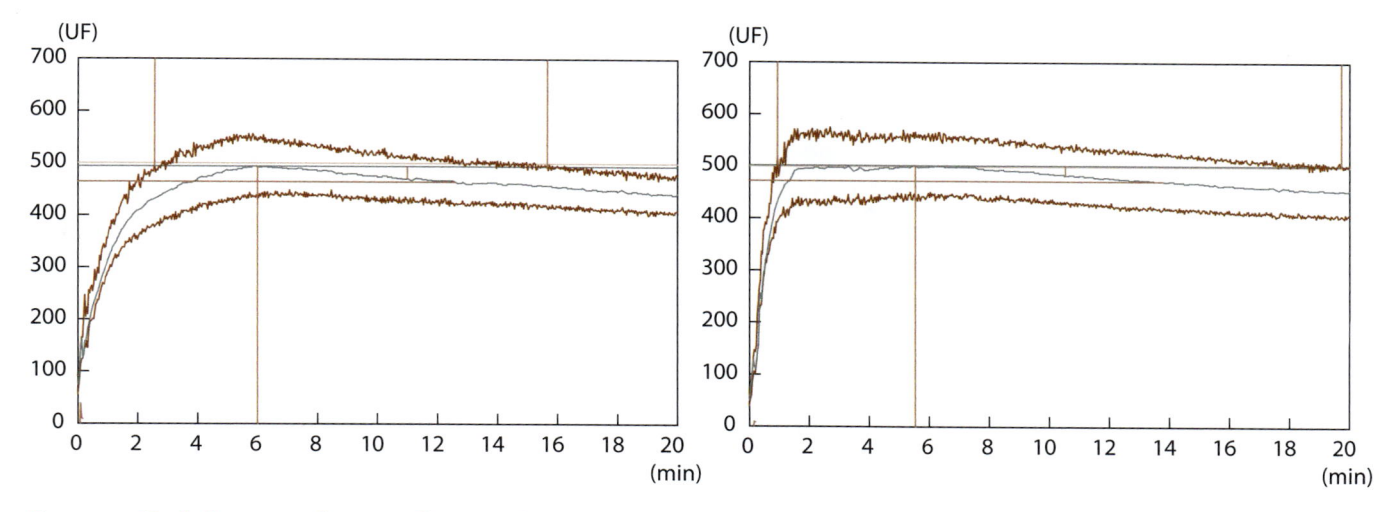

Amostra: Farinha para pão com alto teor de glúten

Consistência: 494 UF, absorção de água 65%	
Proteína	13,95
Umidade	13,9
Falling number	400+
Cinza	0,56%
Absorção de água (corrigida para 500 UF)	64,90%
Absorção de água (corrigida para 14%)	64,80%
Tempo de desenvolvimento	6,0 min
Estabilidade	13,1 min
Índice de tolerância (ITM)	23 UF
Tempo de rompimento	12,6 min
Número de qualidade do farinográfico	126

Amostra: Farinha para pão com baixo teor de proteína

Consistência: 502 UF, absorção de água 59,5%	
Proteína	11,93
Umidade	13,23
Falling number	400+
Cinza	0,58%
Absorção de água (corrigida para 500 UF)	59,60%
Absorção de água (corrigida para 14%)	58,70%
Tempo de desenvolvimento	5,5 min
Estabilidade	18,8 min
Índice de tolerância (ITM)	19 UF
Tempo de rompimento	13,8 min
Número de qualidade do farinográfico	138

Figura 6-5

As curvas do farinográfico: farinha de pão com alto teor de glúten (esquerda) e farinha para pão com baixo teor de proteína (direita).

O tempo de chegada da farinha com alto teor de glúten é mais alto comparado ao tempo de chegada da farinha para pão. Isso indica que a fase de incorporação do tempo de mistura será mais longo quando for usada a farinha com alto teor de glúten.

Tempo de desenvolvimento da massa O tempo de desenvolvimento da massa é medido em minutos entre a primeira adição de água e o desenvolvimento máximo da consistência da massa. Esse valor não está diretamente associado à mistura da massa na padaria, já que os tipos de mistura diferem, mas, como regra geral, quanto mais alto for o tempo de desenvolvimento da massa, mais longo será o tempo de mistura para atingir o desenvolvimento pleno. Esse valor também é útil para auxiliar na comparação entre farinhas.

Estabilidade A estabilidade é expressa no gráfico ao calcular a diferença de tempo entre o ponto no qual a curva intercepta a linha de 500 UF (tempo de chegada) e o ponto no qual o topo da curva sai da linha de 500 UF (tempo de partida). A estabilidade fornece algumas indicações da tolerância da farinha durante o tempo de mistura.

A estabilidade da farinha com alto teor de glúten é muito maior em comparação com a farinha de pão. Isso indica ao padeiro que a farinha de pão vai alcançar seu desenvolvimento máximo mais rápido, mas não se manterá muito tempo nesse estágio. Em outras palavras, a massa terá a tendência de chegar em um estágio de mistura excessiva muito antes em comparação com a farinha de alto glúten. Portanto, um cuidado adicional deve ser tomado durante o tempo de mistura para evitar o desenvolvimento excessivo da estrutura do glúten quando usar farinha com baixa proteína.

Tempo de partida O valor do **tempo de partida** representa (em minutos) o tempo da primeira adição de água até que o topo da curva deixe a linha de UF 500. Tempos mais longos indicam farinha mais forte, já que o tempo de mistura pode ser mais longo sem degradação da estrutura do glúten.

O tempo de partida da farinha com alto teor de glúten é muito mais longo em comparação com a farinha de pão. E novamente, isso significa que a farinha com baixa proteína não tem a capacidade de ser misturada por um longo período sem que ocorra alguma degradação.

Índice de Tolerância de Mistura O ITM é a diferença em UF entre o topo da curva no seu máximo e o topo da curva medido cinco minutos depois que o máximo é obtido. Quanto mais alto for o ITM, mais fraca será a farinha, já que a curva descende rapidamente, indicando uma degradação antecipada do glúten durante a mistura.

O ITM da farinha com alto teor de glúten é mais baixo comparado ao da farinha de pão. Isso indica que a farinha de alto glúten pode ser misturada por um período mais longo depois do seu desenvolvimento pleno, sem que ocorra uma degradação importante.

Valores iguais A Figura 6-6 fornece alguns valores farinográficos gerais que podem ser usados para comparar três tipos diferentes de farinha: farinha com alto teor de glúten, farinha de pão (baixo teor de proteína) e farinha para bolos e massas doces (feita de trigo macio).

Conclusão do farinográfico

Os valores do farinográfico se relacionam especialmente com as características da mistura da massa. Na panificação tradicional, quando as massas não são misturadas até seu desenvolvimento completo para evitar a oxidação excessiva, os valores do farinográfico se tornam menos importantes.

Figura 6-6

Valores gerais do farinográfico.

	Farinha de pão	Farinha alto teor de glúten	Farinha para massas e bolos
Absorção	60-62	63-68	52-55
Tempo máximo	5,5-6,5	7-9	1-4
Estabilidade	9,5-12,5	12-18	2-4
ITM	25-30	15-20	40-60

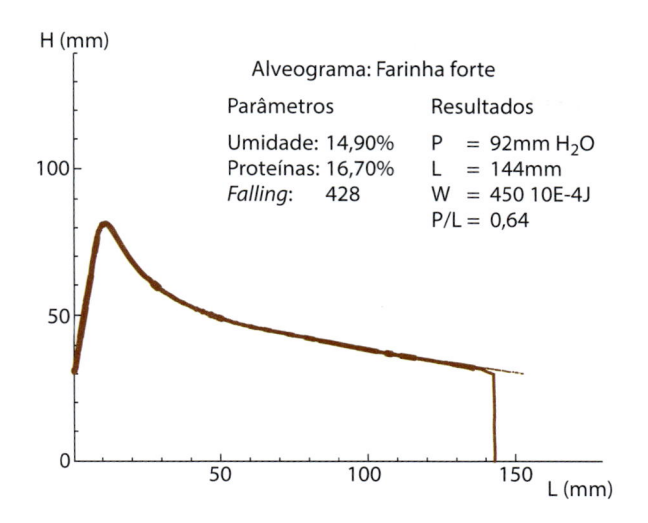

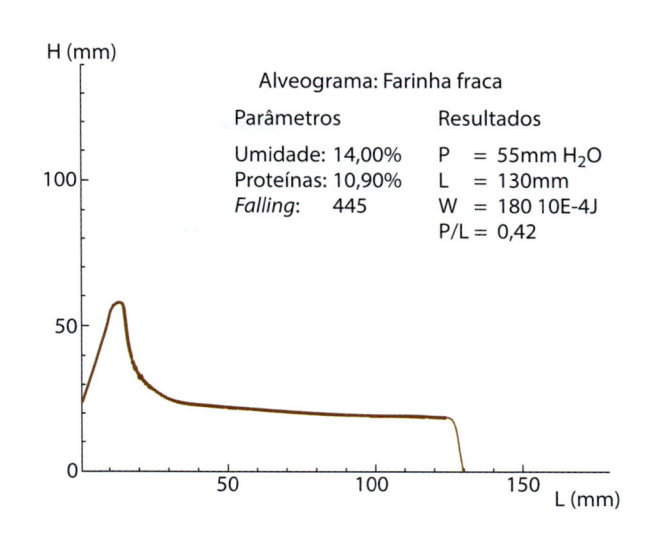

Figura 6-7
Curva alveográfica da farinha forte, fraca e balanceada.

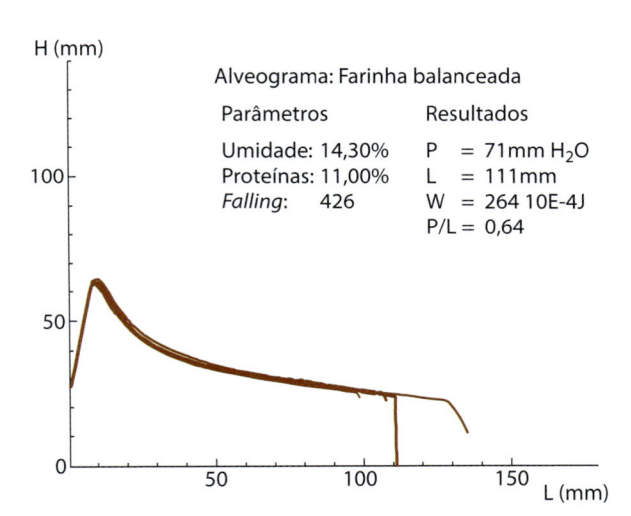

ALVEOGRÁFICO

O **alveográfico** é um instrumento científico que identifica características físicas específicas da massa, incluindo elasticidade, extensibilidade, o equilíbrio entre elasticidade e extensibilidade, e força. Esses valores aparecem no formulário como *P*, *L*, *P/L*, *e W*, respectivamente (ver Figura 6-7).

O alveográfico é composto de quatro partes principais:

- Misturador para massa sob condições específicas: mesma consistência (determinada de acordo com o teor de umidade da massa), mesma temperatura (*jacketed mixer* – misturador fechado) e mesma quantidade de sal. O misturador também é equipado com um sistema de extrusão para retirar a massa depois de completada a mistura.
- Divisora para criar porções de massas iguais que serão cortadas em discos.
- Aparato para inflar as bolinhas de massa, que ao pressionar cada disco de massa entre dois pratos permite a entrada de ar nesse disco. A borda do disco de massa é comprimida, mas o centro permanece aberto. O ar vai aumentar a pressão sobre o disco, que começará a inflar quando a pressão estiver bem alta.

◗ Manômetro para massa, que mede a quantidade de pressão de ar necessária para inflar a massa, a quantidade de ar retida na bola de massa, e o ponto no qual a massa se rompe sob a pressão do ar. Essas medidas são registradas em papel na forma de uma curva gráfica.

Como ler uma curva do alveográfico

◗ *P Valor – Elasticidade*: Um valor P alto ($\cong$ 90) indica uma ampla elasticidade da massa e farinha forte. Um valor P baixo ($\cong$ 50) significa falta de elasticidade e farinha fraca. A curva da farinha forte é muito mais alta comparada à da farinha fraca. O profissional deve saber que a farinha com muita elasticidade será difícil de ser trabalhada se não forem feitas mudanças ao longo do processo de panificação. A autólise, usando o pré--fermento líquido (favorecendo a atividade da protease) ou a adição de fermento desativado, será uma das formas de diminuir a elasticidade e conseguir melhores condições de manuseio da massa.

◗ *L Valor – Extensibilidade*: A extensibilidade da massa é representada por um valor L. Quanto mais baixo o valor, menos extensiva será a massa e mais forte a farinha. A curva da farinha fraca é muito mais longa em comparação com a da farinha forte, indicando um excesso de extensibilidade. O padeiro terá de modificar o processo de panificação para diminuir a extensibilidade da massa para evitar que ela fique muito fraca. Se usar o pré--fermento, aumentando a primeira fermentação com dobraduras, ou adicionando de 20 a 30 ppm de ácido ascórbico, vai diminuir a extensibilidade da massa e aumentar sua força. As **partes por milhões (ppm)** referem-se às medidas controladas de agentes muito potentes como o ácido ascórbico ao diluir certa quantidade do agente forte em uma quantidade de farinha para diminuir a dose. Ver na página 158, uma explanação detalhada do processo para uso de ppm.

◗ *P/L Valor – Proporção de Elasticidade/Extensibilidade*: A P/L $\geqslant$ 1 significa massa forte, e em razão de a elasticidade ser mais proeminente que a extensibilidade, o padeiro pode prevenir problemas durante a parte de alongamento da moldagem. Um P/L muito baixo indica uma massa com ampla extensibilidade e falta de elasticidade, que talvez não seja suficientemente forte para suportar um processo de panificação normal. É difícil definir um P/L ideal porque há outros fatores a considerar. Em geral, um P/L $\cong$ 0,6 indica um equilíbrio apropriado entre extensibilidade e elasticidade. A curva da farinha forte é muito mais alta do que longa, indicando que o P/L é maior do que 1, enquanto a curva da farinha fraca é muito mais longa do que alta indicando que o P/L é menor do que 1. Quando o P/L é maior do que 1, o padeiro deve usar de todos os meios para diminuir a força da massa e melhorar a extensibilidade. Por sua vez, quando o P/L é muito baixo, o processo de panificação deve ser ajustado para melhorar a força da massa.

◗ *O W Valor – Força*: Um alto valor W (> 300) indica uma massa forte, e um W < 200 indica uma massa relativamente fraca. A superfície sob a curva da farinha forte é muito mais larga em comparação com a da farinha fraca, indicando que a farinha será bem forte.

Conclusão do alveográfico

Os valores do alveográfico oferecem aos padeiros uma indicação antecipada da força da massa. Esses valores também são muito úteis na seleção da farinha, já que a força é um fator essencial no processo de panificação para definir as características da massa e do pão.

INFORMAÇÃO ADICIONAL

Essa especificação inclui a categoria *kosher*, certificação de orgânicos e recomendações de armazenagem. Mesmo considerando que ter o conhecimento completo sobre a farinha é importante, essas qualidades não afetam, de fato, o processo de panificação.

CONCLUSÃO DO FORMULÁRIO DE ESPECIFICAÇÃO DA FARINHA

A informação detalhada sobre a especificação do produto pode ajudar o padeiro a entender e melhor utilizar a farinha. É um recurso importante não somente na seleção da farinha, mas como uma base para promover a comunicação entre a indústria moageira e os panificadores.

Embora o formulário forneça uma extensa informação sobre a farinha, ele não pode prever totalmente o seu desempenho. Os alveográficos e os farinográficos são testes de diagnósticos, mas algumas características fundamentais, como a qualidade da proteína, aparência e sabor do produto final, simplesmente não podem ser avaliadas com a atual metodologia. Um teste de panificação abrangente, baseado numa produção artesanal real e observando protocolos específicos, é o melhor caminho para obter as características da farinha a cada etapa do processo de panificação. Tais testes podem permitir ao padeiro obter mesmo as qualidades mais inesperadas do seu produto final, tais como sabor e aroma de uma amostra de farinha.

É importante diferenciar um formulário de especificação de um **Certificado de Análise (Certificate of Analysis – COA)**. O formulário de especificações fornece apenas um nível de informação geral sobre a farinha, enquanto o COA trata de um lote específico de farinha (normalmente entregue ao padeiro) (ver Figura 6-8).

AVALIAÇÃO DO DESEMPENHO DA FARINHA: COMO REALIZAR UM TESTE DE COZIMENTO

INTRODUÇÃO

Em razão da grande oferta de farinhas para pães, às vezes os padeiros selecionam as que melhor se adaptam à produção. O tipo de trigo, o teor de proteína e de cinza são orientações importantes que auxiliam na seleção do produto, mas nenhuma delas pode indicar, de forma precisa, quais serão as características do produto final. A única maneira de obter uma avaliação mais completa do desempenho do produto é realizar um teste de cozimento.

Na França, onde a panificação artesanal é ainda o método predominante e os aditivos são pouco usados, os testes de cozimento normalmente são feitos nos moinhos combinando trigos diversos para lançar no mercado farinhas balanceadas e de excelente qualidade para panificação.

Nos Estados Unidos, os testes de cozimento são feitos especialmente para demonstrar se o desempenho do cozimento vai atender à produção de pão de forma, incluindo pães de grande volume, com miolo fechado e regular e de coloração mais branca.

OBJETIVO

Quando um processo de panificação é realizado de forma precisa, os testes de cozimento demonstram as propriedades da farinha que não são evidentes nos testes científicos comuns, como tolerância à fermentação, crocância da crosta, cor do miolo e sabor.

Figura 6-8
Certificado de
análise.

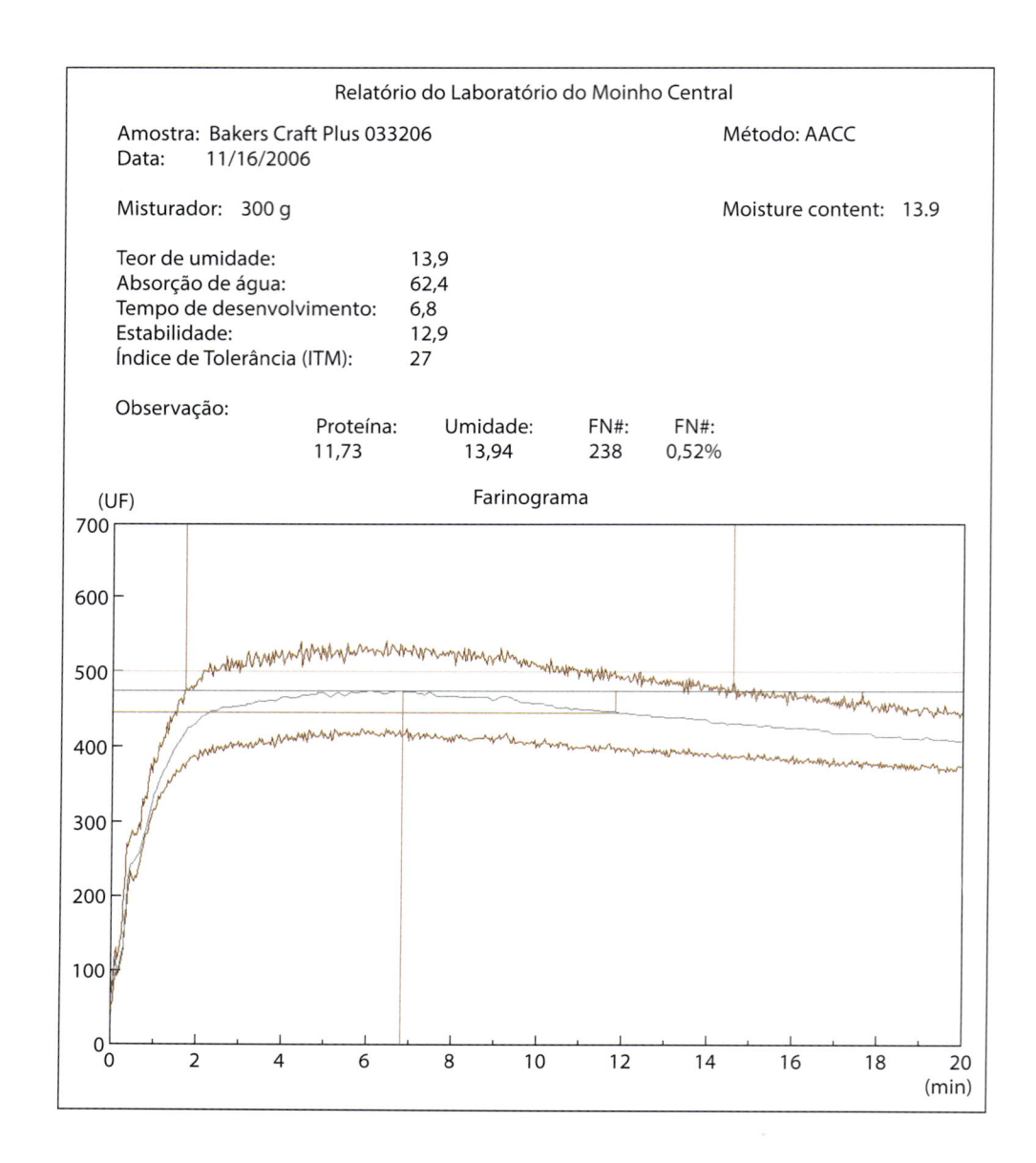

Relatório do Laboratório do Moinho Central

Amostra: Bakers Craft Plus 033206   Método: AACC
Data: 11/16/2006

Misturador: 300 g   Moisture content: 13.9

Teor de umidade: 13,9
Absorção de água: 62,4
Tempo de desenvolvimento: 6,8
Estabilidade: 12,9
Índice de Tolerância (ITM):   27

Observação:

	Proteína:	Umidade:	FN#:	FN#:
	11,73	13,94	238	0,52%

Todos os testes devem ser realizados por um profissional experiente, capaz de determinar cuidadosamente a consistência da massa, avaliar suas características ao longo do processo e as qualidades do pão ao final. Esses testes são sempre realizados em comparação com uma farinha de controle, com resultados conhecidos, como ponto de referência e para demonstrar que o teste pode ser reproduzido.

MÉTODO BÁSICO

O método e os ingredientes empregados não devem melhorar as características da farinha.

- Não deve ser acrescentado nenhum pré-fermento, já que o sabor deve vir especialmente da farinha e não dos aromas desenvolvidos durante a fermentação.
- Somente os ingredientes básicos (sem gordura, sem açúcar) devem fazer parte da fórmula para evitar alteração no sabor e para minimizar as mudanças na atividade da fermentação (do açúcar) ou na extensibilidade (da gordura).

- A mistura aprimorada, a mais comum na panificação tradicional, é a melhor técnica de mistura para teste de farinha.
- Para comparar facilmente a aparência geral do pão e avaliar suas características internas, o filão e a baguete são os formatos recomendados.
- Para avaliar a tolerância à fermentação, são feitas duas fermentações finais com tempos diferentes.
- Tempo de cozimento e temperaturas de uma produção normal são programados conforme o tipo de forno.
- É necessário um tempo de resfriamento de 90 minutos, em condições adequadas, para preservar a integridade do pão.

FÓRMULA

A fórmula a seguir é um bom ponto de partida para qualquer tipo de teste de cozimento: 100% de farinha, 62% de água, 1,5% de fermento fresco, e 2% de sal. A hidratação começa a 62%, mas deve ser adaptada para conseguir uma massa de consistência macia média. Essa consistência deve permanecer constante em todas as amostras de farinha testadas para evitar prejudicar as características da farinha (ao manusear uma massa muito firme ou muito macia). A quantidade extra de água (quando necessária) deve ser cuidadosamente registrada, já que vai se tornar um valor importante para o padeiro encarregado da mistura em uma situação de produção. O fermento usado deve ser o comprimido. No entanto, se for usado o fermento seco, a porcentagem deve ser ajustada.

O PROCESSO DE COZIMENTO

A mistura

O tempo de mistura deve ser adaptado para o método aprimorado e para o tipo de misturador utilizado. A temperatura da água deve ser calculada para obter uma temperatura final da massa em torno de 24 °C, o que é fundamental para um teste bem-sucedido. Caso ocorra um engano e a temperatura da massa não estiver correta, a mistura deve recomeçar com a correção necessária da temperatura da água.

A primeira fermentação

Para a quantidade de fermento indicada na fórmula, a primeira fermentação deve ser de 90 minutos. Para melhor controle da atividade de fermentação, a massa deve ser colocada em um ambiente com a temperatura bem controlada, em torno de 24 °C a 25 °C e umidade relativa de 80%.

Divisão

A massa é normalmente pesada em 350 g tanto para baguete como para filão. O estabelecimento desse peso pode ser mudado desde que todas as outras peças da massa tenham o mesmo peso para garantir uma comparação mais precisa dos pães ao final do processo.

Pré-moldagem

A pré-moldagem arredondada para o filão e retangular para a baguete devem ser conseguidas usando um procedimento padrão para preservar as características da massa. Se a massa for muito fraca, nenhum esforço deve ser feito para corrigi-la. A fragilidade da farinha testada deverá ser considerada durante a avaliação.

Moldagem

A moldagem é normalmente feita à mão por um profissional experiente capaz de reproduzir o mesmo processo de moldagem, em termos de textura e comprimento, com todas as outras peças da massa. Da mesma forma que na pré-moldagem, a moldagem deve ser neutra para preservar as características da massa sem afetar a sua força.

Fermentação final

Na fermentação final devem ser realizados dois experimentos para avaliar a tolerância à fermentação. Metade dos pães deve ser assada depois de uma hora, e a outra metade depois de 90 minutos. Esse tempo de cozimento em etapas indicará se a massa pode tolerar uma fermentação mais longa do que a normal (um procedimento normal em larga produção) sem que haja nenhuma degradação da estrutura do glúten ou qualquer impacto negativo na aparência.

Cozimento

Para assar, é aconselhável um forno com *deck* a vapor. Dependendo do tipo de forno, é necessário um cozimento de 20 a 25 minutos para baguetes, e de 25 a 30 minutos para filões. Após programar o tempo de cozimento e a temperatura com um controle da farinha, é importante assar todo o restante da massa que estiver sendo testada na mesma programação de tempo e de temperatura. Essa medida tornará possível identificar qualquer defeito em potencial na coloração da crosta do pão, como falta de açúcar simples residual.

Resfriamento

Antes da avaliação final dos produtos, o resfriamento deve ser feito por 90 minutos em um *rack* próprio para essa etapa em temperatura ambiente. Essa medida permite que o sabor e o nível de umidade do pão se estabilizem.

Método alternativo

É também possível obter resultados do desempenho da farinha sob condições particulares. Também pode ser usada determinada fórmula já em uso na padaria, ou um método específico (mistura básica ou intensiva) com uma massa de formato específico. Entretanto, são necessárias a mesma precisão do método e do manuseio da massa para garantir uma avaliação mais realista da farinha.

AVALIAÇÃO DO DESEMPENHO DA FARINHA

A farinha é avaliada durante todo o processo, e os resultados são registrados em um formulário de avaliação (ver Figura 6-9).

A avaliação do desempenho da farinha é feita com um sistema de graduação numérica que é baseado em 10 para qualidade excelente e 1, 4 ou 7 de acordo com o grau de falta ou excesso de características da massa. Uma massa, por exemplo, com falta significativa de extensibilidade durante a moldagem receberá nota 1, enquanto determinada massa com apenas uma pequena falta de extensibilidade receberá nota 7. Totais intermediários são então calculados para tornar mais fácil comparar características específicas de uma massa em um certo ponto da panificação, tais como mistura, primeira fermentação ou moldagem.

Figura 6-9 Exemplo de formulário de Avaliação de Teste de Cozimento.

Formulário de Avaliação de Teste de Cozimento

Número da Amostra: _____
Data: _____

Trigo
Variedade: _____
Categoria: _____

Farinha
Teor de Umidade: _____
Teor de cinza: _____
Teor de Proteína: _____
Falling #: _____

Moinho
Variedade: _____
Categoria: _____

Tratamentos: _____

Temperatura
Padaria: _____
Farinha: _____
Água: _____
Massa: _____

Outras especificações analíticas
Alveográfico
Valor P: _____
Valor L: _____
Valor P-L: _____
Valor W: _____

Hidratação: _____

Mistura

	Insuficiente						Excessiva	
	1	4	7	10	7	4	1	
Tempo de mistura								
Extensibilidade								
Elasticidade								

Mistura total 30

Primeira fermentação

Flacidez								

1ª Fermentação total

Moldagem

Extensibilidade								
Elasticidade								
Viscosidade								

Moldagem total 30

Proof

Fermentação Atividade								
Esgarçamento								

Fermentação total 20

Fermentação

Tolerância								

Tolerância total 10

MASSA TOTAL 100

Aparência exterior

	Insuficiente						Excessiva	
	1	5	10	15	20		1	
Cortes								
Cor da crosta								
Crocância da crosta								
Desenvolv. dos cortes								
Volume								

Exterior total 50

Aparência interior

Cor								
Estrutura do miolo								

Interior total 30

Aparência total 80

Sabor

	1	5	10	15	20			
Sabor								

Sabor total 20

Contagem total 200

Por fim, o total geral é calculado para classificar a farinha. Um total mais alto significa que o desempenho da farinha é excelente; totais baixos indicam que uma série de defeitos vai precisar ser corrigida.

AVALIAÇÃO EM CADA ETAPA DO PROCESSO

- As seguintes avaliações ocorrem a cada etapa da panificação:
- A avaliação da massa é feita durante a mistura, na primeira fermentação, na moldagem e ao final da última fermentação.
- A tolerância à fermentação é avaliada pela aparência geral do pão depois do cozimento e pelo volume do pão (ver Figura 6-10).
- O exterior do pão é avaliado pelos talhos, aparência, volume e crosta.
- O interior do pão é avaliado pela cor, estrutura e furos no miolo.
- O sabor, que tem por base 20, demonstra a valorização dessa característica na avaliação. É atribuída grande importância ao sabor, já que um sabor ruim nem sempre pode ser corrigido.

APÓS A AVALIAÇÃO

Após a realização do teste, o padeiro deve decidir se a farinha pode ou não ser usada na produção. As farinhas de baixa qualidade não devem ser usadas, pois torna-se um grande desafio conseguir bons produtos com elas. Se não forem muito acentuadas, algumas deficiências da farinha podem ser facilmente corrigidas. A falta de extensibilidade, por exemplo, pode ser corrigida com o uso da autólise, enquanto a falta de cor na crosta pode ser ajustada ao adicionar malte na fórmula.

AS COMPENSAÇÕES DAS DEFICIÊNCIAS DA FARINHA

Embora a indústria moageira faça o possível para abastecer seus clientes com uma farinha de qualidade sólida, diversos fatores podem afetar as propriedades do trigo durante o ciclo de crescimento e pode naturalmente desencadear variações negativas ou positivas no desempenho da farinha. Fatores relacionados ao clima, como excesso de chuva ou de sol em certos momentos durante o ciclo de crescimento, fertilizantes e colheitas também podem alterar as características do trigo e da farinha. Além disso, os moinhos devem considerar aspectos econômicos relacionados à sua indústria, como os preços e a oferta do trigo no mercado, assim como custos de transporte dos silos até os moinhos.

Pouco pode ser feito para controlar essas variações naturais e econômicas na qualidade da farinha. Por sua vez, o padeiro deve aplicar seu conhecimento técnico para ajustar a fórmula e o processo

Figura 6-10

As baguetes à esquerda foram fermentadas por 1 hora e meia; as baguetes à direita foram fermentadas por 1 hora.

de panificação para produzir pães de qualidade consistente. As principais limitações que os padeiros, com produção artesanal, podem encontrar na farinha incluem maturação, absorção de água, tolerância à mistura, falta ou excesso de força, tolerância à fermentação, atividade enzimática, coloração e sabor.

MATURAÇÃO

O desempenho da farinha aperfeiçoa-se com o tempo. Durante o descanso, a oxidação natural das proteínas na farinha gera uma estrutura de glúten aprimorada e melhora a tolerância à fermentação durante a panificação. Em geral, são recomendadas duas semanas de maturação no verão, e no inverno, três semanas, já que em baixas temperaturas as reações químicas se tornam mais lentas.

A maturação pode ocorrer naturalmente durante o transporte do moinho até o armazenamento em centros de distribuição. Entretanto, os clientes localizados próximos aos moinhos e que negociam diretamente com esses têm altas possibilidades de receber a farinha "verde", que é muito fresca. A data da moagem que normalmente é impressa ao lado do pacote de farinha ou indicada no formulário que acompanha o saco de farinha fornece a exata maturação do produto.

Os padeiros que trabalham com a farinha "verde" notam a tendência que ela tem de absorver mais água no começo da mistura. Conforme progrida a mistura, a massa parece soltar água, que cria uma superfície brilhante e pegajosa. Quando se aproxima o fim da primeira fermentação, a massa terá a tendência a diminuir a força e a perdê-la. A tolerância à fermentação e o *oven kick* (crescimento no forno, ou estufada no forno) também serão afetados.

Infelizmente, não há muitas maneiras de compensar, naturalmente, a falta de maturação. Algumas das poucas possibilidades incluem usar mais pré-fermento quando possível e dobrar a massa para melhorar a sua força. Quanto aos aditivos químicos, a azodicarbonamida tem um efeito imediato logo que entra em contato com a água durante a mistura. Normalmente, a azodicarbonamida é adicionado no próprio moinho, já que a quantidade necessária é bem pequena; quando adicionado, normalmente aparece na lista dos ingredientes no pacote ou no formulário. O ácido ascórbico também é usado para melhorar o desempenho da farinha verde. A sua ação oxidante reforça as propriedades do glúten e a tolerância à fermentação. Em geral, para a produção em padaria, 15 a 20 ppm podem ser adicionados à massa. Essa quantidade pode variar dependendo da extensão da primeira fermentação. Um tempo de fermentação bastante curto (de 15 a 30 minutos) vai requerer uma quantidade maior de ácido ascórbico.

ABSORÇÃO DA ÁGUA

Os padeiros sabem que precisam adicionar ou diminuir a água para conseguir a consistência da massa desejada. A farinha pode absorver mais ou menos água dependendo de diversos fatores. O teor de umidade pode variar dependendo da origem da farinha ou das condições de armazenamento, incluindo o tempo de armazenamento e o nível de umidade do depósito. A farinha armazenada em um ambiente seco por duas a três semanas, por exemplo, tende a perder um pouco de umidade e possivelmente vai requerer um pouco mais de água durante a mistura.

A quantidade e a qualidade da proteína da farinha têm também um impacto direto na hidratação da massa. As proteínas têm uma propriedade natural de absorver de 150% a 200% do seu próprio peso em água, dependendo da sua qualidade. Quanto mais alto o nível de proteína na farinha, mais água será necessário para alcançar a consistência desejada da massa.

O nível de amido danificado também afeta a hidratação da massa, com uma partícula danificada de amido capaz de absorver de quatro a seis vezes mais água em comparação com a partícula não danificada, que normalmente absorve 40% do seu peso em água. As farinhas com um alto nível de amido danificado requerem uma quantidade mais alta de água durante a mistura. As farinhas com alto teor de cinza também necessitam de mais água. O farelo é muito rico em celulose, e apenas esse componente fará com que retenha uma grande quantidade de água.

A melhor maneira de lidar com as mudanças na absorção de água é fazer o teste cada vez que um novo lote de farinha é usado na produção. O teste deve ser conduzido por um profissional experiente que saiba como avaliar a consistência da massa. A quantidade de água necessária para conseguir uma consistência específica durante o teste deve ser cuidadosamente medida. Caso sejam necessárias mudanças, o gerente de produção deve simplesmente ajustar a porcentagem de água na fórmula. Essa nova porcentagem deve prevalecer até que um outro lote de farinha chegue até a panificadora.

Embora os níveis de absorção da farinha mudem ao longo do ano, os padeiros devem lembrar que a consistência adequada da massa é mais importante do que a quantidade de água utilizada para alcançar essa consistência. Além disso, a farinha com alta absorção é economicamente mais interessante porque vai aumentar o rendimento da massa usando a mesma quantidade de farinha.

TOLERÂNCIA À MISTURA

Os padeiros observam que, às vezes, a massa se desenvolve mais rápido, ou mais lentamente, com um novo lote de farinha. Isso normalmente acontece em razão da qualidade da proteína do trigo, e não é necessariamente uma deficiência da farinha, desde que a qualidade do produto final permaneça a mesma. Essa mudança no tempo de mistura pode ser observada do fim de agosto até o fim de setembro, quando os moinhos usam trigo de uma nova colheita do ano. Assim como a farinha, o trigo precisa maturar para alcançar seu melhor desempenho na panificação. Normalmente, os moinhos intercalam um trigo de uma colheita anterior com o da nova ao misturar as duas colheitas por determinado período para que o trigo novo amadureça e permita que o padeiro transfira as propriedades de cozimento para o novo trigo. Na medida em que o trigo amadurece, o tempo de mistura se normaliza.

Produtos com menor qualidade são produzidos com farinhas que requerem um tempo de mistura mais curto, o que pode significar proteína de baixa qualidade que, possivelmente, vão gerar uma massa com falta de força.

No caso de produção artesanal, os padeiros devem ter cuidado durante a mistura e frequentemente checar o desenvolvimento do glúten até que o tempo de mistura adequado seja determinado. Da mesma forma que ocorre com a absorção da água, um profissional experiente pode realizar um teste com o lote para determinar o tempo exato de mistura e o melhor método de mistura para a produção. No caso de uma linha de produção altamente mecanizada, é fundamental saber o tempo exato da mistura. Esses tempos normalmente estão indicados no computador do equipamento; portanto, os resultados do teste do lote são muito importantes.

FALTA DE FORÇA

Nos Estados Unidos, com relação às farinhas para pães é muito rara a falta de força. Um trigo forte de boa qualidade que normalmente é utilizado em farinhas para pães costuma ter uma quantidade suficiente de proteína para produzir uma massa com força necessária para a panificação. Entretanto, para os padeiros que usam farinha comum, pode ocorrer, às vezes, falta de força. Em geral, depende da mistura de trigos utilizada nessas farinhas. Caso essa mistura contenha uma quantidade importante de trigo macio, a proteína não terá a mesma capacidade de desenvolvimento do glúten como a do trigo duro. Outro problema que pode comprometer a força da farinha, no processo de moagem, refere-se à inclusão de grande porcentagem de trigo duro de baixa qualidade na mistura.

Para compensar essa deficiência da farinha, o padeiro deve diminuir a hidratação da massa e aumentar, quando possível, a quantidade de pré-fermento. A primeira fermentação pode também ser alongada com uma dobradura extra para melhorar a força da massa. A pré-moldagem e a moldagem devem ser feitas um pouco mais firme tanto à mão como à máquina, e o tempo da fermentação final deve ser diminuído. Deve-se ter cuidado redobrado ao levar o pão ao forno. Quando possível, o cozimento deve ser feito com uma temperatura levemente mais alta no começo do cozimento para estimular o *oven kick* e o desenvolvimento da massa.

Dependendo da orientação do padeiro, uma solução rápida para esse problema seria acrescentar de 20 a 40 ppm de ácido ascórbico à massa. Em razão de suas propriedades oxidantes, o ácido ascórbico vai reforçar o glúten na medida em que a fermentação avance, recriando o equilíbrio certo na força da massa.

EXCESSO DE FORÇA

A maior parte do trigo nos Estados Unidos é desenvolvida para a grande indústria da panificação, que requer uma farinha com forte estrutura de glúten, já que as massas são trabalhadas por máquinas. Como resultado, a maioria das farinhas que chega às padarias artesanais acaba produzindo massas com características fortes. Felizmente, um crescente número de empresas moageiras está selecionando cuidadosamente seu trigo para oferecer uma farinha que é mais adequada à panificação artesanal.

Ao trabalhar com farinhas fortes, a massa requer alta absorção e às vezes um tempo de mistura mais longo. Durante a moldagem, a massa apresentará uma resistência a esticar e terá uma tendência de retrair um pouco depois de alongada. O pão pode apresentar um corte bem arredondado, e, às vezes, se a força for realmente excessiva, os cortes não vão abrir e o volume do pão será prejudicado. O miolo pode também ser mais denso do que o normal.

Os padeiros possuem diversos métodos para diminuir a força e melhorar a extensibilidade da massa. Durante a mistura, pode-se usar mais água para tornar a massa um pouco mais macia do que o habitual. Pode-se usar também a autólise para permitir que as proteínas absorvam melhor a água e tempo suficiente para que a protease decomponha algumas ligações de glúten.

Outra maneira de atenuar a força da massa é diminuindo a porcentagem de pré-fermento. Entretanto, ao decidir por essa medida, o sabor e a durabilidade ficam comprometidos. Uma opção melhor é usar um pré-fermento mais líquido, já que a consistência mais macia estimula a atividade enzimática durante a pré-fermentação. Reduzindo o número de dobraduras ou eliminando essa medida, também reduz a força da massa.

A pré-moldagem e a moldagem devem ser feitas de forma mais cuidadosa, à mão ou à máquina, para evitar o agrupamento do glúten e para preservar um pouco da extensibilidade da massa. O pão deve ir para o forno bem fermentado, e os cortes podem ser feitos um pouco mais profundos.

Empregar aditivos na massa é outra opção. Agentes redutores, como os fermentos desativados, podem ser adicionados para melhorar a extensibilidade da massa. Essa medida é especialmente interessante para a produção de pães de formatos alongados, como baguetes, ou de massas folhadas. O fermento desativado que é produzido apenas com ingredientes naturais pode manter o produto final livre de substâncias químicas artificiais. Outros aditivos como L-cisteína também podem ser usados para melhorar a extensibilidade da massa.

TOLERÂNCIA À FERMENTAÇÃO

A tolerância à fermentação está geralmente relacionada à qualidade do trigo. Entre os fatores que podem naturalmente afetar as características do grão estão as condições climáticas, a classificação do trigo (da primavera ou do verão, duro ou macio) além das variedades do trigo. Geralmente, as farinhas verdes também podem produzir massas com pouca tolerância à fermentação.

Para as padarias artesanais, duas características devem ser levadas em consideração pelo padeiro ao julgar a qualidade da proteína. A primeira é a capacidade do trigo de formar glúten, o que tem um efeito direto nas propriedades de manuseio da massa ou de seu uso na máquina. A segunda é a capacidade da estrutura do glúten de manter sua forma na massa durante um longo tempo de fermentação.

Para o padeiro, a principal vantagem é ter uma farinha com grande tolerância à fermentação. Um ingrediente com proteína de pouca qualidade gera uma massa que começará o processo de degradação ao término da fermentação final, acelerando o colapso da massa antes de ir ao forno. Uma farinha com proteína de boa qualidade produzirá uma massa que manterá sua estrutura por mais tempo, mesmo que o pão esteja pronto para ser assado, sem comprometer a qualidade do produto final.

É difícil saber com antecedência sobre a tolerância à fermentação da farinha, pois nenhum recurso científico pode avaliar essa característica. A única maneira de saber é realizar um teste de cozimento com tempos diferentes de fermentação e comparar os produtos obtidos ao final dos testes. Entretanto, mesmo sendo difícil provar cientificamente, diversos testes de cozimento demonstraram que na panificação artesanal os trigos de inverno têm uma tolerância à fermentação melhor do que os de primavera.

Quando há pouca tolerância à fermentação, há inúmeras maneiras de melhorar naturalmente essa limitação, como aumentar a quantidade de pré-fermento na massa final, alongar o tempo da primeira fermentação, e realizar dobraduras extras na massa. Acrescentar uma pequena porcentagem de *sourdough* (de 10% a 15% com base no peso da farinha na massa final) também vai aumentar a tolerância à fermentação na maioria dos casos sem alterar o sabor do pão. O uso de 15 a 30 ppm de ácido ascórbico na massa final também terá um efeito positivo.

ATIVIDADE ENZIMÁTICA

A atividade enzimática, que é facilmente controlada pelos moinhos, é muito importante para o processo de fermentação. As enzimas são responsáveis por quebrar açúcares complexos e torná-los mais digestíveis para que o fermento possa se multiplicar. A falta ou o excesso de enzimas na farinha pode criar problemas durante o processo de panificação. Além disso, vai gerar uma farinha com falta de fermentação; em excesso, vai produzir uma massa com fermentação que é muito rápida e um pão com excesso de cor na crosta. Dificilmente uma farinha vai conter muita enzima, porque os triticultores e os moinhos monitoram cuidadosamente o teor de enzima do trigo para garantir boa qualidade de armazenamento nos silos.

A falta de enzima, contudo, é bastante comum. Um modo fácil de saber se a atividade enzimática está equilibrada é checar o *falling number*. Se estiver entre 250 e 300 segundos, a atividade enzimática está correta. Um *falling number* alto indica falta de enzimas. Caso não haja informação disponível na farinha, o padeiro precisa testá-la para monitorar a atividade da fermentação e a cor da crosta.

É possível acrescentar algumas enzimas à farinha em produções maiores. A adição de malte diastático, na forma de farinha de cevada maltada ou melado, é dos melhores e mais fáceis meios de corrigir essa limitação. Diastático significa que as enzimas ainda estão ativas no malte (em oposição ao malte não diastático, que geralmente é usado para dar sabor). Em geral, 0,5% a 1% do malte com base no peso total da farinha na massa final é suficiente para conseguir uma atividade de fermentação normal e uma coloração de crosta também normal. Um modo simples de saber se a farinha contém a quantidade correta de enzimas é checar na lista de ingredientes no pacote da farinha. Se a farinha de cevada maltada ou enzimas estiver indicada, significa que foi feita a correção em termos de atividade enzimática no moinho.

A coloração da crosta também pode ser afetada pela quantidade de pré-fermento usado na massa. Uma grande parte vai absorver muito do açúcar simples durante a pré-fermentação, gerando baixa caramelização durante o cozimento, mesmo que a quantidade de enzimas esteja correta no começo do processo. Nesse caso, pode-se também restabelecer a cor normal da crosta adicionando um pouco de malte à massa final.

COLORAÇÃO

A cor da farinha terá um efeito direto na cor do miolo do pão. Em geral, uma coloração cremosa indica boa pigmentação do trigo, o que é desejável para um produto final de qualidade. Um teste científico pode fornecer alguma indicação da coloração da farinha. O resultado é expresso como o valor B da farinha. Apenas uns poucos moinhos indicam essas características no seu formulário de especificações técnicas, já que não afeta o cozimento e pode variar dependendo da idade da farinha. O único modo de o moinho controlar a coloração da farinha é pela seleção de um trigo com certa pigmentação. Entretanto, já que a pigmentação é natural, somente o branqueamento pode mudar a coloração da farinha.

O teor de cinza em relação à extração usada no moinho pode também ter um efeito na cor da farinha. Farinha com alto teor de cinza tem uma cor mais escura em comparação com a de baixo teor de cinza.

SABOR

Da mesma forma que tipos diversos de uvas podem mudar o sabor do vinho, também a farinha interfere no sabor do produto final. Esse é um outro aspecto em que somente um teste de cozimento pode determinar se o sabor do pão será aceitável. Mesmo assim, farinha trabalhada com o mesmo método de panificação pode levar a uma variedade de sabores no produto final, de um sabor adocicado e complexo até um levemente amargo.

COMPENSAÇÃO DAS DEFICIÊNCIAS DA FARINHA: CONCLUSÃO

Pelo fato de que cada moinho emprega sua própria combinação de trigos e processos de moagem, os padeiros podem multiplicar suas chances de variar seu produto final ao comprar farinhas de empresas diferentes ao longo do ano. Com algum conhecimento técnico e com a possibilidade de usar algum aditivo, manter a consistência da farinha pode se tornar relativamente fácil. Entretanto, permanece um desafio manter a qualidade respeitando a natureza e a qualidade dos ingredientes e dos processos. Quanto mais preparado for o padeiro, mais fácil será controlar as mudanças nas características da farinha e criar um produto final bem acabado ao cliente.

TRABALHAR COM FARINHAS ESPECIAIS

INTRODUÇÃO

Em panificação, além da farinha de pão normal, pode ser usada uma variedade de outros tipos de farinhas de trigo ou de outros grãos. Essas farinhas permitem aos padeiros diversificar a linha de produção e oferecer aos clientes pães com sabores diferenciados e outros valores nutricionais.

Em razão da natureza diversa dos grãos, algumas dessas farinhas têm um desempenho diferente daquele da farinha de trigo. Entre os vários fatores que afetam as características da massa final estão as farinhas com alto teor de farelo, tamanho das partículas, e proteínas de qualidades e ou quantidades diferentes. Muitos tipos de farinhas ou de grãos moídos provêm de uma variedade de sementes que podem ser usadas em panificação. O objetivo desta seção é descrever as principais opções oferecidas aos padeiros e indicar o ajuste do processo de panificação para conseguir os melhores resultados do produto final.

OS PRINCIPAIS TIPOS DE FARINHAS ESPECIAIS

Farinha de trigo integral

A farinha de trigo integral é feita com 100% do miolo do grão de trigo, enquanto a farinha branca usa em torno de 75% desse miolo. A granulação (extrafina, média, grossa e extragrossa) terá um efeito direto na textura do produto final. Os produtos feitos com farinha grossa terão a tendência a apresentar um miolo mais denso com uma textura mais terrosa e rústica. Uma granulação mais fina vai produzir um miolo de textura mais refinada e com maciez ao toque. Às vezes, uma pequena porcentagem de farinha integral extrafina é usada em fórmulas para dar uma cor levemente mais escura ao miolo que imita as características do miolo tradicional.

Grãos de trigo triturados não são considerados farinha de trigo integral, mas às vezes são usados para dar um toque de crocância ao produto final. Quando for usado trigo triturado deve ser amolecido em água até tornar-se macio (em geral, de 3 a 4 horas antes da mistura). Deve-se evitar deixar os grãos de trigo muito tempo de molho, pois a água pode desencadear alguma atividade enzimática que venha a afetar negativamente a massa final. Caso seja necessário deixar o trigo por longo tempo de molho, o melhor é mantê-lo em um resfriador (temperaturas mais frias retardam as reações químicas) ou adicionar sal para controlar a atividade enzimática. Em geral, de 0,5% a 1% de sal é suficiente. A quantidade de sal usada no trigo deixado de molho deve ser considerada ao calcular o sal na massa final.

Mudanças na panificação A primeira mudança visível é a hidratação da massa. Quando é usada farinha de trigo integral, faz-se necessária uma quantidade maior de água para manter a consistência da massa. A farinha integral é muito rica em farelo que contém bastante celulose e fibras. Naturalmente absorve grande quantidade de água. Em geral, quanto mais alta for a porcentagem de farinha integral, mais alta será a porcentagem necessária de água. Para grandes quantidades de farinha integral (60% ou mais), o misturador deve ser desligado por uns 10 minutos depois da incorporação de todos os ingredientes para que os componentes da farinha absorvam a água e se tornem completamente hidratados. Esse tempo para descanso ou para inchar a massa permite que as proteínas se tornem mais bem hidratadas e com estrutura de glúten mais forte.

Normalmente, são necessários tempos de mistura mais curtos para evitar manipulação excessiva e ruptura do glúten, que se torna mais frágil em razão da presença de grande quantidade de partículas de farelo na massa. Uma técnica de dupla hidratação pode ser usada para maximizar a absorção da água e do desenvolvimento do glúten, quando usar 100% de farinha de trigo integral. O profissional deve adicionar aproximadamente 80% do total da quantidade de água no começo do tempo de mistura, quando o glúten atingiu a metade de seu desenvolvimento, e adicionar o restante até obter uma massa com consistência e desenvolvimento de glúten excelentes.

A atividade da fermentação acontece muito mais rápida quando é usada a farinha de trigo integral, porque o farelo é rico em minerais que são alimentos naturais para o fermento. Para compensar a rapidez da fermentação, deve ser usada uma quantidade menor de fermento.

O alto teor de farelo também cria uma massa mais frágil com a tendência de tornar-se mais rapidamente porosa. Por essa razão, a produção de gás e a fermentação devem ser mantidas sob um controle mais cuidadoso para evitar o estiramento na estrutura da massa e uma fermentação excessiva. É aconselhável o uso do pré-fermento para reforçar o desenvolvimento do glúten.

Quando for usada grande quantidade de farinha de trigo integral na massa, é melhor moldar os pães em peças menores, porque a produção de gás será mais concentrada em um ponto e vai permitir maior expansão durante o *oven kick*. Os talhos na massa podem ser feitos depois da moldagem ou antes de ir ao forno de acordo com a porcentagem de farinha integral incluída na fórmula. Os pães com alto teor de farinha de trigo integral (70% ou mais) devem ser talhados depois da moldagem. Os cortes irão manter uma melhor definição durante o cozimento, e também haverá menor chance de o pão murchar se a massa estiver fermentada um pouco mais. São preferíveis os cortes perpendiculares na massa, porque eles favorecem o arredondamento dos cortes e um desenvolvimento melhor do pão.

Os pães integrais devem ser assados em temperaturas mais baixas (6 °C a 11 °C) por um período mais longo. Quando possível, o respiro do forno, ou a porta, deve ser aberto após o pão ter alcançado a coloração final para maximizar a evaporação ao final do cozimento. Como o farelo naturalmente absorve e retém muita umidade, a que não consegue evaporar do pão normalmente vai se transferir do interior para o exterior durante o resfriamento. O pão de trigo integral deve ser resfriado por mais tempo antes de ser consumido para que o aroma se espalhe completamente pelo pão.

Farinha de centeio

Mais informações sobre farinha de centeio[1] estão disponíveis na página do livro, no site www. cengage.com.br.

---

[1] Veja também: http://www.anvisa.gov.br/legis/resol/12_78_farinhas.htm. (NE)

Mudanças no processo de panificação Ao usar farinha de centeio é necessária maior hidratação durante a mistura para manter uma consistência normal da massa. Isso se faz necessário em razão do alto teor de fibras presentes naturalmente no miolo do grão de centeio, assim como a presença de grande quantidade de pentosanas, que absorve e retém bastante água. As pentosanas desempenham um papel positivo na viscosidade da massa e ajudam na retenção de gás durante a fermentação, mas criam massas que são mais "pegajosas" e difíceis de manusear.

Para trabalhar com alto teor de farinha de centeio (50% ou mais), é necessário ajustar o tempo de mistura. A mistura deve ser maior na primeira velocidade e menor na segunda. A estrutura de proteína é muito frágil, de modo que deve ser protegida o máximo possível. Na primeira velocidade, o gancho do misturador deve desenvolver o glúten de forma mais leve. A redução do tempo de mistura na segunda velocidade protege o glúten de ações mais "agressivas" do equipamento e diminui as chances de danificar a estrutura da massa ou de misturar demais.

O centeio é, por natureza, um grão rico em minerais que aceleram a fermentação e requer uma quantidade menor de fermento para manter o crescimento sob controle. Além do mais, é necessário trabalhar com um tempo de fermentação mais curto porque a massa de centeio não tem uma tolerância à fermentação muito boa e torna-se porosa em seguida. A massa pode facilmente fermentar demais se for deixada por muito tempo crescendo.

O uso do pré-fermento é aconselhável para maximizar o fortalecimento do tecido do glúten. Em razão de seu alto nível de acidez, o *sourdough* melhora a força da massa de centeio e a torna mais tolerante à fermentação. Mesmo com a utilização do *sourdough*, alguns fermentos industriais devem ser empregados para acelerar a produção de gás e encurtar o tempo de fermentação.

Assim como a massa de trigo integral, o pão de centeio deve ser moldado em peças menores para melhorar a expansão durante o *oven kick*. A moldagem deve ser feita de forma bem cuidadosa para evitar danificar e esgarçar o glúten. Os pães devem ser talhados logo depois da moldagem. Se forem talhados depois da fermentação, a incisão pode enfraquecer muito a massa e fazer que o pão murche.

O pão de centeio deve ser assado em temperatura mais baixa por um período de tempo mais longo para diminuir, o máximo possível, a umidade retida na massa. Abrir a porta do forno no final do cozimento também garantirá características crocantes à crosta. Da mesma forma que com a massa de trigo integral, é importante deixar o pão de centeio esfriar bem antes de consumi-lo. Se for consumido antes, o miolo do pão de centeio se apresentará pegajoso e desagradável para comer. Um tempo de resfriamento maior também vai garantir melhor difusão do aroma e um sabor maior e mais complexo.

Farinha de semolina

Mais informações sobre a farinha de semolina estão disponíveis na página do livro, no site www.cengage.com.br.[2]

Mudanças no processo de panificação Basicamente todas as mudanças adotadas no uso da farinha forte também se aplicam à semolina ou à farinha de trigo *durum*. O alto teor de proteínas requer maior hidratação, e a grande quantidade de cadeias de glúten requer um tempo de mistura maior

---

[2] Veja, também, com respeito ao Brasil: http://www.grupomolinero.com.ar/grupo_molinero/semola_ e_ semolina_de_trigo.htm. (NE)

para desenvolver adequadamente a estrutura do glúten. A autólise é também necessária quando for usada uma alta porcentagem de farinha de semolina ou de trigo *durum*. O tempo de descanso permite melhor hidratação, criando uma massa com viscosidade e melhor estrutura de glúten. A autólise também quebra a força da farinha e melhora a extensibilidade da massa. Qualquer porcentagem de farinha de semolina ou de trigo *durum* pode ser usada na fórmula (até 100%), mas quantidades maiores requerem ajustes na mesma proporção. Nenhuma outra modificação importante necessita ser feita no restante do processo de panificação.

Farinha de espelta

Mais informações sobre a farinha de espelta estão disponíveis na página do livro, no site www.cengage.com.br.

Mudanças no processo de panificação Em razão da menor quantidade e maior fragilidade das proteínas, a massa de espelta deve ser misturada por um período menor de tempo, e deve-se tomar muito cuidado para evitar mistura excessiva. Uma boa medida é diminuir o tempo de mistura em 50%, checar a estrutura do glúten e continuar a mistura se for necessária. Normalmente, quando a mistura é feita com farinha de espelta, o tempo de mistura pode ser reduzido em 30% comparado com o tempo de mistura da massa de farinha de trigo. Não é necessária a autólise, já que esse método pode enfraquecer ainda mais a já frágil estrutura do glúten.

A fermentação da massa de espelta deve também ser cuidadosamente monitorada. A acumulação de dióxido de carbono pode esticar rápida e facilmente a frágil e mais extensiva estrutura do glúten. A falta de elasticidade do glúten também torna a massa mais intolerante à fermentação e bastante delicada para manusear. É recomendado o uso do pré-fermento para reforçar a cadeia de glúten e melhorar a força da massa.

A farinha de espelta produz naturalmente um pão que tende a secar mais rapidamente do que os pães comuns. Apesar da propriedade natural da proteína de absorver menos água, é aconselhável maior hidratação para melhorar a umidade do miolo e aumentar a durabilidade. Se a quantidade de água enfraquecer muito a massa, talvez seja necessário sová-la e dobrá-la durante a primeira fermentação para restabelecer o equilíbrio entre extensibilidade e elasticidade.

Outros grãos

Farinhas de quinoa, de soja, de amaranto, de painço, de trigo sarraceno, de aveia, de linhaça dourada e de girassol são apenas alguns exemplos de opções oferecidas aos padeiros. Ao trabalhar com essas farinhas especiais, os padeiros devem monitorar atentamente a quantidade incorporada na massa final. Mesmo que esses ingredientes sejam ricos em proteínas, essas são solúveis em água e não vão formar nenhuma estrutura de glúten. Quando usadas em grandes quantidades na massa final, podem enfraquecer excessivamente a estrutura do glúten e produzir pães muito densos e com talhos achatados. Uma boa medida é usar 20% do total da farinha em farinha especial, mas somente uma longa experiência, levando em consideração todos os aspectos mencionados anteriormente em relação a hidratação da massa, força, moldagem e cozimento vai determinar a exata quantidade a ser usada para obter um bom equilíbrio entre as melhores características da massa, a aparência desejada e o sabor para o produto final. Observe que, quando a farinha normal de trigo é adicionada às farinhas especiais, os produtos não podem ser rotulados como "sem glúten".

As farinhas especiais e os pré-fermentos

Quando o padeiro decide usar uma farinha especial na fórmula, toda ela (ou uma porcentagem dela, dependendo da quantidade) deve ser usada no pré-fermento. Há duas razões principais para isso.

A primeira é que, durante a fermentação, diversos aromas típicos das farinhas especiais são transformados pelo fermento para desenvolver produtos com um sabor único. A cultura *sourdough*, por exemplo, elaborada com centeio, dá ao pão um sabor bastante complexo e picante, e a esponja de trigo integral cria um aroma adocicado e amendoado com um toque de mel. A lista de sabores que podem ser obtidos é longa e limitada apenas pela imaginação; no entanto, o padeiro deve considerar todas as precauções restritas a cada farinha especial. Em razão da atividade de fermentação mais rápida do centeio ou do trigo integral, é necessário trabalhar com uma porcentagem bem menor de *starter* (fermentação inicial) ou de fermento industrial quando essas farinhas forem combinadas com uma cultura *sourdough* ou com pré-fermento.

A segunda vantagem está relacionada com as propriedades reológicas da massa. Quando uma farinha pré-fermentada é adicionada de volta à massa final, automaticamente diminuirá o desempenho do cozimento. As farinhas especiais naturalmente têm uma qualidade e quantidade de proteína mais baixa. Quando combinadas com a farinha branca, é melhor ter a farinha fraca enfraquecendo durante a pré-fermentação e manter a farinha branca forte intacta para a massa final. Essa medida vai criar uma massa com uma estrutura de glúten de alta qualidade e pães com aparência melhor e volume superior.

FARINHAS ESPECIAIS: CONCLUSÃO

Independentemente do tipo de farinha especial usada, o padeiro ainda deve ter um bom conhecimento da funcionalidade da farinha e ajustar a panificação de acordo com o necessário. Muitas etapas, da mistura ao cozimento, talvez tenham que ser modificadas para alcançar uma qualidade de excelência. Os padeiros podem desenvolver inúmeras fórmulas que, quando feitas corretamente, vão produzir uma variedade completa de produtos diariamente ou para ocasiões especiais.

MELHORADORES DE MASSA

INTRODUÇÃO

Os **melhoradores de massa** são usados às vezes na panificação para melhorar as características da massa e do produto final. Alguns desses aditivos são naturais, outros são químicos, e alguns são processados de fontes microbiológicas. Os pães podem ser produzidos sem nenhum desses ingredientes, mas, quando usados adequadamente, podem, às vezes, ser úteis para compensar as deficiências da farinha ou para obter um desempenho mais consistente. O uso de melhoradores de massa requer um sólido conhecimento da sua funcionalidade e de seus efeitos na massa e no produto final. Embora uma vasta seleção de melhoradores de massa esteja disponível aos padeiros, os ingredientes ativos podem ser classificados nas categorias indicadas a seguir.

Pesar quantidades mínimas de melhoradores de massa pode ser um grande desafio numa padaria. Em vez de pesar os aditivos concentrados, um método fácil consiste em dispersar o ingrediente na farinha usando o conceito de ppm. Se precisar adicionar, por exemplo, ácido ascórbico a uma massa, pode-se fazer a própria mistura ppm ao combinar 10 g de AA com 990 g de farinha.

Dessa mistura, 0,1% baseado na quantidade total da farinha da fórmula vai acrescentar 10 ppm de AA no lote de massa, e 0,2% vai acrescentar 20 ppm. Para um lote de massa feito com 100 kg de farinha, 100 g de condicionador de massa preparado na padaria vai produzir 10 ppm de AA.

AGENTES OXIDANTES

Descrição

A função dos **oxidantes** é fixar o oxigênio incorporado na massa durante a mistura. Essa função desencadeia um processo químico que reforça os laços da cadeia de glúten ao criar as ligações de dissulfeto, resultando em uma estrutura de glúten mais forte. Os oxidantes devem ser usados quando o padeiro opta por um processo de massa sem o tempo convencional, em que o tempo da primeira fermentação, que promove a oxidação natural e aumenta a força e a tolerância, não existe. Os oxidantes são necessários também quando o glúten precisa ser reforçado por um longo tempo de fermentação como nos processos de retardação.

Caso as propriedades reológicas da massa sejam afetadas de forma negativa por processos como congelamento, o padeiro deve usar um oxidante para conseguir maior força possível no começo do processo. Ao melhorar a qualidade da estrutura do glúten e a capacidade da proteína de reter melhor a água, a massa será melhorada, e a superfície se tornará um pouco mais seca e mais fácil de trabalhar.

Alguns oxidantes reagem no começo do processo, quando o oxigênio se torna mais disponível na massa, e outros reagem mais tarde. O ácido ascórbico, ou vitamina C, é um agente oxidante de ação rápida. Em excesso vai aumentar muito a elasticidade e comprometer a extensibilidade, tornando a massa difícil de manusear, tanto manualmente como na máquina. Entretanto, quando adequadamente dosado, o ácido ascórbico pode ser muito útil quando a farinha apresentar uma proteína de qualidade e quantidade deficientes. Ao reforçar a estrutura do glúten, o ácido ascórbico vai melhorar o desempenho da farinha ao restabelecer o equilíbrio entre elasticidade e extensibilidade. Além disso, a tolerância à fermentação da massa será melhorada. Isso pode criar uma enorme vantagem para as produções em grande escala, porque oferece ao padeiro uma ótima oportunidade de organizar o programa de cozimento depois da fermentação final.

Oxidantes de ação lenta como bromato de potássio começam a funcionar ao final do processo de panificação. A sua ação mais benéfica ocorre ao término da fermentação final e durante o *oven kick*. Em razão dessa ação tardia, a força da massa não é afetada, e suas propriedades de manuseio são preservadas. Conforme mencionado anteriormente neste capítulo, o bromato de potássio pode deixar alguns resíduos no produto final que potencialmente representam uma ameaça à saúde. Apesar de permitido na maior parte dos Estados Unidos e em muitos países, o bromato de potássio está sendo excluído de um número crescente de padarias.

Os oxidantes de ação rápida como azodicarbonamida (ADA) também são adicionados, às vezes, à farinha ou fazem parte da composição de certos melhoradores de massa. Esses agentes oxidantes de ação rápida reagem imediatamente no processo. Além de suas propriedades oxidantes, a ADA é também descrita como um agente de maturação que às vezes é usado em farinhas recentemente moídas sem nenhum processo natural de envelhecimento ou de tempo de maturação. O ácido ascórbico também vai melhorar o desempenho da farinha fresca, mas não tanto e nem tão rapidamente quanto o ADA. Outros oxidantes como peróxido de cálcio, iodato de potássio ou iodato de cálcio são usados em alguns países em razão de suas propriedades oxidantes rápidas.

Quantidades de uso dos aditivos

Os níveis máximos de oxidantes são regulados pelo Food and Drog Administration (FDA) dos Estados Unidos nos seus padrões de identidade; entretanto, é muito difícil recomendar uma quantidade precisa a ser usada em uma padaria. A quantidade deve ser adaptada de acordo com o método empregado e as características da farinha. No entanto, algumas orientações foram estabelecidas.

Se for adotado um primeiro tempo de fermentação (ou pré-fermentação) no processo, será necessária uma pequena quantidade de oxidante de massa, ou mesmo nenhuma. A fermentação vai promover naturalmente a maturação suficiente. A acidez produzida durante essa etapa vai naturalmente reforçar as cadeias de proteínas e criar laços e estrutura de glúten mais fortes. Nesse caso, uma pequena quantidade de ácido ascórbico (preferível ao bromato de potássio) deve ser adicionada à massa, com 10 a 15 ppm, o que, normalmente, é uma boa medida. Uma quantidade maior de 20 a 30 ppm talvez seja necessária caso as proteínas da farinha não sejam de boa qualidade, ou se o padeiro estiver querendo melhorar a tolerância à fermentação da massa. Para os procedimentos de massa sem tempo de fermentação, um alto nível (até 100% ppm) deve ser usado para compensar a falta de maturação da massa.

O ácido ascórbico, um oxidante potente, começa a reagir na massa em níveis tão baixos quanto 5 ppm. Para evitar quaisquer efeitos potencialmente negativos nas características da massa como extensibilidade, é muito importante controlar com precisão a quantidade adicionada. Tabletes de AA são encontrados no comércio e podem oferecer um modo fácil (mas não tão preciso) de adicioná-los à massa. O padeiro deve saber a concentração de AA por tablete, pois isso vai determinar o número de tabletes (ou o tamanho) a ser acrescentado à massa final.

Efeitos no produto final

Em razão de os laços de glúten se tornarem mais fortes, e se a extensibilidade da massa não for comprometida pelo excesso de oxidantes, uma quantidade maior de dióxido de carbono pode ser absorvida durante a fermentação final e o *oven kick*. Isso resultará em pães com um grande volume. Além disso, em razão da grande expansão durante o *oven kick*, os cortes serão melhores e abertos de forma mais definida. Já que o pão vai se expandir um pouco mais durante o cozimento, a crosta terá a tendência a ser mais fina, e a crocância vai melhorar depois que o pão for assado.

AGENTES REDUTORES

Descrição

Os **agentes redutores** são usados para reduzir a elasticidade da massa e melhorar a extensibilidade. Eles atuam no glúten de forma fundamentalmente oposta ao dos agentes oxidantes. Ao remover o oxigênio, eles inibem a formação dos laços de dissulfeto, criando uma rede de glúten que é fácil de esticar. Esses agentes redutores são usados para diminuir o tempo de mistura e melhorar a fluência da massa e o seu uso nos equipamentos. Embora esses agentes tenham inúmeras aplicações em panificação, seu uso é mais justificado quando o padeiro deseja esticar a massa, minimizando a tensão e o possível estiramento do glúten, o que pode afetar a retenção de gás e volume. São úteis, por exemplo, em massas laminadas, massas para pizza e massas crocantes, que precisam ser facilmente esticadas sem redução depois de cortadas.

Os agentes redutores mais comuns na indústria de panificação são L-cisteína e fermento desativado. A L-cisteína tem uma origem química, enquanto o fermento desativado (às vezes chamado fermento sem levedura) é produzido com uma base de fermento normal de padeiro que é submetido a um processo específico que desativa as células do fermento. Como resultado direto dessa desativação, as células do fermento lançam um componente chamado glutathione que contém propriedades redutoras de glúten. Uma grande vantagem desse produto é manter a rotulação dos pães "limpa", com poucos aditivos químicos.

Quantidades de uso dos aditivos

O que determina a quantidade de redutores de massa é o nível de extensibilidade e as características desejadas para o produto final, e as massas mais fortes requerem mais agentes redutores.

O nível de L-cisteína pode variar de 10 a 90 ppm baseados no total de farinha. O nível de fermento desativado (0,1% a 1%) depende do fabricante, e a quantidade deve ser calculada com base nas recomendações do fabricante. Deve ser evitada uma dosagem excessiva de redutores, porque em excesso produzirá automaticamente uma falta de força e um excesso de extensibilidade na massa.

Efeitos no produto final

Além de melhorar visivelmente as características da massa, os agentes redutores também exercem um efeito positivo nos produtos finais. No caso das massas laminadas, o encolhimento e a deformação da massa são reduzidos ou eliminados, garantido um formato mais consistente. A capacidade do glúten de reter mais gás gera produtos de volumes maiores, com melhor estrutura de célula, e os agentes redutores, quando adotados, produzem talhos com melhores aberturas. Até certo nível, a autólise durante o tempo de mistura pode obter todos esses benefícios também.

AÇÃO COMBINADA DE AGENTES REDUTORES E OXIDANTES

Para um excelente desenvolvimento do glúten e de desempenho da massa, é possível combinar os agentes redutores e oxidantes para certas aplicações. Os oxidantes vão criar uma estrutura de glúten mais forte e de melhor qualidade. Ao mesmo tempo, os agentes redutores vão manter a sua extensibilidade e facilidade de manuseio, criando um excelente produto final. O objetivo do padeiro será encontrar a dosagem adequada para maximizar as propriedades da farinha, do processo de panificação e das características do produto final desejadas.

EMULSIFICANTES

Descrição

Os **emulsificantes** são substâncias químicas ou naturais, solúveis em pequenas concentrações tanto na água como na gordura. Sua função principal na massa é melhorar a ligação da água com os lipídios naturalmente presentes na farinha. Como resultado dessa melhor interação molecular, a massa terá uma textura mais forte e melhor capacidade de suportar a mistura mecânica.

Alguns emulsificantes também têm um efeito benéfico de desacelerar a retrogradação do amido, o que reduz o processo de endurecimento do miolo durante o envelhecimento natural do pão. Os emulsificantes podem ser usados individualmente para melhorar a força ou em combinação para adquirir tanto os efeitos fortalecedores como os de amaciamento.

A lecitina é um emulsificante natural usado especialmente por seus efeitos que conferem maciez ao miolo. O ácido diacetil tartárico éster e mono- e diglicerídeos (Datem) melhoram a força da massa com um impacto limitado sobre o miolo do pão. O Estearoil Lactil Lactato de Sódio (SSL) melhora a estrutura da massa e amacia o miolo. Outros emulsificantes usados como melhoradores de massa incluem o estearoil lactil lactato de cálcio (CSL), polisorbato 60, e mono- e diglicerídeos.

Quantidades de uso dos aditivos

A quantidade de emulsificantes a ser usada será determinada pela qualidade da farinha e pelas características do produto final desejadas. A lecitina e o SSL normalmente são usados em uma proporção de 0,25% a 1%, e a Datem em torno de 0,1% a 0,5%.

Efeitos no produto final

Em razão das suas propriedades de fortalecimento da massa, os emulsificantes produzem pães de grande volume. Alguns emulsificantes também produzem pães com miolo mais macio e maior durabilidade. Um excesso de emulsificantes pode afetar negativamente a crosta ao torná-la menos crocante e com uma textura de "papelão".

GLÚTEN DE TRIGO VITAL

Descrição

Para algumas aplicações, tais como massa congelada, quando usar uma combinação de farinhas fracas, ou com proteínas de baixa qualidade, o glúten de trigo vital pode ser adicionado à fórmula para reforçar a estrutura do glúten e fornecer a força necessária à massa final. É feito com a parte insolúvel da proteína da farinha que foi separada do restante dos outros componentes da farinha e posto a secar. O glúten de trigo vital contém aproximadamente de 75% a 80% de proteína. É usado para aumentar o nível de proteína da farinha e para criar uma estrutura de glúten bastante forte.

Quantidades de uso do aditivo

A porcentagem de uso do glúten de trigo vital (baseado no total da farinha) deve ser calculada de acordo com a força requerida pela massa. Em razão de seu alto preço, os padeiros tentam limitar a quantidade de glúten no nível mínimo requerido. Embora a quantidade possa variar de 1% a 5%, 3% é uma boa média. Quando a porcentagem de glúten aumenta, a hidratação da massa aumenta também em razão da alta absorção de água da proteína. Uma quantidade de glúten muito alta compromete a extensibilidade da massa e pode criar alguns problemas durante a moldagem.

Efeitos no produto final

Uma estrutura de glúten reforçada é capaz de resistir à degradação natural da massa que ocorre com a longa fermentação. Ao mesmo tempo, retém mais gás da fermentação e o pão fica com volume superior. Entretanto, altos níveis de glúten de trigo vital comprometem a crocância da crosta e a torna mais resistente. Além disso, em virtude do alto teor de proteína, a reação Maillard que ocorre durante o final do cozimento será mais intensa, criando uma crosta de cor avermelhada e de sabor amargo. Por essas razões, é melhor limitar, ou mesmo evitar, esses ingredientes se for desejada uma crosta dourada e crocante no produto final.

OS NUTRIENTES PARA O FERMENTO

Quando há falta de minerais na água, podem ser usados nutrientes para o fermento na massa final. Esses sais inorgânicos fornecem minerais na forma de absorção imediata para o fermento e permitem uma atividade de fermentação mais consistente. Esse é um aspecto importante para um processo de massa sem tempo de fermentação, em que a atividade do fermento deve ocorrer muito rapidamente. Os nutrientes para o fermento não são necessários em uma panificação artesanal ou tradicional, que geralmente envolve um longo tempo de fermentação.

ENZIMAS

Descrição

As enzimas são grandes proteínas que atuam como catalisadoras para acelerar reações na massa. Embora sejam produzidas por plantas, animais ou micro-organismos, as enzimas não são organismos vivos. Cada enzima é geneticamente codificada para realizar uma transformação específica de um produto determinado, chamado substrato, para uma substância derivada muito útil que vai melhorar a massa e as características do produto final. Pelo fato de serem altamente ativas, apenas uma pequena quantidade de enzimas é necessária. As enzimas têm sido crescentemente adotadas para substituir ingredientes químicos e realizar outras funções que não podem ser desempenhadas pelos melhoradores de massa tradicionais. Além disso, elas permitem que o padeiro mantenha uma lista de ingredientes "limpa" na rotulação do produto final.

As enzimas são denominadas com o sufixo "ase" ao nome do substrato com o qual as enzimas reagem; protease, por exemplo, reage com proteína. Cada enzima tem a sua variação de pH e temperatura, e tem o seu melhor desempenho quando colocadas em condições excelentes com tempo suficiente para reagir. Entender as funções e características das enzimas pode ajudar os padeiros a decidir se alguma enzima é necessária para um processo de panificação específico e poder usá-la com maior eficiência quando precisar.

As principais classes de enzimas usadas em panificação

Amilase A função da amilase é quebrar a porção de amido naturalmente presente na farinha e transformá-la em dextrina, de forma que a dextrina possa se transformar em açúcar simples, como maltose e glicose. Essa enzima é necessária para manter uma boa atividade de fermentação, longa e constante, ao transformar as moléculas complexas do amido em açúcares menores fermentáveis que podem ser usadas pelo fermento. A alfa-amilase e a beta-amilase já estão presentes em estado natural no miolo do trigo. Entretanto, para evitar danos ao brotamento, sua quantidade é limitada na época da colheita. Alguns moinhos, e às vezes padeiros, normalmente suplementam um pouco de amilase para repor essa deficiência natural da farinha.

As duas formas de amilase empregadas para corrigir a concentração natural do trigo são malte e amilase do fungo. O malte é obtido ao processar um cereal (geralmente cevada ou trigo) que foi deixado para brotar em condições específicas para aumentar sua atividade enzimática. O malte acrescenta naturalmente a alfa-amilase à farinha quando é adicionado durante a moagem, no moinho, ou à massa, durante o processo de panificação. O malte é usado de duas formas: farinha maltada diastática na forma de pó ou xarope maltado diastático. Embora ambos atuem igualmente bem, a farinha de malte é mais "limpa" e fácil de pesar, em comparação com o xarope maltado. Em geral, uma boa medida é usar 0,5%. Dependendo do peso total da farinha, essa medida pode aumentar para 1%. Pouca quantidade de malte pode desencadear uma atividade de fermentação mais lenta e crosta com coloração pálida, ao passo que malte em excesso fará com que a fermentação ocorra muito rapidamente e criará uma crosta avermelhada e miolo pegajoso. Malte não diastático está também disponível ao padeiro, mas seu poder enzimático tem sido desativado. É usado apenas para dar um toque adocicado e um sabor maltado em algumas fórmulas, mas não tem nenhum efeito na atividade enzimática da farinha.

Algumas empresas moageiras preferem corrigir a atividade enzimática com a amilase do fungo em vez da farinha maltada, porque ela permite maior controle na correção da deficiência natural de amilase. O malte contém outras enzimas que, em alguns casos, podem se tornar indesejáveis. Normalmente a farinha maltada também tem um leve adocicado suficiente para atrair insetos. Para diminuir o risco de infestação, os moageiros às vezes preferem uma amilase do fungo mais neutra. Não há diferença visível no cozimento entre o malte e a amilase do fungo quando usados corretamente. Às vezes são adicionadas quantidades extras de amilases do fungo aos melhoradores de massa para estimular a produção de gás e *oven spring* e obter um pão de volume maior.

Para aumentar a durabilidade do pão, também são usadas outras formas de amilases resistentes a altas temperaturas, e que funcionam nos últimos estágios da panificação. A sua ação permanece por mais tempo comparada à da amilase contida no malte que é mais sensível ao calor. Elas afetam a estrutura do amido de forma positiva, tornando-a resistente e mais firme durante o envelhecimento.

Glucoamilase As **glucoamilases** transformam as cadeias de dextrina geradas pelas amilases em glicose, o que torna mais fácil para o fermento processar e melhorar sua atividade durante o crescimento. Essas enzimas são, às vezes, usadas para repor parcialmente outros açúcares na fórmula e para criar um produto final que é um pouco menos doce, mas que ainda retém um sabor adocicado.

Protease A protease, que transforma as proteínas formadoras de glúten em massa, apresenta as mesmas funções que os agentes redutores. O melhoramento da extensibilidade da massa permite que o glúten se estique mais e acumule mais gás, mas a degradação enzimática do glúten reduz a tolerância da massa. Por essa razão, essas enzimas não são comumente usadas para produção de pães.

A protease é mais frequentemente usada para laminação ou massas finas como a massa folhada, biscoitos e pizzas, bem como para correções em casos de encolhimento. A protease melhora a utilização da massa em máquinas e a consistência dos produtos finais.

Hemicelulose Pentosanas ou hemiceluloses são longas cadeias de moléculas de carboidrato que estão naturalmente presentes na farinha. Essas moléculas complexas podem ser descritas como suplementos de gomas e fibras com um poder muito alto de absorver água. A sua função na massa é atrair e distribuir água. Os dois tipos de pentosanas encontrados em cereais são solúveis e indissolúveis. As pentosanas solúveis ajudam a ligar a água aos componentes da farinha, melhorando as suas propriedades reológicas e a viscosidade. As pentosanas indissolúveis atraem e retêm bastante água que permanece fixa. As pentosanas indissolúveis desorganizam fortemente a formação da cadeia de glúten.

Quando as hemiceluloses (também chamadas pentosanases) (pentosanases são enzimas e hemicelulose são carboidratos, totalmente diferentes) são adicionadas à massa, elas quebram as pentosanas indissolúveis e as transformam em pentosanas solúveis. Essa ação naturalmente lança um pouco de água na massa, melhorando a estrutura do glúten e facilitando o manuseio da massa. Mais gás será retido durante a fermentação, e o pão terá um volume maior. Em alguns países, a hemicelulose é adicionada diretamente na farinha durante a moagem. Eles são ingredientes ativos em certos melhoradores de massa.

Glicose oxidase A **glicose oxidase** converte a glicose em ácido glicônico, formando um pouco de peróxido de hidrogênio no processo. Esse componente atua como oxidante e aumenta a força do glúten. Em alguns casos, a glicose oxidase pode substituir oxidantes químicos como o bromato de potássio ou o ácido ascórbico. A glicose oxidase oxida o AA para ácido deidroascórbico que modifica a proteína formadora de glúten, formando mais ligações para aumentar a força e viscosidade da massa. Todos os benefícios dos oxidantes podem ser obtidos com essa enzima.

Lípase A farinha contém naturalmente alguns lipídios, ou moléculas de gordura, que impedem a formação de glúten durante a mistura ao interferir com a proteína. Adicionar enzimas lípases na massa, vai modificar a estrutura desses lipídios naturalmente presentes. Como resultado, o glúten se torna mais tolerante e a massa tem melhor desempenho no cozimento. Algumas lípases também transformam a gordura em emulsificantes. Embora não tão eficientes, o mesmo resultado pode ser obtido quando SSL ou Datem são usados. Em geral, o uso de lípase é limitado a massas mais enxutas. Essas enzimas não são usadas em fórmulas com lacticínios ou com outros tipos de gordura porque, pela reação, podem ocorrer aromas ruins que geram pães com gosto desagradáveis.

Quantidades de uso

É muito raro usar apenas uma enzima na massa. Normalmente, as enzimas são combinadas em um complexo de misturas que produzem mais de uma atividade. Mesmo se as misturas são vendidas sob determinada forma padronizada de uma única atividade, "outros efeitos colaterais ou efeitos secundários" podem ser obtidos e produzem qualidade. As enzimas também são associadas, às vezes, com outros aditivos como o ácido ascórbico ou emulsificantes para obter a melhor sinergia entre as funções dos componentes e ótimos resultados.

A atividade da enzima é medida em laboratórios usando procedimentos de análise que diferem das condições da padaria. A medição da atividade pode também variar entre os fornecedores de enzima. Por essa razão, é difícil fornecer quantidades específicas de uso ou recomendar medidas. Os testes de cozimento devem ser conduzidos de acordo com as recomendações dos fornecedores de enzimas, e em condições controladas para se chegar aos níveis ideais de enzimas para ingredientes, fórmulas e processos de panificação.

AGENTE CARREADOR (*FILLERS*)[3]

Em uma padaria, às vezes é difícil utilizar um ingrediente ou a combinação de ingredientes ativos puros, especialmente porque pesar quantidades muito pequenas e misturá-las homogeneamente com a farinha pode ser um desafio. A maioria dos melhoradores de massa contém uma

---

[3] São carreadores ou agentes diluentes (agentes de carregamento de substâncias). No fermento químico, por exemplo, só a menor parte do pó branco é fermento; a maior, é amido. (NRT)

mistura de ingredientes ativos que são normalmente diluidos em *fillers* para facilitar a pesagem e evitar que a massa fique empelotada. Os *fillers* não têm nenhuma função na massa e não afetam suas características nem as do pão. Os *fillers* mais usados são farinha, amido e, às vezes, sulfato de cálcio.

MELHORADORES DE MASSA: CONCLUSÃO

Ao escolher um condicionador de massa, os padeiros com um bom conhecimento das funções de cada ingrediente ativo podem fazer a melhor escolha para a produção e evitar efeitos adversos. É importante, também, lembrar que esses aditivos são adicionados no moinho, e nem sempre é necessário adicioná-los novamente na padaria.

Os aditivos e as enzimas são substâncias bastante ativas e potentes que podem afetar as características da massa, mesmo que sejam usadas pequenas quantidades. Por essa razão, a precisão é essencial ao se adotar os melhoradores de massa. Uma combinação precisa de ingredientes de alta qualidade com um método de panificação adequado ainda é a melhor maneira de oferecer produtos de alta qualidade, e os melhoradores de massa são totalmente opcionais. Entretanto, as limitações na produção, a qualidade dos ingredientes e a falta de experiência profissional são algumas das razões pelas quais o padeiro deva optar por melhoradores de massa adequadamente selecionados.

RESUMO DO CAPÍTULO

A farinha é um ingrediente muito simples, mas, conforme foi visto neste capítulo, suas características podem afetar intensamente o processo de panificação. As propriedades da farinha são influenciadas pelo intrincado processo de cultivo do trigo, pelo processo de moagem e pelo tratamento da farinha. Os profissionais da indústria moageira e de panificação devem ter o controle de todas essas etapas para ter uma produção consistente como rotina.

A informação técnica avançada tratada neste capítulo pode não ser aplicada na rotina diária de uma padaria, mas será muito útil para os profissionais que quiserem entender melhor o processo da farinha e experimentar uma panificação mais sofisticada.

PALAVRAS-CHAVE

- ❖ agentes redutores
- ❖ alveográfico
- ❖ certificado de análise
- ❖ emulsificantes
- ❖ enriquecimento
- ❖ estabilidade
- ❖ *falling number*
- ❖ farinográfico
- ❖ formulário de especificações técnicas
- ❖ glicose oxidase
- ❖ glucoamilases
- ❖ Índice de Tolerância da Mistura (ITM)
- ❖ informação analítica
- ❖ maturação
- ❖ melhoradores de massa
- ❖ oxidantes
- ❖ partes por milhão (ppm)
- ❖ pentosanas (hemiceluloses)
- ❖ tempo de chegada
- ❖ Tempo de Desenvolvimento da Massa (TDM)
- ❖ tempo de partida
- ❖ teor de cinza

QUESTÕES PARA REVISÃO

1. Qual é o objetivo do Formulário de Especificações Técnicas? Quais são as principais informações analíticas que ele fornece?

2. Que tipo de informação o alveográfico e o farinográfico fornecem?

3. O que é o *falling number*?

4. O que pode ser feito para melhorar a tolerância à fermentação da massa?

5. Quais são os principais aditivos usados em panificação? Quais são as suas funções na massa e seus efeitos nos produtos finais?

PROCESSOS ALTERNATIVOS DE PANIFICAÇÃO

OBJETIVOS

Depois de ler este capítulo, você será capaz de:

◗ Dominar os métodos disponíveis de panificação.
◗ Explicar o método de cozimento parcial do pão.
◗ Explicar o método de congelamento da massa de pão.
◗ Explicar o método de congelamento da massa de pão pré-fermentada.

MÉTODOS ALTERNATIVOS DE PANIFICAÇÃO

Os padeiros têm muitas opções sobre como desenvolver e assar seus produtos. Este capítulo vai introduzir e explicar diversas opções de panificação que podem produzir pães de alta qualidade usando métodos que atuam no tempo de fermentação, no cozimento, no armazenamento e na distribuição do produto. Os métodos opcionais de produzir pães oferecem conveniência e variedade aos padeiros e aos clientes. O pão pré-assado por exemplo, permite que os consumidores tenham um produto "fresco" pronto para ser servido ou vendido em torno de 10 a 15 minutos, ao passo que produtos de massa congelada permitem ao padeiro limitar a quantidade de produção na padaria. Alguns padeiros, por exemplo, talvez escolham assar seus pães frescos diariamente, e comprar viennoiserie congelada. Pães pré-cozidos, massa congelada e massas pré-fermentadas congeladas transformaram completamente a indústria da panificação e se tornaram comuns em muitas padarias ao redor do mundo. Sem considerar o processo alternativo usado, um bom conhecimento da técnica e dos equipamentos adequados é necessário para garantir bons resultados no produto final.

Figura 7-1
Comparação entre baguete pré-assada e baguete assada normalmente.

PÃES PRÉ-ASSADOS

Os pães pré-assados apareceram pela primeira vez nos Estados Unidos em 1950 com a designação "assar e servir". Seu mercado principal era a indústria. Na Europa, especialmente na França, o método do pão pré-assado ganhou popularidade nos anos 1990, em geral usado para produtos do tipo baguetes, minibaguetes e *dinner rolls* (minifrancês) (ver Figura 7-1).

Por essa mesma época, o método se tornou novamente popular nos Estados Unidos por causa do fornecimento de pães artesanais em larga escala. O processo do pão pré-assado é a única forma de produzir uma grande quantidade de pães sem usar aditivos químicos para preservar o frescor do produto final.

O MÉTODO DE COZIMENTO PARCIAL

Formulação

No **método de cozimento parcial**, a massa é assada até o amido se tornar gelatinizado e a proteína, coagulada. Nesse ponto, a estrutura do produto estará sólida, e seu volume quase concluído. O pão é então retirado do forno quando a crosta está ainda com uma coloração levemente bege. Embora qualquer fórmula tradicional possa ser usada com esse método, as orientações especiais indicadas a seguir devem ser consideradas:

- O pré-fermento e/ou um tempo da primeira fermentação longo deve ser adotado para obter o desenvolvimento máximo do sabor.
- A hidratação da massa deve ser reduzida para ajudar o pão a manter a sua estrutura depois do primeiro cozimento e evitar que murche.
- Quando for o caso, os níveis de açúcar devem ser diminuídos para minimizar a coloração da crosta na primeira parte do cozimento e prevenir a retirada do forno antes do tempo, o que vai aumentar o risco de o pão murchar.
- O teor de gordura deve ser reduzido para evitar um excessivo enfraquecimento da estrutura da massa.

Qualquer tipo de farinha especial pode ser usado em fórmula com pães pré-assados, como farinha de trigo integral, centeio e espelta. A fraqueza da proteína típica dessas farinhas não é problema, porque o pão é assado até que sua estrutura final esteja concluída.

Mistura e fermentação

Nenhuma mudança significativa deve ser feita durante o processo de mistura e fermentação. A maior vantagem do processo de cozimento parcial é que a massa produzida com o método básico de mistura (que possui uma estrutura de glúten muito frágil), com um longo tempo de fermentação, pode ser facilmente assada. Como no processo normal de panificação, os pré-fermentos são recomendados para um excelente desenvolvimento de sabor.

Divisão e pré-moldagem

A capacidade em preparar produtos pré-assados para manter sua estrutura depois do primeiro cozimento está baseada no peso, no formato e no diâmetro das peças moldadas. Pães redondos grandes que pesam mais do que 450 g, como as broas ou *miches*, normalmente não funcionam muito bem com esse método e tenderão a encolher. Além das enormes proporções, a grande quantidade de massa vai naturalmente desencadear um retardamento da estrutura interna do pão, enquanto a crosta começará a tomar cor. Um primeiro cozimento muito curto vai resultar em um pão murcho, mas assar até que a estrutura interna esteja finalizada vai resultar em uma crosta que pode ser muito grossa e seca e que pode se esfarelar durante o segundo cozimento. A única maneira de ser bem-sucedido com esse tipo de produto, sem que o pão encolha, é aumentar o tempo do primeiro cozimento até que a estrutura interna apenas esteja se consolidando e a crosta adquirindo uma leve coloração.

A pré-moldagem deve ser feita da mesma forma que o habitual. A massa com tendência a ser mais fraca vai se beneficiar de uma moldagem mais firme para reforçar a firmeza e criar um produto final com uma abertura definida e arredondada.

Descanso e moldagem

O tempo de descanso e os cuidados com o pão pré-assado são os mesmos para os pães normais. A moldagem, manual ou a máquina, é feita da mesma forma que a dos pães normais. As formas longas e estreitas são melhores que as curtas e mais volumosas.

Fermentação e cortes

Ao se utilizar o processo de cozimento parcial, é melhor assar a massa quando ela estiver quase atingindo a plena fermentação. É muito importante evitar a fermentação em excesso porque vai criar um pão com grande volume e com estrutura muito frágil que certamente vai murchar depois do primeiro cozimento. Se a massa estiver quase na fermentação plena, o corte pode ser um pouco mais profundo do que o normal para estimular o crescimento da massa e a abertura dos cortes.

O primeiro cozimento

O primeiro cozimento é a única etapa diferenciada no método de cozimento parcial do pão. O objetivo é assar o pão até que a sua estrutura esteja completa, a "pele" ou o começo da crosta esteja formada, e a crosta comece a adquirir uma leve coloração sem tostar. Se a formação da crosta estiver muito avançada, podem ocorrer dois problemas importantes. O primeiro é que a excessiva perda de umidade durante o primeiro cozimento vai ressecar a crosta muito rapidamente e causar um esfarelamento durante o segundo cozimento. O segundo problema é que a excessiva perda de umidade durante o primeiro cozimento vai fazer que o processo de ressecamento do pão ocorra muito antes que o normal.

Há duas possibilidades de curvas de cozimento. Para pães menores, uma temperatura mais alta por um período mais curto no começo do cozimento vai aperfeiçoar o *oven kick* (ou a estufada no forno) e o desenvolvimento do pão, ao mesmo tempo que vai prevenir a coloração excessiva. Por sua vez, uma temperatura baixa por um período mais longo vai evitar a cor em excesso, mas vai afetar negativamente o *oven kick*, o volume final e a umidade.

A melhor opção, quando o tipo de forno permitir, é começar em temperatura alta para promover o *oven kick*, e então diminuir a temperatura rapidamente no restante do cozimento. Para conseguir um padrão de temperatura, a melhor escolha são os fornos túneis com controle de temperatura separado para toda a sua extensão. Os fornos com *deck* também funcionam bem porque o contato direto entre a massa e o *deck* promove naturalmente o *oven kick*. Infelizmente, esse contato produz uma base escura no pão e importante perda da umidade, o que pode comprometer a sua durabilidade. Ao usar um forno com *rack*, a disposição das prateleiras vai permitir a programação de temperaturas diferentes durante o ciclo de cozimento.

Resfriamento

As condições normais de resfriamento que fornecem um suporte adicional funcionarão para o pão pré-cozido, mas, em razão da sua estrutura mais frágil, não devem ser empilhados ou amassarão facilmente.

Os produtos pré-cozidos não têm uma crosta tão grossa a ponto de interferir na evaporação da água do miolo. Em razão disso, eles são mais propensos a perder água durante o resfriamento. Um espaço com controle de temperatura e de umidade pode ajudar.

Depois do resfriamento

Depois do resfriamento, o pão pré-assado pode ser processado fresco ou congelado.

O pão pré-assado fresco A durabilidade do pão pré-assado fresco é muito limitada. Dependendo da fórmula e do pré-fermento usado, começam a ressecar e envelhecer em média de dois dias. O crescimento de fungos pode ser um problema também em climas úmidos. Se o pão pré-assado for embalado e tratado com uma mistura de dióxido de carbono e nitrogênio, a durabilidade pode se estender até dez semanas. As novas tecnologias de embalagens a vácuo também permitem longa durabilidade sem congelamento. Nesse processo relativamente novo, o pão é resfriado sob condições específicas antes de ser empacotado e armazenado.

Depois de ser assado e resfriado, o pão é armazenado em prateleiras ajustadas com uma capa protetora. Essa medida previne o ressecamento excessivo por causa do movimento do ar do ambiente e mantém a umidade nas prateleiras. Em razão da fragilidade da estrutura do pão pré-assado, o produto deve ser transportado em bandejas para evitar que o excesso de peso o amasse.

O pão pré-assado congelado Os produtos pré-assados podem ser congelados sob condições específicas. Esse processo naturalmente interrompe o desenvolvimento de micro-organismos e mofos, bem como o envelhecimento. Adotando o procedimento normal, os pães pré-assados resfriam até a temperatura interior alcançar em torno de 28 °C. A partir daí, são colocados em um ultracongelador programado para aproximadamente −41 °C usando esteira automática ou *racks* de metal para melhor distribuição da temperatura. O *blast freezer*, ou **ultracongelador**, é usado para congelar produtos rapidamente, diminuindo o ressecamento e a formação de cristais no seu interior. Como o nível máximo de envelhecimento do pão ocorre em temperaturas entre 4 °C a 10 °C, é muito importante passar por essa zona crítica o mais rapidamente possível.

Para reter a umidade e preservar o frescor depois do segundo cozimento, o pão pré-assado, com uma temperatura em torno de 30 °C, pode ser colocado no ultracongelador. Entretanto, há duas desvantagens importantes nessa técnica. A primeira é o alto custo de energia necessária para resfriar a temperatura interior do pão. A segunda é o risco de criar uma excessiva condensação e congelamento no freezer, o que vai diminuir a duração do equipamento e aumentar a necessidade de manutenção.

Depois que o pão atingiu a temperatura de −12 °C a −18 °C, é retirado do freezer e embalado em sacos plásticos e caixas de papelão. É importante limitar o tempo em que o pão fica no freezer para evitar ressecamento excessivo. A embalagem é um passo muito importante para a qualidade do produto. Evita que o pão resseque e se quebre, facilita o manuseio e permite apresentar as informações do produto.

Depois de corretamente embalados, os pães pré-assados são colocados em um freezer convencional em temperatura de −18 °C. Se o processo completo do cozimento ao congelamento for seguido, a vida útil do pão no freezer pode ser de sete a dez semanas sem nenhuma perda importante de umidade.

Distribuição Os produtos pré-assados descongelam muito rapidamente, o que torna essencial o transporte em caminhões equipados para manutenção da temperatura do freezer. Mesmo o descongelamento parcial resultará em condensação, que pode causar esfarelamento da crosta frágil e o início do processo de deterioração. Os clientes devem armazenar os pães pré-assados em um freezer até o momento de assá-los pela segunda vez.

O segundo cozimento ou o cozimento final

Durante essa etapa final, a temperatura da crosta sobe, a crosta continua a se formar e a apresentar coloração por causa da caramelização dos açúcares, e inicia, assim, a reação Maillard. O miolo, que já estava formado, vai recuperar seu frescor e apresentar características muito semelhantes aos pães frescos.

A grande vantagem do método de cozimento parcial é que o consumidor final pode assar o pão em qualquer tipo de forno. Para melhores resultados, fornos a vapor são recomendados, porque produzem uma crosta mais brilhante e previnem a perda excessiva de umidade.

Quando possível, o pão pré-assado deve ser colocado em formas perfuradas. Colocar o pão diretamente na base do forno pode criar uma crosta seca e dura que não é muito agradável. Do mesmo modo para o pão assado no método tradicional, a temperatura do forno depende do tipo de forno e do tamanho da massa. No entanto, o pão pré-assado deve ser levado ao forno em temperatura levemente mais alta do que o normal (em torno de 10 °C a 16 °C mais alta) e por um período mais curto para evitar ressecamento excessivo da crosta e perda da umidade de todo o produto.

Resfriamento

Muito mais do que o pão assado de forma tradicional, o pão pré-assado deve ser resfriado em perfeitas condições para limitar a perda de umidade e evitar o ressecamento e a crosta esfarelada.

PÃO PRÉ-ASSADO: CONCLUSÃO

O método de assar o pão pré-assado é uma combinação entre tecnologia da massa congelada e panificação tradicional. Até o primeiro cozimento, a primeira parte do processo é a mesma do tradicional, e a segunda parte é comparável ao processo de congelamento. O método de cozimento parcial tem inúmeras vantagens:

- O uso do pré-fermento e/ou o longo tempo de fermentação produz um produto de qualidade.
- A possibilidade de usar farinhas especiais como centeio, espelta ou trigo sarraceno permite aos padeiros oferecer aos clientes uma linha de produtos diversificada sem precisar manusear massas especiais diariamente.
- Produção em escala do mesmo produto torna o processo mais eficiente e diminui os custos de mão de obra.
- Pães pré-assados podem estar disponíveis para a venda (na padaria) ou para servir (em restaurantes) em 15 a 30 minutos depois de serem retirados do freezer. Essa facilidade torna possível vender ou servir pão fresco até o fim do dia sem acumular sobras.

É fundamental mencionar que o processo de cozimento parcial do pão também tem desvantagens importantes. As principais referem-se a espaço e maiores investimentos para aquisição de equipamentos necessários para realizar o processo de forma eficiente. Além disso, se os produtos não forem congelados em um ultracongelador ou se não forem armazenados adequadamente, a qualidade estará seriamente comprometida. Por fim, o padeiro tem de ter certeza de que o consumidor intermediário será orientado sobre o procedimento, mantendo tempo e temperaturas adequados para obter um produto de qualidade.

MASSA CONGELADA

No **processo de massa congelada**, o congelamento pode ser feito logo após a moldagem. Quando for preciso, a massa será descongelada e então deixada para fermentar como de costume. Mesmo considerando que esse processo de cozimento não é amplamente usado na produção artesanal ou na tradicional, pode revelar-se um recurso valioso em algumas circunstâncias. Essa técnica pode ser adotada para pequenas quantidades de pães, produção ocasional, ou apenas produtos de fim de semana para evitar a mistura de pequenas quantidades de massa diariamente ou para adicioná-la ao lote do fim de semana, que geralmente são períodos mais movimentados.

Das características dos ingredientes ao processo mesmo, alguns poucos pontos importantes devem ser respeitados para um produto da melhor qualidade. Os dois principais aspectos para o congelamento são a produção de gás pelo fermento e a retenção de gás pela massa. O padeiro deve saber conservar o fermento suficientemente ativo para manter a produção de gás. Ao mesmo tempo, as propriedades físicas do glúten devem ser retidas para evitar a degradação e garantir que a massa seja capaz de reter dióxido de carbono no momento em que a massa for descongelada e recomeçar o processo de fermentação.

A SELEÇÃO DE INGREDIENTES CONGELADOS
Farinha

A farinha deve ser escolhida cuidadosamente para a obtenção de proteína de ótima qualidade. A estrutura do glúten precisa ser suficientemente forte para suportar danos relacionados ao congelamento, como a formação de cristais de gelo que interferem na cadeia de glúten, embora ainda precise ser suficientemente extensiva para manter as boas propriedades de manuseio. O teor de proteína pode ser um pouco mais alto do que a farinha usada para a panificação tradicional.

Água

Geralmente diminui-se a quantidade de água para massa congelada. A intenção é minimizar a atividade da água "livre" na massa e reduzir a formação de cristais de gelo. Além disso, massa mais firme vai garantir melhor forma durante o processo de congelamento.

Fermento

Há basicamente duas opções de fermento para o processo de massa congelada: fermento fresco compactado e fermento especial para massas congeladas. O fermento fresco, a escolha mais econômica, funciona bem somente se for novo. Se já estiver passado, vai acumular células danificadas, que serão prejudicadas ainda mais pelo congelamento. Além disso, em razão do alto teor de umidade do fermento fresco, a atividade de fermentação se torna bastante instável, especialmente depois de cinco a sete dias no congelador.

O fermento especial para massas congeladas é apresentado na forma de fermento seco. Suas células são especialmente concebidas para resistir às temperaturas do freezer por longos períodos sem a perda excessiva de gás. Por causa do baixo teor de umidade, é mais estável e vai funcionar melhor no método de massas congeladas. O fermento para massas congeladas, que deve ser sempre armazenado no freezer, pode ser encontrado em duas versões: uma para massas sem gordura e outra para massas com alto teor de açúcar. Assim como na panificação tradicional, a escolha do fermento depende da porcentagem de açúcar da fórmula.

Os fermentos ativos ou secos instantâneos não são adequados para um congelamento muito longo, pois contêm mais células danificadas do que o fermento fresco. Essas células danificadas liberam um componente chamado glutationa, que enfraquece a estrutura do glúten, compromete a retenção de gás e o fortalecimento da massa, e todos eles produzem um pão que tende a ficar pesado depois de assado.

Sal

Para fortalecer o glúten e acrescentar um pouco mais de sabor para compensar a falta da primeira fermentação, a porcentagem de sal usada pode se manter a mesma ou aumentar para 2,2% a 2,5%. Pode ser usado qualquer tipo de sal. Uma quantidade maior de sal naturalmente retardará a fermentação e a produção de gás depois da mistura, o que terá um efeito positivo na qualidade do pão.

Açúcar

Se a fórmula indicar o uso de açúcar, a quantidade deve ser levemente reduzida para compensar o tempo muito limitado da primeira fermentação. Uma quantidade excessiva de açúcar residual pode fazer que a crosta do pão assuma uma cor avermelhada. Ao mesmo tempo, o açúcar pode ter um efeito positivo no processo de massa congelada. Em razão de suas propriedades higroscópicas, o açúcar reduz o nível de água "livre" no sistema da massa, reduzindo a formação de cristais de gelo e diminuído os danos que podem atingir as células do fermento.

Melhoradores de massa

Na maioria dos casos, os melhoradores de massa devem ser usados para reforçar a estrutura do glúten. Os oxidantes químicos, como ácido ascórbico, desempenham importante papel em compensar a falta de oxidação natural em razão do curto tempo da primeira fermentação. O bromato de potássio também pode ser utilizado em lugares em que ainda é permitido.

Em combinação com agentes oxidantes, os agentes redutores às vezes são necessários para melhorar a extensibilidade da massa e facilitar seu manuseio na máquina. A L-cisteína, o ácido ascórbico e o fermento desativado são os agentes redutores mais usados.

O glúten de trigo vital é usado para reforçar os níveis naturais de proteínas na farinha, quando necessário. No entanto, usar mais do que 5% de glúten de trigo vital pode desencadear alta absorção de água e aumentar a formação de cristais de gelo na massa.

Outros melhoradores de massa como emulsificantes, enzimas, ou gomas podem ser usados para melhorar as características da massa e do pão. Os emulsificantes produzem glúten forte capaz de reter mais gás e criar um miolo macio e umedecido. As gomas ajudam bastante na retenção de gás, mas comprometem a crocância da crosta.

O MÉTODO DA MASSA CONGELADA

A mistura

Ao usar o método de congelamento, o objetivo do padeiro é ajustar a mistura para obter um ótimo desenvolvimento do glúten. Esse processo de mistura intensivo automaticamente produz uma massa mais forte, com boa retenção de gás e que não vai murchar durante o descongelamento.

A consistência da massa deve ser firme o suficiente para limitar o movimento da água e fortalecer o glúten para resistir aos danos que possam ocorrer durante o processo de congelamento. Tempos de mistura mais longos são os recomendados para favorecer a oxidação, mas produzem um efeito negativo por causa da perda dos pigmentos carotenoides e acabam gerando um miolo mais branco e de sabor inferior. A adição do sal também pode ser adiada para estimular a oxidação e criar um glúten mais forte.

Para compensar a fricção gerada pela longa mistura e limitar a produção de gás antes de congelar, a temperatura da água deve ser fria, e às vezes é necessário acrescentar gelo. Essa medida é necessária para manter a temperatura da massa sob controle. O objetivo é obter uma temperatura da massa final depois da mistura entre 18 °C e 20 °C. Também é possível manter a temperatura da farinha o mais fria possível ao armazenar um pouco no freezer, embora esse método não seja conveniente para grandes produções.

Fermentação

Para evitar o início da produção de gás, a primeira fermentação deve ser muito curta ou simplesmente evitada. Em razão da temperatura fria da massa, a fermentação será limitada ou inexistente, e essa etapa é considerada mais um momento de descanso para relaxar o glúten antes da divisão.

A primeira fermentação deve ser reduzida ao máximo para evitar a acumulação de gás que vai aumentar a pressão interna e estender o glúten. Além disso, os subprodutos do gás, como o álcool, podem produzir alguns danos nas células do fermento, comprometendo sua sobrevivência durante o processo de congelamento e podendo criar alguns problemas durante a fase da fermentação final depois de descongelar.

Divisão

A divisão deve ser feita o mais rapidamente possível para preservar a massa de uma alta elevação da temperatura, o que pode desencadear a atividade da fermentação. Em geral, divisoras volumétricas de alta velocidade são usadas na produção em escala. Para pequenas produções, as misturas devem ser feitas em porções menores de massa para poder processá-las o mais rapidamente possível.

O descanso da massa

O descanso da massa é outra etapa que deve ser realizada no tempo mais curto possível para evitar ou minimizar a fermentação. O período deve ser longo o suficiente para relaxar o glúten e permitir a moldagem sem esgarçar a massa. Às vezes, especialmente para massas sem gordura e açúcar, deve ser adicionado um agente redutor à fórmula para melhorar a extensibilidade sem alongar o descanso.

As massas frias tendem a ressecar mais rapidamente, dessa forma devem ser cobertas ou trabalhadas em um ambiente suficientemente úmido para evitar que sua superfície se torne seca.

Moldagem

A moldagem deve ser feita rapidamente para limitar a fermentação e a produção de gás.

Congelamento instantâneo

O congelamento instantâneo é uma etapa crucial nesse processo e deve ser feito imediatamente depois da moldagem para evitar a produção excessiva de gás. É importante resfriar a massa o mais rapidamente possível para minimizar o tamanho dos cristais de gelo. Um resfriamento mais lento criará cristais de gelo maiores que podem interferir com a cadeia de glúten e danificar as células do fermento, provocando inúmeros problemas, incluindo a produção de glutationa. Depois do congelamento, a massa começa a sua atividade química e o excesso de glutationa pode causar acentuada degradação da estrutura da massa.

A temperatura do ultracongelador deve ser programada em torno de −30 °C a −35 °C. Temperaturas mais baixas do que essas podem causar danos irreversíveis ao fermento e à estrutura do glúten. O tempo necessário no ultracongelador depende dos seguintes fatores:

- Do tipo do freezer. Os ultracongeladores mecânicos levam o dobro do tempo do que os criogênicos. Entretanto, se o congelamento ocorre de forma muito rápida pode quebrar algumas cadeias de proteínas, especialmente na superfície da massa. Isso pode resultar em algumas rachaduras visíveis na superfície da crosta do produto final.
- Da temperatura inicial da massa antes de ser colocada no ultracongelador.
- Do peso e o formato da massa. Um filão vai congelar mais rapidamente do que uma broa de 500 g.
- Da temperatura do ultracongelador quando a massa é colocada para congelar. Se o ultracongelador for resfriado antes, então o processo de congelamento será mais rápido, caso contrário pode levar mais tempo.

Em resumo, o objetivo é manter a temperatura interior da massa entre −12 °C e −18 °C, que é, em geral, a temperatura de armazenagem da massa depois do congelamento e da embalagem.

Embalagem

Depois do processo de congelamento instantâneo, as massas congeladas devem ser imediatamente embaladas. A embalagem é muito importante para proteger a massa de desidratação durante o armazenamento no freezer, onde o ar tem um nível baixo de umidade relativa. Para prevenir a perda de umidade, o material da embalagem deve ser fechado a vácuo, mas também flexível e resistente à temperatura.

Armazenamento

A temperatura de um **freezer convencional** é em torno de –18 °C –20 °C, variando em poucos graus para mais ou para menos. Nessa temperatura, e se o congelamento instantâneo foi feito corretamente, as massas congeladas podem ser mantidas de duas semanas a seis meses, dependendo da criatividade, do rodízio de estoque, do mercado (local ou externo) e do tamanho do freezer. O nível de fermento na massa final deve ser ajustado para compensar pelo armazenamento, já que o poder da fermentação diminui com o tempo. Um tempo muito longo de armazenamento vai precisar mais do que o dobro da quantidade de fermento usada na panificação tradicional.

Transporte

É muito importante manter a temperatura fria durante a distribuição para garantir que a massa permaneça congelada. Os produtos devem ser mantidos de –18 °C a –20 °C para evitar o descongelamento total ou parcial, o que pode prejudicar a qualidade do produto final. As embalagens devem ser manuseadas com muito cuidado, já que os formatos longos, como as baguetes finas, podem ser muito frágeis.

Descongelamento

Durante o processo de descongelamento, um nível muito alto de umidade vai condensar na superfície da massa, o que a torna muito pegajosa impedindo que fermente em tecido. Por essa razão, a única maneira de descongelar e fermentar a massa congelada é colocá-la em formas, ou em formas caneladas para massas de formato longo e fino.

Para reativar a fermentação da massa, três métodos de descongelamento podem ser usados. O primeiro consiste em remover a massa do freezer e colocá-la em formas com espaço suficiente para a fermentação e distribuição de calor durante o cozimento. Essas formas são colocadas diretamente nas estufas com a temperatura de no máximo 29 °C. Esse é um método rápido que pode ser bastante inconsistente. A temperatura na superfície da massa vai aumentar mais rápido do que a do interior. Como resultado, o fermento vai tender a ser mais ativo na superfície do que no interior, produzindo um pão com pequeno volume e o miolo denso no centro.

O segundo método de descongelamento consiste em descongelar a massa em temperatura ambiente e então colocá-la na estufa. Assim como na primeira técnica, essa criará uma condensação bastante intensa e um nível maior de fermentação na superfície da massa.

A terceira técnica oferece aos consumidores um resultado muito melhor. Depois de serem colocados nas formas, os pedaços de massa congelados são deixados para descongelar no retardador. O estágio inicial do descongelamento ocorre em temperatura baixa, em torno de 4 °C, o que faz que lentamente o interior da massa passe de –18 °C para 0 °C. Esse método reduz muito o processo de condensação na superfície da massa e garante uma temperatura estável em todo o produto.

A segunda parte do processo é mudar a temperatura do retardador de 0 °C para 25 °C, ou mais, para aumentar a temperatura do interior da massa até que ela tenha crescido o suficiente para ser assada. Durante essa etapa, a umidade deve ser usada para garantir as condições adequadas para a fermentação. Essa técnica cria pães de excelente qualidade feitos de massa congelada. Caso não haja retardador disponível na padaria, uma combinação de câmara fria e retardador de fermentação vão garantir os mesmos resultados. As prateleiras com a massa com os produtos devem ser manualmente transferidas das câmaras para a estufa em tempo adequado.

Cozimento

O cozimento pode ser feito em fornos com *rack* ou de convecção equipados com gerador de vapor. Os fornos com *deck* podem ser usados, mas, como a massa é assada em formas, a vantagem do contato direto com a pedra é perdida. A temperatura do forno deve ser diminuída um pouco para compensar pela quantidade de açúcar residual ainda presente na massa.

A massa congelada deve ser assada por padeiros qualificados, capazes de descongelar adequadamente, decidir quando o processo de fermentação foi concluído e realizar bons cortes. Comparado com o pão pré-assado, que precisa apenas ser assado novamente, a massa congelada requer uma equipe mais experiente na finalização do processo. As instalações também precisam ser mais bem equipadas, com freezer, utensílios para cozimento como formas, formas caneladas, e câmara fria e estufa (ou retardador).

Outras opções

O desafio é proteger a massa congelada de uma deterioração excessiva. A quebra de proteína, que pode ocorrer, é reversível pela moldagem da massa para atuar sobre o glúten restaurando as suas propriedades iniciais de extensibilidade ou elasticidade. Uma opção é colocar a massa no ultracongelador depois da pré-moldagem usando o mesmo processo e tomando as mesmas precauções. Os blocos de massa são então descongelados na câmara fria e moldados. A moldagem vai fazer que as cadeias de glúten se aglutinem novamente, retomando assim a estrutura firme do glúten. Outra vantagem dessa técnica é que o pão pode ser fermentado em tecido ou em farinha de milho e assado diretamente em forno de pedra, produzindo miolo e crosta com características melhores.

O método da massa congelada pode também ser usado com massas enriquecidas com ovos e brioche. A gordura e os ovos geralmente incluídos nas fórmulas desses produtos protegem o glúten e acrescentam estabilidade durante o processo de congelamento e descongelamento. As massas com ovos ou brioches podem ser congeladas já moldadas, ou em blocos para serem moldadas depois de descongeladas. As massas enriquecidas congeladas em blocos, depois de descongeladas e moldadas, têm a força do glúten restaurada completamente, sendo possível obter um produto de boa qualidade.

O processo da massa congelada também pode ser adotado para massas laminadas, como as do croissant e do *danish*, pois permite que o padeiro obtenha uma eficiência melhor nos custos de produção e de mão de obra. A massa pode ser congelada em bloco ou depois de moldada. Quando for congelada em bloco, é recomendável dobrá-la uma vez depois de descongelada. Esta última dobradura vai automaticamente aglutinar novamente as cadeias de glúten e criar uma massa com propriedades de força melhores do que antes da moldagem. Nos dois casos, a fermentação final e o cozimento são feitos da mesma maneira que no processo de panificação tradicional.

CONGELAMENTO DA MASSA: CONCLUSÃO

Como a maioria dos métodos alternativos de panificação, a técnica da massa congelada melhora a qualidade de vida do padeiro e a eficiência da produção, assim como oferece facilidade ao cliente ou ao consumidor intermediário. Entretanto, os custos dos ingredientes, dos equipamentos e do transporte associado a essa técnica devem ser levados em consideração. A diminuição da qualidade dos produtos é uma desvantagem importante a ser considerada. Para períodos muito curtos de congelamento como de um a três dias, um processo de panificação normal com leve aumento de fermento e tempo de fermentação mais curto pode produzir bons resultados em padarias de pequenas proporções.

Uma última desvantagem é que o número de produtos que podem ser congelados como massa é bastante limitado. Massa feita com *sourdough*, por exemplo, não congela bem, já que o fermento natural e a levedura são muito sensíveis ao frio e serão bastante danificados em um longo período de congelamento.

Essa técnica, entretanto, pode ser muito interessante para viennoiserie (ver Capítulo 9). Croissants, *danish* e outros tipos de massas doces podem ser facilmente congelados nas diversas etapas do processo com uma perda de qualidade insignificante.

MASSAS PRÉ-FERMENTADAS CONGELADAS

Além dos métodos de cozimento parcial e da massa congelada, o congelamento de massas pré-fermentadas é a mais nova opção em panificação. Esse processo tem tido sua popularidade aumentada tanto na Europa como nos Estados Unidos, onde tem crescido a demanda por produtos frescos. O **método de congelamento de massas pré-fermentadas** permite ao consumidor final ter produtos frescos, disponíveis para vender ou para servir, em apenas 20 minutos sem descongelamento e fermentação. Além disso, não há a necessidade de ter profissionais qualificados ou mesmo de muitos equipamentos à disposição. O nível de fermentação pode variar; entretanto, o mais comum é 75% de fermentação. Já que todo o trabalho necessário para preparar os produtos congelados pré-fermentados é realizado na padaria, o consumidor final precisa apenas retirar os produtos da caixa, colocá-los no forno, e em 20 minutos estarão prontos para ser vendidos ou consumidos.

O PROCESSO

O maior desafio para o profissional é ter certeza de que a estrutura do glúten será suficientemente forte para reter o gás produzido durante a pré-fermentação, para mantê-lo durante o processo de congelamento, e ser capaz de se desenvolver mais tarde durante o cozimento final da massa. O tipo de farinha, o condicionador de massa e o método de panificação são essenciais para um produto pré-fermentado congelado ser bem-sucedido.

- A farinha deve ter um glúten com suficiente qualidade. Não precisa necessariamente ter muita proteína, mas sim proteína de boa qualidade. Às vezes é necessário adicionar o glúten de trigo vital para obter uma estrutura de glúten suficientemente forte.
- O condicionador de massa é em geral uma combinação especial de enzimas, oxidantes e emulsificantes. Algumas gomas especiais também são usadas para melhorar a viscosidade da massa e a retenção de gás.
- A massa deve ser misturada para obter um ótimo desenvolvimento de glúten que garanta sua estrutura forte. Tempo de mistura reduzido ou em excesso comprometerá a qualidade dos produtos finais, pois o glúten poderá se desestruturar durante o cozimento final do

produto. A temperatura da massa ao final da mistura é fundamental. Uma massa muito fria poderá ser difícil de manusear com as máquinas, enquanto uma massa muito aquecida poderá se tornar muito ativa em termos de fermentação e criar quantidade excessiva de gás antes do processo de congelamento.

▶ Depois da moldagem, dois processos podem ser aplicados dependendo da técnica e da fórmula usadas (porcentagem de fermento e melhoradores).

▶ Os produtos são colocados no freezer sem nenhum tempo de fermentação final ou por um tempo muito limitado. Esses produtos são feitos para irem diretamente ao forno, e o crescimento da massa vai ocorrer no começo do cozimento.

▶ Os produtos são pincelados com ovos (para massas doces), fermentados sob determinadas condições, e congelados. Após, são embalados, armazenados e distribuídos para os consumidores finais. Os consumidores finais precisam apenas retirar os produtos do freezer, colocá-los em forma apropriada e assá-los.

MASSAS PRÉ-FERMENTADAS CONGELADAS: CONCLUSÃO

A grande vantagem dessa técnica é que é muito conveniente e requer bem poucos equipamentos em relação ao consumidor final (o forno é o único equipamento necessário).

Em razão, porém, da falta da primeira fermentação, ou da dificuldade de incluir algum pré-fermento na fórmula (um excesso de produção de gás pode danificar o processo), a qualidade do pão produzido por essa técnica é definitivamente mais baixa em comparação com a da panificação normal ou do método de cozimento parcial. É muito importante controlar a quantidade de ingredientes químicos usados ao adotar essa técnica. Entretanto, a qualidade pode ser aceitável em se tratando de massas doces, mas somente quando produzidas com manteiga de boa qualidade e consumidas o mais frescas possível. Em geral, os grandes consumidores de massa doce feita com a técnica pré-fermentada congelada são hotéis, restaurantes, assim como cafés que frequentemente servem esses produtos. O transporte e o armazenamento de produtos congelados também são pontos críticos que devem ser respeitados para manter as propriedades dos produtos durante essa fase delicada do processo.

RESUMO DO CAPÍTULO

Os métodos de cozimento parcial da massa e das massas pré-fermentadas congeladas são ótimas opções para o padeiro. Cada técnica tem as suas próprias vantagens e desvantagens em termos de produção e de qualidade do produto. Além disso, cada processo requer muita precisão e atenção durante o processo de panificação para garantir que a qualidade do produto final não seja comprometida. O custo desses métodos opcionais é também alto, porque requerem equipamentos especiais, tais como o ultracongelador e o freezer para armazenamento. Em razão da falta de profissionais qualificados, cada vez mais produtos de panificação têm sido produzidos adotando-se essas técnicas.

PALAVRAS-CHAVE

- ❖ freezer convencional
- ❖ freezer para armazenamento
- ❖ método de cozimento parcial
- ❖ método de congelamento de massas pré-fermentadas
- ❖ processo de massa congelada
- ❖ processo de pré-fermentação congelada
- ❖ ultracongelador

QUESTÕES PARA REVISÃO

1. Quais são as vantagens da técnica de cozimento parcial?

2. Por que é necessário um ultracongelador para as técnicas de cozimento parcial e da massa congelada?

3. Por que não se pode adotar a primeira fermentação longa no processo de massa congelada?

4. Quais são as vantagens do congelamento da massa em bloco?

5. Quais são as vantagens e limitações da técnica de massa congelada pré-fermentada?

FÓRMULAS DE PÃES

INTRODUÇÃO ÀS FÓRMULAS DE PÃES

As fórmulas deste livro contemplam os procedimentos indicados para a produção de pães. São apresentadas, do começo ao fim, na ordem a ser seguida para as etapas necessárias da produção. As fórmulas são destinadas à produção comercial, mas também podem ser facilmente adaptadas para o consumo doméstico. A maioria das fórmulas é concebida para mostrar a fórmula original ou completa da qual o pré-fermento e a massa final provêm. Elas são consideradas fórmulas básicas. As fórmulas que requerem *sourdough*[1] ou um método de alimentação do fermento são consideradas complexas, portanto a fórmula original, ou completa, não será apresentada. Na discussão seguinte, vamos analisar uma fórmula simples para mostrar como surgem os pré-fermentos. Também analisaremos uma fórmula complexa para demonstrar como uma cultura *sourdough* se relaciona com a fórmula original e a massa final. As fórmulas de *sourdough* são feitas supondo-se que o padeiro já tenha uma cultura *sourdough* (ver Figura 4-6, na página 95, para saber como criar uma cultura *sourdough*). Considerando que as fórmulas são concebidas para grande produção, a fórmula final de um produto com *sourdough* é apresentada em uma sequência que obedece às etapas necessárias para a sua realização. A discussão a seguir oferece ao leitor os recursos necessários para compreender o formato dessas fórmulas. Essa lista se refere àquelas partes do texto em que é fundamental entender antes de começar a trabalhar com o produto. Antes de tentar preparar qualquer produto indicado neste livro, o leitor deve ler o texto e conferir as porcentagens do padeiro (Apêndice B).

---

[1] O autor utiliza o termo *sourdough* para definir massa azeda, ou seja, uma massa fermentada e acidulada que trará características específicas ao pão. É importante ressaltar que o termo *sourdough* para os norte-americanos é diferente do termo utilizado na Alemanha (*Sauerteig*) que é a cultura de farinha de centeio e água (Raws-Canella, S. *Pão*: arte e ciência. 2. ed. São Paulo: Editora Senac, 2006, p. 122). (NRT)

COMO INTERPRETAR UMA FÓRMULA DE PÃO

▶ Entender que as fórmulas são escritas para ser seguidas do começo ao fim, e que as indicações fornecem a sequência de etapas que vão permitir a confecção do produto.

▶ As fórmulas com produtos pré-fermentados (esponja, *poolish*, massa pré-fermentada) mostram inicialmente a fórmula do pré-fermento, e depois os ingredientes para a massa final, com os ingredientes totais da fórmula mostrando de onde provêm o pré-fermento e os valores finais.

▶ Qualquer fórmula que utilize um pré-fermento apresenta a porcentagem do pré-fermento utilizada. A porcentagem baseia-se na quantidade de farinha da fórmula total para fazer o pré-fermento.

▶ O termo *starter* se refere a uma porção de cultura *sourdough* que é misturada como alimentação conforme indicado na fórmula.

▶ O termo levedura se refere a uma cultura *sourdough* madura a ser usada na massa final.

▶ Um *starter* "firme" ou "líquido" se refere à hidratação da cultura *sourdough*.

▶ Se a cultura *sourdough* for baseada em farinha branca, a fórmula assim o indicará.

▶ A Tdesejada significa a Temperatura Desejada da Massa. (Ver Capítulo 3, página 59 em como calcular a temperatura da água para obter a Tdesejada adequada).

▶ A UR representa a porcentagem da umidade relativa, que considera o nível de umidade adequada para fermentar qualquer produto de panificação. Quando não for possível trabalhar em um ambiente úmido, considerar e evitar fatores que possam provocar o ressecamento da superfície do produto, tais como calor seco.

▶ A hidratação pode variar dependendo da qualidade e do teor de umidade da farinha.

▶ O tempo de mistura não é definido (ver Capítulo 3, páginas 71-73); ou o procedimento da mistura é apresentado considerando-se que o tempo pode variar de acordo com o tipo de misturador (o misturador de tipo planetário normalmente leva mais tempo do que o de espiral para que a massa se desenvolva), com a hidratação do produto, com o tipo de farinha usada e a quantidade de massa a ser misturada.

▶ Durante a mistura, a consistência da massa – que pode ser macia, meio-macia, média ou firme – é definida; isso permite ao padeiro conhecer a hidratação da farinha não o cálculo absoluto da água (significando que o padeiro possa adicionar ou diminuir a quantidade de água calculada de acordo com a consistência adequada da massa que ele deseja obter).

▶ Todas as fórmulas são apresentadas com Fermento Seco Instantâneo (FSI). No caso de converter para fermento fresco, usar a fórmula: FSI × 2,5 = Fermento Fresco.

▶ A primeira fermentação pode também ser referida como *bulk time* (pré-fermentação).

▶ A segunda fermentação também pode ser chamada fermentação intermediária.

▶ Ao misturar uma pequena quantidade de massa, adicionar aproximadamente 20% de tempo adicional para a primeira fermentação para compensar pelo menor efeito de volume da massa (ver Capítulo 4, página 113 para entender o efeito da massa).

▶ As farinhas para pão indicadas nas fórmulas se referem às farinhas de baixa proteína, tendo aproximadamente de 11% a 12% de proteína.

▶ O tempo e a temperatura variam de forno para forno e de acordo com o peso dos pães.

COMO DESENVOLVER UMA FÓRMULA BÁSICA

Quando for necessário desenvolver uma fórmula com pré-fermento, começamos com uma fórmula básica de massa. Chamam-se essas fórmulas de básicas porque as complexas são alimentadas com levedura, além da possibilidade de ter ingredientes pré-fermentados. (Em fórmulas mais complexas que recebem levedura, o sal deve ser calculado sobre a quantidade total de farinha, e os cálculos se tornam um pouco mais complexos, porque os *starters* usados para alimentar a levedura têm farinha como ingrediente.) Depois de desenvolver uma fórmula original, o padeiro pode começar a calcular um pré-fermento a partir dessa fórmula original.

Observação: Este exemplo é apresentado em uma unidade de medida para simplificar a apresentação. A medida escolhida é o quilograma pela facilidade de divisão. Poderíamos também usar a libra medida como uma fração decimal, igualmente fácil. Sempre converta uma unidade de medida para outra com um valor decimal indicado.

Baguetes com *poolish*

	Fórmula total		Poolish		Massa final	
	% padeiro	quantidade	% padeiro	quantidade	% padeiro	quantidade
Farinha para pão	100	5,900 kg				
Água	67	3,950 kg				
Fermento	0,6	0,035 kg				
Sal	2	0,118 kg				
Poolish	—	—				
Total	169,6	10,000 kg				

Ao começar a calcular o pré-fermento de uma fórmula original, o padeiro deve escolher que tipo de pré-fermento vai ser usado (esponja, *poolish*, massa pré-fermentada).

A porcentagem da farinha a ser usada deve ser escolhida depois de decidir sobre o tipo de pré-fermento.

Nesse caso, 33% da quantidade de farinha da fórmula original são calculadas: 5,900 × 33% = 1,980.

	Fórmula total		Poolish		Massa final	
	% padeiro	quantidade	% padeiro	quantidade	% padeiro	quantidade
Farinha para pão	100	5,900 kg	100	1,980 kg		
Água	67	3,950 kg	100	1,980 kg		
Fermento	0,6	0,035 kg	0,1	0,002 kg		
Sal	2	0,118 kg	—			
Poolish	—	—	—	—		
Total	169,6	10,000 kg		3,962 kg		

O pré-fermento pode ser calculado a partir desse novo valor. Para este exemplo, um *poolish* que é 100% água é calculado em relação à quantidade da farinha retirada para o pré-fermento: 1,980 × 100% = 1,980,

Com base na quantidade de farinha do pré-fermento é calculado 0,1% de fermento: 1,980 × 0,1 = 0,002.

	Fórmula total		Poolish		Massa final	
	% padeiro	quantidade	% padeiro	quantidade	% padeiro	quantidade
Farinha para pão	100	5,900 kg	100	1,980 kg	100	3,920 kg
Água	67	3,950 kg	100	1,980 kg	50	1,980 kg
Fermento	0,6	0,035 kg	0,1	0,002 kg	0,9	0,033 kg
Sal	2	0,118 kg	—		3	0,118 kg
Poolish	—	—	—		101	3,962 kg
Total	169,6	10,000 kg		3,962 kg	254,9	10,000 kg

Depois de feitos os cálculos do pré-fermento, as quantidades dos componentes retirados para o pré-fermento são, então, subtraídas das quantidades da fórmula total para criar as quantidades da massa final:

$$5,900 - 1,980 = 3,920 = \text{Quantidade final da farinha}$$
$$3,950 - 1,980 = 1,980 = \text{Quantidade final da água}$$
$$0,035 - 0,002 = 0,033 = \text{Quantidade final do fermento}$$
$$0,118 - 0 \quad = 0,118 = \text{Quantidade final do sal}$$
$$1,980 + 1,980 = 0,002 = 3,962 = \text{Quantidade final do } poolish$$

Já que todas as porcentagens estão baseadas na quantidade da farinha de uma fórmula, as porcentagens da coluna da massa final representam a porcentagem de cada componente em relação à quantidade final da farinha.

Depois que o pré-fermento tiver amadurecido, é incorporado aos outros ingredientes da massa final, e a massa é então misturada.

COMO INTERPRETAR E DESENVOLVER UMA FÓRMULA COMPLEXA

Este livro oferece muitas fórmulas que adotam inúmeros pré-fermentos e *sourdough*. As fórmulas são apresentadas de um modo a permitir que o padeiro obedeça à sequência para criar o produto final. Não são dadas as fórmulas total ou original do *sourdough* para facilitar a apresentação e evitar um leiaute confuso da página. Esta seção apresenta o exemplo de uma fórmula complexa e uma explanação de como calcular as quantidades da fórmula total e a sua relação com a massa final.

Observação: Este exemplo é oferecido em unidade de medida para simplificar a apresentação. A medida escolhida é o quilograma pela facilidade de divisão. Poderíamos também usar a libra, medida como uma fração decimal, igualmente fácil. Sempre converta uma unidade de medida para outra com um valor decimal indicado.

A fórmula escolhida para ser analisada foi a de pão de avelãs carameladas em razão da complexidade de seus ingredientes e das inúmeras possibilidades de preparo. A fórmula tem exemplos de pré-fermentos, dois tipos diferentes de leveduras usando dois *starters* diferentes para alimentação, além da adição de avelãs carameladas. Com uma fórmula com tantos elementos, foi preciso usar diversas colunas e linhas na Figura 8-2 (ver as páginas 190 e 191) para mostrar as fontes dos pré-fermentos e leveduras. Um sistema de cores é apresentado para mostrar a sequência de ingredientes de uma fórmula total até a fórmula da massa final.

Para entender a composição de todos os ingredientes e da relação destes com a porcentagem de sua composição, precisamos entender primeiro a composição do *starter sourdough*. Partindo do principio de que o *starter sourdough* contém farinha e água, o padeiro deve calcular essas quantidades na porcentagem total dos ingredientes para obter a quantidade total da farinha, o volume total de água, e a quantidade total do sal. Isso é muito importante porque todas as quantidades de todas as fórmulas são baseadas na quantidade total da farinha (ver Figura 8-1).

Figura 8-1

Exemplo A: Cálculo da quantidade total da farinha e da água

Starter branco	%	Quantidade
Farinha para pão	100	0,640 kg
Água	50	0,320 kg
Total	150	0,960 kg

O *starter* branco é considerado um *starter* "firme" e sua composição é de 100 partes de farinha e 50 partes de água para um total de 150 partes.

Para calcular a farinha: [0,960 de *starter* "firme" (célula C14) /150 partes] × 100 = 0,640 de farinha (célula C12).

Para calcular a água: [0,960 de *starter* "firme" (célula C14) /150 partes] × 50 = 0,320 de água (célula C13).

Observação: O *starter* usado para estimular a fermentação não é indicado como ingrediente, é feito com a mesma quantidade de farinha e água, respectivamente (100% de farinha e 50% de água).

Starter de centeio	%	Quantidade
Farinha de centeio média	100	0,290 kg
Água	120	0,350 kg
Total	220	0,640 kg

A composição do *starter* de centeio é de 100 partes de farinha e 120 partes de água de um total de 290 partes.

Para calcular a farinha: [0,640 de *starter* de centeio (linha C17) /220 partes] × 120 = 0,290 (célula C15).

Para calcular a água: [0,640 de *starter* de centeio (célula C17) /220 partes] × 120 = 0,350 (célula C15).

Observação: O *starter* usado para estimular a fermentação não é indicado como ingrediente, é feito com a mesma quantidade de farinha e água, respectivamente (100% de farinha e 120% de água).

▶ As quantidades, tanto da farinha quanto da água, são então recalculadas com as quantidades da fórmula total, de tal forma que a hidratação da água e o cálculo do sal na porcentagem escolhida sejam proporcionais em toda a fórmula.

▶ Neste exemplo, a adição de:

Farinha branca	80,000 kg + 0,640 kg =	80,670 kg
Farinha integral	12,000 kg + 0 =	12,000 kg
Farinha de centeio média	8,000 kg + 0,290 kg =	8,270 kg
Total de farinha		= 100,930 kg

▶ A porcentagem recomendada de sal na massa final é de 2% (baseada na farinha total).

▶ O sal é calculado de acordo com as quantidades totais de farinha incluindo as quantidades de farinha para cada *starter sourdough*.

Farinha total = 100,930 kg × 2% = 2,020 kg de sal.

▶ O sal precisa ser calculado na porcentagem do padeiro (tendo por base a farinha usada na fórmula sem a farinha das duas leveduras).

(2,020 × 100%) = 2,02. Aqui a porcentagem de sal é de 2,02%.

Figura 8-2 Exemplo de desdobramento de uma fórmula complexa.   **PÃO DE AVELÃS CARAMELADAS**

Pães	Peso	Total da massa	
190	**1,000 kg**	**190,000 kg**	+ 9,270 kg de massa adicional = 199,927 kg de massa total (célula C 21).

USO PARA DESENVOLVIMENTO E SOLUÇÕES DE FÓRMULAS						
	A	**B**	**C**	**D**	**E**	**F**	**G**
1					40%		80%
2	Ingredientes totais	Quantidades totais		Esponja branca		Esponja integral	
3		%	Quantidade	%	Quantidade	%	Quantidade
4	Farinha para pão	80	80,000 kg	100	32,000 kg		
5	Farinha integral	12	12,000 kg			100	9,600 kg
6	Farinha de centeio média	8	8,000 kg				
7	*Farinha subtotal*	100	100,000 kg				
8	Água	75	75,000 kg	60	19,200 kg	70	6,720 kg
9	Fermento instantâneo	0.25	0,250 kg	0,1	0,032 kg	0,1	0,010 kg
10	Sal	2.02	2,020 kg				
11	Malte	0.4	0,400 kg				
12	*Farinha para* starter *branca*	100	0,640 kg				
13	*Água*	50	0,320 kg				
14	Starter *branco*	0,96	0,960 kg				
15	*Centeio para* starter *de centeio*	100	0,290 kg				
16	*Água*	120	0,350 kg				
17	Starter *centeio*	0,64	0,640 kg				
18	Esponja branca	—	—				
19	Esponja integral	—	—				
20	Avelãs carameladas	20	20,000 kg				
21	Total	199,27	199,270 kg	160,1	51,32 kg	170,1	16,330 kg

❯ Ingredientes em itálico (linhas 7, 12, 13, 15, 16) não estão medidos na fórmula (representam os ingredientes usados no *starter*). Observe que é necessário um pouco de *sourdough* para iniciar a fermentação do *starter*.

❯ A água e a farinha usadas nos dois *starters* foram levadas em consideração ao determinar a absorção da farinha total e a consistência da massa (ver exemplo A na Figura 8-2). Geralmente essas quantidades são tão pequenas que não fazem parte dos cálculos para determinar a absorção da farinha.

❯ Para criar a esponja, ver Exemplo B na Figura 8-3.

❯ As células E, G, I e K na linha 1 representam a porcentagem escolhida de farinha usada no pré-fermento (farinha pré-fermentada).

	H	I	J	K
1		12%		100%
2	Levedura firme		Levedura de centeio	
3	%	Quantidade	%	Quantidade
4	100	9,600 kg		
5				
6			100	8,000 kg
7				
8	50	4,800 kg	120	9,600 kg
9				
10				
11				
12				
13				
14	10	0,960 kg		
15				
16				
17			8	0,640 kg
18				
19				
20				
21	160	15,360 kg	228	18,240 kg

	USO PARA PRODUÇÃO		
	L	M	N
1			
2	Ingredientes da massa final	Quantidades de massa final	
3		%	Quantidade
4	Farinha para pão	94,0	38,400 kg
5	Farinha integral	6,0	2,400 kg
6	Farinha de centeio média	0,0	0,000 kg
7	Total	100,0	40,800 kg
8	Água	85,0	34,680 kg
9	Fermento instantâneo	0,5	0,208 kg
10	Sal	5,0	2,020 kg
11	Malte	1,0	0,400 kg
12			
13			
14	Levedura firme	37,6	15,360 kg
15			
16			
17	Levedura de centeio	44,7	18,240 kg
18	Esponja branca	125,6	51,232 kg
19	Esponja integral	40,0	16,330 kg
20	Avelãs carameladas	49,0	20,000 kg
21	Total	488,4	199,270 kg

▶ A porcentagem de ingredientes contidos na fórmula total está baseada no total de três farinhas usadas na fórmula (subtotal da farinha).

▶ A porcentagem de ingredientes na massa final está baseada na farinha pesada para a mistura da massa final (representa a farinha total menos a quantidade de farinha usada no pré-fermento).

▶ Essas porcentagens (coluna M) são importantes para aumentar ou diminuir com facilidade a massa produzida.

▶ Observe que as quantidades de massa total são similares nas células C e N na linha 21.

Ao criar uma fórmula com uma porção da fórmula total destinada a um ingrediente pré-fermentado, o padeiro deve escolher uma porcentagem de farinha dos componentes originais da farinha para fermentar. Depois de escolher a porcentagem da farinha para o pré-fermento, a quantidade da farinha então passa a ser 100%, como se fosse uma fórmula à parte. Os ingredientes para criar cada pré-fermento, conforme demonstrado na Figura 8-3, estão baseados na quantidade da farinha e calculados de acordo com as características finais do pré-fermento: consistência, tempo de fermentação, e assim por diante.

Figura 8-3

Exemplo B: Escolher a porcentagem de farinha para o pré-fermento

Esponja branca	%	Quantidade
Farinha de pão	100	32,000 kg
Água	60	19,200 kg
Fermento	0,1	0,032 kg
Total	160,1	51,232 kg

A porcentagem escolhida de farinha a ser fermentada é de 40% [representada na linha da % acima da esponja branca (célula E1)].

Essa quantidade passa a ser então 100%, e a partir dela todas as quantidades seguintes serão baseadas.

80,000 × 40%   = 32,000 (células C4 × E1 = E4)

32,000 × 60%   = 19,200 (células E4 × D8 = E8)

32,000 × 0,1% = 0,032   (células E4 × D9 = E9)

Quantidade total = 51,232 (células E4 + E8 + E9 = E21)

Esponja integral	%	Quantidade
Farinha de pão	100	9,600 kg
Água	70	6,720 kg
Fermento	0,1	0,010 kg
Total	170,1	16,330 kg

A porcentagem escolhida de farinha integral a ser fermentada é de 80% [representada na linha da % acima da esponja integral (célula G1)].

Essa quantidade passa a ser então 100%, e a partir dela todas as quantidades seguintes serão baseadas.

12,000 × 80% = 9,600 (células C5 × G1 = G5)

9,600 × 70%   = 6,720 (células G5 × F8 = G8)

9,600 × 0,1% = 0,010 (células G5 × F9 = G9)

Quantidade total = 16,330 (células G5 + G8 + G9 = G21)

▶ Depois que todos os pré-fermentos e leveduras forem divididos, as quantidades de cada um de seus componentes são então subtraídas da coluna da fórmula total, e incluídos nas quantidades dos ingredientes na coluna dos ingredientes da massa final.

Farinha para pão	80,000 – 32,000 – 9,600 = 38,400	(células C4 – E4 – I4 = N4)
Farinha integral	12,000 – 9,600 = 2,400	(células C5 – G5 = N5)
Farinha de centeio média	8,000 – 8,000 = 0,000	(células C6 – K6 = N6)
Água	75,000 – 19,200 – 6,720 – 4,800 – 9,600 = 34,680	(células C8 – E8 – G8 – I8 – K8 = N8).
Fermento instantâneo	0,250 – 0,032 – 0,010 = 0,208	(células C9 – E9 – G9 = N9)

▶ Para criar um produto, todos os pré-fermentos e leveduras devem ser processados de acordo com as instruções e os ingredientes da massa final devem ser pesados.

▶ Depois dessa etapa, os pré-fermentos e as leveduras maduros são incorporados com os ingredientes da massa final e a massa é misturada.

COMO DESENVOLVER UMA FÓRMULA

▶ Para desenvolver uma fórmula, o padeiro deve primeiro escolher os ingredientes para o pão: composição da farinha, hidratação, sal, fermento (tipo de fermento, artesanal ou comercial), açúcares, gorduras, ovos, e outros ingredientes extras (como frutas, nozes, sementes etc.), entre outros.

▶ Depois de escolher os ingredientes, o padeiro deve calcular cada um deles em relação à quantidade total de farinha. Com o total da farinha sendo sempre 100%, a hidratação, a quantidade de sal, de fermento, além de outros ingredientes vai ter a farinha como referência por meio de porcentagem.

▶ Depois de calcular o total de ingredientes, o padeiro vai então escolher o tipo de fermentação (fermentação direta, pré-fermentação, ou *sourdough*) e a duração da fermentação.

▶ Depois de calcular a massa com os ingredientes e fermentação, o padeiro testa então a fórmula ao produzir o pão recentemente desenvolvido.

▶ Depois do produto assado, o padeiro vai avaliar o desempenho da massa, o sabor e a apresentação do pão. Nesse ponto, o padeiro pode adaptar a fórmula para obter o produto desejado.

▶ Depois do produto desenvolvido, o padeiro pode definir como implantar os procedimentos que envolvem sua criação. Para uma larga produção, a fórmula apresentará a coluna dos "Ingredientes da massa final" e as porcentagens que compõem as medidas finais. Essas porcentagens são necessárias para que o padeiro possa aumentar ou diminuir as quantidades de massa desejadas para determinado dia da produção. Normalmente as padarias elaboram uma programação com os cálculos para cada dia de produção.

Diversas formas de baguetes

FÓRMULA

BAGUETES (*BAGETTES*)

Embora mundialmente associada à França, a baguete, na verdade, tem suas origens em uma fórmula da antiga tradição vienense. Antes do início do século XX, as broas (pães redondos) reinavam supremas na França, dando até mesmo origem ao nome da profissão: *boulanger*. A tecnologia introduzida no início do século XX acelerou a destacada ascensão da baguete na França, especialmente em Paris. Por volta de 1920, a maioria das padarias francesas estava finalmente equipada com fornos a vapor necessários para criar a crosta característica da baguete. O formato longo, fino, de preparo rápido da baguete se tornou uma alternativa atraente para a tradicional broa. Ao longo dos anos, a baguete se tornou um símbolo da França, mas a qualidade do pão original lentamente se desfez com a introdução de farinhas cada vez mais brancas e com cada vez menos tempo de fermentação. Nos anos 1990, ocorreu uma espécie de renascimento, e com ele a baguete ressurgiu, pois os padeiros na França e em todo o mundo retornaram aos métodos de panificação tradicional para produzir o mais gratificante dos pães diários.

BAGUETE, MISTURA BÁSICA, TRADICIONAL

Fórmula da massa final

Ingredientes	% padeiro	Peso kg
Farinha para pão	100,00	2,625
Água	70,00	1,837
Fermento (instantâneo)	0,30	0,008
Sal	2,00	0,052
Malte	0,50	0,013
Total	172,80	4,536

Produção: 13 pães de 350 g

Procedimento da massa final

Mistura	Mistura básica (consistência macia)
Tdesejada	De 23 °C a 24 °C
Primeira fermentação	3 horas com 2 ou 3 dobraduras
Divisão	350 g
Pré-moldagem	Retângulo leve
Fermentação intermediária	20 a 30 minutos
Formato	Baguete
Fermentação final	De 45 minutos a 1 hora a 27 °C e 65% UR
Cortes	5 a 6 cortes
Vapor	2 segundos
Cozimento	Forno de lastro 22 a 25 minutos a 238 °C

BAGUETE COM *POOLISH*

% de farinha pré-fermentada 33%

Fórmula do *poolish*

Ingredientes	% padeiro	Peso kg
Farinha para pão	100,00	0,875
Água	100,00	0,875
Fermento (instantâneo)	0,10	0,001
Total	200,10	1,752

Procedimento do *poolish*

1. Misturar todos os ingredientes até que fiquem bem incorporados com uma Tdesejada de 21 °C.
2. Deixar fermentar por 12 a 16 horas em temperatura ambiente entre 18 °C e 21 °C.

Fórmula da massa final

Ingredientes	% padeiro	Peso kg
Farinha para pão	100,00	1,777
Água	52,24	0,928
Fermento (instantâneo)	0,70	0,012
Sal	2,99	0,053
Malte	0,75	0,013
Poolish	98,56	1,752
Total	255,24	4,536

Produção: 13 pães de 350 g

Procedimento da massa final

Mistura	Mistura aprimorada (consistência meio macia)
Tdesejada	De 23 °C a 24 °C
Primeira fermentação	1 hora
Divisão	350 g
Pré-moldagem	Retângulo leve
Fermentação intermediária	20 a 30 minutos
Formato	Baguete
Fermentação final	De 1 hora a 1 hora e 15 minutos a 27 °C e 65% UR
Cortes	5 a 6 cortes
Vapor	2 segundos
Cozimento	Forno de lastro, 22 a 25 minutos a 238 °C

Fórmula total

Ingredientes	% padeiro	Peso kg
Farinha para pão	100,00	2,653
Água	68,00	1,804
Fermento (instantâneo)	0,50	0,013
Sal	2,00	0,053
Malte	0,50	0,013
Total	171,00	4,536

BAGUETE COM MASSA PRÉ-FERMENTADA

% de farinha pré-fermentada 30%

Fórmula de massa pré-fermentada

Ingredientes	% padeiro	Peso kg
Farinha para pão	100,00	0,796
Água	65,00	0,517
Fermento (instantâneo)	0,60	0,005
Sal	2,00	0,016
Total	167,60	1,334

Procedimento, massa pré-fermentada

1. Misturar todos os ingredientes até que fiquem bem incorporados com uma Tdesejada de 21 °C.
2. Deixar fermentar por 12 a 16 horas em temperatura ambiente entre 18 °C e 21 °C.
3. Deixar no refrigerador toda a noite.

Fórmula final da massa

Ingredientes	% padeiro	Peso kg
Farinha para pão	100,00	1,857
Água	69,29	1,287
Fermento (instantâneo)	0,46	0,008
Sal	2,00	0,037
Malte	0,71	0,013
Massa pré-fermentada	71,83	1,334
Total	244,29	4,536

Produção: 13 pães de 350 g

Procedimento da massa final

Mistura	Mistura aprimorada (consistência média)
Tdesejada	De 323 °C a 24 °C
Primeira fermentação	1 hora
Divisão	0,350 kg
Pré-moldagem	Retângulo leve
Fermentação intermediária	20 a 30 minutos
Formato	Baguete
Fermentação final	De 1 hora a 1 hora e 15 minutos a 27 °C a 65% UR
Cortes	5 a 6 cortes
Vapor	2 segundos
Cozimento	Forno de lastro, 22 a 25 minutos a 238 °C

Fórmula total

Ingredientes	% padeiro	Peso kg
Farinha para pão	100,00	2,653
Água	68,00	1,804
Fermento (instantâneo)	0,50	0,013
Sal	2,00	0,053
Malte	0,50	0,013
Total	171,00	4,536

BAGUETE COM ESPONJA

% de farinha pré-fermentada 30%

Fórmula esponja

Ingredientes	% padeiro	Peso kg
Farinha para pão	100,00	0,796
Água	65,00	0,517
Fermento (instantâneo)	0,10	0,001
Total	165,10	1,314

Procedimento da esponja

1. Misturar todos os ingredientes até que fiquem bem incorporados com uma Tdesejada de 21 °C.
2. Deixar fermentar por 12 a 16 horas em temperatura ambiente entre 18 °C e 21°C.

Fórmula da massa final

Ingredientes	% padeiro	Peso kg
Farinha para pão	100,00	1,857
Água	69,29	1,287
Fermento (instantâneo)	0,67	0,012
Sal	2,86	0,053
Malte	0,71	0,013
Esponja	70,76	1,314
Total	244,29	4,536

Produção: 13 pães de 350 g

Procedimento da massa final

Mistura	Mistura aprimorada (consistência meio macia)
Tdesejada	De 23 °C a 24 °C
Primeira fermentação	1 hora
Divisão	350 g
Pré-moldagem	Retângulo leve
Fermentação intermediária	20 a 30 minutos
Formato	Baguete
Fermentação final	De 1 hora a 1 hora e 15 minutos a 27 °C e 65% UR
Cortes	5 a 6 cortes
Vapor	2 segundos
Cozimento	Forno de lastro, 22 a 25 minutos a 249 °C

Fórmula total

Ingredientes	% padeiro	Peso kg
Farinha para pão	100,00	2,653
Água	68,00	1,804
Fermento (instantâneo)	0,50	0,013
Sal	2,00	0,053
Malte	0,50	0,013
Total	171,00	4,536

FÓRMULA

PÃO FRANCÊS

No Brasil, o pão mais consumido é o chamado "pão francês"; de fato, este pão não é tradicionalmente francês, mas, sim, brasileiro.

Dependendo da região do Brasil, recebe nomes diferenciados como filãozinho, cacetinho, pão de sal, pão jacó, média, entre outros.

É possível que a primeira grande influência dos franceses sobre a panificação brasileira tenha ocorrido com a invasão francesa no Rio de Janeiro na metade do século XVI. Eles fundaram a França Antártica e apenas 10 anos depois, Estácio de Sá fundou o Rio de Janeiro com intuito de expulsar os franceses que ocupavam a terra (Almeida Neto, A. C. D. *A história da panificação brasileira*. A fantástica história do pão e da evolução das padarias no Brasil. São Paulo: MaxxFoods, 2008, p. 39), esta influência, apesar de importante, ainda não dera origem ao "pão francês" que conhecemos, em virtude da escassez de farinha de trigo e equipamentos na época, mas, de qualquer forma, deixou rastros da cultura e da gastronomia francesa.

A origem do "pão francês" do Brasil não é muito certa, acredita-se que a receita foi elaborada no início do século XX. As famílias mais abastadas, que retornavam da França, descreviam as características do pão francês com o intuito de que fosse reproduzido nas padarias do Brasil (http://www.procon.go.gov.br, acesso em 06/01/2011). Assim teria surgido o "pão tipo francês", uma adaptação que os padeiros brasileiros fizeram com base nas descrições solicitadas pelos seus fregueses, que mais tarde ganhou o nome de "pão francês".

O maior diferencial do pão francês das famosas baguetes francesas é que o primeiro tem a adição de açúcar e gordura na massa, enquanto o segundo é composto apenas de ingredientes básicos, como farinha, água, sal e fermento. Os dois ingredientes adicionais são responsáveis pelo diferencial na qualidade da casca e do miolo dos pães.

Fórmula do pão francês

Ingredientes	% padeiro	Peso kg
Farinha para pão	100,00	2,0
Água gelada*	60,00	1,2
Sal	2,00	0,04
Açúcar	1,00	0,02
Fermento fresco	3,00	0,06
Margarina	2,00	0,04

* Variável
Fonte: RAWLS-CANELLA, S. *Pão*: arte e ciência. 2. ed. São Paulo: Editora Senac, 2006.
Proceder como descrito da fórmula Baguete com esponja na p. 198, com as seguintes especificidades: Divisão, 60 g; Formato, filões; Cortes, 2 a 3; Cozimento, 20 a 25 min à 180-200 °C.

FÓRMULA

CIABATTA COM *POOLISH*

O nome *ciabatta*, "chinelo" em italiano, vem do seu formato característico e é um dos pães mais recentes vindos da Itália, e se tornou também um dos mais populares. Pelo menos dois padeiros italianos reivindicam a autoria do *ciabatta*, e suas origens estão tanto na região do Lago de Como quanto no Trentino. Uma das versões afirma que o pão rústico poderia ter sido o resultado de um excesso de água que o padeiro acrescentou à massa, o que teria criado um produto final como a *ciabatta*: um pão achatado e longo, com um miolo apresentando estrutura de célula grande e aberta. O *ciabatta* muitas vezes é usado para criar um pão rústico pequeno para sanduíches.

% de farinha pré-fermentada 38%

Fórmula do *poolish*

Ingredientes	% padeiro	Peso kg
Farinha para pão	100,00	0,951
Água	100,00	0,951
Fermento (instantâneo)	0,10	0,001
Total	200,10	1,903

Procedimento do *poolish*

1. Misturar todos os ingredientes até que fiquem bem incorporados com uma Tdesejada de 21 °C.
2. Deixar fermentar por 12 a 16 horas em temperatura ambiente entre 18 °C e 21 °C.

Fórmula da massa final

Ingredientes	% padeiro	Peso kg
Farinha para pão	100,00	1,552
Água	6,129	0,951
Fermento (instantâneo)	0,26	0,004
Sal	3,23	0,050
Óleo	4,84	0,075
Poolish	122,64	1,903
Total	292,26	4,536

Produção: 13 pães de 350 g

Procedimento da massa final

Mistura	Mistura básica
Tdesejada	De 23 °C a 24 °C
Primeira fermentação	3 horas com 2 a 3 dobraduras
Divisão	454 g
Pré-moldagem	Nenhuma
Fermentação intermediária	Nenhuma
Formato	Retangular, colocada sobre pano pulverizado com farinha
Fermentação final	De 30 a 45 minutos em 27 °C e 65% UR
Cortes	Nenhum
Vapor	2 segundos
Cozimento	Forno de lastro, 35 minutos a 232 °C

Fórmula total

Ingredientes	% padeiro	Peso kg
Farinha para pão	100,00	2,503
Água	76,00	1,903
Fermento (instantâneo)	0,20	0,005
Sal	2,00	0,050
Óleo	3,00	0,075
Total	181,20	4,536

Observação:
O *ciabatta* pode ser deixado para fermentar em um grande recipiente, depois então a massa é dividida em peças de peso e formato iguais.

FÓRMULA

PÃES DO CAMPO (*PAIN DE CAMPAGNE*)
(VARIEDADE DE FORMATOS DECORATIVOS)

A maioria dos formatos mostrados na página 204 foi criada pela Compagnons du Devoir (uma guilda de padeiros da França ainda atuante). Ao final do aprendizado, os padeiros da Compagnons deviam prestar um exame de conclusão, que exigia a criação de pães com novos formatos. As ideias dos padeiros surgiam muitas vezes inspiradas na observação da tradição cultural, como as da Auvergnat, ou "pão em forma de chapéu", que refletia a moda dos homens da Auvergne, que na época costumavam usar chapéu. Outros formatos eram puramente frutos da imaginação artística dos padeiros. Alguns desses formatos permanecem característicos de algumas regiões da França e ainda hoje são produzidos. O *Tordu*, por exemplo (pão torcido) e o pão *Fendu* (partido) são típicos do sudoeste da França, enquanto o *Fleur* (margarida) continua muito popular em Lyon. O *Charleston*, um pão com inúmeras sobreposições cruzadas, evoca a dança muito popular nos anos 1920, O *Pain d'Aix*, com o formato de gravata borboleta, é uma homenagem aos estudantes da famosa universidade de Aix en Provence (próxima a Marselha), que usavam terno e gravata borboleta diariamente na escola. O *Tabatière* (bolsa para tabaco) é ainda popular em Paris, onde as pessoas costumavam fumar intensamente.

% de farinha pré-fermentada 50%

Fórmula da massa pré-fermentada

Ingredientes	% padeiro	Peso kg
Farinha para pão	100,00	1,321
Água	65,00	0,859
Fermento (instantâneo)	1,20	0,016
Sal	2,0	0,026
Total	168,20	2,222

Procedimento da massa pré-fermentada

1. Misturar todos os ingredientes até que fiquem bem incorporados com uma Tdesejada de 21 °C.
2. Deixar fermentar por 1 hora em temperatura ambiente entre 18 °C e 21 °C.
3. Manter no refrigerador durante a noite.

Fórmula da massa final

Ingredientes	% padeiro	Peso kg
Farinha para pão	90,00	1,189
Farinha de centeio média	10,00	0,132
Água	71,00	0,938
Fermento (instantâneo)	1,20	0,016
Sal	2,00	0,026
Malte	1,00	0,013
Massa pré-fermentada	168,20	2,222
Total	343,40	4,536

Produção: 10 pães de 454 g

Procedimento da massa final

Mistura	Mistura aprimorada (consistência média)
Tdesejada	De 23 °C a 24 °C
Primeira fermentação	1 hora
Divisão	Conforme o modelo
Pré-moldagem	Arredondada
Fermentação intermediária	20 a 30 minutos
Formato	Broa ou filão
Fermentação final	1 hora e 15 minutos em 27 °C e 65% UR
Cortes	Ver os gráficos de cortes no Capítulo 5
Vapor	2 segundos
Cozimento	Forno de lastro, de 25 a 30 minutos a 238 °C

Fórmula total

Ingredientes	% padeiro	Peso kg
Farinha para pão	95,00	2,510
Farinha de centeio média	5,00	0,132
Água	68,00	1,796
Fermento (instantâneo)	1,20	0,032
Sal	2,00	0,053
Malte	0,50	0,013
Total	171,70	4,536

Observação:
Esta massa geralmente é usada para fazer os pães regionais franceses mostrados a seguir.

Fendu

Auvergnat

Fleur

Couronne
bordelaise

Tordu

Pain d'Aix

Tabatière

Fer à cheval

Charleston

Vivarais

Pães do campo

AUVERGNAT

Esticar com o rolo uma pequena porção de massa.

Com o rolo, formar uma massa redonda homogênea.

Pincelar as bordas com óleo.

Colocar a massa untada com óleo sobre uma porção maior de massa e fazer um furo, no centro, com o dedo.

FLEUR (MARGARIDA)

Depois de formatar como a broa, fazer um afundamento no centro com um rolo pequeno.

Girar o rolo em 90 graus e fazer outro afundamento.

Fazer mais dois afundamentos para criar oito porções iguais.

Colocar uma pequena bola no centro.

TORDU (TORCIDO)

1

Depois de pré-moldar como um longo filão, pulverizar um pouco de farinha no centro para que a massa não se prenda ao rolo.

2

Abrir o centro da massa com o rolo pequeno.

3

Enrolar a massa de dentro para fora.

4

Torcer a massa para criar a forma do *Tordu*.

FENDU (PARTIDO) COM VARIAÇÃO PARA *FER À CHEVAL* (FERRADURA)

1

Depois de pré-moldar como um longo filão, pulverizar um pouco de farinha no centro para que a massa não se prenda ao rolo.

2

Abrir o centro da massa com um rolo pequeno.

3

Enrolar a massa de dentro para fora.

4

Virar o *Fendu* para baixo.

5

Para o *Fer à Cheval*, fazer o *Fendu* em formato de curva, e deixar fermentando, com a abertura para baixo, numa cesta em forma de coroa.

VIVARAIS

1

Depois de pré-moldar no formato de um filão, cortar um "X" em um lado com uma raspadeira.

2

A seguir, cortar outro "X" próximo ao outro.

3

Com as duas mãos, transferir a massa para um pano coberto com farinha, deixando a massa com o corte voltado para baixo.

TABATIERE (BOLSA PARA TABACO) COM VARIAÇÃO PARA *PAIN D'AIX*

1

Pré-moldar na forma de um filão firme.

2

Depois que a massa descansar, abrir um lado da massa na extensão do seu diâmetro.

3

Pincelar com óleo as bordas da parte esticada.

4

A *Tabatière* está pronta.

5

Para o *Pain D'Aix*, cortar a *Tabatière* ao meio com a raspadeira.

6

Ajustar a massa para criar o formato da gravata borboleta. Deixar a massa fermentando com o corte voltado para baixo, em um pano coberto com farinha.

CHARLESTON

1

Depois de pré-moldar como um longo filão, pulverizar um pouco de farinha no centro para que a massa não se prenda ao rolo.

2

Com o rolo fino, fazer um afundamento em forma de "X" em um lado da massa.

3

Fazer outro "X" no outro lado da massa.

4

O *Charleston* está pronto. Deixar a massa fermentando com o corte voltado para baixo, em um pano coberto de farinha.

COURONNE BORDELAISE (COROA BORDALESA)

1

Abrir a massa em formato redondo e achatado. Colocar a massa no centro de uma cesta em forma de coroa.

2

Colocar seis bolas de massa na cesta.

3

Cortar a porção do meio em seis abas.

4

Colocar cada aba sobre cada uma das bolas de forma que fique colada uma na outra.

FÓRMULA

PÃO *SOURDOUGH (SOURDOUGH BREAD)*

Uma das mais antigas formas de preparar pães, o pão *sourdough* é conhecido há mais de três mil anos (alguns estudos apontam que talvez tenha mais de cinco mil anos). Este pão tem origem no antigo Egito, no vale do Rio Nilo, onde o trigo foi cultivado pela primeira vez. Diz a tradição que o *sourdough* possivelmente foi criado de modo acidental, quando uma massa foi esquecida sem assar. Para evitar o desperdício, a mulher encarregada do preparo do pão naqueles tempos talvez tenha decidido manter a massa. Esta massa preparada com farinha, mais o calor e a umidade do ambiente teriam criado a combinação perfeita para desencadear a fermentação e o começo da cultura *sourdough*, de forma involuntária, criando um produto final mais leve, mais digestivo e com um sabor melhor. Milhares de anos depois, o pão *sourdough* mantém as suas qualidades essenciais e a sua simplicidade, mesmo com as inúmeras variações que continuam a ser criadas.

Pão *sourdough*

PÃO *SOURDOUGH* DE SÃO FRANCISCO (*SAN FRANCISCO SOURDOUGH BREAD*)

Fórmula para a levedura

Ingredientes	% padeiro	Peso kg
Farinha para pão	95,00	0,348
Farinha de centeio média	5,00	0,018
Água	50,00	0,183
Starter (firme)	80,00	0,183
Total	230,00	0,843

Procedimento para a levedura

1. Misturar todos os ingredientes até que fiquem bem incorporados com uma Tdesejada de 21 °C.
2. Deixar fermentar por 12 horas em temperatura ambiente entre 18 °C e 21 °C.

Fórmula da massa final

Ingredientes	% padeiro	Peso kg
Farinha	100,00	2,106
Água	72,80	1,534
Sal	2,53	0,053
Levedura	40,00	0,843
Total	215,33	4,536

Produção: 10 pães de 454 g

Procedimento da massa final

Mistura	Mistura aprimorada (consistência média)
Tdesejada	De 24 °C a 25 °C
Primeira fermentação	3 horas com 1 dobradura
Divisão	454 g
Pré-moldagem	Bola leve
Fermentação intermediária	20 a 30 minutos
Formato	Broa ou filão
Fermentação final	De 12 a 16 horas em 9 °C e 65% UR
Cortes	Ver os gráficos de cortes no Capítulo 5
Vapor	2 segundos
Cozimento	Forno de lastro, 35 minutos a 232 °C

SOURDOUGH COM LEVEDURA LÍQUIDA

Fórmula para a levedura

Ingredientes	% padeiro	Peso kg
Farinha para pão	95,00	0,390
Farinha de centeio média	5,00	0,021
Água	100,00	0,410
Starter (líquido)	60,00	0,246
Total	260,00	1,067

Procedimento para a levedura

1. Misturar todos os ingredientes até que fiquem bem incorporados com uma Tdesejada de 21 °C.
2. Deixar fermentar por 12 a 16 horas em temperatura ambiente entre 18 °C e 21 °C.

Fórmula da massa final

Ingredientes	% padeiro	Peso kg
Farinha para pão	100,00	2,134
Água	60,00	1,280
Fermento (instantâneo)	0,10	0,002
Sal	2,50	0,053
Levedura	50,00	1,067
Total	212,60	4,536

Produção: 10 pães de 454 g

Procedimento da massa final

Mistura	Mistura aprimorada (consistência média)
Tdesejada	De 24 °C a 25 °C
Primeira fermentação	2 horas
Divisão	454 g
Pré-moldagem	Bola leve
Fermentação intermediária	20 a 30 minutos
Formato	Broa e filão
Fermentação final	De 1 hora ½ a 2 horas a 27 °C e 65% UR
Cortes	Ver os gráficos de cortes no Capítulo 5
Vapor	2 segundos
Cozimento	Forno de lastro, 35 minutos a 227 °C

PÃO *SOURDOUGH* COM UMA ALIMENTAÇÃO

Fórmula para a levedura

Ingredientes	% padeiro	Peso kg
Farinha para pão	95,00	0,457
Farinha de centeio média	5,00	0,024
Água	50,00	0,241
Starter (firme)	25,00	0,120
Total	175,00	0,842

Procedimento para a levedura

1. Misturar todos os ingredientes até que fiquem bem incorporados com uma Tdesejada de 21 °C.
2. Deixar fermentar por 12 horas em temperatura ambiente entre 18 °C e 21 °C.

Fórmula da massa final

Ingredientes	% padeiro	Peso kg
Farinha para pão	100,00	2,106
Água	72,80	1,533
Fermento (instantâneo)	0,10	0,002
Sal	2,53	0,053
Levedura	40,00	0,842
Total	215,43	4,536

Produção: 10 pães de 454 g

Procedimento da massa final

Mistura	Mistura aprimorada (consistência média)
Tdesejada	De 24 °C a 25 °C
Primeira fermentação	2 horas
Divisão	454 g
Pré-moldagem	Bola leve
Fermentação intermediária	20 a 30 minutos
Formato	Broa ou filão
Fermentação final	De 1 hora ½ a 2 horas a 27 °C e 65% UR
Cortes	Ver os gráficos de cortes no Capítulo 5
Vapor	2 segundos
Cozimento	Forno de lastro, 35 minutos a 227 °C

FÓRMULA

PÃO DE FORMA (CROSTA ABERTA E PÃO DE SANDUÍCHE) (*WHITE PAN BREAD (OPEN TOP AND PAIN DE MIE)*)

Os pães de forma – pães moldados, fermentados e assados em formas – são o resultado da industrialização que ocorreu depois da Segunda Guerra Mundial. Os engenheiros da época buscavam métodos eficientes de produzir pães que pudessem ser assados de modo uniforme e imediatamente empacotados, armazenados e distribuídos pelos Estados Unidos. Os pães de forma da época normalmente eram feitos com farinha branca e com um processo de panificação acelerado; as versões modernas incluem o uso de ingredientes mais saudáveis e métodos de melhor qualidade.

% de farinha pré-fermentada 23%

Fórmula da massa pré-fermentada

Ingredientes	% padeiro	Peso kg
Farinha para pão	100,00	0,574
Água	68,00	0,373
Fermento (instantâneo)	0,50	0,003
Sal	2,0	0,011
Total	170,50	0,962

Pão de forma branco

Procedimento da massa pré-fermentada

1. Misturar todos os ingredientes até que fiquem bem incorporados com uma Tdesejada de 21 °C.
2. Deixar fermentar por 1 hora em temperatura ambiente entre 18 °C e 21 °C.
3. Manter no refrigerador a noite toda.

Fórmula da massa final

Ingredientes	% padeiro	Peso kg
Farinha para pão	100,00	1,922
Água	62,99	1,211
Sal	2,00	0,038
Fermento (instantâneo)	0,99	0,019
Açúcar	5,00	0,096
Manteiga	9,99	0,192
Leite em pó	5,00	0,096
Massa pré-fermentada	50,03	0,962
Total	236,00	4,536

Procedimento da massa final

Mistura	Mistura intensiva (consistência média)
Tdesejada	De 23 °C a 24 °C
Primeira fermentação	45 minutos a 1 hora
Divisão	454 g
Pré-moldagem	Bola leve
Fermentação intermediária	25 a 30 minutos
Formato	Filão na forma
Fermentação final	De 1 hora ½ a 2 horas a 27 °C e 65% UR
Cortes	Ou no centro ou nenhum
Vapor	5 segundos
Cozimento	Forno de lastro, 35 minutos a 196 °C

Fórmula total

Ingredientes	% padeiro	Peso kg
Farinha para pão	100,00	2,496
Água	63,45	1,584
Sal	2,00	0,050
Fermento (instantâneo)	0,88	0,022
Açúcar	3,85	0,096
Manteiga	7,69	0,192
Leite em pó	3,85	0,096
Total	181,72	4,536

Observação:
Ao moldar, deixar a massa descansar; então dobrar dos dois lados da bola para o meio, esticar a massa e enrolar firmemente. O objetivo é criar um miolo fechado, portanto não deixar a massa ficar muito airada. Moldar de maneira firme. Colocar o pão na forma com o corte voltado para baixo.

FÓRMULA

PÃO DOCE (*EGG BREAD*)

O pão doce está entre o pão e o brioche. Tradicionalmente era preparado para ocasiões especiais como casamentos ou batizados. Embora tenha conquistado fama como um pão para cerimônias especiais, essa massa enriquecida também pode ser apreciada no dia a dia.

% de farinha pré-fermentada 37%

Fórmula da massa pré-fermentada

Ingredientes	% padeiro	Peso kg
Farinha para pão	100,00	0,880
Água	68,00	0,598
Fermento (instantâneo)	0,60	0,005
Sal	2,0	0,018
Total	170,60	1,501

Procedimento da massa pré-fermentada

1. Misturar todos os ingredientes até que fiquem bem incorporados com uma Tdesejada de 21 °C.
2. Deixar fermentar por 1 hora em temperatura ambiente entre 18 °C e 21 °C.
3. Manter no refrigerador toda a noite.

Fórmula da massa final

Ingredientes	% padeiro	Peso kg
Farinha para pão	100,00	1,498
Água	39,43	0,591
Ovos	20,00	0,300
Fermento (instantâneo)	1,00	0,015
Sal	2,00	0,030
Açúcar	20,00	0,300
Manteiga	15,08	0,226
Leite em pó	5,08	0,076
Massa pré-fermentada	100,19	1,501
Total	302,78	4,536

Produção: 10 pães trançados de 450 g

Procedimento da massa final

Mistura	Mistura intensiva (consistência média)
Tdesejada	De 23 °C a 24 °C
Primeira fermentação	45 minutos a 1 hora
Divisão	3 de 150 g
Pré-moldagem	Retângulo leve
Fermentação intermediária	20 a 30 minutos
Formato	Trançado
Fermentação final	De 1 hora ½ a 2 horas a 27 °C e 65% UR
Cortes	Ver o trançado na página do livro, no site www.cengage.com.br.
Vapor	2 segundos
Cozimento	Forno de convecção, 40 minutos a 168 °C

Pão doce

Trança de seis partes

Trança de quatro partes

Trança de três partes

Trança de duas partes

Fórmula total

Ingredientes	% padeiro	Peso kg
Farinha para pão	100,00	2,378
Água	50,00	1,189
Ovos	12,60	0,300
Fermento (instantâneo)	0,85	0,020
Sal	2,00	0,048
Açúcar	12,60	0,300
Manteiga	9,50	0,226
Leite em pó	3,20	0,076
Total	190,75	4,536

FÓRMULA

PÃO INTEGRAL (100% FARINHA INTEGRAL) (*100 PERCENT WHOLE GRAIN BREAD*)

Atualmente todos sabem da importância do trigo integral na dieta, e os consumidores aprenderam a consumir pães que apresentem ingredientes integrais sem adulteração. Esta fórmula simples, mas, sem dúvida, deliciosa, de um pão com 100% de farinha integral é uma das maneiras mais apreciáveis e saudáveis de consumir um pouco de trigo integral.

Fórmula para a levedura

Ingredientes	% padeiro	Peso kg
Farinha trigo integral	100,00	0,166
Água	80,00	0,133
Starter (firme)	25,00	0,041
Total	205,00	0,750

Procedimento para a levedura

1. Misturar todos os ingredientes até que fiquem bem incorporados com uma Tdesejada de 21 °C.
2. Deixar fermentar por 12 horas em temperatura ambiente entre 18 °C e 21 °C.

Fórmula para colocar sementes de molho

Ingredientes	% padeiro	Peso kg
Sementes de linhaça	15,25	0,086
Sementes de girassol	15,25	0,086
Gergelim	15,25	0,086
Flocos de aveia	15,25	0,086
Água	39,00	0,219
Total	100,00	0,562

Procedimento

Deixar as sementes de molho ao menos por 2 horas.

Fórmula da massa final

Ingredientes	% padeiro	Peso kg
Farinha integral	65,00	1,218
Farinha de centeio integral	25,00	0,469
Farinha de centeio média	10,00	0,187
Água	69,00	1,293
Sal	2,70	0,051
Fermento (instantâneo)	0,30	0,006
Líquido para sementes	30,00	0,562
Levedura	40,00	0,750
Total	242,00	4,536

Produção: 10 pães de 454 g

Procedimento da massa final

Mistura	Mistura aprimorada (consistência média). Adicionar o líquido das sementes em 1ª velocidade, depois que a massa estiver desenvolvida, somente até incorporar tudo
Tdesejada	De 23 °C a 27 °C
Primeira fermentação	1 hora e 30 minutos a 27 °C e 65% UR
Divisão	454 g
Pré-moldagem	Bola leve
Fermentação intermediária	25 a 30 minutos
Formato	Filão
Fermentação final	De 1 hora a 27 °C e 65% UR
Cortes	Ver os gráficos de cortes no Capítulo 5
Vapor	2 segundos
Cozimento	Forno de lastro, 30 a 35 minutos a 232 °C

FÓRMULA

PÃO INTEGRAL COM *SOURDOUGH* (*SOURDOUGH WHOLE WHEAT BREAD*)

O pão integral feito com *sourdough* é uma combinação perfeita entre as farinhas branca e a integral, oferecendo um excelente alimento de valor nutricional, com uma textura mais leve do que o pão com 100% de farinha integral.

Fórmula para a levedura

Ingredientes	% padeiro	Peso kg
Farinha para pão	95,00	0,342
Farinha de centeio média	5,00	0,018
Água	50,00	0,180
Starter (firme)	80,00	0,288
Total	230,00	0,827

Procedimento para a levedura

1. Misturar todos os ingredientes até que fiquem bem incorporados com uma Tdesejada de 27 °C.
2. Deixar fermentar por 12 horas em temperatura ambiente entre 18 °C e 21 °C.

Fórmula da massa final

Ingredientes	% padeiro	Peso kg
Farinha para pão	40,00	0,827
Farinha integral	60,00	1,241
Água	76,60	1,584
Fermento (instantâneo)	0,16	0,003
Sal	2,53	0,052
Levedura	40,00	0,827
Total	219,29	4,536

Produção: 10 pães de 454 g

Procedimento da massa final

Mistura	Mistura aprimorada (consistência média)
Tdesejada	De 24 °C a 25 °C
Primeira fermentação	2 horas a 27 °C e 65% UR
Divisão	454 g
Pré-moldagem	Bola leve
Fermentação intermediária	20 a 30 minutos

Formato	Broa ou filão
Fermentação final	De 1 hora a 1 hora ½ a 27 °C e 65% UR
Cortes	Ver os gráficos de cortes no Capítulo 5
Vapor	2 segundos
Cozimento	Forno de lastro, 35 minutos a 232 °C

FÓRMULA

PÃO DE CENTEIO COM *SOURDOUGH* (*SOURDOUGH RYE BREAD*)

A farinha de centeio, extremamente saborosa, em combinação com o *sourdough*, igualmente original no seu sabor, traz uma complexidade excepcional a este pão de centeio, que é mais bem apreciado com frutos do mar, peixes ou queijos cremosos.

Fórmula para a levedura

Ingredientes	% padeiro	Peso kg
Farinha para pão	95,00	0,348
Farinha de centeio médio	5,00	0,018
Água	50,00	0,183
Starter (firme)	80,00	0,293
Total	230,00	0,842

Procedimento para a levedura

1. Misturar todos os ingredientes até que fiquem bem incorporados com uma Tdesejada de 21 °C.
2. Deixar fermentar por 12 horas em temperatura ambiente entre 18 °C e 21 °C.

Fórmula da massa final

Ingredientes	% padeiro	Peso kg
Farinha para pão	40,00	0,842
Farinha integral	60,00	1,263
Água	72,80	1,533
Fermento (instantâneo)	0,12	0,003
Sal	2,53	0,053
Levedura	40,00	0,842
Total	215,45	4,536

Produção: 10 pães de 454 g

Procedimento da massa final

Mistura	Mistura aprimorada (consistência média)
Tdesejada	De 24 °C a 25 °C
Primeira fermentação	2 horas
Divisão	454 g
Pré-moldagem	Bola leve

Pães *sourdough* com farinhas especiais

Fermentação intermediária	20 a 30 minutos
Formato	Filão
Fermentação final	De 1 hora a 1 hora ½ a 27 °C e 65% UR
Cortes	Ver os cortes no Capítulo 5
Vapor	2 segundos
Cozimento	Forno de lastro, 35 minutos a 232 °C

FÓRMULA

PÃO MULTIGRÃO COM *SOURDOUGH* (*SOURDOUGH MULTIGRAIN BREAD*)

A mistura de várias farinhas e sementes do pão multigrão com *sourdough* oferece uma combinação saudável de vitaminas, minerais e outros nutrientes importantes para uma dieta bem equilibrada.

Fórmula para a levedura

Ingredientes	% padeiro	Peso kg
Farinha para pão	95,00	0,365
Farinha de centeio média	5,00	0,019
Água	50,00	0,192
Starter (firme)	80,00	0,307
Total	230,00	0,883

Procedimento para a levedura

1. Misturar todos os ingredientes até que fiquem bem incorporados com uma Tdesejada de 21 °C.
2. Deixar fermentar por 12 horas em temperatura ambiente entre 18 °C e 21 °C.

Fórmula para colocar sementes de molho

Ingredientes	% padeiro	Peso kg
Sementes de linhaça	39,13	0,199
Sementes de girassol	39,13	0,199
Gergelim	39,13	0,199
Flocos de aveia	39,13	0,199
Água	100,00	0,508
Total	256,00	1,302

Fórmula da massa final

Ingredientes	% padeiro	Peso kg
Farinha para pão	65,00	1,435
Farinha integral	25,00	0,552
Farinha de centeio média	10,00	0,221
Água	72,80	1,607
Sal	2,53	0,056
Fermento (instantâneo)	0,16	0,004
Líquido para sementes	59,00	1,302
Levedura	40,00	0,883
Total	274,49	4,536

Procedimento da massa final

Mistura	Mistura aprimorada (consistência média). Adicionar o líquido das sementes em 1ª velocidade, depois que a massa estiver desenvolvida, até incorporar tudo
Tdesejada	De 24 °C a 25 °C
Primeira fermentação	2 horas
Divisão	454 g
Pré-moldagem	Bola leve
Fermentação intermediária	20 a 30 minutos
Formato	Filão
Fermentação final	De 1 hora a 1 hora ½ a 27 °C e 65% UR
Cortes	Ver os gráficos de cortes no Capítulo 5
Vapor	2 segundos
Cozimento	Forno de lastro, 35 minutos a 232 °C

FÓRMULA

PÃO DE AZEITONAS COM *SOURDOUGH* (*SOURDOUGH OLIVE BREAD*)

O pão de azeitonas é típico das regiões do mediterrâneo onde as azeitonas e o tomilho são ingredientes familiares nas cozinhas regionais.

Fórmula para a levedura

Ingredientes	% padeiro	Peso kg
Farinha para pão	95,00	0,236
Farinha de centeio média	5,00	0,012
Água	100,00	0,249
Starter (firme)	80,00	0,199
Total	280,00	0,696

Procedimento para a levedura

1. Misturar todos os ingredientes até que fiquem bem incorporados com uma Tdesejada de 21 °C.
2. Deixar fermentar por 12 horas em temperatura ambiente entre 18 °C e 21 °C.

Fórmula da primeira massa

Ingredientes	% padeiro	Peso kg
Farinha para pão	100,00	2,321
Água	63,00	1,462
Fermento (instantâneo)	0,10	0,002
Sal	2,30	0,053
Levedura	30,00	0,696
Total	195,40	4,536

Fórmula da massa final

Ingredientes	% padeiro	Peso kg
Tomilho	0,15	0,007
Azeitonas	14,00	0,635
Farinha integral	5,00	0,227
Massa	100,00	4,536
Total	119,00	5,405

Misturar as azeitonas com a farinha e o tomilho.
Produção: 10 pães de 454 g

Procedimento da massa final

Mistura	Mistura aprimorada (consistência média). Ao final da mistura, acrescentar as azeitonas em 1ª velocidade
Tdesejada	De 24 °C a 25 °C
Primeira fermentação	2 horas
Divisão	454 g
Pré-moldagem	Bola leve
Fermentação intermediária	20 a 30 minutos
Formato	Broa ou filão
Fermentação final	2 horas a 27 °C e 65% UR
Cortes	Ver os gráficos de cortes no Capítulo 5
Vapor	2 segundos
Cozimento	Forno de lastro, 35 minutos a 232 °C

FÓRMULA

PÃO DE QUEIJO COM *SOURDOUGH* (*SOURDOUGH CHEESE BREAD*)

Esta versão moderna em combinação com o clássico *sourdough* acrescenta o queijo, que muitos apreciam como acompanhamento, aqui como recheio da própria massa. Nutritivo e aromático, o pão de queijo com *sourdough* por si só pode servir como uma refeição.

Fórmula para a levedura

Ingredientes	% padeiro	Peso kg
Farinha para pão	95,00	0,216
Farinha de centeio média	5,00	0,011
Água	100,00	0,227
Starter (firme)	60,00	0,136
Total	260,00	0,591

Procedimento para a levedura

1. Misturar todos os ingredientes até que fiquem bem incorporados com uma Tdesejada de 21 °C.
2. Deixar fermentar por 12 horas em temperatura ambiente entre 18 °C e 21 °C.

Fórmula da massa final

Ingredientes	% padeiro	Peso kg
Farinha para pão	100,00	1,969
Água	63,00	1,240
Fermento (instantâneo)	0,10	0,002
Sal	2,30	0,045
Levedura	30,00	0,591
Queijo asiago em tiras	35,00	0,689
Total	230,40	4,536

Produção: 10 pães de 454 g

Procedimento para a levedura

Mistura	Mistura aprimorada (consistência média). Ao final da mistura, acrescentar o queijo em 1ª velocidade, até incorporar tudo
Tdesejada	De 24 °C a 25 °C
Primeira fermentação	2 horas
Divisão	454 g

Pré-moldagem	Bola leve
Fermentação intermediária	20 a 30 minutos
Formato	Broa ou filão
Fermentação final	2 horas a 27 °C e 65% UR
Cortes	Ver os gráficos de cortes no Capítulo 5
Vapor	2 segundos
Cozimento	Forno de lastro, 30 minutos a 232 °C

FÓRMULA

MICHE

O *miche* é um dos pães mais antigos que conhecemos e costumava ser assado em fornos comunitários. A farinha de alta extração empregada atualmente na fórmula tem o objetivo de duplicar a farinha empregada antigamente pelos padeiros, quando o processo de moagem não era tão refinado. É claro que o processo de fermentação deste pão é feito com o *sourdough*, proporcionando um sabor característico e longa durabilidade.

Fórmula de levedura com primeira alimentação

Ingredientes	% padeiro	Peso kg
Farinha de alta extração	100,00	0,202
Água	120,00	0,243
Sal	0,60	0,001
Starter (firme)	10,00	0,020
Total	230,60	0,466

Procedimento da primeira alimentação da levedura

1. Misturar todos os ingredientes até que fiquem bem incorporados com uma Tdesejada de 21 °C.
2. Deixar fermentar por 16 horas em temperatura ambiente entre 18 °C e 21 °C.

Fórmula para a levedura

Ingredientes	% padeiro	Peso kg
Farinha de alta extração	100,00	1,165
Água	120,00	1,399
Sal	0,60	0,007
Primeira alimentação	40,00	0,466
Total	260,60	3,037

Procedimento para a levedura

1. Misturar todos os ingredientes até que fiquem bem incorporados com uma Tdesejada de 21 °C.
2. Deixar fermentar por 16 horas em temperatura ambiente entre 18 °C e 21 °C.

Fórmula da massa final

Ingredientes	% padeiro	Peso kg
Farinha para pão	60,00	0,790
Farinha de alta extração	20,00	0,263
Farinha de centeio média	20,00	0,263
Água	10,00	0,132
Sal	3,80	0,050
Levedura	230,60	3,037
Total	344,40	4,536

Produção: 5 pães de 908 g

Procedimento da massa final

Mistura	Mistura aprimorada (consistência média)
Tdesejada	De 24 °C a 25 °C
Primeira fermentação	15 minutos
Divisão	900 g
Pré-moldagem	Bola leve
Fermentação intermediária	20 a 30 minutos
Formato	Broa: 900 g
Fermentação final	Retardador durante a noite em cesta a 9 °C
Cortes	Diamantes
Vapor	2 segundos
Cozimento	Forno de lastro, de 45 a 50 minutos a 227 °C

FÓRMULA

PÃO DE *BEAUCAIRE*

O nome é uma referência à região do sudoeste da França. O pão de *Beaucaire* foi um dos primeiros pães a ter a "forma livre" ou sem um formato específico. O pão é produzido ao se colocar duas camadas de massa uma sobre a outra, e então faz-se um corte *Râcle à Beaucaire*, com tiras de massa assadas lado a lado, dando a este pão uma aparência única. O pão de *Beaucaire* era bastante popular até que as pessoas passaram a preferir a baguete, mais leve e crocante. Entretanto, este autêntico pão regional vive atualmente um ressurgimento, já que as novas gerações estão descobrindo suas características atraentes.

Fórmula para a levedura

Ingredientes	% padeiro	Peso kg
Farinha para pão	95,00	0,334
Farinha de centeio média	5,00	0,018
Água	100,00	0,352
Starter (firme)	60,00	0,211
Total	260,00	0,914

Procedimento para a levedura

1. Misturar todos os ingredientes até que fiquem bem incorporados com uma Tdesejada de 21 °C.
2. Deixar fermentar por 16 horas em temperatura ambiente entre 18 °C e 21 °C.

Fórmula da massa final

Ingredientes	% padeiro	Peso kg
Farinha para pão	100,00	2,285
Água	56,00	1,280
Fermento (instantâneo)	0,10	0,002
Sal	2,40	0,055
Levedura	40,00	0,914
Total	198,50	4,536

Produção: 10 pães de 454 g

Procedimento da massa final

Mistura	Mistura aprimorada (consistência média)
Tdesejada	De 24 °C a 25 °C
Primeira fermentação	1 hora e 30 minutos
Divisão	454 g
Pré-moldagem	Bola leve
Fermentação intermediária	20 a 30 minutos
Formato	Filão
Fermentação final	De 2 horas a 27 °C e 65% UR
Cortes	Nenhum
Vapor	2 segundos
Cozimento	Forno de lastro, 35 minutos a 232 °C

Moldagem

1. Fazer uma pasta com 454 g de água e 85 g de farinha. Reserve.
2. Depois de pré-moldar e pôr a massa para descansar, esticar a massa e cortar um retângulo de 5 cm e cortar ao meio.
3. Pincelar as partes da massa com a pasta de farinha e cobrir com farelo.
4. Dividir as partes em longas tiras
5. Fermentar com a emenda na lateral.
6. Assar com a emenda para cima.

FÓRMULA

DOIS CASTELOS DE CENTEIO (*TWO CASTLE RYE*)

De acordo com a lenda, na Alemanha medieval, dois senhores poderosos estavam sempre lutando entre si para conquistar o território vizinho. Quando finalmente fizeram as pazes, os seus padeiros resolveram criar um pão para celebrar o fim da guerra. Os dois pães usados para fazer os dois castelos de centeio são fermentados e assados juntos; representam a unidade dos dois castelos.

Fórmula para a levedura

Ingredientes	% padeiro	Peso kg
Farinha de centeio média	100,00	0,419
Água	80,00	0,335
Starter (centeio)	12,00	0,050
Total	192,00	0,804

Procedimento para a levedura

1. Misturar todos os ingredientes até que fiquem bem incorporados com uma Tdesejada de 21 °C.
2. Deixar fermentar por 12 horas em temperatura ambiente entre 18 °C e 21 °C.

Fórmula para colocar sementes de molho

Ingredientes	% padeiro	Peso kg
Farinha integral grossa	10	0,266
Flocos de aveia	10	0,266
Sementes de girassol	10	0,266
Sementes de abóbora	20	0,532
Água	50,00	1,330
Total	100,00	2,660

Procedimento para deixar as sementes de molho

Combinar todos os ingredientes e deixar de molho por pelo menos 2 horas.

Fórmula da massa final

Ingredientes	% padeiro	Peso kg
Farinha para pão	40,00	0,643
Farinha de alta extração	40,00	0,643
Farinha de centeio média	20,00	0,322
Água	50,00	0,804
Sal	2,80	0,045
Fermento (instantâneo)	1,20	0,019
Mel	2,00	0,032
Malte tostado	1,00	0,016
Levedura de centeio	50,00	0,804
Líquido das sementes	75,00	1,206
Total	282,00	4,536

Produção: 5 pães de 900 g

Procedimento da massa final

Mistura	Mistura intensiva (consistência média). Adicionar o líquido das sementes em 1ª velocidade, depois que a massa estiver desenvolvida, somente até incorporar tudo.
Tdesejada	De 24 °C a 25 °C
Primeira fermentação	1 hora e 30 minutos a 27 °C e 65% UR
Divisão	454 g
Pré-moldagem	Bola leve

Fermentação intermediária	25 a 30 minutos
Formato	Broa ou filão, deixar as duas peças fermentarem juntas uma da outra
Fermentação final	1 hora a 27 °C e 65% UR
Cortes	Nenhum
Vapor	2 segundos
Cozimento	Forno de lastro, 30 a 35 minutos a 232 °C

FÓRMULA

PÃO DA MONTANHA (*MOUNTAIN BREAD*)

O pão da montanha é a combinação da levedura de centeio com a farinha branca. Tradicionalmente, este pão servia como alimento nas regiões montanhosas da Suíça. A longa durabilidade criada pelo processo *sourdough* era uma vantagem em uma época e lugar onde o pão era assado somente uma vez por semana. O buraco no centro do pão servia para prendê-lo em uma haste fixada no alto a fim de armazená-lo de forma segura.

Fórmula para a levedura

Ingredientes	% padeiro	Peso kg
Farinha de centeio média	100,00	0,385
Água	120,00	0,462
Starter de centeio	8,00	0,031
Total	228,00	0,877

Procedimento para a levedura

1. Misturar todos os ingredientes até que fiquem bem incorporados com uma Tdesejada de 21 °C.
2. Deixar fermentar por 12 horas em temperatura ambiente entre 18 °C e 21 °C.

Fórmula da massa final

Ingredientes	% padeiro	Peso kg
Farinha para pão	85,00	1,864
Farinha integral	15,00	0,329
Água	64,00	1,404
Fermento (instantâneo)	0,10	0,002
Sal	2,70	0,059
Levedura	40,00	0,877
Total	206,80	4,536

Produção: 10 pães de 454 g

Procedimento da massa final

Mistura	Mistura aprimorada (consistência média)
Tdesejada	De 24 °C a 25 °C
Primeira fermentação	2 horas com 1 dobradura
Divisão	454 g
Pré-moldagem	Bola leve
Fermentação intermediária	20 a 30 minutos
Formato	Anelado ou coroa
Fermentação final	2 horas a 27 °C e 65% UR
Cortes	Ver os gráficos de cortes no Capítulo 5
Vapor	2 segundos
Cozimento	Forno de lastro, 40 minutos a 232 °C

FÓRMULA

PÃO DE CENTEIO NOVA YORK (*NEW YORK RYE*)

Farinha de centeio e sementes de cominho são uma combinação aromática muito caracteristica dos pães do Leste Europeu. Quando imigrantes dessa região foram para Nova York, levaram consigo suas tradições de panificação. A criação do pão de centeio chegou a ser associada a Nova York, onde era especialmente encontrado nas *delicatessen* judaicas.

% de farinha pré-fermentada 20%

Massa pré-fermentada

Ingredientes	% padeiro	Peso kg
Farinha para pão	100,00	0,523
Água	65,00	0,340
Fermento (instantâneo)	0,50	0,003
Sal	2,00	0,010
Total	167,50	0,876

Procedimento para massa pré-fermentada

1. Misturar todos os ingredientes até que fiquem bem incorporados com uma Tdesejada de 21 °C.
2. Deixar fermentar por 1 hora em temperatura ambiente entre 18 °C e 21 °C.
3. Refrigerar durante a noite.

Fórmula da massa final

Ingredientes	% padeiro	Peso kg
Farinha para pão	50,00	1,046
Farinha de centeio média	50,00	1,046
Água	71,25	1,490
Fermento (instantâneo)	0,50	0,010
Sal	2,00	0,042
Semente de cominho	1,25	0,026
Massa pré-fermentada	41,88	0,876
Total	216,88	4,536

Produção: 10 pães de 454 g

Procedimento da massa final

Mistura	Mistura aprimorada (consistência média)
Tdesejada	De 24 °C a 25 °C
Primeira fermentação	1 hora a 1 hora e 30 minutos
Divisão	454 g
Pré-moldagem	Bola leve
Fermentação intermediária	20 a 30 minutos
Formato	Broa
Fermentação final	De 20 a 30 minutos a 27 °C e 65% UR
Cortes	Ver os gráficos de cortes no Capítulo 5
Vapor	2 segundos
Cozimento	Forno de lastro, 35 minutos a 232 °C

Fórmula total

Ingredientes	% padeiro	Peso kg
Farinha	60,00	1,569
Farinha de centeio média	40,00	1,046
Água	70,00	1,830
Fermento (instantâneo)	0,50	0,013
Sal	2,00	0,052
Semente de cominho	1,00	0,026
Total	173,50	4,536

FÓRMULA

PÃO *NAAN*

O pão *naan*, originário do Afeganistão, é achatado e tem o sabor peculiar do iogurte (normalmente feito com leite de cabra) e das sementes de cebolas pretas jogadas por cima da massa antes de assar.

% de farinha pré-fermentada 25%

Fórmula para a esponja

Ingredientes	% padeiro	Peso kg
Farinha para pão	100,00	0,633
Água	62,00	0,392
Fermento (instantâneo)	0,10	0,001
Total	162,10	1,026

Procedimento para a esponja

1. Misturar todos os ingredientes até que fiquem bem incorporados com uma Tdesejada de 21 °C.
2. Deixar fermentar por 12 a 16 horas em temperatura ambiente entre 18 °C e 21 °C.

Fórmula da massa final

Ingredientes	% padeiro	Peso kg
Farinha para pão	93,00	1,792
Farinha integral	7,00	0,106
Água	48,67	0,924
Iogurte de leite de cabra	67,61	1,283
Fermento (instantâneo)	0,37	0,007
Sal	2,13	0,040
Azeite	3,07	0,058
Esponja	54,03	1,026
Total	275,88	5,237

Produção: 10 pães de 454 g

Procedimento da massa final

Mistura	Mistura aprimorada (consistência média)
Tdesejada	De 23 °C a 24 °C
Primeira fermentação	3 horas com 1 dobradura

Divisão	454 g
Pré-moldagem	Bola leve
Fermentação intermediária	20 a 30 minutos
Formato	Broa
Fermentação final	De 1 hora a 1 hora e 15 minutos a 27 °C e 65% UR
Cortes	Achatar, cortar e temperar
Vapor	2 segundos
Cozimento	Forno de lastro, 12 minutos a 260 °C

Fórmula total

Ingredientes	% padeiro	Peso kg
Farinha para pão	95,80	2,425
Farinha integral	4,20	0,106
Água	52,00	1,316
Fermento (instantâneo)	0,30	0,008
Sal	1,60	0,040
Iogurte de leite de cabra	23,00	0,582
Azeite	2,30	0,058
Total	179,20	4,536

FÓRMULA

TORTILLA

Assim como os franceses têm a sua baguete, os mexicanos têm a *tortilla*. A *tortilla* tradicional tem sido feita de milho desde os tempos pré--colombianos. Este pão achatado é essencial na vida mexicana, usado como base alimentar nas três refeições do dia. Atualmente feita com farinha de milho, farinha de trigo, ou com a combinação das duas, a *tortilla* se tornou popular na vida cotidiana dos Estados Unidos e não é mais considerada um alimento étnico. Uma *tortilla* autêntica é assada em uma chapa de metal quente, mas também pode ser assada em um forno de lastro.

Fórmula da massa final

Ingredientes	% padeiro	Peso kg
Farinha de milho	60,00	1,690
Farinha de pão	40,00	1,127
Água	60,00	1,690
Sal	1,00	0,028
Total	161,00	4,536

Produção: 53 *tortillas* de 85 g cada

Procedimento da massa final

Mistura	Mistura aprimorada (consistência firme)
Tdesejada	De 23 °C a 24 °C
Fermentação intermediária	15 a 20 minutos
Divisão	85 g
Formato	Achatado com 3 mm de espessura
Cozimento	Assar em chapa quente dos dois lados

FÓRMULA

LAVASH

O *lavash*, originariamente da Armênia, existe desde que o homem começou a cultivar trigo há milhares de anos. O *lavash* é um pão achatado macio e fino, feito com farinha, água e sal. Atualmente, é o tipo de pão mais comum na Armênia e no Irã. Tradicionalmente a massa era esticada e jogada contra as paredes quentes de um forno *tandoori*, é também chamado *tonir* em armênio, *tanur* em persa e *tandir* em turco. Este é o método ainda usado por toda Armênia, Irã, Turquia e, às vezes, nos Estados Unidos. Polvilhado com uma combinação de sementes e sal grosso, o *lavash* pode ser apreciado sozinho ou como acompanhamento para o *hommus* (patê de grão de bico), cremes de iogurte ou outros patês do Oriente Médio.

Fórmula da massa final

Ingredientes	% padeiro	Peso kg
Farinha para pão	100,00	2,939
Água	50,00	1,469
Fermento (instantâneo)	0,60	0,018
Sal	0,75	0,022
Mel	3,00	0,088
Total	154,35	4,536

Produção: 22 unidades de 200 g

Procedimento da massa final

Mistura	Mistura aprimorada
Tdesejada	De 23 °C a 24 °C
Primeira fermentação	3 horas
Divisão	Bola leve de 200 g

Fermentação intermediária	25 a 30 minutos
Formato	Estender a massa até 2 mm de espessura
Fermentação final	10 minutos a 27 °C e 65% UR
Vapor	2 segundos
Cozimento	Forno de lastro, 10 minutos a 238 °C

Moldagem

1. Esticar a massa com rolo ou cilindro até 2 mm de espessura.
2. Colocar na parte de baixo da forma (invertida), tentar manter a espessura e não deixar encolher.

FÓRMULA

PÃO ÁRABE (*PITA*)

O pão *pita*, do grego "achatado", tem sido usado há milhares de anos no Oriente Médio e nas cozinhas mediterrâneas. Em muitas regiões do mundo este pão é usado para acompanhar molhos e patês, ou para fazer sanduíches enrolados, como *kebabs*, *gyros* ou *falafel*. No mundo ocidental, o *pita* ganhou popularidade com a invenção dos "beirutes", que permitem colocar vários ingredientes no meio do pão, do mesmo modo que o tradicional sanduíche ocidental.

% de farinha pré-fermentada 15%

Fórmula para a esponja

Ingredientes	% padeiro	Peso kg
Farinha para pão	100,00	0,397
Água	78,00	0,309
Fermento (instantâneo)	12,00	0,048
Açúcar	6,50	0,026
Total	196,50	0,779

Procedimento para a esponja

1. Misturar todos os ingredientes até que fiquem bem incorporados com uma Tdesejada de 21 °C.
2. Deixar fermentar por 30 minutos em temperatura ambiente entre 18 °C e 21 °C.

Fórmula da massa final

Ingredientes	% padeiro	Peso kg
Farinha para pão	100,00	2,247
Água	62,00	1,393
Fermento (instantâneo)	0,00	0,000
Sal	1,18	0,026
Açúcar	0,03	0,001
Manteiga	4,00	0,090
Esponja	34,68	0,779
Total	201,89	4,536

Produção: 53 unidades de 85 g

Procedimento da massa final

Mistura	Mistura aprimorada (consistência média)
Tdesejada	De 23 °C a 24 °C
Primeira fermentação	1 hora e 30 minutos
Divisão	85 g
Pré-moldagem	Forma arredondada
Fermentação intermediária	20 a 30 minutos
Formato	Achatado, esticado com rolo ou cilindro
Fermentação final	30 minutos a 27 °C e 65% UR
Cortes	Nenhum
Vapor	2 segundos
Cozimento	Forno de lastro, 5 minutos a 260 °C

Fórmula total

Ingredientes	% padeiro	Peso kg
Farinha para pão	100,00	2,643
Água	64,40	1,702
Fermento (instantâneo)	1,80	0,048
Sal	1,00	0,026
Açúcar	1,00	0,026
Azeite	3,40	0,090
Total	171,60	4,536

Variedade de pães achatados

Tortilla de farinha de trigo

Lavash

Tortilla de farinha de milho

Pita

Naan

FÓRMULA

FOCACCIA

A *focaccia* é um pão italiano clássico, enriquecido com azeite e geralmente temperado com ervas aromáticas, como o alecrim. Pode ser servida sem acompanhamento ou como base para sanduíches. Nossa versão de *focaccia* leva massa pré-fermentada e queijo parmesão para acrescentar um sabor especial à massa.

% de farinha pré-fermentada 25%.

Fórmula de massa pré-fermentada

Ingredientes	% padeiro	Peso kg
Farinha para pão	100,00	0,639
Água	65,00	0,415
Fermento (instantâneo)	0,60	0,004
Sal	2,00	0,013
Total	165,60	1,071

Procedimento para massa pré-fermentada

1. Misturar todos os ingredientes até que fiquem bem incorporados com uma Tdesejada de 21 °C.
2. Deixar fermentar por 1 hora a 1 ½ hora em temperatura ambiente entre 18 °C e 21 °C.
3. Refrigerar durante a noite.

Fórmula da massa final

Ingredientes	% padeiro	Peso kg
Farinha para pão	100,00	1,917
Água	66,33	1,271
Fermento (instantâneo)	0,47	0,009
Sal	2,00	0,038
Azeite	8,00	0,153
Queijo ralado	4,00	0,077
Massa pré-fermentada	55,87	1,071
Total	236,67	4,536

Produção: 3 unidades de 1,5 kg cada

Procedimento da massa final

Mistura	Mistura básica (consistência macia)
Tdesejada	De 23 °C a 26 °C
Primeira fermentação	2 horas com 1 dobradura
Divisão	Retângulos de 3,2 a 3,5 kg em cada forma
Formato	Em forma untada, colocar a massa esticando até as bordas
Fermentação final	1 hora a 26 °C e 65% UR
Vapor	2 segundos
Cozimento	Forno de lastro

Fórmula total

Ingredientes	% padeiro	Peso kg
Farinha para pão	100,00	2,555
Água	66,00	1,687
Fermento instantâneo	0,50	0,013
Sal	2,00	0,051
Azeite	6,00	0,153
Queijo ralado	3,00	0,077
Total	171,50	4,536

Seleção de focaccia

FÓRMULA

FOUGASSE

Muito popular na região da Provença, no sudeste da França, a *fougasse* é um pão similar ao italiano *focaccia*. Tradicionalmente, é esticado com o rolo, em espessura fina, e cortado em forma decorativa imitando um ramo de trigo ou uma escada. Outros ingredientes normalmente são adicionados à massa, como queijo (duro ou macio), azeitonas, linguiça, toucinho, nozes e ervas aromáticas.

Fougasse

Fórmula para a levedura

Ingredientes	% padeiro	Peso kg
Farinha para pão	95,00	0,387
Água	100,00	0,387
Starter	60,00	0,232
Total	225,00	1,006

Procedimento para a levedura

1. Misturar todos os ingredientes até que fiquem bem incorporados com uma Tdesejada de 21 °C.
2. Deixar fermentar por 12 a 16 horas em temperatura ambiente entre 18 °C e 21 °C.

Fórmula da massa final

Ingredientes	% padeiro	Peso kg
Farinha para pão	100,00	2,078
Água	60,00	1,247
Fermento (instantâneo)	0,40	0,008
Sal	2,50	0,052
Azeite	5,00	0,104
Alecrim	0,40	0,008
Levedura	50,00	1,039
Total	218,30	4,536

Produção: 5 unidades de 900 g cada

Procedimento da massa final

Mistura	Mistura aprimorada (consistência média)
Tdesejada	De 24 °C a 26 °C
Primeira fermentação	1 hora
Divisão	Retângulo
Moldagem	Esticar formando retângulo, cortar em forma tradicional e decorativa
Fermentação final	De 1 a 1 hora e 30 minutos a 27 °C e 65% UR
Vapor	2 segundos
Cozimento	Forno de lastro, 35 minutos a 232 °C

Observação:
Depois de dividir a massa, deixe-a descansar. Abra a massa na espessura desejada (1,5 cm), corte na forma desejada e então deixe fermentar.

FÓRMULA

PÃO DOCE HAVAIANO DE ABACAXI (*HAWAIIAN PINEAPPLE SWEETBREAD*)

O suco do abacaxi é o adoçante sutil neste pão doce havaiano, que, na verdade, vem dos portugueses, que chegaram ao Havaí vindo das Ilhas da Madeira e Açores para trabalhar no fim de 1800. Muitos dos imigrantes mantiveram o talento herdado para a produção de pães, especialmente o pão doce. O pão doce se tornou uma tradição na cultura havaiana, e normalmente é servido no café da manhã ou como sobremesa.

Fórmula para a levedura

Ingredientes	% padeiro	Peso kg
Farinha para pão	100,00	0,108
Água	50,00	0,054
Starter (firme)	60,00	0,065
Total	210,00	0,227

Procedimento para a levedura

1. Misturar todos os ingredientes até que fiquem bem incorporados com uma Tdesejada de 21 °C.

2. Deixar fermentar por 12 a 16 horas em temperatura ambiente entre 18 °C e 21 °C.

Fórmula da massa final

Ingredientes	% padeiro	Peso kg
Farinha para pão	100,00	2,274
Água	30,00	0,682
Ovos	10,00	0,227
Suco de abacaxi	15,00	0,341
Açúcar	20,00	0,455
Fermento instantâneo osmotolerante[2]	1,80	0,041
Sal	2,00	0,045
Óleo	10,00	0,227
Gengibre	0,15	0,003
Extrato de baunilha	0,50	0,011
Levedura	10,00	0,227
Total	199,45	4,536

Produção: 10 pães de 454 g

Procedimento da massa final

Mistura	Mistura intensiva (consistência média)
Tdesejada	De 24 °C a 25 °C
Primeira fermentação	2 horas
Divisão	454 g
Pré-moldagem	Bola leve
Fermentação intermediária	20 a 30 minutos
Formato	Anelado ou coroa
Fermentação final	2 horas e 30 minutos a 27 °C e 65% UR
Cortes	Nenhum
Vapor	2 segundos
Cozimento	Forno de convecção, 35 a 40 minutos a 204 °C

---

[2] O fermento instantâneo osmotolerante é indicado para massas doces, pois possui maior tolerância a altas concentrações de açúcar. É mais utilizado para a indústria, mas pode ser encontrado em algumas padarias em embalagens de 500 g. Caso não encontre este fermento, pode-se utilizar a mesma quantidade de fermento instantâneo comum, mas os tempos de fermentação vão ser mais prolongados ou pode-se adicionar mais 10% ao total de fermento solicitado na fórmula (por exemplo, fermento instantâneo osmotolerante 10 g = fermento instantâneo 11 g). (NRT)

FÓRMULA

PÃO DOCE PORTUGUÊS (*PORTUGUESE SWEET BREAD*)

Durante o século XIX, houve um grande afluxo de portugueses para os Estados Unidos, inicialmente para a Nova Inglaterra e o Havaí. Quando os novos imigrantes chegaram, trouxeram o seu pão doce. Os imigrantes portugueses, muito católicos, tinham a tradição de servir o pão doce na Páscoa, mas também era consumido no dia a dia, e ainda hoje é apreciado em qualquer refeição, com mais frequência no café da manhã.

% de farinha pré-fermentada 7%

Fórmula da esponja

Ingredientes	% padeiro	Peso kg
Farinha para pão	100,00	0,147
Água	192,00	0,282
Fermento instantâneo osmotolerante	32,00	0,047
Leite em pó	90,00	0,132
Açúcar	45,00	0,066
Total	459,00	0,675

Procedimento para a esponja

1. Misturar todos os ingredientes até que fiquem bem incorporados com uma Tdesejada de 21 °C.
2. Deixar fermentar por 1 hora em temperatura ambiente entre 18 °C e 21 °C.

Fórmula da massa final

Ingredientes	% padeiro	Peso kg
Farinha para pão	100,00	1,925
Água	39,90	0,768
Ovos	15,07	0,290
Fermento instantâneo osmotolerante	0,39	0,007
Sal	1,29	0,025
Açúcar	29,93	0,576
Manteiga	13,99	0,269
Esponja	35,08	0,675
Total	235,65	4,536

Produção: 10 pães de 454 g

Procedimento da massa final

Mistura	Mistura intensiva (consistência média)
Tdesejada	De 23 °C a 24 °C
Primeira fermentação	45 minutos a 1 hora
Divisão	454 g
Pré-moldagem	Bola leve
Fermentação intermediária	20 a 30 minutos
Formato	Broa em prato de torta
Fermentação final	De 1 ½ a 2 horas a 27 °C e 65% UR
Cortes	Nenhum
Vapor	2 segundos
Cozimento	Forno de convecção, 30 minutos a 193 °C

Fórmula total

Ingredientes	% padeiro	Peso kg
Farinha para pão	100,00	2,072
Água	50,70	1,050
Ovos	14,00	0,290
Fermento instantâneo osmotolerante	2,63	0,054
Sal	1,20	0,025
Açúcar	31,00	0,642
Manteiga	13,00	0,269
Leite em pó	6,40	0,133
Total	218,93	4,536

FÓRMULA

COROA DOCE (*CORONA DULCE*)

Este pão doce e nutritivo, aromatizado com anis, tem o feitio de uma coroa desde os tempos antigos, quando os padeiros espanhóis inventaram uma forma criativa de homenagear sua realeza.

Fórmula da massa final

Ingredientes	% padeiro	Peso kg
Farinha para pão	100,00	2,067
Leite	35,00	0,723
Água	10,00	0,207
Ovos	20,00	0,413
Fermento instantâneo osmotolerante	5,00	0,103
Sal	1,50	0,031
Açúcar	25,00	0,517
Manteiga	20,00	0,413
Extrato de baunilha	2,00	0,041
Semente de anis	1,00	0,021
Total	219,00	4,536

Produção: 10 pães de 454 g

Procedimento da massa final

Mistura	Mistura intensiva (consistência média macia)
Tdesejada	De 23 °C a 24 °C
Primeira fermentação	45 minutos a 1 hora a 27 °C e 65% UR
Divisão	6 de 75 g
Pré-moldagem	Bola leve
Fermentação intermediária	25 a 30 minutos
Formato	Ver a foto na página 249
Fermentação final	De 1 ½ a 2 horas a 27 °C e 65% UR
Cortes	Nenhum
Vapor	2 segundos
Cozimento	Forno de convecção, 30 minutos a 193 °C

Pães doces portugueses
(broa, trança e filão com
açúcar)

Pão doce havaiano
de abacaxi

Coroa doce

Pães doces

FÓRMULA

PUGLIESE

Originário de Puglia, a região do sudeste da Itália, o *pugliese* era tradicionalmente considerado "o pão dos pobres". Era (e às vezes ainda é) produzido com uma farinha moderadamente refinada, e quando não havia farinha em quantidade suficiente, era acrescentada batata amassada. Esta prática criou um pão nutritivo e com um miolo de textura consistente e úmida, enquanto o formato denso e arredondado garantia, naturalmente, uma durabilidade maior.

% de farinha pré-fermentada 50%

Fórmula da esponja

Ingredientes	% padeiro	Peso kg
Farinha para pão	80,00	0,639
Farinha integral	20,00	0,225
Água	55,00	0,619
Fermento (instantâneo)	0,40	0,004
Total	155,40	1,749

Procedimento para massa pré-fermentada

1. Misturar todos os ingredientes até que fiquem bem incorporados com uma Tdesejada de 21 °C.
2. Deixar fermentar por 1 hora a 1 ½ hora em temperatura ambiente entre 18 °C e 21 °C.

Fórmula da massa final

Ingredientes	% padeiro	Peso kg
Farinha para pão	93,00	0,721
Farinha integral	7,00	0,405
Água	60,00	0,676
Batata amassada	82,00	0,923
Fermento (instantâneo)	0,48	0,005
Sal	5,00	0,056
Esponja	155,32	1,749
Total	402,80	4,536

Produção: 10 pães de 454 g

Procedimento da massa final

Mistura	Mistura aprimorada (consistência macia)
Tdesejada	De 22 °C a 24 °C
Primeira fermentação	2 horas e 1 dobradura
Fermentação intermediária	25 a 30 minutos
Divisão	454 g
Pré-moldagem	Bola leve
Formato	Retângulo leve
Fermentação final	De 1 hora e 30 minutos a 27 °C e 65% UR
Cortes	Nenhum
Vapor	2 segundos
Cozimento	Forno de lastro, 5 minutos a 260 °C

Fórmula total

Ingredientes	% padeiro	Peso kg
Farinha para pão	72,00	1,622
Farinha integral	28,00	0,631
Água	57,50	1,295
Batata amassada	41,00	0,923
Fermento (instantâneo)	0,40	0,009
Sal	2,50	0,056
Total	201,40	4,536

FÓRMULA

PÃO DE BATATA ASSADA (*ROASTED POTATO BREAD*)

A escolha do tipo certo de batata é essencial para o pão de batata assada. Se a batata tiver muito amido, vai se dissolver na massa; se for muito dura, dará uma textura inferior ao produto final. Uma boa escolha é a batata Yukon Gold (ou Asterix). A adição de alecrim fresco acrescenta fragrância e sabor, enquanto trigo quebrado (do tipo usado para quibe) fornece um contraste excelente com a maciez do miolo.

% de farinha pré-fermentada 17%

Fórmula da esponja

Ingredientes	% padeiro	Peso kg
Farinha para pão	50,00	0,184
Farinha integral	50,00	0,184
Água	68,00	0,251
Fermento (instantâneo)	0,10	0,000
Total	168,10	0,620

Procedimento para a esponja

1. Misturar todos os ingredientes até que fiquem bem incorporados com uma Tdesejada de 21 °C.
2. Deixar fermentar por 12 a 16 horas em temperatura ambiente entre 18 °C e 21 °C.

Fórmula para deixar o trigo de molho

Ingredientes	% padeiro	Peso kg
Trigo para quibe	100,00	0,090
Água	100,00	0,090
Total	200,00	0,179

Procedimento para deixar o trigo de molho

Juntar água ao trigo e deixar de molho na véspera.

Fórmula da massa final

Ingredientes	% padeiro	Peso kg
Farinha para pão	89,76	1,615
Farinha integral	5,42	0,098
Farinha de centeio média	4,82	0,087
Água	64,99	1,170
Sal	2,59	0,047
Fermento (instantâneo)	0,29	0,005
Líquido do molho	9,96	0,179
Batatas (em pedaços grandes e assadas)	39,76	0,716
Esponja	34,43	0,620
Total	252,02	4,536

Produção: 10 pães de 454 g

Procedimento da massa final

Mistura	Mistura aprimorada (consistência média)
Tdesejada	De 23 °C a 24 °C
Primeira fermentação	1 ½ a 2 horas a 27 °C e 65% UR
Divisão	454 g
Pré-moldagem	Bola leve
Fermentação intermediária	20 a 30 minutos
Formato	Broa
Fermentação final	De 1 ½ a 2 horas a 27 °C e 65% UR
Cortes	Ver os gráficos de cortes no Capítulo 5
Vapor	2 segundos
Cozimento	Forno de lastro, 35 a 40 minutos a 227 °C

Fórmula total

Ingredientes	% padeiro	Peso kg
Farinha para pão	83,00	1,800
Farinha integral	13,00	0,282
Farinha de centeio média	4,00	0,087
Água	65,50	1,420
Sal	2,15	0,047
Fermento (instantâneo)	0,26	0,006
Líquido do molho	8,27	0,179
Batatas assadas	33,00	0,716
Total	209,18	4,536

FÓRMULA

PÃO DE TRIGO SARRACENO COM PERAS (*PEAR BUCKWHEAT BREAD*)

Tradicionalmente usada para panquecas, a farinha de trigo sarraceno é uma opção saborosa e saudável para ser usada em pães. A combinação inusitada da farinha de trigo sarraceno, peras secas hidratadas em vinho branco e nozes levemente tostadas faz do pão de trigo sarraceno com peras o acompanhamento perfeito para queijos *blue* ou saladas.

% de farinha pré-fermentada 41%

Fórmula *poolish*

Ingredientes	% padeiro	Peso kg
Farinha de trigo sarraceno	20,00	0,186
Farinha para pão	80,00	0,685
Água	100,00	0,871
Fermento (instantâneo)	0,10	0,001
Sal	0,10	0,001
Total	200,20	1,743

Procedimento para o *poolish*

1. Misturar todos os ingredientes até que fiquem bem incorporados com uma Tdesejada de 21 °C.
2. Deixar fermentar por 12 a 16 horas em temperatura ambiente entre 18 °C e 21 °C.

Fórmula da massa final

Ingredientes	% padeiro	Peso kg
Farinha para pão	100,00	1,403
Água	47,48	0,666
Sal	3,19	0,045
Fermento (instantâneo)	0,76	0,011
Nozes tostadas	14,26	0,200
Pêra seca no vinho branco	33,39	0,468
Poolish	124,30	1,743
Total	323,38	4,536

Deixar as peras de molho por 1 hora. Coar e reservar.
Produção: 10 pães de 454 g

Procedimento da massa final

Mistura	Mistura aprimorada (consistência média). Adicionar as peras e as nozes depois que a massa estiver se desenvolvido, em 1ª velocidade
Tdesejada	De 23 °C a 24 °C
Primeira fermentação	1 ½ a 27 °C e 65% UR
Divisão	454 g
Pré-moldagem	Bola leve
Fermentação intermediária	20 a 30 minutos
Formato	Pera (ver foto na página 260)
Fermentação final	1 hora a 27 °C e 65% UR
Cortes	Ver foto na página 260
Vapor	2 segundos
Cozimento	Forno de lastro, 30 a 35 minutos a 232 °C

Fórmula total

Ingredientes	% padeiro	Peso kg
Farinha para pão	91,80	2,087
Farinha de trigo sarraceno	8,20	0,186
Água	67,60	1,537
Sal	2,00	0,045
Fermento (instantâneo)	0,50	0,011
Nozes tostadas	8,80	0,200
Pera seca no vinho branco	20,60	0,468
Total	199,50	4,536

FÓRMULA

PÃO DE SEMOLINA COM GERGELIM (*SESAME SEMOLINA BREAD*)

Moída a partir da variedade de trigo dura e de cor âmbar, a farinha de semolina é normalmente usada na produção de pasta. O seu uso no preparo de pão tem a vantagem de apresentar uma coloração natural amarela, o que dá ao miolo uma bela cor no produto final. As sementes de gergelim são normalmente adicionadas à massa ou simplesmente jogadas sobre o pão para aprimorar o sabor, de certa forma, neutro dessa farinha.

Fórmula para a levedura

Ingredientes	% padeiro	Peso kg
Farinha para pão	95,00	0,344
Farinha de centeio média	5,00	0,018
Água	100,00	0,362
Starter líquida	60,00	0,217
Total	260,00	0,940

Procedimento para a levedura

1. Misturar todos os ingredientes até que fiquem bem incorporados com uma Tdesejada de 21 °C.
2. Deixar fermentar por 12 horas em temperatura ambiente entre 18 °C e 21 °C.

Fórmula da massa final

Ingredientes	% padeiro	Peso kg
Farinha para pão	31,00	0,648
Farinha de semolina	34,00	0,710
Farinha de trigo *durum*	35,00	0,731
Água	65,00	1,358
Fermento (instantâneo)	0,10	0,002
Sal	3,00	0,063
Levedura	45,00	0,940
Semente de gergelim	4,00	0,084
Total	217,10	4,536

Produção: 10 pães de 454 g

Procedimento da massa final

Mistura	Mistura aprimorada (consistência média). Ao final da mistura, incorporar as sementes em 1ª velocidade
Tdesejada	De 24 °C a 25 °C
Primeira fermentação	2 horas
Divisão	454 g
Pré-moldagem	Bola leve
Fermentação intermediária	20 a 30 minutos
Formato	Filão
Fermentação final	2 horas a 27 °C e 65% UR
Cortes	Forma de "S"
Vapor	2 segundos
Cozimento	Forno de lastro, 35 minutos a 232 °C

FÓRMULA

PÃO DE AVELÃS CARAMELADAS (*CARAMELIZED HAZELNUT SQUARES*)

Um toque de mel, o sabor picante da levedura de centeio e a textura das avelãs levemente carameladas combinados produzem este pão raro delicioso. É perfeito tanto sem acompanhamento como em combinação com saladas ou queijos ao fim da refeição.

Fórmula para a levedura

Ingredientes	% padeiro	Peso kg
Farinha para pão	100,00	0,215
Água	50,00	0,108
Starter (firme)	10,50	0,023
Total	160,50	0,346

Procedimento para a levedura

1. Misturar todos os ingredientes até que fiquem bem incorporados com uma Tdesejada de 21 °C.
2. Deixar fermentar por 12 horas em temperatura ambiente entre 18 °C e 21 °C.

Fórmula da levedura de centeio

Ingredientes	% padeiro	Peso kg
Farinha de centeio média	100,00	0,162
Água	120,00	0,194
Starter de centeio	8,00	0,013
Total	228,00	0,369

Procedimento para a levedura de centeio

1. Misturar todos os ingredientes até que fiquem bem incorporados com uma Tdesejada de 21 °C.
2. Deixar fermentar por 12 horas em temperatura ambiente entre 18 °C e 21 °C.

Fórmula de esponja branca

Ingredientes	% padeiro	Peso kg
Farinha para pão	100,00	0,717
Água	62,00	0,444
Fermento (instantâneo)	0,10	0,001
Total	162,10	1,162

Procedimento para a esponja branca

1. Misturar todos os ingredientes até que fiquem bem incorporados com uma Tdesejada de 21 °C.
2. Deixar fermentar por 12 horas em temperatura ambiente entre 18 °C e 21 °C.

Fórmula de esponja integral

Ingredientes	% padeiro	Peso kg
Farinha integral	100,00	0,233
Água	70,00	0,163
Fermento (instantâneo)	0,10	0,000
Total	170,10	0,397

Procedimento para a esponja integral

1. Misturar todos os ingredientes até que fiquem bem incorporados com uma Tdesejada de 21 °C.
2. Deixar fermentar por 12 horas em temperatura ambiente entre 18 °C e 21 °C.

Fórmula de avelãs carameladas

Ingredientes	% padeiro	Peso kg
Avelãs	100,00	0,306
Açúcar	36,67	0,112
Água	11,11	0,034
Manteiga	10,00	0,031
Total	157,78	0,452

Procedimento para avelãs carameladas

1. Assar as avelãs em forno baixo até que o miolo das nozes se torne marrom--dourado.
2. Juntar o açúcar e a água e cozinhar até 116 °C.
3. Acrescentar as avelãs e mexer constantemente até o açúcar começar a caramelar.
4. Adicionar a manteiga para retardar o endurecimento e cozinhar até que alcance a cor caramelada desejada.
5. Colocar as avelãs carameladas sobre uma bandeja de silicone ou em granito levemente untado com óleo e separar as avelãs.
6. Deixar esfriar e então reservar até quando for necessário.

Fórmula da massa final

Ingredientes	% padeiro	Peso kg
Farinha para pão	94,00	0,867
Farinha integral	6,00	0,055
Água	90,00	0,830
Fermento (instantâneo)	0,40	0,004
Sal	5,00	0,046
Malte	1,00	0,009
Levedura	37,50	0,346
Esponja	126,00	1,162
Esponja integral	43,00	0,397
Levedura de centeio	40,00	0,369
Avelãs carameladas	49,00	0,452
Total	491,90	4,536

Produção: 10 pães de 454 g

Procedimento da massa final

Mistura	Mistura aprimorada (consistência macia). Ao final da mistura, acrescentar as avelãs em 1ª velocidade
Tdesejada	De 24 °C a 25 °C
Primeira fermentação	2 horas com 1 dobradura
Divisão	454 g
Pré-moldagem	Nenhuma
Fermentação intermediária	Nenhum
Formato	Peças retangulares, colocadas sobre pano bem enfarinhado
Fermentação final	De 30 a 45 minutos a 27 °C e 65% UR
Cortes	Nenhum
Vapor	2 segundos
Cozimento	Forno de lastro, 35 a 40 minutos a 227 °C

Pães de batata assada
(*Fendu* e *Pinwheel*)

Pugliese

Pães de
semolina com
gergelim
(filão em forma
de "s")

Pães de trigo sarraceno
com pera

Pães de avelãs carameladas

FÓRMULA

PÃO DE ESPELTA (*SPELT BREAD*)

A espelta é parente distante do trigo moderno. Sua origem pode ser encontrada há aproximadamente 5.000 a.C. em uma área que hoje faz parte do Irã. Antigamente seu plantio era comum na América do Norte, mas a espelta foi substituída, no começo do século, pelas variedades mais modernas de trigo, mais adequadas às técnicas de produção em grande escala usada na maioria das propriedades agrícolas. Novas variedades de trigo foram criadas para facilitar o cultivo e a colheita, aumentar a produção ou para desenvolver um alto teor de proteína. A espelta, entretanto, manteve muito das suas características originais, já que poucas substâncias químicas são usadas no seu ciclo de crescimento. Pessoas suscetíveis ao glúten têm incluído produtos feitos com espelta em suas dietas. O pão feito com espelta é também uma boa fonte de fibras e do complexo de vitaminas B. A espelta se tornou, recentemente, mais valorizada já que muitos consumidores têm se preocupado com sua saúde e buscam alimentos que também não prejudiquem o meio ambiente.

% de farinha pré-fermentada 33%

Fórmula do *poolish*

Ingredientes	% padeiro	Peso kg
Farinha de espelta branca	90,00	0,791
Farinha de espelta integral	10,00	0,088
Água	100,00	0,879
Fermento (instantâneo)	0,10	0,001
Total	200,10	1,758

Procedimento para o *poolish*

1. Misturar todos os ingredientes até que fiquem bem incorporados com uma Tdesejada de 21 °C.
2. Deixar fermentar por 12 a 16 horas em temperatura ambiente entre 18 °C e 21 °C.

Fórmula da massa final

Ingredientes	% padeiro	Peso kg
Farinha de espelta branca	90,00	1,606
Farinha de espelta integral	10,00	0,178
Água	52,24	0,932
Fermento (instantâneo)	0,43	0,008
Sal	2,69	0,048
Poolish	98,56	0,940
Total	253,92	4,530

Produção: 10 pães de 454 g

Procedimento da massa final

Mistura	Mistura básica
Tdesejada	De 23 °C a 24 °C
Primeira fermentação	3 horas com 3 dobraduras
Divisão	454 g
Pré-moldagem	Nenhuma
Fermentação intermediária	Nenhum
Formato	Peças retangulares, colocadas sobre pano bem enfarinhado
Fermentação final	De 30 a 45 minutos a 27 °C e 65% UR
Cortes	Nenhum
Vapor	2 segundos
Cozimento	Forno de lastro 40 minutos a 238 °C

Fórmula total

Ingredientes	% padeiro	Peso kg
Farinha de espelta branca	90,00	2,396
Farinha de espelta integral	10,00	0,266
Água	68,00	1,811
Fermento (instantâneo)	0,36	0,009
Sal	2,00	0,048
Total	170,36	4,536

FÓRMULA

PÃO DE *MEUNIER*

Para homenagear e agradecer seus moageiros por produzir uma farinha de qualidade, padeiros dos tempos antigos criaram o pão de *meunier*, ou pão dos moageiros. A fórmula criativa foi concebida para incluir, na massa, todos os componentes do grão de trigo. Como resultado, além de ter um sabor excelente, este pão apresenta um valor nutritivo excepcional.

% de farinha pré-fermentada 52%

Fórmula da massa pré-fermentada

Ingredientes	% padeiro	Peso kg
Farinha para pão	100,00	1,204
Água	65,00	0,783
Fermento (instantâneo)	0,60	0,007
Sal	2,00	0,024
Total	167,60	2,019

Procedimento para a massa pré-fermentada

1. Misturar todos os ingredientes até que fiquem bem incorporados com uma Tdesejada de 21 °C.
2. Deixar fermentar por 1 hora em temperatura ambiente entre 18 °C e 21 °C.
3. Refrigerar durante a noite.

Fórmula para deixar o trigo de molho

Ingredientes	% padeiro	Peso kg
Trigo para quibe	100,00	0,280
Água	100,00	0,280
Total	200,00	0,559

Procedimento para deixar o trigo de molho

Deixar de molho por pelo menos 2 horas.

Fórmula da massa final

Ingredientes	% padeiro	Peso kg
Farinha para pão	85,80	1,013
Farinha integral	9,47	0,112
Germe de trigo	4,73	0,056
Água	63,90	0,755
Fermento (instantâneo)	0,00	0,000
Sal	1,91	0,023
Líquido do molho	47,34	0,559
Massa pré-fermentada	170,91	2,019
Total	384,06	4,536

Produção: 10 pães de 454 g

Procedimento da massa final

Mistura	Mistura aprimorada (consistência média). Adicionar o líquido das sementes em 1ª velocidade, depois que a massa estiver desenvolvida, somente até incorporar tudo
Tdesejada	De 22 °C a 24 °C
Primeira fermentação	1 ½ hora a 27 °C e 65% UR
Divisão	454 g
Pré-moldagem	Bola leve
Fermentação intermediária	20 a 30 minutos
Formato	Filão, *fendu*
Fermentação final	1 hora a 27 °C e 65% UR
Cortes	Nenhum
Vapor	2 segundos
Cozimento	Forno de lastro, 30 a 35 minutos a 232 °C

Fórmula total

Ingredientes	% padeiro	Peso kg
Farinha para pão	95,20	2,218
Farinha integral	4,80	0,112
Germe de trigo	2,40	0,056
Água	66,00	1,538
Fermento (instantâneo)	0,31	0,007
Sal	2,00	0,047
Malte	0,48	0,011
Líquido do molho	24,00	0,559
Total	195,19	4,536

FÓRMULA

FILONE RÚSTICO

Filone, ou "filão", tem este nome por sua forma longa e fina. Esta fórmula é elaborada com o *poolish* de centeio, combinando seu aroma picante com aromas mais ácidos da levedura, formando, assim, um sabor realmente único.

Fórmula do *poolish*

Ingredientes	% padeiro	Peso kg
Farinha para pão	70,00	0,491
Farinha de centeio	30,00	0,211
Água	100,00	0,702
Fermento (instantâneo)	0,10	0,001
Total	200,10	1,404

Procedimento para o poolish

1. Misturar todos os ingredientes até que fiquem bem incorporados com uma Tdesejada de 21 °C.
2. Deixar fermentar por 12 a 16 horas em temperatura ambiente entre 18 °C e 21 °C.

Fórmula para a levedura

Ingredientes	% padeiro	Peso kg
Farinha para pão	100,00	0,387
Água	50,00	0,193
Starter (firme)	50,00	0,193
Total	200,00	0,774

Procedimento para a levedura

1. Misturar todos os ingredientes até que fiquem bem incorporados com uma Tdesejada de 21 °C.
2. Deixar fermentar por 12 horas em temperatura ambiente entre 18 °C a 21 °C.

Fórmula da massa final

Ingredientes	% padeiro	Peso kg
Farinha para pão	90,00	1,580
Farinha integral	10,00	0,176
Água	55,00	0,965
Sal	3,00	0,053
Fermento (instantâneo)	0,40	0,007
Poolish	80,00	1,404
Levedura	20,00	0,351
Total	258,40	4,536

Produção: 10 pães de 454 g

Procedimento da massa final

Mistura	Mistura aprimorada (consistência média)
Tdesejada	De 23 °C a 24 °C
Primeira fermentação	1 ½ hora a 27 °C e 65% UR
Divisão	454 g
Pré-moldagem	Bola leve
Fermentação intermediária	20 a 30 minutos
Formato	Filão alongado
Fermentação final	1 hora a 27 °C e 65% UR
Cortes	Corte como para baguete ou filão
Vapor	2 segundos
Cozimento	Forno de lastro, 30 a 35 minutos a 232 °C

FÓRMULA

PÃO DE MILHO (*CORNBREAD*)

A fórmula de pão de milho mostrada a seguir foi inspirada no pão de milho mais clássico fermentado quimicamente. Esta versão destaca o sabor do milho ao usar uma proporção maior de farinha de milho na massa e uma pequena quantidade de farinha de milho grossa para a textura. Em razão de esta massa ter uma alta porcentagem de farinha de milho, são usados uma massa pré-fermentada para ajudar a dar força (e sabor) e também um *poolish* para uma complexidade adicional. A versatilidade deste pão pode ser apreciada da mesma forma que o pão de milho tradicional, ou pode ser usado para fazer sanduíches, torradas, *croutons* e mesmo para recheios.

% de farinha pré-fermentada 16%

Fórmula do *poolish*

Ingredientes	% padeiro	Peso kg
Farinha para pão	100,00	0,441
Água	100,00	0,441
Sal	0,20	0,001
Fermento (instantâneo)	0,10	0,000
Total	200,30	0,884

Procedimento para o *poolish*

1. Misturar todos os ingredientes até que fiquem bem incorporados com uma Tdesejada de 21 °C.
2. Deixar fermentar por 12 a 16 horas em temperatura ambiente entre 18 °C e 21 °C.

% de farinha pré-fermentada 35%

Fórmula da massa pré-fermentada

Ingredientes	% padeiro	Peso kg
Farinha para pão	100,00	0,971
Água	65,00	0,631
Fermento (instantâneo)	0,60	0,006
Sal	2,00	0,019
Total	167,60	1,628

Procedimento para a massa pré-fermentada

1. Misturar todos os ingredientes até que fiquem bem incorporados com uma Tdesejada de 21 °C.
2. Deixar fermentar por 1 hora em temperatura ambiente entre 18 °C e 21 °C.
3. Refrigerar durante a noite.

Fórmula da massa final

Ingredientes	% padeiro	Peso kg
Farinha para pão	25,05	0,341
Farinha de milho	64,77	0,882
Farinha de milho grossa	10,18	0,139
Água	44,91	0,612
Sal	2,38	0,032
Fermento (instantâneo)	0,50	0,007
Manteiga	0,79	0,011
Massa pré-fermentada	119,47	1,628
Poolish	64,86	0,884
Total	332,91	4,536

Produção: 10 pães de 454 g

Procedimento da massa final

Mistura	Mistura aprimorada (consistência média)
Tdesejada	De 23 °C a 24 °C
Primeira fermentação	1 ½ hora a 27 °C e 65% UR
Divisão	454 g
Pré-moldagem	Bola leve
Fermentação intermediária	20 a 30 minutos
Formato	Ver a foto na página 271
Fermentação final	1 hora a 27 °C e 65% UR
Cortes	Ver a foto na página 271
Vapor	2 segundos
Cozimento	Forno de lastro, 30 a 35 minutos a 232 °C

Fórmula total

Ingredientes	% padeiro	Peso kg
Farinha para pão	63,20	1,754
Farinha de milho	31,80	0,882
Farinha de milho grossa	5,00	0,139
Água	60,70	1,684
Sal	1,90	0,053
Fermento (instantâneo)	0,47	0,013
Manteiga	0,39	0,011
Total	163,46	4,536

FÓRMULA

FRANCESE

Às vezes conhecido como a versão italiana da baguete, o *francese* normalmente não é moldado, mas cortado, na forma de uma tira de massa longa e fina para obter as mesmas características que a baguete. *Pane francese* significa pão francês em italiano.

% de farinha pré-fermentada 20%

Fórmula do *poolish*

Ingredientes	% padeiro	Peso kg
Farinha para pão	100,00	0,508
Água	100,00	0,508
Fermento (instantâneo)	0,10	0,001
Total	200,10	1,016

Procedimento para o *poolish*

1. Misturar todos os ingredientes até que fiquem bem incorporados com uma Tdesejada de 21 °C.
2. Deixar fermentar por 12 a 16 horas em temperatura ambiente entre 18 °C e 21 °C.

Fórmula da massa final

Ingredientes	% padeiro	Peso kg
Farinha para pão	79,52	1,686
Farinha integral	20,48	0,345
Água	70,00	1,422
Fermento (instantâneo)	0,35	0,007
Sal	2,00	0,041
Malte	0,98	0,020
Poolish	50,03	1,016
Total	223,36	4,536

Produção: 13 pães de 350 g

Procedimento da massa final

Mistura	Mistura básica (consistência macia)
Tdesejada	De 23 °C a 24 °C
Primeira fermentação	3 horas com 2 a 3 dobraduras
Divisão	350 g
Pré-moldagem	Nenhuma
Fermentação intermediária	Nenhum
Formato	Longas tiras, colocadas sobre pano enfarinhado
Fermentação final	30 a 45 minutos a 27 °C
Cortes	Nenhum
Vapor	2 segundos
Cozimento	Forno de lastro, 22 a 25 minutos a 238 °C

Fórmula total

Ingredientes	% padeiro	Peso kg
Farinha para pão	86,40	2,193
Farinha integral	13,60	0,345
Água	76,00	1,929
Fermento (instantâneo)	0,30	0,008
Sal	1,60	0,041
Malte	0,78	0,020
Total	178,68	4,536

Francese

Pão de espelta

Pão de milho

Pão de *meunier*

FÓRMULA

MASSA DE PIZZA

Servindo de base para um dos alimentos favoritos no mundo todo, esta massa de pizza é uma fórmula simples e básica, pronta para receber molho de tomate, queijo e as demais coberturas que a imaginação permitir.

% de farinha pré-fermentada 25%

Fórmula do *poolish*

Ingredientes	% padeiro	Peso kg
Farinha para pão	100,00	0,614
Água	100,00	0,614
Fermento (instantâneo)	0,10	0,001
Total	200,10	1,229

Procedimento para o *poolish*

1. Misturar todos os ingredientes até que fiquem bem incorporados com uma Tdesejada de 21 °C.
2. Deixar fermentar por 12 a 16 horas em temperatura ambiente entre 18 °C e 21 °C.

Fórmula da massa final

Ingredientes	% padeiro	Peso kg
Farinha para pão	100,00	1,842
Água	69,33	1,277
Fermento (instantâneo)	0,23	0,004
Sal	2,67	0,049
Malte	0,67	0,012
Óleo	6,67	0,123
Poolish	66,70	1,229
Total	246,27	4,536

Produção: 10 pizzas de 42 cm

Procedimento da massa final

Mistura	Mistura básica
Tdesejada	De 23 °C a 24 °C
Primeira fermentação	2 horas com 2 dobraduras
Divisão	454 g
Pré-moldagem	Bola leve (refere-se a firmeza do boleamento)
Fermentação intermediária	20 a 30 minutos
Formato	Esticar até a espessura desejada
Coberturas	Conforme desejar
Cozimento	Forno de lastro, 6 minutos a 288 °C

Fórmula total

Ingredientes	% padeiro	Peso kg
Farinha para pão	100,00	2,456
Água	77,00	1,891
Fermento (instantâneo)	0,20	0,005
Sal	2,00	0,049
Malte	0,50	0,012
Óleo	5,00	0,123
Total	184,70	4,536

FÓRMULA

PÃO DE FORMA MULTIGRÃO E PÃO DE FORMA INTEGRAL COM MEL (*MULTIGRAIN PAN BREAD AND HONEY WHEAT PAN BREAD*)

Pães de forma – pães que são moldados, fermentados e assados em formas – são o resultado da industrialização da panificação que se deu após a Segunda Guerra Mundial. Os engenheiros da época estavam buscando métodos eficientes de produzir pães que pudessem ser assados de modo uniforme e imediatamente embalados, armazenados e transportados por todos os Estados Unidos. Os pães de forma daquele período normalmente eram feitos com farinha branca e produzidos em um processo acelerado de panificação; entretanto, as versões modernas, incluídas aqui, adotam ingredientes saudáveis e métodos de alta qualidade.

PÃO DE FORMA MULTIGRÃO

Fórmula da massa pré-fermentada

Ingredientes	% padeiro	Peso kg
Farinha para pão	100,00	0,612
Água	65,00	0,398
Sal	2,00	0,012
Fermento (instantâneo)	0,60	0,004
Total	167,60	1,027

Procedimento para a massa pré-fermentada

1. Misturar todos os ingredientes até que fiquem bem incorporados com uma Tdesejada de 21 °C.
2. Deixar fermentar por 1 hora em temperatura ambiente entre 18 °C e 21 °C.
3. Refrigerar durante a noite.

Fórmula para a levedura

Ingredientes	% padeiro	Peso kg
Farinha para pão	50,00	0,096
Farinha integral	50,00	0,096
Água	60,00	0,115
Starter (firme)	40,00	0,077
Total	200,00	0,385

Procedimento para a levedura

1. Misturar todos os ingredientes até que fiquem bem incorporados com uma Tdesejada de 21 °C.
2. Deixar fermentar por 12 horas em temperatura ambiente entre 18 °C e 21 °C.

Fórmula para deixar as sementes de molho

Ingredientes	% padeiro	Peso kg
Semente de linhaça	20,00	0,110
Semente de girassol	20,00	0,110
Semente de gergelim	20,00	0,110
Flocos de aveia	30,00	0,165
Água	50,00	0,275
Total	140,00	0,770

Procedimento para deixar as sementes de molho

Deixar de molho por pelo menos 2 horas.

Fórmula da massa final

Ingredientes	% padeiro	Peso kg
Farinha para pão	60,00	0,770
Farinha integral	20,00	0,257
Farinha de centeio média	10,00	0,128
Semolina	5,00	0,064
Farinha de arroz	5,00	0,064
Água	68,00	0,873
Sal	2,50	0,032
Fermento (instantâneo)	1,00	0,013
Mel	6,00	0,077
Óleo	6,00	0,077
Levedura	30,00	0,385
Massa pré-fermentada	80,00	1,027
Líquido das sementes	60,00	0,770
Total	353,50	4,536

Produção: 5 pães de 900 g

Procedimento da massa final

Mistura	Mistura aprimorada (consistência macia) Adicionar o líquido das sementes em 1ª velocidade, depois que a massa estiver desenvolvida, somente até incorporar tudo
Tdesejada	De 23 °C a 24 °C
Primeira fermentação	1 hora e 30 minutos a 27 °C e 65% UR
Divisão	454 g
Pré-moldagem	Bola leve
Fermentação intermediária	20 a 30 minutos
Formato	Filão na forma
Fermentação final	De 30 a 45 minutos a 27 °C
Cortes	Ver os gráficos de cortes no Capítulo 5, figuras 5-5 e 5-6
Vapor	2 segundos
Cozimento	Forno de convecção, 40 minutos a 197 °C

Observação:
Quando estiver moldando, deixar a massa relaxar; então, dobrar em ambos os lados da bola para o meio da massa, achatando e enrolando bem firme. O objetivo é criar um miolo fechado; portanto, a massa não deve ser moldada de forma solta. Colocar a massa na forma com a emenda voltada para baixo.

PÃO DE FORMA INTEGRAL COM MEL

Fórmula da levedura

Ingredientes	% padeiro	Peso kg
Farinha para pão	100,00	0,302
Água	90,00	0,272
Starter (firme)	8,00	0,024
Total	198,00	0,599

Procedimento para a levedura

1. Misturar todos os ingredientes até que fiquem bem incorporados com uma Tdesejada de 21 °C.
2. Deixar fermentar por 8 horas em temperatura ambiente entre 18 °C e 21 °C.

Fórmula da massa final

Ingredientes	% padeiro	Peso kg
Farinha integral	100,00	1,996
Água # 1	72,00	1,437
Água # 2	8,00	0,160
Sal	2,20	0,044
Fermento (instantâneo)	1,00	0,020
Mel	8,00	0,160
Óleo de girassol	6,00	0,120
Levedura	30,00	0,599
Total	227,20	4,536

Produção: 5 pães de 900 g

Procedimento da massa final

Mistura	Mistura aprimorada (consistência média) Técnica da hidratação dupla (ver Capítulo 3, página 72)
Tdesejada	De 24 °C a 25 °C
Primeira fermentação	2 horas
Divisão	454 g
Pré-moldagem	Bola leve
Fermentação intermediária	20 a 30 minutos
Formato	Filão na forma
Fermentação final	1 hora a 27 °C e 65% UR
Cortes	Nenhum
Vapor	2 segundos
Cozimento	Forno de convecção, 35 a 40 minutos a 204 °C

Observação:
Quando estiver moldando, deixar a massa relaxar; então, dobrar em ambos os lados da bola para o meio, achatando e enrolando bem firme a massa. O objetivo é criar um miolo fechado; portanto, não manipular a massa de forma que fique muito aerada, mas, sim, moldá-la firme. Colocar a massa na forma com a emenda voltada para baixo.

Pão de forma integral com mel

FÓRMULA

PÃO DE HAMBÚRGUER (*HAMBURGER BUNS*)

Este pão tradicional inclui todos os famosos sanduíches de burguer norte-americanos, desde os mal-passados até os bem-passados.

% de farinha pré-fermentada 25%

Fórmula da esponja

Ingredientes	% padeiro	Peso kg
Farinha para pão	100,00	0,627
Água	62,00	0,388
Fermento (instantâneo)	0,10	0,001
Total	162,10	1,016

Procedimento para a esponja

1. Misturar todos os ingredientes até que fiquem bem incorporados com uma Tdesejada de 21 °C.
2. Deixar fermentar por 12 a 16 horas em temperatura ambiente entre 18 °C e 21 °C.

Fórmula da massa final

Ingredientes	% padeiro	Peso kg
Farinha	100,00	1,880
Água	63,33	1,191
Fermento (instantâneo)	1,01	0,019
Sal	2,67	0,050
Açúcar	5,07	0,095
Manteiga	10,13	0,190
Leite em pó	5,07	0,095
Esponja	54,03	1,016
Total	241,31	4,536

Produção: 53 pães de 85 g

Procedimento da massa final

Mistura	Mistura aprimorada (consistência média macia)
Tdesejada	De 23 °C a 24 °C
Primeira fermentação	45 minutos a 1 hora
Divisão	85 g

Pré-moldagem	Nenhuma
Fermentação intermediária	20 a 30 minutos
Formato	Pão de hambúrguer
Fermentação final	De 1 ½ a 2 horas a 27 °C e 65% UR
Cortes	Nenhum
Vapor	2 segundos
Cozimento	Forno de convecção, 20 minutos a 193 °C

Fórmula total

Ingredientes	% padeiro	Peso kg
Farinha	100,00	2,506
Água	63,00	1,579
Fermento (instantâneo)	0,78	0,020
Sal	2,00	0,050
Açúcar	3,80	0,095
Manteiga	7,60	0,190
Leite em pó	3,80	0,095
Total	180,98	4,536

FÓRMULA

MINIPÃES (*SOFT DINNER ROLLS*)

Um clássico norte-americano, os minipães quentes com uma porção generosa de manteiga eram muito apreciados antigamente em qualquer jantar familiar. Esses minipães são também deliciosos para sanduíches, para acompanhar refeições; ou simplesmente quentinhos, recém-saídos do forno, inspiram os padeiros a trazerem os pãezinhos de volta à mesa.

% de farinha pré-fermentada 25%

Fórmula da esponja

Ingredientes	% padeiro	Peso kg
Farinha para pão	100,00	0,578
Água	62,00	0,359
Fermento (instantâneo)	0,10	0,001
Total	162,10	0,938

Procedimento para a esponja

1. Misturar todos os ingredientes até que fiquem bem incorporados com uma Tdesejada de 21 °C.
2. Deixar fermentar por 12 a 16 horas em temperatura ambiente entre 18 °C e 21 °C.

Fórmula da massa final

Ingredientes	% padeiro	Peso kg
Farinha para pão	100,00	1,735
Água	52,67	0,914
Ovos	16,00	0,278
Fermento (instantâneo)	1,03	0,018
Sal	2,67	0,046
Açúcar	8,00	0,139
Manteiga	20,00	0,347
Leite em pó	7,00	0,121
Esponja	54,03	0,938
Total	261,40	4,536

Produção: 53 pães de 85 g

Procedimento da massa final

Mistura	Mistura aprimorada (consistência média macia)
Tdesejada	De 23 °C a 24 °C
Primeira fermentação	45 minutos a 1 hora
Divisão	85 g
Pré-moldagem	Bola leve
Fermentação intermediária	20 a 30 minutos
Formato	Minipães
Fermentação final	De 1 ½ a 2 horas a 27 °C e 65% UR
Cortes	Nenhum
Vapor	2 segundos
Cozimento	Forno de convecção, a 193 °C

Fórmula total

Ingredientes	% padeiro	Peso kg
Farinha para pão	100,00	2,314
Água	55,00	1,273
Ovos	12,00	0,278
Fermento (instantâneo)	0,80	0,019
Sal	2,00	0,046
Açúcar	6,00	0,139
Manteiga	15,00	0,347
Leite em pó	5,25	0,121
Total	196,05	4,536

FÓRMULA

BAGELS

A primeira menção ao *bagel* talvez seja aquela encontrada em 1610, na Cracóvia, Polônia, onde o regulamento da comunidade estabelecia que "os *bagels* devem ser dados como presente a todas as mulheres em trabalho de parto". Além disso, o seu formato anelado pode ser considerado um símbolo da vida. Nos anos 1880, os milhares de imigrantes judeus que foram para os Estados Unidos levaram o *bagel* para Nova York, onde os vendedores penduravam as rosquinhas enfileiradas em hastes e anunciavam o seu produto pelas ruas. Os *bagels* aos poucos ganharam popularidade, mas continuaram a ser uma raridade nos Estados Unidos, fora da expressiva população judaica do Leste Europeu até o fim do século XX. Apreciados hoje por todos os consumidores no mundo inteiro, os *bagels* eram inicialmente consumidos no café da manhã, passando depois a fazer parte de aperitivos e de sanduíches.

% de farinha pré-fermentada 30%

Fórmula da esponja

Ingredientes	% padeiro	Peso kg
Farinha alto teor de glúten	100,00	0,888
Água	65,00	0,577
Fermento (instantâneo)	0,30	0,003
Total	165,30	1,468

Procedimento para a esponja

1. Misturar todos os ingredientes até que fiquem bem incorporados com uma Tdesejada de 21 °C.
2. Deixar fermentar por 6 a 8 horas em temperatura ambiente entre 18 °C e 21 °C.

Fórmula da massa final

Ingredientes	% padeiro	Peso kg
Farinha alto teor de glúten	100,00	2,073
Água	43,57	0,903
Fermento (instantâneo)	0,30	0,006
Sal	1,86	0,038
Malte	2,29	0,047
Esponja	70,84	1,468
Total	218,86	4,536

Produção: 53 *bagels* de 85 g

Procedimento da massa final

Mistura	Mistura aprimorada para intensiva (consistência firme)
Tdesejada	De 23 °C a 24 °C
Primeira fermentação	30 minutos
Divisão	85 g
Pré-moldagem	Nenhuma
Fermentação intermediária	20 a 30 minutos
Formato	*Bagel*
Fermentação final	De 12 a 18 horas em retardador
Escaldar	Escaldar em água fervente por 45 segundos
Vapor	2 segundos
Cozimento	Forno de lastro, 15 minutos a 238 °C

Fórmula total

Ingredientes	% padeiro	Peso kg
Farinha alto teor de glúten	100,00	2,961
Água	50,00	1,480
Fermento (instantâneo)	0,30	0,009
Sal	1,30	0,038
Malte	1,60	0,047
Total	153,20	4,536

FÓRMULA

PRETZELS

Embora a tarefa de determinar a história do *pretzel* seja tão cheia de voltas quanto o seu formato, a tradição afirma que os *pretzels* foram inventados em 610 d.C., na região sul da França, ou no nordeste da Itália, por um monge que preparava um pão sem fermento para a quaresma. Os cristãos da época rezavam com seus braços cruzados sobre o peito, com cada mão no ombro oposto. Com a massa que havia sobrado do seu pão, o monge decidiu então moldar a massa reproduzindo esse gesto como atrativo para as crianças de seu povoado que memorizasse suas orações. Ele chamou sua criação de *pretiola*, em latim "pequena recompensa". O *pretzel* continuou a ser um atrativo popular por toda a Europa, onde veio a simbolizar boa sorte. Alguns historiadores acreditam que o *pretzel* foi levado para os Estados Unidos no *Mayflower* em 1620.

% de farinha pré-fermentada 9%

Fórmula para o *poolish*

Ingredientes	% padeiro	Peso kg
Farinha para pão	100,00	0,243
Água	100,00	0,243
Fermento (instantâneo)	0,10	0,000
Total	200,10	0,486

Procedimento para o *poolish*

1. Misturar todos os ingredientes até que fiquem bem incorporados com uma Tdesejada de 21 °C.
2. Deixar fermentar por 12 a 16 horas em temperatura ambiente entre 18 °C e 21 °C.

Fórmula da massa final

Ingredientes	% padeiro	Peso kg
Farinha para pão	100,00	2,454
Água	29,67	0,728
Leite	29,67	0,728
Fermento (instantâneo)	0,79	0,019
Sal	1,98	0,049
Manteiga	2,97	0,073
Poolish	19,79	0,486
Total	184,87	4,536

Produção: 53 *pretzels* de 85 g

Procedimento da massa final

Mistura	Mistura aprimorada
Tdesejada	De 23 °C a 24 °C
Primeira fermentação	30 minutos
Divisão	85 g
Pré-moldagem	Bola leve
Fermentação intermediária	20 a 30 minutos
Formato	*Pretzel* ou minifilão
Fermentação final	De 1 hora e 30 minutos a 27 °C e 65% UR
Mergulhar em solução de soda cáustica*	Soda cáustica 630 g + 18 litros de água
Vapor	2 segundos
Cozimento	Forno de convecção, 15 minutos a 215 °C

Observação:
* Solução de soda cáustica: até 4% de soda cáustica na água. Muita atenção quando manipular a solução. Usar material de proteção incluindo luvas emborrachadas e proteção para os olhos. Siga as instruções de uso do fabricante.

Fórmula total

Ingredientes	% padeiro	Peso kg
Farinha para pão	100,00	2,696
Água	36,00	0,971
Leite	27,00	0,728
Fermento (instantâneo)	0,73	0,020
Sal	1,80	0,049
Manteiga	2,70	0,073
Total	168,23	4,536

Pretzel tradicional

Pretzels minifilão

Minipães

Bagel

FÓRMULA

CONCHAS

Alimento no México, a concha é um minipão doce que tem este nome por causa da cobertura que lembra uma concha marinha. Este pão é consumido ao longo do dia no México – com o café da manhã e durante o dia com refrigerante.

% de farinha pré-fermentada 20%

Fórmula da esponja

Ingredientes	% padeiro	Peso kg
Farinha para pão	100,00	0,433
Água	60,00	0,260
Fermento (instantâneo)	0,10	0,000
Total	160,10	0,693

Procedimento para a esponja

1. Misturar todos os ingredientes até que fiquem bem incorporados com uma Tdesejada de 21 °C.
2. Deixar fermentar por 12 a 16 horas em temperatura ambiente entre 18 °C e 21 °C.

Fórmula da massa final

Ingredientes	% padeiro	Peso kg
Farinha para pão	100,00	1,733
Água	40,00	0,693
Ovos	25,00	0,433
Fermento (instantâneo)	1,98	0,034
Sal	1,80	0,031
Açúcar	30,00	0,520
Manteiga	11,00	0,191
Leite em pó	11,00	0,191
Baunilha	1,00	0,017
Esponja	40,03	0,693
Total	261,81	4,536

Produção: 53 conchas de 85 g

Procedimento da massa final

Mistura	Mistura intensiva (consistência média)
Tdesejada	24 °C
Primeira fermentação	45 minutos a 1 hora
Divisão	85 g
Pré-moldagem	Bola leve
Fermentação intermediária	20 a 30 minutos
Formato	Como uma bola, cobrir com pasta
Fermentação final	De 1 ½ a 2 horas a 27 °C e 65% UR
Cortes	Marcar a pasta com uma cruz
Vapor	2 segundos
Cozimento	Forno de convecção, 18 minutos a 182 °C

Fórmula para a pasta

Ingredientes	% padeiro	Peso kg
Farinha para pão	100,00	0,972
Gordura vegetal	66,66	0,648
Açúcar impalpável	66,66	0,648
Corante	SQ	
Total	233,32	2,268

Procedimento para a pasta

1. Misturar a gordura vegetal e o açúcar até ficar leve e macio.
2. Adicione e misture a farinha até ficar homogênea.
3. Acrescente uma quantidade suficiente de corante conforme desejar.
4. Cobertura: formar uma bolinha e depois achatá-la. Colocar no topo da massa.
5. Corte uma linha na cobertura antes de assar a massa.

Fórmula total

Ingredientes	% padeiro	Peso kg
Farinha para pão	100,00	2,166
Água	44,00	0,953
Ovos	20,00	0,433
Fermento (instantâneo)	1,60	0,035
Sal	1,44	0,031
Açúcar	24,00	0,520
Manteiga	8,80	0,191
Margarina	8,80	0,191
Baunilha	0,80	0,017
Total	209,44	4,536

Conchas

FÓRMULA

MINIPÃES DE CEBOLA E SEMENTE DE PAPOULA (*ONION POPPY SEED ROLLS*)

Alguns acreditam que este pão foi originalmente desenvolvido para uma churrascaria, já que é um acompanhamento perfeito para um belo pedaço de carne vermelha. Muitas vezes usado para fazer sanduíches em bares e outros estabelecimentos mais informais, os minipães de cebola e semente de papoula são intensos e saborosos.

% de farinha pré-fermentada 25%

Fórmula da esponja

Ingredientes	% padeiro	Peso kg
Farinha para pão	100,00	0,528
Água	62,00	0,327
Fermento (instantâneo)	0,10	0,001
Total	162,10	0,856

Procedimento para a esponja

1. Misturar todos os ingredientes até que fiquem bem incorporados com uma Tdesejada de 21 °C.
2. Deixar fermentar por 12 a 16 horas em temperatura ambiente entre 18 °C e 21 °C.

Fórmula da massa final

Ingredientes	% padeiro	Peso kg
Farinha para pão	100,00	1,584
Água	48,67	0,771
Ovos	16,00	0,253
Fermento (instantâneo)	1,03	0,016
Sal	2,67	0,042
Açúcar	8,00	0,127
Manteiga	20,00	0,307
Leite em pó	6,67	0,106
Cebola (picada e salteada até ficar translúcida)	24,00	0,380
Semente de papoula	5,33	0,084
Esponja	54,03	0,856
Total	286,40	4,536

Produção: 53 minipães de 85 g

Procedimento da massa final

Mistura	Mistura aprimorada. Adicionar a cebola salteada e as sementes de papoula depois que a massa tiver se desenvolvido, em 1ª velocidade
Tdesejada	De 23 °C a 24 °C
Primeira fermentação	45 minutos a 1 hora
Divisão	85 g
Pré-moldagem	Nenhuma
Fermentação intermediária	20 a 30 minutos
Formato	Minipão
Fermentação final	De 1 ½ a 2 horas a 27 °C e 65% UR
Cortes	Nenhum
Vapor	2 segundos
Cozimento	Forno de convecção, 15 minutos a 193 °C

Fórmula total

Ingredientes	% padeiro	Peso kg
Farinha para pão	100,00	2,112
Água	52,00	1,098
Ovos	12,00	0,253
Fermento (instantâneo)	0,80	0,017
Sal	2,00	0,042
Açúcar	6,00	0,127
Manteiga	15,00	0,317
Leite em pó	5,00	0,106
Cebolas	18,00	0,380
Sementes de papoula	4,00	0,084
Total	214,80	4,536

FÓRMULA

MINIPÃES DE BATATA E ENDRO (*POTATO DILL ROLL*)

Os sabores do endro e da batata são uma combinação perfeita, e mais ainda neste minipão tão saboroso. Sua textura é também agradavelmente macia.

Fórmula para a massa pré-fermentada

Ingredientes	% padeiro	Peso kg
Farinha para pão	100,00	0,372
Água	67,00	0,249
Fermento instantâneo	0,60	0,002
Sal	2,00	0,007
Total	169,60	0,631

Procedimento para a massa pré-fermentada

1. Misturar todos os ingredientes até que fiquem bem incorporados com uma Tdesejada de 21 °C.
2. Deixar fermentar por 1 hora em temperatura ambiente entre 18 °C a 21 °C.

Fórmula líquida para a levedura

Ingredientes	% padeiro	Peso kg
Farinha para pão	100,00	0,121
Água	100,00	0,121
Starter	60,00	0,073
Total	260,00	0,315

Procedimento para a levedura líquida

1. Misturar todos os ingredientes até que fiquem bem incorporados com uma Tdesejada de 21 °C.
2. Deixar fermentar por 12 horas em temperatura ambiente entre 18 °C e 21 °C.

Fórmula da massa final

Ingredientes	% padeiro	Peso kg
Farinha para pão	80,00	1,682
Farinha integral	12,00	0,252
Fécula de batata	8,00	0,168
Água	68,00	1,430
Sal	2,30	0,048
Fermento (instantâneo)	0,20	0,004
Levedura (líquida)	15,00	0,315
Massa pré-fermentada	30,00	0,631
Endro dill	0,20	0,004
Total	215,70	4,536

Produção: 53 minipães de 85 g

Procedimento da massa final

Mistura	Mistura aprimorada (consistência média macia)
Tdesejada	De 23 °C a 24 °C
Primeira fermentação	45 minutos a 1 hora
Divisão	85 g
Pré-moldagem	Nenhuma
Fermentação intermediária	20 a 30 minutos
Formato	Minipão
Fermentação final	De 1 ½ a 2 horas a 27 °C e 65% UR
Cortes	Nenhum
Vapor	2 segundos
Cozimento	Forno de convecção, 15 minutos a 193 °C

FÓRMULA

MINIPÃES DE CENOURA (*CARROT ROLLS*)

A cenoura ralada usada neste saboroso pão alemão acrescenta um visual atraente, assim como uma textura de miolo agradável e consistente.

% de farinha pré-fermentada 25%

Fórmula para a massa pré-fermentada

Ingredientes	% padeiro	Peso kg
Farinha para pão	100,00	0,422
Água	100,00	0,422
Fermento (instantâneo)	0,20	0,001
Sal	0,10	0,000
Total	200,30	0,845

Procedimento para a massa pré-fermentada

1. Misturar todos os ingredientes até que fiquem bem incorporados com uma Tdesejada de 21 °C.
2. Deixar fermentar por 1 hora em temperatura ambiente entre 18 °C e 21 °C.
3. Refrigerar durante a noite.

Fórmula para deixar as sementes de molho

Ingredientes	% padeiro	Peso kg
Mistura de sete grãos	100,00	0,422
Água	100,00	0,422
Total	200,00	0,844

Procedimento para deixar as sementes de molho

Deixar de molho por pelo menos 2 horas.

Fórmula da massa final

Ingredientes	% padeiro	Peso kg
Farinha para pão	100,00	1,300
Água	65,96	0,857
Sal	3,52	0,046
Fermento (instantâneo)	1,15	0,015
Malte	3,44	0,045
Cenouras (raladas)	45,03	0,585
Líquido das sementes	64,90	0,844
Poolish	65,00	0,845
Total	349,00	4,536

Produção: 53 minipães de 85 g

Procedimento da massa final

Mistura	Mistura aprimorada (consistência média)
Tdesejada	De 23 °C a 24 °C
Primeira fermentação	1 hora e 30 minutos
Divisão	85 g
Pré-moldagem	Nenhuma
Fermentação intermediária	20 a 30 minutos
Formato	Quadrado
Fermentação final	1 hora a 27 °C e 65% UR
Cortes	Nenhum
Vapor	2 segundos
Cozimento	Forno de lastro, 30 a 35 minutos a 232 °C

Fórmula total

Ingredientes	% padeiro	Peso kg
Farinha para pão	100,00	1,721
Água	74,30	1,279
Sal	2,68	0,046
Fermento (instantâneo)	0,92	0,016
Malte	2,60	0,045
Cenouras	34,00	0,585
Líquido das sementes	49,00	0,844
Total	263,50	4,536

FÓRMULA

FILONCINO COM MANTEIGA E NOZES

O *filoncino* – "bastãozinho" – com manteiga e nozes é feito em toda a Itália, apesar de ser mais popular na região do Piemonte, onde há nozes em abundância.

% de farinha pré-fermentada 11%

Fórmula para a biga

Ingredientes	% padeiro	Peso kg
Farinha para pão	100,00	0,239
Água	55,00	0,131
Fermento (instantâneo)	1,00	0,002
Total	156,00	0,372

Procedimento para a biga

1. Misturar todos os ingredientes até que fiquem bem incorporados com uma Tdesejada de 21 °C.
2. Deixar fermentar por 16 a 18 horas em temperatura ambiente entre 18 °C e 21 °C.

Fórmula da massa final

Ingredientes	% padeiro	Peso kg
Farinha para pão	100,00	1,872
Água	5,12	0,096
Leite	50,01	0,936
Ovos	8,00	0,150
Açúcar	6,47	0,121
Fermento (instantâneo)	0,64	0,012
Sal	2,19	0,041
Manteiga	19,99	0,374
Nozes, moídas	29,98	0,561
Biga	19,87	0,372
Total	242,27	4,536

Produção: 53 minipães de 85 g

Procedimento da massa final

Mistura	Mistura intensiva (consistência média macia) Acrescentar a manteiga macia no estágio da mistura intensiva e depois de totalmente incorporada adicionar as nozes em 1ª velocidade
Tdesejada	De 23 °C a 24 °C
Primeira fermentação	De 1 ½ hora a 2 horas a 27 °C e 65% UR
Divisão	85 g
Pré-moldagem	Bola leve
Fermentação intermediária	20 a 30 minutos
Formato	Filão
Fermentação final	De 1 ½ hora a 2 horas a 27 °C e 65% UR
Cortes	Nenhum
Vapor	2 segundos
Cozimento	Forno de convecção, 30 minutos a 204 °C

Fórmula total

Ingredientes	% padeiro	Peso kg
Farinha para pão	100,00	2,111
Água	10,76	0,227
Leite	44,36	0,936
Ovos	7,10	0,150
Açúcar	5,74	0,121
Fermento (instantâneo)	0,68	0,014
Sal	1,94	0,041
Manteiga	17,73	0,374
Nozes moídas	26,59	0,561
Total	214,90	4,536

Minipães de
cenoura

Minipães
de cebola e
semente de
papoula

Minipães de
batata e endro

Filoncino de
manteiga e
nozes

FÓRMULA

PÃO DE FINADOS
(*PAN DE LOS MUERTOS*)

Este tradicional pão comemorativo, feito no formato de uma caveira e ossos cruzados, é assado em grandes quantidades como parte das celebrações durante *El dia de los muertos* (Finados), que ocorre em 2 de novembro em todo o mundo, mas é comemorado com mais intensidade no México. Pode parecer mórbido para os não iniciados, mas o objetivo do feriado é lembrar os mortos e homenagear os ancestrais de um modo alegre e reflexivo que celebra a continuidade da vida. O *Pan de los Muertos* tem sido uma parte importante deste ritual há muito tempo.

% de farinha pré-fermentada 24%

Fórmula da esponja

Ingredientes	% padeiro	Peso kg
Farinha para pão	100,00	0,524
Água	66,00	0,346
Fermento (instantâneo)	0,10	0,001
Total	166,10	0,870

Procedimento para a esponja

1. Misturar todos os ingredientes até que fiquem bem incorporados com uma Tdesejada de 21 °C.
2. Deixar fermentar por 12 horas em temperatura ambiente entre 18 °C e 21 °C.

Fórmula para água de anis

Ingredientes	% padeiro	Peso kg
Água	100,00	0,080
Semente de anis	6,00	0,005
Total	106,00	0,085

Procedimento para água de anis

Ferver a água com as sementes; deixar esfriar. Coar.

Fórmula da massa final

Ingredientes	% padeiro	Peso kg
Farinha para pão	100,00	1,643
Água	0,00	0,000
Água de laranja	3,30	0,054
Água de anis	5,14	0,085
Ovos	19,99	0,328
Gemas	26,00	0,427
Açúcar	26,00	0,427
Fermento instantâneo osmotolerante	1,19	0,020
Sal	1,50	0,025
Banha de porco	18,00	0,296
Manteiga	21,00	0,345
Extrato de baunilha	1,00	0,016
Esponja	52,97	0,870
Total	276,09	4,536

Produção: 8 pães de 545 g

Procedimento da massa final

Mistura	Mistura intensiva
Tdesejada	De 23°C a 24 °C
Primeira fermentação	45 minutos
Divisão	Corpo: 450 g; caveira (bola): 20 g; ossos (2) 75 g
Pré-moldagem	Bola leve
Fermentação intermediária	30 minutos
Formato	Ver a foto na página 305
Fermentação final	2 horas a 29 °C e 65% UR
Cortes	Nenhum
Vapor	2 segundos
Cozimento	Forno de convecção, 25 minutos a 177 °C

Fórmula total

Ingredientes	% padeiro	Peso kg
Farinha para pão	100,00	2,167
Água	15,96	0,346
Água de laranja	2,50	0,054
Água de anis	3,90	0,085
Ovos	15,16	0,328
Gemas	1,971	0,427
Açúcar	1,971	0,427
Fermento instantâneo osmotolerante	0,93	0,020
Sal	1,14	0,025
Banha de porco	13,65	0,296
Manteiga	15,92	0,345
Extrato de baunilha	0,76	0,016
Total	209,34	4,536

FÓRMULA

PÃO DE CHOCOLATE (*PAN DE CIOCCOLATE*)

Esta refinada delicadeza italiana combina os sabores do mel e do chocolate criando um pão perfeito para o café da manhã ou para sobremesa com frutas frescas.

Fórmula para a levedura

Ingredientes	% padeiro	Peso kg
Farinha para pão	95,00	0,162
Farinha de centeio média	5,00	0,009
Água	50,00	0,086
Starter (firme)	80,00	0,137
Total	230,00	0,393

Procedimento da levedura

1. Misturar todos os ingredientes até que fiquem bem incorporados com uma Tdesejada de 21 °C.
2. Deixar fermentar por 8 horas em temperatura ambiente entre 18 °C e 21 °C.

Fórmula da massa final

Ingredientes	% padeiro	Peso kg
Farinha para pão	100,00	1,967
Água	63,00	1,239
Mel	18,00	0,354
Extrato de baunilha	1,00	0,020
Chocolate em pó	6,00	0,118
Fermento instantâneo osmotolerante	0,30	0,006
Sal	2,30	0,045
Levedura	20,00	0,393
Pastilha de chocolate	20,00	0,393
Total	230,60	4,536

Produção: 10 pães de 454 g

Procedimento da massa final

Mistura	Mistura aprimorada (consistência média)
Tdesejada	De 24 °C a 25 °C. Ao final da mistura, adicionar os *chips* em 1ª velocidade
Primeira fermentação	2 horas
Divisão	454 g
Pré-moldagem	Bola leve
Fermentação intermediária	De 20 a 30 minutos
Formato	Broa ou filão
Fermentação final	De 2 ½ horas a 3 horas a 27 °C e 65% UR
Cortes	Ver Capítulo 5, figura 5-5
Vapor	2 segundos
Cozimento	Forno com rack, de 35 a 40 minutos a 204 °C

FÓRMULA

ROTOLO DI NATALE

Este pão anelado é normalmente feito na Itália para as comemorações natalinas. A combinação de uma massa enriquecida e macia com um recheio crocante cria uma textura rara, enquanto a apresentação atraente torna o *Rotolo di Natale* um festivo ornamento para a mesa natalina.

% de farinha pré-fermentada 20%

Fórmula da esponja

Ingredientes	% padeiro	Peso kg
Farinha para pão	100,00	0,451
Leite	60,00	0,271
Fermento (instantâneo)	0,10	0,000
Total	160,10	0,722

Procedimento para a esponja

1. Misturar todos os ingredientes até que fiquem bem incorporados com uma Tdesejada de 21 °C.
2. Deixar fermentar por 12 horas em temperatura ambiente entre 18 °C e 21 °C.

Fórmula da massa final

Ingredientes	% padeiro	Peso kg
Farinha para pão	100,00	1,804
Água	33,75	0,609
Ovos	15,00	0,271
Rum	5,00	0,090
Sal	2,20	0,040
Fermento instantâneo osmotolerante	2,48	0,045
Açúcar	28,00	0,505
Manteiga	25,00	0,451
Esponja	40,03	0,722
Raspa de laranja	A gosto	0,005
Raspa de limão	A gosto	0,005
Total	251,46	4,536

Fórmula para o recheio (para 5 kg de massa)

Ingredientes	% padeiro	Peso kg
Nozes	200,00	0,469
Pinoli	100,00	0,235
Açúcar	100,00	0,235
Cacau em pó	66,67	0,156
Uva-passa	200,00	0,469
Rum	100,00	0,235
Claras batidas	200,00	0,469
Total	966,67	2,268

Produção: 4 pães de 1 kg

Procedimento para o recheio

Misturar todos os ingredientes até que fiquem completamente incorporados.

Procedimento da massa final

Mistura	Mistura intensiva. Durante a mistura intensiva acrescentar o rum, as raspas de laranja e limão em 1ª velocidade
Tdesejada	De 23 °C a 24 °C
Primeira fermentação	Durante a noite no refrigerador
Divisão	1 kg
Pré-moldagem	Abrir a massa em forma retangular
Fermentação intermediária	Nenhuma
Formato	Colocar o recheio ao longo da massa e enrolar como um rocambole; formar uma coroa
Fermentação final	De 3 horas a 29 °C e 65% UR
Cortes	Nenhum
Vapor	2 segundos
Cozimento	Forno de convecção, 45 minutos a 157 °C Pincelar com ovos e salpicar com açúcar cristal antes de levar ao forno

Fórmula total

Ingredientes	% padeiro	Peso kg
Farinha para pão	100,00	2,255
Água	27,00	0,609
Leite	12,00	0,271
Gemas	12,00	0,271
Rum	4,00	0,090
Sal	1,76	0,040
Fermento instantâneo osmotolerante	2,00	0,045
Açúcar	22,40	0,505
Manteiga	20,00	0,451
Raspa de laranja	A gosto	0,005
Raspa de limão	A gosto	0,005
Total	201,16	4,546

Coroa doce

Rotolo di natale

Pão de chocolate

Pão de finados

FÓRMULA

CHALLAH

Existente há milhares de anos, o *challah* é o pão da tradição judaica, consumido no Sabat e nos feriados. A palavra *challah* se refere à porção de massa a ser deixada à parte para os altos sacerdotes do Templo de Jerusalém durante os tempos antigos. As leis da Bíblia ordenavam que, depois que o pão fermentasse, as mulheres deveriam separar uma parte da massa e queimá-la para que lembrassem das oferendas do Templo. O *challah* é servido durante muitos dos feriados judaicos, com formatos e preparos repletos de simbolismo tradicional. As sementes de papoula e gergelim sobre o pão, por exemplo, simbolizam o maná dos céus, enquanto as tranças, com suas porções entrelaçadas, simbolizam o amor.

% de farinha pré-fermentada 30%

Fórmula para a massa pré-fermentada

Ingredientes	% padeiro	Peso kg
Farinha para pão	100,00	0,687
Água	65,00	0,446
Fermento (instantâneo)	0,60	0,004
Sal	2,00	0,014
Total	167,60	1,151

Procedimento para a massa pré-fermentada

1. Misturar todos os ingredientes até que fiquem bem incorporados com uma Tdesejada de 21 °C.
2. Deixar fermentar por 1 hora em temperatura ambiente entre 18 °C e 21 °C.
3. Refrigerar durante a noite.

Fórmula da massa final

Ingredientes	% padeiro	Peso kg
Farinha para pão	100,00	1,602
Água	42,14	0,675
Ovos	22,29	0,357
Fermento instantâneo osmotolerante	0,96	0,015
Sal	2,00	0,032
Açúcar	17,86	0,286
Manteiga	22,43	0,359
Leite em pó	3,57	0,057
Massa pré-fermentada	71,83	1,151
Total	283,08	4,536

Produção: Varia de acordo com a quantidade de partes usadas para fazer a trança.

Procedimento da massa final

Mistura	Mistura intensiva
Tdesejada	De 23 °C a 24 °C
Primeira fermentação	45 minutos a 1 hora
Divisão	Cada parte 150 g
Pré-moldagem	Retângulo leve
Fermentação intermediária	20 a 30 minutos
Formato	Trança de seis partes
Fermentação final	De 1 hora e 15 minutos a 27 °C e 65% UR Pincelar com ovo antes de assar
Cortes	Nenhum
Vapor	2 segundos
Cozimento	Forno de convecção, 25 minutos a 193 °C

Fórmula total

Ingredientes	% padeiro	Peso kg
Farinha para pão	100,00	2,289
Água	49,00	1,122
Ovos	15,60	0,357
Fermento instantâneo osmotolerante	0,85	0,019
Sal	2,00	0,046
Açúcar	12,50	0,286
Manteiga	15,70	0,359
Leite em pó	2,50	0,057
Total	198,15	4,536

Observação:
Esta fórmula do *challah* não é *kosher* por causa dos lacticínios incluídos na fórmula. Para seguir a orientação *kosher,* substituir a manteiga por óleo e retirar o leite em pó.

FÓRMULA

STOLLEN

O *Stollen* apareceu pela primeira vez em Dresden, na Alemanha, em torno de 1400, com a intenção de representar o menino Jesus envolvido em fraldas. Tornou-se um pão popular no natal, mas, como o advento era em época de jejum, havia uma restrição ao uso da manteiga em assados. Dessa forma, o óleo passou a ser usado em substituição à manteiga, o que acabou tornando a massa, de certo modo, sem sabor. Quando o papa finalmente retirou a restrição para o público em geral em 1691, o *Stollen* (agora preparado com manteiga) tornou-se mais popular e lentamente evoluiu do original para uma versão mais doce, contendo frutas secas e banhadas em bebidas alcoólicas e nozes, muito similar ao tipo de pão consumido hoje pelo mundo todo.

% de farinha pré-fermentada 26%

Fórmula da esponja

Ingredientes	% padeiro	Peso kg
Farinha para pão	100,00	0,363
Água	66,70	0,242
Fermento (instantâneo)	0,10	0,000
Total	166,80	0,605

Procedimento para a esponja

1. Misturar todos os ingredientes até que fiquem bem incorporados com uma Tdesejada de 21 °C.
2. Deixar fermentar por 12 a 16 horas em temperatura ambiente entre 18 °C e 21 °C.

Fórmula da massa final

Ingredientes	% padeiro	Peso kg
Farinha para pão	100,00	1,053
Leite	15,33	0,161
Fermento instantâneo osmotolerante	5,34	0,056
Sal	2,29	0,024
Malte	2,29	0,024
Açúcar	14,52	0,153
Ovos	15,33	0,161
Raspa de laranja	1,48	0,016
Raspa de limão	1,48	0,016
Mistura de especiarias	1,21	0,013
Manteiga	78,27	0,824
Esponja	57,51	0,605
Frutas ao rum	135,83	1,430
Total	430,88	4,536

Produção: 10 pães de 454 g

Procedimento da massa final

Mistura	Mistura intensiva. Adicionar a manteiga e o açúcar no começo, mas reserve as frutas ao rum até depois da massa ter se desenvolvido; adicione as frutas em 1ª velocidade
Tdesejada	De 23 °C a 24 °C
Primeira fermentação	30 minutos
Divisão	454 g
Pré-moldagem	Bola leve
Fermentação intermediária	20 a 30 minutos
Formato	Filão, equivalente ao *fendu*
Fermentação final	De 1 hora a 27 °C e 65% UR
Vapor	3 segundos
Cozimento	Forno de convecção, 30 minutos a 190 °C
Finalização	Pincelar com manteiga clarificada Polvilhar com açúcar cristal Polvilhar com açúcar impalpável

Fórmula total

Ingredientes	% padeiro	Peso kg
Farinha para pão	100,00	1,416
Água	17,10	0,242
Leite	11,40	0,161
Fermento instantâneo osmotolerante	4,00	0,057
Sal	1,70	0,024
Malte	1,70	0,024
Açúcar	10,80	0,153
Ovos	11,40	0,161
Raspa de laranja	1,10	0,016
Raspa de limão	1,10	0,016
Mistura de especiarias	0,90	0,013
Manteiga	58,20	0,824
Frutas ao rum	101,00	1,430
Total	320,40	4,536

Fórmula para frutas ao rum

Ingredientes	% padeiro	Peso kg
Uva-passa	100,00	0,617
Laranja cristalizada	30,00	0,185
Limão cristalizado	45,00	0,278
Amêndoa laminada	40,00	0,247
Rum	16,60	0,102
Total	231,60	1,430

Observações:
Mistura de especiarias: partes iguais de canela, cardamomo, noz moscada, cravo e pimenta-da-jamaica. Durante a moldagem o recheio de amêndoa deve ser aplicado antes de moldar a massa na forma tradicional do *fendu*.

Stollen

PARTE

3

VIENNOISERIE

A Parte 3 deste livro trata da viennoiserie. Esses tipos de pães foram criado em Viena, onde inicialmente era feito de modo exclusivo para a monarquia. A manteiga, o açúcar e os ovos, que transformaram as massas tradicionais em doces, somente poderiam ser consumidos pelos mais ricos. Do século XVIII até hoje, os pães e as pâtisseries de estilo vienense têm se transformado em artigos sofisticados e refinados, apreciados, em uma variedade de formas e tipos, no mundo todo. Todos eles, contudo, ainda guardam as características próprias da região de onde provêm.

VIENNOISERIE

OBJETIVOS

Após a leitura deste capítulo, você será capaz de:

▶ Descrever os ingredientes usados na viennoiserie e suas funções principais.

▶ Explicar a mistura, a fermentação, a moldagem, a fermentação final e o cozimento das massas folhadas e não folhadas.

▶ Produzir uma seleção de várias pâtisseries de massas folhadas, indicando as misturas adequadas, a laminação e as técnicas de moldagens.

▶ Produzir uma seleção de viennoiseries não folhada.

▶ Demonstrar e adotar um processo alternativo de preparo da viennoiserie.

UMA INTRODUÇÃO À VIENNOISERIE

A **viennoiserie** é uma combinação entre a pâtisserie e a panificação. Os padeiros profissionais e chefs pâtissiers usam o termo viennoiserie para se referir aos produtos feitos com fermento de pão, adoçados com açúcar e enriquecidos com manteiga e ovos. As duas categorias principais de viennoiserie são as **massas folhadas** e as **massas não folhadas**.

A laminação é o processo de criar camadas de massa e manteiga para produzir doces leves e folhados. Exemplos de viennoiserie folhada incluem os croissants e os *danish*, enquanto as versões de viennoiserie não folhadas incluem os brioches, *pan d'oro* e o *gibassier*. A viennoiserie requer conhecimentos dos princípios da panificação, tais como mistura, fermentação, cálculo do tempo de fermentação e cozimento, embora também possa requerer habilidades mais comumente associadas ao chef pâtissier, tais como composição visual, originalidade de sabores e apresentação.

O PREPARO DA VIENNOISERIE

Assim como o pão, a viennoiserie é preparada com fermento e muitos dos princípios básicos de panificação se aplicam também a ela. Entretanto, dependendo da categoria da viennoiserie e das características da massa, algumas considerações especiais devem ser levadas em conta. Os procedimentos básicos da viennoiserie estão indicados na Figura 9-1.

Os estágios da viennoiserie são semelhantes aos do pão e podem ser divididos em duas categorias: o trabalho manual com a massa (mistura, laminação, divisão, pré-moldagem e moldagem) e o descanso ou fermentação (pré-fermento, primeira fermentação, fermentação final e *oven spring* (estufada no forno)). Será útil uma revisão da mistura e fermentação dos capítulos 3 e 4. A diferença mais importante é o processo de laminação.

SELEÇÃO DE INGREDIENTES E FUNCIONALIDADE

A seleção dos ingredientes para a viennoiserie terá um efeito nas propriedades da massa. Assim como no pão, os ingredientes principais incluem farinha, água, fermento e sal. Os ingredientes adicionais normalmente usados nas massas doces incluem açúcar, gordura, ovos e leite.

FARINHA

A escolha da farinha é importante porque a massa precisa passar pelos processos de mistura, fermentação e moldagem. As características próprias da massa podem ser obtidas mediante um bom equilíbrio entre extensibilidade e elasticidade. Muitos padeiros usam farinhas com baixo teor de proteína, produzidas com trigo de inverno, que produzem força suficiente para suportar os ingredientes adicionais normalmente encontrados em massas como o croissant ou o brioche.

Outros padeiros usam a farinha com alto teor de glúten de trigo produzido no verão. Essa opção pode ser mais indicada para massas com ingredientes que enfraqueçam a estrutura do glúten, como manteiga e açúcar. Entretanto, o uso de farinha com alto teor de glúten pode criar um produto com uma crosta grossa, endurecida, e um miolo de textura emborrachada. Ocasionalmente, o padeiro encontra determinada fórmula que indica o uso de uma farinha mais fraca,

Figura 9-1

Comparação dos processos de viennoiserie folhada e não folhada.

Folhada	Não folhada
Pré-fermento (opcional)	Pré-fermento (opcional)
Mistura	Mistura
Primeira fermentação	Primeira fermentação
Laminação	Divisão
Divisão	Pré-moldagem
Descanso da massa	Descanso
Moldagem	Moldagem
Fermentação final	Fermentação final
Cozimento	Cozimento
Resfriamento	Resfriamento

como a recomendada para bolos e tortas para complementar a farinha mais forte. Essa medida vai atenuar a força da massa para torná-la mais macia.

O teor de cinza da farinha é outra consideração importante, pois em razão da alta quantidade de minerais combinada com os altos níveis de açúcar na viennoiserie a atividade de fermentação da massa pode aumentar prematuramente. Quando o teor de cinza for alto, talvez seja necessária uma quantidade menor de fermento para diminuir o nível de fermentação. Além do mais, altos níveis de cinza podem interferir no desenvolvimento da massa, diminuindo as chances de obter elasticidade suficiente na massa. Altos teores de cinza também podem criar uma crosta de coloração escura, o que não é visualmente atrativo na viennoiserie. Ver Capítulo 6 para maiores informações sobre o teor de cinza e seus efeitos na massa e na fermentação.

COMPONENTES PARA HIDRATAÇÃO NA VIENNOISERIE: ÁGUA, LEITE E OVOS

A farinha necessita hidratação para homogeneizar seus componentes e iniciar as reações químicas na massa. Para viennoiserie há as opções de usar água, leite e ovos, ou a combinação desses ingredientes. A escolha afetará as propriedades físicas da massa. Além disso, da mesma forma que na mistura do pão a temperatura dos líquidos controla a temperatura da massa.

Água

A água é normalmente usada na viennoiserie, muitas vezes em combinação com leite ou leite em pó, especialmente para a massa de croissant. A água não confere nenhum sabor especial, como ocorre com ovos ou leite, mas é muito eficiente em hidratar a farinha. Quando são usados 100% de água, 100% de água vão contribuir para hidratar a massa, o que ajuda a produzir uma massa homogênea com boas propriedades de manuseio.

Leite

O leite enriquece, acrescenta sabor, nutrientes e dá cor à viennoiserie. Embora qualquer tipo de leite possa ser usado, o leite integral normalmente é o escolhido pelo seu sabor mais concentrado e pela qualidade nutricional. O leite contém açúcar natural e proteínas que facilitam a coloração, assim como gordura natural que torna o produto mais macio, resultando em um miolo mais delicado e leve.

O leite normalmente é usado como uma parte líquida para o croissant, e como a maior parte líquida para o *danish*. O leite hidrata a farinha em torno de 87%, o que deve ser levado em conta ao determinar a hidratação da massa.

Quando há indicação de leite na fórmula, alguns padeiros preferem usar leite em pó em combinação com a água. Essa medida é muitas vezes determinada pelo porte da padaria e pela disponibilidade de laticínios. Quando o leite é substituído por leite em pó nas fórmulas de viennoiserie, usam-se 10% de leite em pó por peso do leite fresco. A diferença é adicionada em água.

Qualquer tipo de leite em pó pode ser usado com sucesso, mas o tipo desnatado é melhor em razão de ser mais equilibrado e porque pode ser misturado diretamente aos ingredientes secos. O leite processado em alta temperatura (UHT) é preferível ao tipo pasteurizado em baixa temperatura, já que as enzimas que podem atuar negativamente na massa são destruídas no método UHT. Algumas fórmulas antigas de croissant ou *danish* pedem leite fervido para que essas enzimas sejam destruídas. Essa medida não é mais necessária, porque todo o leite produzido hoje passa pelo processo de pasteurização e tem o mesmo efeito de destruição dessas enzimas.

Ovos

Quando os ovos são usados como agente hidratante, sua presença é mais evidente do que a água ou o leite. Para acrescentar sabor, cor e nutrientes, os ovos são um ingrediente comum nas formas mais enriquecidas de viennoiserie como o *danish*, o brioche e os pães extremamente rico em ovos como o *pan d'oro* e o panetone.

Os ovos contêm água, proteína e gordura, e hidratam a farinha a 73% da água. Quando é usada uma grande quantidade de ovos, a hidratação da massa pode ser melhorada ao se adicionar de 10% a 20% de leite ou água. Altas quantidades de ovos aumentam a plasticidade da massa. A proteína coagula durante o cozimento, criando estrutura e força na massa; além disso, a gordura das gemas atua como um agente amaciante e ajuda a manter a umidade.

A gema do ovo, rica em pigmentos carotenoides, também intensifica a cor e o sabor. As gorduras, colesterol e lecitina, ajudam a criar uma textura macia e delicada nos produtos, enquanto uma grande quantidade de gemas ajuda a emulsificar grandes quantidades de manteiga na massa. A proteína da gema também ajuda na reação Maillard e promove uma cor dourada durante o cozimento.

O tipo de ovo usado normalmente depende do tamanho e da localização das instalações. Padarias pequenas geralmente usam ovos frescos. Quando são necessárias grandes quantidades, os ovos frescos não são mais tão práticos; nesse caso, os ovos processados congelados são mais indicados. Se for esse o caso, a quantidade de açúcar adicionada aos ovos para conservação deve ser levada em conta na massa final. Se não forem encontrados ovos frescos ou congelados, ou se não forem econômicos, podem ser usados os ovos desidratados. Os produtos de ovos líquidos pasteurizados são outras opções e estão se tornando cada vez mais comuns pela facilidade de uso (não é necessário descongelar) além de serem, microbiologicamente, bastante seguros.

AÇÚCAR

Na viennoiserie são usadas várias quantidades de açúcar. Na massa folhada, por exemplo, não é usado açúcar, o croissant tem somente de 12% a 13% do peso da farinha, e alguns brioches chegam a 20%. A quantidade de açúcar em uma massa doce e fermentada não apenas vai influenciar o sabor do produto, mas também pode afetar a mistura, a fermentação e as regras para o cozimento que devem ser seguidas.

O ponto em que o açúcar passa a ter um impacto significativo na mistura e fermentação da massa é de 10% a 12%. Essas duas etapas estão relacionadas ao desenvolvimento da massa e à atividade da fermentação, respectivamente.

Mistura

Em razão de o açúcar ser higroscópico, acaba competindo com a farinha por hidratação no sistema da massa. Se o açúcar for adicionado muito cedo no processo de mistura, a formação do glúten será retardada e será mais difícil de a massa se desenvolver, resultando em um aumento do tempo de mistura. Para dar ao glúten oportunidade suficiente para se formar e se desenvolver, altas quantidades de açúcar (10% ou mais) devem ser lentamente adicionadas à medida que a massa for se desenvolvendo.

Sabor

Na viennoiserie, o tipo e a quantidade de açúcares usados são responsáveis pela intensidade do sabor. Embora os croissants, por exemplo, sejam descritos como massas doces, eles não são muito doces. O tipo de açúcar usado também tem uma influência nas características dos sabores secundários. O açúcar mascavo no *danish* e no croissant cria uma doçura e um aroma mais complexos, enquanto o mel acrescenta um sabor característico inerente à sua fonte e às misturas.

Cor

O açúcar não dá cor à massa, mas tem um impacto na coloração da crosta. Como resultado da caramelização do açúcar e da reação Maillard, que é criado como açúcar residual e como reação dos aminoácidos ao calor, altas quantidades de açúcar resultam em uma aceleração da cor durante o cozimento. Nesse caso, uma temperatura do forno mais baixa garante que o produto asse antes de se tornar muito escuro. Açúcares como o mascavo leve ou o mascavo podem mudar a cor do miolo e às vezes são usados na massa doce para conferir um sabor único ao produto.

Textura e durabilidade

As propriedades higroscópicas do açúcar melhoram a textura dos produtos assados. A sua capacidade de atrair e reter umidade cria uma crosta e um miolo mais macios, que são duas características do *danish* e do croissant. O açúcar também produz uma massa mais densa com pequenos alvéolos que normalmente são regulares em distribuição e tamanho. A durabilidade também está relacionada à quantidade de açúcar usado, com altas quantidades garantindo um frescor mais longo nos produtos finais. Além disso, açúcares invertidos, produzidos natural ou comercialmente, podem ser usados para aumentar a durabilidade e ajudar a reter a umidade.

Tipos de açúcar usados em viennoiserie

O açúcar cristal é o tipo mais comum de açúcar utilizado em massas doces fermentadas, e o mel e o mascavo leve são muito menos usados. Se o padeiro domina o uso do açúcar em massas e sabe como misturar, fermentar e assar adequadamente, outros tipos de açúcar podem ser substituídos, ou as quantidades podem ser alteradas para obter os resultados desejados.

SAL

O sal tem a mesma função na viennoiserie do que no pão. Para uma visão completa do sal e seus efeitos na massa, ver os capítulos 3 e 4. Na viennoiserie, o sal ajuda a regular a fermentação, melhora a tolerância à fermentação e equilibra os sabores doces e ácidos de um produto. A quantidade de sal pode ser ajustada para se adaptar ao tempo de fermentação mais longo ou mais curto e/ou altas quantidades de açúcar. Se uma fórmula contém uma alta quantidade de açúcar, por exemplo, deve ter uma pequena porcentagem de sal (de 1% a 1,5% baseados no peso da farinha) para evitar o retardamento excessivo da atividade de fermentação.

FERMENTO

As regras para o uso de fermento em viennoiserie são semelhantes às do pão. O fermento é incorporado à massa da mesma maneira que à massa de pão, e as precauções a serem tomadas são as mesmas. Entretanto, um tipo diferente de fermento, o **osmotolerante**, é o preferido em viennoiserie. O osmotolerante é uma cadeia ou cadeias especiais de fermento adaptado a uma cultura específica, que permite que funcione bem sob alta pressão osmótica criada com crescentes quantidades de açúcar. Nessas situações, o fermento osmotolerante assegura resultados consistentes para a atividade de fermentação e permite o desenvolvimento completo do volume dos produtos finais.

GORDURA

A gordura usada em massas folhadas afeta as propriedades de manuseio da massa, assim como interfere no sabor e no custo do produto final. Embora manteiga sem sal seja tradicionalmente usada, o custo e as propriedades de manuseio da massa às vezes resultam na substituição por gorduras sólidas alternativas. As mais comuns dessas gorduras incluem a margarina e outros óleos hidrogenados como o ***roll-in shortening*** (a gordura hidrogenada feita especialmente para uso em massas folhadas). Alguns padeiros usam uma combinação de manteiga e outro tipo de gordura sólida para equilibrar o sabor, o custo e as propriedades de manuseio da massa.

Seleção de gorduras

Para melhor entender a seleção de gorduras usadas em viennoiserie, rever as seções de manteiga, margarina e massas folhadas na página do livro, no site www.cengage.com.br, incluindo temperatura de fusão, propriedades de manuseio, e características de sabor e textura. Para obter as informações sobre os ingredientes, acessar o mesmo endereço.

Aplicações da gordura em viennoiserie

A escolha da gordura é sempre uma determinante de qualidade na viennoiserie. Tanto usada em brioche, croissant ou panetone, essa escolha confere uma qualidade única ao produto. Os dois métodos básicos de incorporar a gordura na viennoiserie frequentemente são usados em combinação com a massa folhada. O padeiro pode colocar gordura na massa e pode laminá-la para criar camadas finas de gordura e massa.

A gordura na massa

De modo geral, toda a massa de viennoiserie contém gordura. Para as massas folhadas, a gordura cria extensibilidade. Para viennoiserie não folhada, do tipo do brioche, a gordura amacia e enriquece o miolo. A porcentagem de gordura adicionada à massa pode ser algo entre 4% e 70% do peso da farinha. Quanto mais alta a porcentagem de gordura, maior a precaução que o padeiro deve ter durante a mistura, a moldagem, a fermentação e o cozimento. Uma viennoiserie de qualidade sempre conterá manteiga. Regras específicas para trabalhar com massas com altas quantidades de gordura serão tratadas mais adiante neste capítulo.

Efeitos Cor, sabor, miolo e durabilidade são todos afetados pelo tipo e quantidade de manteiga adicionada à massa. A margarina, por exemplo, tem uma cor mais dourada do que a manteiga, enquanto a manteiga tem uma cor mais dourada do que a gordura hidrogenada. A manteiga pode acrescentar um sabor refinado único. Além disso, à medida que a quantidade de gordura aumenta, a textura do miolo se torna mais macia e densa, e o envelhecimento é retardado de forma significativa.

Considerações sobre a mistura A quantidade de gordura misturada à massa final terá influência em seu desenvolvimento e em sua força. Quando a porcentagem de manteiga aumenta acima de 10% a 12% do peso da farinha, é necessário aumentar o tempo de mistura para assegurar o desenvolvimento e a força adequados. Para massas com alto teor de gordura, tais como brioche ou panetone, é necessária uma mistura intensiva. A gordura deve ser adicionada em condições de maciez e maleabilidade, exatamente antes de a massa atingir o seu pleno desenvolvimento. Se for adicionada muito cedo, a massa levará muito tempo para se desenvolver e ganhar a força exigida para suportar grandes quantidades de gordura.

Para massas menos gordurosas, que contenham apenas de 4% a 10% de gordura a partir do peso da farinha, a gordura pode ser acrescentada durante a incorporação dos ingredientes. O desenvolvimento dessas massas doces menos ricas (croissant e *danish*) normalmente é limitado à mistura aprimorada, e a manteiga deve ser maleável (em temperatura ambiente, com consistência de pomada) para garantir uma incorporação mais fácil. Para produtos com grandes quantidades de gorduras, a temperatura da gordura deve ser levada em conta para que haja o controle adequado da temperatura da massa.

Gordura para laminação

A gordura também é usada para produzir uma fina camada de manteiga e massa que cria a textura folhada desejada. Devem ser tomados cuidados especiais, tais como temperatura e quantidade em relação ao peso total da massa, quando usar gordura para massa folhada. Embora as escolhas mais comuns sejam a manteiga, a margarina, a gordura hidrogenada, ou uma combinação de manteiga e gordura hidrogenada, a mais apreciada é a manteiga maturada com um teor de gordura entre 82% e 84%. Essa manteiga também é conhecida como manteiga "seca", porque tem um teor de água menor do que a manteiga padrão. A manteiga com menor teor de água produz massas mais folhadas e normalmente tem um sabor mais acentuado em razão da adição de culturas específicas.

Quantidade de gordura A quantidade de gordura em relação à massa da fórmula vai afetar o processo de laminação e, por sua vez, a textura do produto final. A quantidade padronizada de gordura para o croissant é de 25% do peso total da massa; para massa folhada, é de 50% do peso da massa. Como regra geral, quanto maior a porcentagem de gordura na massa, maior o número de dobraduras. Para o croissant, por exemplo, três dobraduras simples são o padrão, enquanto cinco a seis dobraduras simples são necessárias para a massa folhada.

Temperatura e textura da gordura Pode ser um verdadeiro desafio obter a textura adequada para manuseio da massa folhada, por causa da variedade dos pontos de fusão das gorduras usadas nessas massas. Para que ocorra uma laminação correta, a gordura deve ter **plasticidade**. Esta depende de uma manteiga firme, porém maleável. A gordura deve manter uma temperatura sempre fria o suficiente para resistir à absorção da massa ou não escorrer da ***détrempe***,[1] a porção de massa da viennoiserie folhada. Essa é a razão porque alguns padeiros preferem usar a margarina ou a gordura hidrogenada. O ponto de fusão delas é mais alto do que o da manteiga, o teor de água é menor e ambas são fáceis de manusear em temperatura ambiente moderada. Alguns padeiros misturam 5% a 10% de farinha (baseada no peso total da manteiga) na manteiga para absorver o teor de água, aumentar a plasticidade e evitar que a manteiga se torne muito firme. A manteiga "seca" deve ser levemente amaciada antes de começar o processo de laminação para garantir uma boa plasticidade, de forma a se expandir em folhas finas e iguais por toda a massa durante o processo de laminação.

---

[1] *Détrempe*: refere-se à primeira fase da massa folhada, antes de ela ser aberta com a gordura. (NT)

UMA VISÃO GERAL DO PROCESSO DE MASSA FOLHADA

O processo de massa folhada obedece a seis etapas essenciais para a sua produção. Esse processo serve como ponto de partida para introduzir diversos pré-fermentos e técnicas de fermentação alternativa para criar perfis de sabor único e esquemas produtivos flexiveis.

MISTURA

A mistura correta é o primeiro passo para produzir uma massa folhada bem feita. Ao longo dos tempos essa etapa evoluiu de uma simples incorporação de ingredientes a uma mistura aprimorada. Embora a mistura básica seja, às vezes, usada ainda hoje, uma mistura aprimorada resulta em um volume melhor e permite um esquema produtivo consistente. Se o tempo de mistura é mais curto, é necessário um tempo mais longo da primeira fermentação para construir uma força de excelência antes da laminação.

O croissant feito com um tempo de mistura mais curto apresentará volume menor, miolo com uma cor mais dourada, e possivelmente um sabor mais complexo por causa da menor quantidade de oxidação da massa. Caso a porcentagem de açúcar seja mais de 10% do peso da farinha, normalmente será necessário fazer um ajuste ao misturar a massa para croissant: o de só acrescentar o açúcar depois que a massa completar o seu desenvolvimento. O ideal de temperatura para massa folhada é de 24 °C.

Assim como na mistura de massas sem gordura, o padeiro pode escolher adotar a autólise para a massa folhada. Esse método vai reduzir o tempo de mistura e aumentar a extensibilidade da massa. Uma massa com boa extensibilidade é benéfica especialmente se a massa folhada for trabalhada manualmente; entretanto, é também indispensável para o processamento mecânico, especialmente durante a laminação final da massa para evitar o encolhimento.

PRIMEIRA FERMENTAÇÃO

A duração normal da primeira fermentação de uma massa folhada fermentada é de 2 horas usando duas zonas de temperatura. O objetivo de se ter duas zonas de temperatura é permitir que a massa fermente e depois esfrie para passar para o procedimento seguinte de laminação. Depois que a mistura for completada, deve-se medir a temperatura da massa, pois nesse momento inicia-se a primeira fermentação. Dependendo da temperatura da massa, o padeiro talvez tenha que ajustar a temperatura ambiente, tanto para aumentar a temperatura como para esfriar o ambiente. A seguir, as orientações adequadas para a temperatura:

- A massa que estiver com temperatura abaixo de 22 °C deve ser colocada em uma área mais aquecida por 1 hora.
- A massa com temperatura entre 23 °C e 26 °C deve permanecer em temperatura ambiente por 1 hora.
- A massa com temperatura a 26 °C ou acima deve ir para o refrigerador por 1 hora.

Depois que a massa passou a hora inicial da primeira fermentação na temperatura indicada, pode ser dividida no peso adequado para o *détrempe* e ir para refrigeração. Durante esse tempo, a atividade de fermentação é retardada, e a temperatura da massa se torna a mesma da manteiga a ser usada para a laminação.

LAMINAÇÃO

A **laminação** é o processo pelo qual camadas de massa e manteiga são combinadas para produzir massas folhadas tais como croissant e *danish*. Entre os aspectos importantes a considerar na laminação estão a temperatura e a preparação da manteiga (também conhecido como ***beurrage*** ou ***roll-in fat*** (ou empaste), a temperatura e a consistência da massa, o processo de abrir a massa, e os tipos e quantidades de dobraduras feitas na massa. Durante o processo de laminação, é fundamental que as temperaturas da massa e da manteiga permaneçam frias, e que a manteiga se mantenha extensiva.

A preparação da manteiga (*beurrage*)

A primeira etapa da laminação é a preparação da manteiga. Essa etapa fundamental tem sido mal realizada de inúmeras formas consideradas "criativas", porém inadequadas. Em um desses métodos, a manteiga é ralada sobre a massa como se fosse queijo, o que na verdade cria um produto final mais semelhante a um pão do que a uma pâtisserie. Em outro processo inovador, a manteiga amornada é espalhada sobre a massa. Em razão de essa técnica indicar a refrigeração da massa antes da laminação, a manteiga é absorvida e as camadas de gordura e massa são menos distintas.

As técnicas mais comumente usadas para preparar a manteiga para a laminação levam à criação de um bloco frio de gordura que é macio, flexível e extensivo. Algumas das seguintes técnicas podem ser mais práticas que outras, dependendo das exigências da produção e dos equipamentos disponíveis. Os dois aspectos mais importantes para o chef pâtissier ou padeiro é saber quais características buscar e como controlá-las.

- Para grandes padarias que produzem milhares de unidades de pâtisserie por dia, convém adotar uma **prensa de manteiga**, uma prensa hidráulica que produz blocos uniformes de manteiga de forma eficiente e regular em um apertar de botão.

- A técnica de folhear a massa é útil para padarias que não podem comprar uma prensa de manteiga, embora queiram produzir blocos de manteiga de maneira rápida e eficiente. A manteiga em temperatura ambiente é aberta no tamanho e forma desejados entre duas placas de silicone (ver Técnicas de laminação da massa, Figura 9-2, etapa 1-2). Depois de preparada, pode ser transferida para papel-manteiga e reservada em refrigerador até quando for utilizada (ver Técnicas de laminação da massa, Figura 9-2, etapa 3-4).

- Para uma padaria pequena, ou para um padeiro doméstico exigente, a técnica do rolo de massa é simples na teoria, mas barulhenta na prática. A manteiga fria é colocada entre duas placas de plástico e é batida com o rolo de massa até atingir a forma e o tamanho necessários (ver Técnica do rolo de massa, Figura 9-3, etapa 1). A ação do rolo amacia a manteiga, tornando-a extensiva e maleável, mas o processo rápido mantém a temperatura fria (ver Técnica do rolo de massa, Figura 9-3, etapa 2).

Padeiros de qualquer ambiente produtivo devem ser capazes de preparar a manteiga para laminação usando quaisquer dessas três opções. O processo pode ser simplificado ao usar placas de manteiga disponíveis no mercado, quando possível, mas a opção da manteiga preparada em placas é mais limitada do que a de blocos, e o custo é mais alto.

FIGURA 9-2 TÉCNICA DA MASSA FOLHADA

Colocar a manteiga em camada igual sobre duas placas de silicone.

Prensar a massa usando o cilindro.

Depois que a manteiga estiver no tamanho desejado, remover as placas de silicone e colocar a manteiga em papel-manteiga.

A manteiga está pronta para ser armazenada.

FIGURA 9-3 TÉCNICA DO ROLO DE MASSA

Colocar a manteiga em camada igual, envolvida em plástico resistente, e bater para amaciá-la até obter a forma desejada.

A placa de manteiga está pronta para o uso.

FIGURA 9-4 ENVOLVER A GORDURA NA MASSA

Estender a massa até duplicar o tamanho da gordura.

Colocar a gordura no centro da massa e dobrar as laterais em direção ao centro.

A emenda deve ficar no meio da massa, e a manteiga deve alcançar as bordas.

As características da massa e da manteiga

Um processo de laminação bem-sucedido cria uma massa folhada excelente. Para isso, a massa e a manteiga precisam ter algumas características específicas. Se a massa for muito úmida, não vai produzir camadas distintas de massa e manteiga; se for muito firme, vai produzir uma força excessiva na massa e causar problemas durante a laminação e moldagem. Dependendo do tipo de farinha usada e da quantidade de manteiga na massa, o padrão é uma hidratação de 60% a 65% do peso da farinha. Se for usada menos água na massa, a gordura pode ser aumentada em até 10% do peso da farinha para aumentar a extensibilidade. Além disso, a manteiga envolvida pela massa deve estar com a mesma temperatura e textura.

Envolver a gordura na massa

Há inúmeras maneiras de envolver a gordura na massa, e algumas funcionam melhor que outras. O método usado vai determinar o número de camadas. O modo mais comum e o mais fácil é envolver a *beurrage* sobre 50% da massa, criando uma camada inicial única de gordura (ver Envolver a gordura na massa, Figura 9-4, etapas 1-2). A gordura deve se estender às bordas de forma que a massa não precisa ser esticada para envolver a gordura. Alterar a espessura da massa pode criar camadas desiguais da massa e a gordura pode sair da laminação. Quando feita corretamente, o resultado final desse método são duas camadas de massa e uma de manteiga (ver Envolver a gordura na massa, Figura 9-4, etapa 3).

Um método alternativo é colocar a gordura sobre dois terços da massa, deixando o lado esquerdo ou direito livre (ver Método alternativo: Envolver a gordura na massa, Figura 9-5, etapa 1). A seguir, a parte livre da massa deve ser dobrada sobre a manteiga (ver Método alternativo: Envolver a gordura na massa, Figura 9-5, etapa 2). Depois disso, a terça parte que tem a manteiga por cima é dobrada em direção ao centro (ver Método alternativo: Envolver a gordura na massa, Figura 9-5, etapa 3). O resultado final são três camadas de massa e duas de manteiga (ver Método alternativo: Envolver a gordura na massa, Figura 9-5, etapa 4).

Abrir a massa e fazer as dobraduras

O próximo passo é estender a massa ou passá-la no cilindro. Depois disso, a massa passa por uma série de dobraduras. Há duas opções de **dobras**: uma **simples** ou **carta** (ver Dobra simples, Figura 9-6) e uma **dupla** ou **livro** (ver Dobra dupla, Figura 9-7). A dobra simples se refere à dobra de um terço da massa da esquerda e depois da direita, como se dobrasse uma carta comercial. Uma dobra dupla pode ser feita ao dobrar a massa estendida em quatro, com o centro servindo de guia para garantir camadas mais consistentes.

É necessário um tempo de descanso (ou fermentação intermediária) entre as dobraduras. O croissant, por exemplo, normalmente recebe três dobraduras simples. As primeiras duas podem ser feitas em sequência. Depois de descansar por pelo menos meia hora, a terceira dobradura pode ser completada. Quando a massa do croissant é feita a mão, é recomendável deixar a massa descansar por até 45 minutos depois de cada dobradura.

As regras para abrir a massa são as mesmas caso o chef pâtissier ou o padeiro prepare a massa folhada a mão ou com um cilindro reversível. É essencial abrir a massa da forma mais homogênea possível para que se criem camadas iguais de massa e gordura. Além disso, a massa deve ser aberta na direção das laterais para evitar distorções e excessivo esfarelamento da massa. Deve-se ter o cuidado de não abrir a massa demais em um lado, porque uma massa homogênea, com manuseio gradual, vai apresentar camadas homogêneas. A extensão até onde uma massa pode ser aberta

FIGURA 9-5   MÉTODO ALTERNATIVO: ENVOLVER A GORDURA NA MASSA

1

Colocar a gordura preparada sobre dois terços da massa.

2

Dobrar a lateral restante em direção ao centro da gordura.

3

Dobrar a massa com a gordura dentro em direção ao lado oposto.

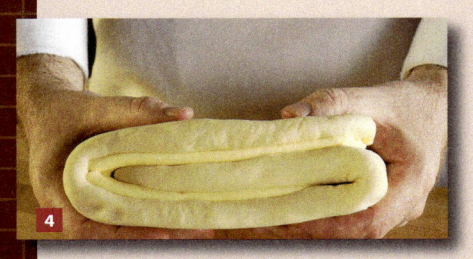

4

A *détrempe* concluída terá três camadas de massa e duas camadas de gordura.

FIGURA 9-6   DOBRA SIMPLES

1

Abrir a massa, em superfície levemente enfarinhada, em torno de três vezes a sua extensão.

2

Dobrar um terço da massa em direção ao centro.

3

Do outro lado, dobrar a terça parte restante em direção ao centro.

4

A dobra simples está completa.

depende em grande parte do tamanho da *détrempe*. Em geral, a massa deve ser aberta três vezes a sua extensão para uma dobradura simples, e quatro vezes sua extensão para uma dobradura dupla.

Depois que a massa for aberta na sua extensão adequada, a dobradura pode ser feita. Quando o cilindro for utilizado, é possível fazer a segunda dobradura imediatamente; entretanto, se a massa for processada a mão, é recomendável deixá-la descansar por pelo menos 30 minutos no refrigerador. Antes de fazer a segunda dobradura, girar a massa em 90º para garantir que o seu manuseio seja igual em todos os lados da massa. Depois da segunda dobradura, a massa deve descansar por pelo menos 30 minutos no refrigerador.

A dobradura final pode ser dada ao *détrempe* depois que completar o tempo de descanso mínimo. Depois que a terceira dobradura estiver completa, a massa deve então descansar novamente antes de ser aberta para a moldagem. É importante deixar a massa descansar para garantir que a massa não encolha durante a moldagem, o que pode produzir tiras estreitas e grossas de massa.

O efeito de abrir e dobrar a massa Além do resultado mais evidente de criar camadas de massa e gordura, outros efeitos ocorrem no momento em que a massa é aberta e dobrada. Quando as dobraduras são completadas, a força da massa aumenta, da mesma forma que sovar e dobrar a massa de pão. O aumento da força da massa em razão de sua abertura é uma das razões que tornam possível diminuir o tempo de mistura, e ainda ter uma massa razoavelmente folhada.

O tipo e o número de dobraduras têm um enorme impacto no produto final. Ao fazer croissant, por exemplo, as primeiras duas dobraduras podem ser feitas em sequência, mas é preciso esperar ao menos 30 minutos antes que a terceira dobradura possa ser completada. Para acelerar o tempo de produção e reduzir o manuseio da massa, alguns chefs pâtissiers e padeiros usam uma dobradura simples e uma dupla em sequência, ou duas dobraduras duplas em sequência. Esse método é útil para manter a produção funcionando, já que a massa estará pronta para ser aberta, cortada e finalizada em 30 minutos. Ao combinar as dobraduras simples e duplas, a dobradura simples deve ser sempre completada antes.

O grau de folheamento do produto final depende em grande parte da qualidade da laminação, mas também é o resultado do número e dos tipos de dobraduras feitos na massa. As grandes camadas de gordura e massa criadas pela combinação de dobraduras duplas e simples criam uma massa mais folhada que aquela feita usando a mesma fórmula, porém com três dobraduras simples. Não é aconselhável fazer menos de uma dobradura simples e uma dupla, porque as camadas de massa serão muito grossas, podem se desfazer facilmente depois do produto pronto.

MOLDAGEM

A moldagem pode ser feita depois de a massa ter passado pela última dobradura e depois de ter ficado no refrigerador por pelo menos 30 minutos. Ao abrir a massa na fase final, definir a extensão apropriada e então girar em 90º para abrir a massa com a espessura adequada. Na maioria dos cilindros reversíveis, a espessura da massa deve ser em torno de 3 a 3,5 mm para o croissant de tamanho médio.

Antes que a divisão e a moldagem comecem, a massa deve relaxar. Durante esse processo a massa tende a encolher, e o descanso ajuda a prevenir um encolhimento depois do corte. Ao cortar a massa folhada, é essencial usar régua para uma medição exata e para facilitar o trabalho rápido com utensílios afiados. A massa vai amornar rapidamente porque sua espessura é fina.

FIGURA 9-7 DOBRA DUPLA

Em superfície levemente polvilhada com farinha, abrir a massa em torno de quatro vezes a sua extensão.

Dobrar a massa em aproximadamente 1/8 em direção ao centro.

Do outro lado, dobrar a massa até o encontro da primeira dobradura.

 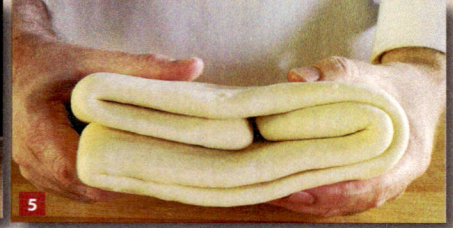

Dobrar a massa ao meio para completar a dobradura dupla.

A dobradura dupla está completa.

FIGURA 9-8 A MOLDAGEM DO CROISSANT TRADICIONAL

Abrir a massa em 41 cm de extensão. Cortar ao meio em 20 ½ cm em duas longas tiras de onde os triângulos serão cortados tendo uma base ampla de 10 ¼ cm.

Esticar levemente a massa.

Retirar esticando levemente o triângulo da base.

Enrolar a massa em direção à ponta

Cuidar para não danificar as pontas do croissant.

Depois de colocar na forma, aplicar uma leve camada de *egg wash*.

FIGURA 9-9   A MOLDAGEM DO CROISSANT DE CHOCOLATE

Cortar tiras da massa medindo 13 ½ cm de extensão (comprimento) e então cortá-las em partes de aproximadamente 8 cm de largura (ou da largura das barras de chocolate).

Visão, passo a passo, da moldagem do croissant de chocolate.

A emenda deve sempre ficar na parte de baixo da massa.

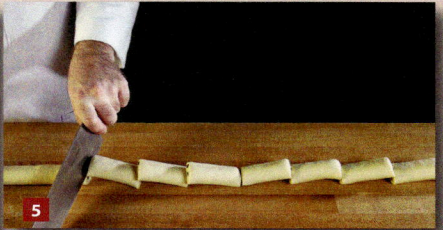

Usando o mesmo princípio de moldagem da Figura 9-10, etapa 2, a mesma técnica pode ser aplicada usando uma tira, sem cortes, de massa de croissant.

Depois que a tira for completada, pode ser cortada com o tamanho desejado.

FIGURA 9-10   MOLDAR O *DANISH* DE MEIO-BOLSO

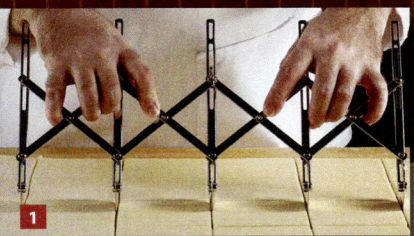

Cortar quadrados do tamanho desejado.

Pegar as duas pontas opostas do quadrado e levantá-las com cuidado.

Levar as duas pontas estendidas até o centro da massa e pressioná-la.

O *danish* de meio-bolso está pronto para fermentar.

FIGURA 9-11   MOLDAR O *DANISH* DE BOLSO

Começar com o molde do *danish* de meio-bolso.

Girar a massa, esticar as duas outras pontas e trazê-las em direção ao centro.

O *danish* de bolso está completo e pronto para fermentar.

FIGURA 9-12   MOLDAR O *DANISH* CATA-VENTO

Cortar a massa em quadrados e cortá-los a partir das pontas até o centro, tomando o cuidado de não cortar até o fim.

Dobrar as pontas da massa em direção ao centro.

Pressionar as pontas no centro para manter a forma.

O *danish* cata-vento está pronto para fermentar.

FIGURA 9-13 MOLDAR O *DANISH* CARACOL

Pincelar levemente com *egg wash* uma longa tira de massa para *danish* e polvilhar com açúcar e canela.

Dobrar a massa ao meio para formar uma camada de açúcar e canela entre a massa de *danish*.

Cortar a massa em tiras de 2 cm de comprimento e alongar levemente a tira.

Torcer a tira de massa sobre a mesa.

Firmar o final da tira sobre a mesa e envolver a tira torcida em torno do centro.

Firmar o final da tira na base da massa.

FIGURA 9-14 RECHEAR O *DANISH* COM CREME E GELEIA

Depois de fermentar, pincelar o *danish* uma segunda vez e pressionar o centro da massa.

Colocar o creme no centro.

Acrescentar a geleia sobre o creme e assar.

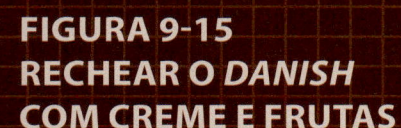

FIGURA 9-15
RECHEAR O *DANISH* COM CREME E FRUTAS

Depois de fermentar, pincelar o *danish* uma segunda vez e pressionar o centro da massa.

Rechear o centro da massa com o recheio desejado (na figura aparece *cream cheese*).

Colocar por cima do recheio frutas congeladas ou frescas e assar.

O tipo de viennoiserie a ser feita vai determinar a forma dos cortes e facilitar o trabalho. Embora as variedades possam parecer infinitas, o formato deve permanecer consistente. As técnicas de moldagem para a viennoiserie folhada variam (ver Moldagem do croissant tradicional, Figura 9-8; Moldagem do croissant de chocolate, Figura 9-9; Moldagem do *danish* de meio-bolso, Figura 9-10; Moldagem do *danish* de bolso, Figura 9-11; Moldagem do *danish* cata-vento, Figura 9-12; Moldagem do *danish* caracol, Figura 9-13; *Danish* recheado com creme e geleia, Figura 9-14; *Danish* recheado com creme e frutas, Figura 9-15).

Pincelar as massas com gemas de ovos

Depois que as massas estiverem preparadas, são colocadas em formas e pinceladas com *egg wash* (gemas diluídas em água). Na forma, as massas devem ter espaço suficiente para cada doce e devem ser assadas sobre papel-manteiga. O objetivo de pincelar a massa é cobrir cada doce com uma fina camada de *egg wash*. A quantidade não deve ser excessiva nem atingir a base da massa. Esse método previne a formação de uma casca na massa, além de a gema realçar a cor da crosta. Toda viennoiserie normalmente é pincelada com *egg wash* duas vezes: uma após a moldagem e novamente antes de ser assada. Esse método assegura uma coloração uniforme, considerando a parte da massa que não é exposta à fermentação.

Deve-se ter cuidado ao pincelar para não desinflar ou danificar a massa delicada. Ao pincelar os croissants, deve-se usar pincel com cerdas macias e pincelar de forma paralela às pontas do croissant para evitar colar as camadas da massa e espalhar excesso de gemas no produto final.

A FERMENTAÇÃO FINAL

A massa folhada com fermento deve ser fermentada antes de ir ao forno. Por causa da grande quantidade de açúcar, esse processo pode levar até 90 minutos. A fermentação pode se realizar em temperatura ambiente (20 °C a 21 °C) ou em uma fermentadora. Estas são mais consistentes, mas a temperatura e a umidade devem ser controladas atentamente. A temperatura ideal para fermentar massa folhada é de 26 °C com aproximadamente 80% de umidade. Muito calor pode derreter a manteiga entre as camadas, ao passo que muita umidade pode causar quebra excessiva ou encolhimento da massa.

COZIMENTO

Depois que a fermentação final foi concluída, a viennoiserie está pronta para assar. Antes de levar a massa ao forno, é necessária uma última pincelada de *egg wash* (mistura de gema e água), e uma preparação adicional pode ser necessária para itens como o *danish* e, especialmente, o croissant. Os cremes, recheios ou geleias devem ser acrescentados um pouco antes de ir ao forno. A parte onde o recheio vai ser colocado deve ser levemente pressionada para que o recheio não escorra para outras partes durante o *oven spring*. A pressão sobre a massa deve ser feita apenas onde será colocado o recheio.

O vapor é tão importante ao assar uma viennoiserie quanto para assar um pão, porque permite que ocorra um *oven spring* completo e leva a um produto com o volume pleno e textura leve. Entretanto, em razão da cobertura com ovos, uma quantidade menor de vapor é necessária em comparação com o pão.

A temperatura adequada do forno é fundamental para massas fermentadas folhadas. O ideal é assar em alta temperatura para garantir a produção de vapor e um *oven spring* intenso. Se a temperatura for muito baixa, a água da manteiga não vai produzir um vapor rápido o suficiente e a textura e o volume vão ser prejudicados. Além disso, a massa vai ressecar excessivamente antes que a coloração adequada ocorra. Em contrapartida, um forno com temperatura muito alta vai provocar uma coloração prematura, e o interior da massa pode ficar encruado se for retirado do forno muito cedo. Se a coloração acontecer em um grau muito acelerado, a temperatura pode ser diminuída ou a forma pode ser forrada duplamente.

Depois que os doces forem assados, o manuseio deve ser mínimo para evitar que se quebrem. Durante o processo de resfriamento os doces vão se assentar e ficar mais estáveis, tornando-se menos sensíveis às quebras quando transportados para finalizações ou embalagens.

A finalização do *danish* ou do croissant varia com o tipo e a apresentação desejados. Açúcar impalpável, geleia de damasco, creme de baunilha, cremes em geral, frutas frescas e natas batidas, todos podem ser usados para guarnecer as pâtisseries especiais.

VIENNOISERIE NÃO FOLHADA

A viennoiserie não folhada é conhecida também como massa doce fermentada. É caracterizada por altos níveis de açúcar e ovos e por gorduras de quantidades variadas. Uma das mais conhecidas dessas massas é o brioche, descrito pelo professor Raymond Calvel como um produto tipicamente francês considerado "um dos exemplos mais antigos de massa doce fermentada. Suas origens se perderam há muito nas profundezas do tempo, que seria tolice tentar determinar exatamente o período em que foi desenvolvido" (Calvel, 2001, p. 149).

A evolução do brioche é um exemplo interessante de como ingredientes ricos mudaram através dos tempos. Antes de o açúcar se tornar facilmente disponível, o mel era normalmente usado como adoçante. Para complementar o sabor do mel, água de flor de laranjeira era frequentemente usada e ainda hoje pode ser encontrada em brioches regionais e outros tipos de pães doces especiais fermentados. Além disso, óleos vegetais e gordura animal eram usados antigamente em substituição à manteiga.

Conforme a popularidade do brioche se expandia, padeiros empreendedores agregavam ingredientes locais à massa, adotando fórmulas características com níveis variados de adoçantes e ingredientes mais nutritivos, juntamente a uma variedade de formas especiais que representavam gostos e preferências locais.

O procedimento básico para massas doces fermentadas é muito similar àquele do pão tradicional. Em razão de diferenças próprias à fórmula, entretanto, houve uma mudança nos procedimentos para a mistura, a fermentação, a moldagem, a fermentação final e o cozimento. Como regra geral, todas as instruções específicas que acompanham as fórmulas devem ser seguidas. Em razão da grande variação de especialidades regionais, não podemos apresentá-las todas.

A MISTURA

Como as massas doces fermentadas sempre contêm açúcar e manteiga em grandes proporções, a massa deve ser desenvolvida mais do que a maioria das massas folhadas. O objetivo da mistura intensiva é limitar a ação da manteiga e do açúcar ao criar uma estrutura de glúten forte.

Quando é feita a mistura de massas doces fermentadas, diversos princípios básicos devem ser cuidadosamente seguidos. Ao adicionar quantidades de açúcar e de manteiga maiores do que 10% do peso da farinha, a massa deve inicialmente ser desenvolvida em mistura aprimorada, e o açúcar deve ser adicionado lentamente na medida em que a massa se desenvolve. Adicionar açúcar muito rapidamente vai requerer um tempo de mistura maior, o que vai resultar em grande oxidação da massa e com temperatura mais alta.

Se a gordura for acrescentada muito cedo, como consequência o processo de mistura deverá ser mais longo e apresentará altos níveis de oxidação. Quantidades de gordura maiores do que 10%, com base no peso da farinha devem ser acrescentadas no momento em que a massa estiver próxima do seu desenvolvimento pleno. Para facilitar a incorporação, a manteiga deve ser maleável e levemente amaciada. Quando a gordura estiver completamente incorporada e a massa mostrar sinais de que está desenvolvida suficientemente, a mistura deve ser concluída.

A PRIMEIRA FERMENTAÇÃO

A primeira fermentação para massas doces fermentadas é muito semelhante à do pão tradicional e da viennoiserie, exceto por algumas preparações regionais que são observadas na seção de fórmulas deste livro.

Levando-se em conta a força, a massa pode precisar de uma ou duas sovas e dobraduras na primeira fermentação. Considerando que a maior parte dos pães dessa categoria leva grandes quantidades de gordura, é difícil trabalhar com a temperatura ambiente ou com a temperatura da massa depois que sai do misturador. Depois de 1 hora em temperatura ambiente, é regra esfriar a maioria das massas doces fermentadas por 1 hora no retardador, ou refrigerador, para assegurar facilidade no manuseio. Além disso, o retardamento da massa diminui a atividade da fermentação e facilita a produção de acidez, o que é benéfico para realçar o sabor e o aroma e aumentar a vida útil do produto.

DIVISÃO, PRÉ-MOLDAGEM E DESCANSO

O fundamento básico da divisão, da pré-moldagem e do descanso das massas doces é o mesmo das outras massas sem gordura, mas o procedimento para o manuseio e a firmeza na moldagem é diferente.

À medida que as quantidades de açúcar e de manteiga aumentam, devem ser feitas mudanças no processo de pré-moldagem da massa. Se faltar força à massa, pode precisar ser moldada com mais firmeza. E ao contrário, se a massa já tiver força suficiente, é recomendada uma pré-moldagem menos firme.

Mesmo que a massa fique pegajosa, é importante não acrescentar muita farinha, o que pode ressecar o produto e deixar a superfície opaca depois de assado. Para algumas especialidades regionais, tais como o tradicional panetone e *pan d'oro*, o pão é pré-moldado e moldado em uma superfície coberta com manteiga para produzir uma textura sedosa durante todo o processo de moldagem.

O período de descanso para a massa doce deve ser de pelo menos 20 minutos. Dependendo da temperatura da padaria e da composição do produto, pode ser mais indicado que, em ambientes mais aquecidos, o descanso seja feito sob refrigeração. Deve-se lembrar que uma massa muito fria não apresenta boa moldagem, já que a manteiga firme impede a extensibilidade do glúten e a viscosidade da massa. As regras para pré-moldagem e descanso devem ser seguidas conforme as indicações das fórmulas individuais.

MOLDAGEM

Depois que a massa foi adequadamente pré-moldada e deixada para descansar, pode ser moldada e colocada na forma ou na assadeira. Do mesmo modo que nas massas sem gordura, deve-se considerar a força da massa ao determinar de que forma moldar o produto, e todos os produtos devem ser pincelados com *egg wash* depois de moldados, a não ser que seja indicado o contrário. Regras e instruções para a moldagem devem ser seguidas conforme as fórmulas individuais.

FERMENTAÇÃO FINAL

Dependendo da composição do produto, o tempo de fermentação para massas doces fermentadas pode durar de 30 minutos a 15 horas. Em razão de quantidades altamente variáveis de açúcar, de gordura e de fermento, é necessário consultar as fórmulas específicas para as regras de fermentação final.

As temperaturas para a fermentação final podem variar da temperatura ambiente (21 °C) até 26 °C e 27 °C em uma fermentadora. Considerando que a maioria das massas doces fermentadas contém grande quantidade de manteiga, a temperatura da fermentação não deve ser muito alta. Embora as regras para avaliar a fermentação das massas doces sejam similares as das massas sem gordura, o processo é um pouco mais complexo, porque a superfície da massa é normalmente mais pegajosa.

COZIMENTO

Todas as viennoiseries não folhadas devem ser pinceladas com *egg wash* antes de irem ao forno. A temperatura para o cozimento varia conforme o tipo de forno, a escolha do produto e o tamanho do produto. Normalmente é usado o vapor nas massas doces, mas não é necessário em alguns produtos como o panetone. As regras para algumas fórmulas individuais devem ser obedecidas.

Depois de assados, os produtos precisam em geral esfriar levemente antes de serem retirados da forma. Alguns itens como o panetone e a *columba di Pasqua* podem requerer um resfriamento com a posição invertida para evitar que murchem (em razão de seu grande volume e altas quantidades de manteiga e açúcar). Se esses produtos forem feitos regularmente na padaria, são usados *pinzes* para pendurá-los de cabeça para baixo. Pequenas quantidades podem ser penduradas entre as mesas usando cabos de madeira. Em geral, a finalização de massas doces fermentadas é menos trabalhosa do que a de massa folhada. Os acabamentos mais usados são açúcar impalpável, confeitos, geleia de damasco e *fondant*.

PROCESSOS ALTERNATIVOS PARA VIENNOISERIE

Os procedimentos básicos descritos para massas doces folhadas e não folhadas podem ser alterados para incluir variações na mistura, incluindo a adição de pré-fermentos, autólise e várias técnicas de retardamento. O objetivo dessas medidas alternativas é melhorar as características da massa, adaptar e programar a produção, aprimorar e alterar características de sabor, e melhorar a vida útil e as qualidades físicas como estrutura do miolo e aparência da crosta.

PRÉ-FERMENTOS

O uso de pré-fermentos é altamente benéfico para a viennoiserie, porque a fermentação cria os principais perfis de sabores dos produtos fermentados. Mesmo que possa conter altos níveis de açúcar, manteiga, ovos e outros ingredientes, a viennoiserie provavelmente seria insossa sem uma longa fermentação. Os pré-fermentos são ideais para produzir benefícios mediante uma longa fermentação, e as características finais vão depender do tipo de pré-fermento usado e sua quantidade na massa final. Para definir qual melhor se adapta ao produto e à programação da produção, o padeiro deve realizar testes e adotar aquele que produz o melhor sabor.

Esta seção vai revisar os pré-fermentos comerciais como a massa pré-fermentada, esponja, *poolish* e biga, assim como os pré-fermentos naturais como a levedura líquida e a levedura italiana. Para uma discussão mais aprofundada sobre pré-fermento, consultar o Capítulo 4.

Massa pré-fermentada

O melhor tipo de massa pré-fermentada para a viennoiserie é a sem gordura, que tem a fórmula similar à da massa básica da baguete. Se for usada uma massa pré-fermentada para a viennoiserie, deve ser da sua própria mistura para controlar o desenvolvimento excessivo e a fermentação. Tradicionalmente, a massa pré-fermentada não é usada com tanta frequência quanto a esponja para a viennoiserie, mas é valorizada pela força que adiciona à massa final. Esse detalhe pode ser importante se for usada uma farinha mais fraca e a força se tornar um problema com massas do tipo brioche. Não é recomendado retirar, em bases contínuas, um pedaço de massa fermentada, pôr para fermentar e acrescentar à próxima fornada, pois pode causar um sabor desagradável e apresentar características inconsistentes.

Esponja

A esponja é a escolha clássica para a viennoiserie, em razão da característica, o toque adocicado desse pré-fermento é complementar ao sabor adocicado da massa. A esponja também acrescenta força à massa.

Poolish

As qualidades levemente ácidas do *poolish*, que fermentou por longo tempo, criam sabores e aromas complexos na viennoiserie comparados, às vezes, com o das nozes. Em razão do efeito secundário mais importante da atividade da protease em um ambiente úmido, o *poolish* é benéfico para massas que requerem um grau elevado de extensibilidade para laminação, tais como o croissant feito a mão usando um rolo de massa, ou para moldagens, como a do *danish* caracol.

Biga

Na Itália, a *biga* é usada tradicionalmente em combinação com as farinhas fracas. A consistência firme e o longo tempo de fermentação em temperatura baixa desse pré-fermento acrescentam uma acidez atenuada à viennoiserie e também ajuda a melhorar a força da massa quando apenas a farinha fraca estiver disponível.

Levedura líquida

Embora o *sourdough* tenha uma utilização limitada na viennoiserie, quando usado apropriadamente acrescenta qualidades benéficas à massa. Quando o *sourdough* é usado, normalmente é adotado na forma de levedura líquida em pequenas quantidades, em torno de 10% a 15% do peso da farinha. Nessas quantidades, a levedura líquida acrescenta uma acidez sutil à massa, que combina força, sabor e durabilidade. O seu uso em pequenas quantidades é especialmente útil se um tanque de fermentação estiver disponível, o que dispensa a necessidade de misturar outro pré-fermento especificamente para a massa. A moderada atividade láctica da levedura líquida complementa muito bem o sabor da manteiga dos doces matinais.

Levedura italiana

A italiana é uma levedura firme, mas que difere da "levedura firme" discutida na seção do *sourdough* no Capítulo 4. Suas características são diferentes por causa da alteração no processo de alimentação e de armazenamento e da porcentagem do *starter* na levedura. Uma fórmula básica para a levedura italiana contém 100% de farinha, 50% de água, e 100% de *starter*.

As alimentações devem ocorrer com água morna para garantir uma temperatura da massa final de 29 °C. Depois de alimentada, a levedura é deixada a fermentar a 29 °C e é alimentada novamente a cada 4 horas, garantindo uma cultura bastante ativa. Em razão de a massa ter muita atividade, produz uma acidez muito atenuada, e embora seja um "*starter* firme", não há características ácidas nela.

A levedura italiana é ideal para produzir uma viennoiserie fermentada naturalmente, tanto nas preparações com massa folhada como na massa doce fermentada. Exemplos disso incluem o croissant, o *pan d'oro* e o tradicional panetone feitos com *sourdough*. A levedura italiana traz todos os benefícios do *sourdough* sem a característica do sabor intenso, incluindo aumento da durabilidade, cor da crosta, força da massa, tolerância à fermentação, produção de aroma e sabor.

Resumo dos pré-fermentos

Apenas boas técnicas de laminação não são suficientes para produzir uma viennoiserie de alta qualidade. O ponto de partida é a fermentação suficiente e adequada, o que é simplificada pelos pré-fermentos. Por meio de uma série de testes que reproduzam as necessidades da produção, o chef pâtissier ou o padeiro pode obter as características do sabor desejado, bem como conseguir o controle completo sobre o processo de fermentação.

O RETARDAMENTO DA VIENNOISERIE

O processo de retardamento da massa viennoiserie oferece ao chef pâtissier ou padeiro flexibilidade e conveniência em administrar a produção, pesquisar sabor, controlar estoques e fornecer doces frescos ao longo do dia. Cada uma das opções para retardar viennoiserie – incluindo retardar a massa inteira, retardar modelada, congelar a massa inteira, congelar moldada, e congelar pré-fermentada – tem suas vantagens e desvantagens.

Retardar a massa

O método de retardar a massa inteira pode ser usado tanto para viennoiserie folhada como para a não folhada. O procedimento básico é refrigerar ou retardar a massa por até 16 horas depois de concluída a primeira fermentação. Essa técnica é útil para a produção de massa folhada, pois a fermentação longa e lenta produz uma acidez desejável e auxilia no processo de cozimento, produção de sabor e durabilidade. Depois que o retardamento for completado, a massa pode ser folhada ou processada conforme as exigências para a massa doce fermentada.

A massa folhada também pode ser retardada por até 18 horas no meio do processo de laminação. Ao usar essa técnica, é importante que a última dobradura na massa só ocorra depois que o retardamento tiver começado. Durante o retardamento estendido, a massa vai acumular um pouco de gás, e a manteiga vai perder um pouco da sua plasticidade. Quando a massa estiver pronta para ser usada, é feita a última dobradura, o que ajuda a massa a perder um pouco do gás e amaciar a manteiga. A massa pode, então, ser processada como de costume, depois do período de descanso adequado sob refrigeração.

Moldagem retardada

A moldagem retardada oferece ao chef pâtissier flexibilidade para assar os produtos quando for conveniente. Depois de moldar e pincelar com *egg wash*, os produtos podem aguardar no refrigerador por até 24 horas. Os doces podem ser transferidos para uma fermentadora, para serem usados quando necessários, na qual passam para a fase de crescimento final, antes de serem assados. Ao adotar essa técnica, é essencial que os doces sejam postos em um retardador, logo que possível, para controlar a fermentação.

Congelar a massa

O objetivo de congelar a massa inteira é de ter *détrempes* de massa congelada e pronta para o uso, que passaram por todos os estágios, deixando apenas uma última dobradura. O processo é misturar a massa (é recomendável uma temperatura mais baixa de 20 °C a 22 °C), realizar uma primeira fermentação mais curta, dividir e esfriá-la, fazer todas as dobraduras, e após a última deverá ser bem embalada e congelada. Na véspera de usar a massa, transferi-la para o resfriador. Depois que a massa estiver totalmente descongelada e feita a dobradura final, o procedimento é o mesmo da massa fresca.

Esse método é conveniente, pois reúne a mistura e a maior parte da laminação a um dia. Para cada dia de produção, a quantidade necessária de massa pode ser retirada do freezer e ser utilizada no dia seguinte.

Algumas precauções devem ser tomadas quando empregar esse método. Se congelar a massa por uma semana ou mais, devem ser usados melhoradores de massa para manter a integridade da força da massa. Ao congelar a massa, é recomendável que a quantidade de fermento também seja aumentada até o dobro para garantir que o fermento todo não morra durante o processo de congelamento. Além disso, quanto mais rápido a massa congelar, é melhor. O congelamento lento estimula a formação de cristais de gelo, o que aumenta a quebra da força da massa. Circulação adequada de ar é necessária, e o ideal é um ultracongelador.

Congelar a massa moldada

Congelar viennoiserie moldada é uma boa técnica para ser usada em uma pequena produção diária. O processo é o mesmo para a massa folhada e a não folhada, até a fermentação final, quando os doces são postos no freezer. A viennoiserie deve ser coberta, e se ficarem congeladas por mais de uma semana a quantidade de fermento deve ser aumentada até o dobro da quantidade normal, e devem-se usar os melhoradores de massa para reforçar a força do glúten.

Antes de assar a viennoiserie moldada congelada, a massa deve ser completamente descongelada no refrigerador ou em temperatura ambiente e então fermentada e assada normalmente. Os chefs pâtissiers e padeiros devem evitar colocar as massas congeladas na fermentadora aquecida, porque isso vai causar o descongelamento exterior e começar a fermentar antes que o centro da massa tenha se descongelado.

Massa pré-fermentada congelada

Os produtos pré-fermentados congelados são feitos de massa que passou por um processo de adaptação que congela rapidamente as massas exatamente antes que a fermentação tenha se completado. Para que essa técnica seja bem-sucedida, são necessários equipamentos especiais. As mudanças na fórmula incluem a adição de pré-fermento para acrescentar sabor e força, a adição de melhoradores de massa para força (necessário), uma primeira fermentação limitada, e massa fria para o procedimento.

A pâtisserie pré-fermentada congelada pode ser assada diretamente ao sair do freezer, mas deve ser assada em temperatura mais baixa para garantir um equilíbrio entre o descongelamento e o *oven spring*. O tempo de cozimento pode ser alongado em até 40%. Essas pâtisseries são valorizadas pela sua versatilidade para confeitarias, restaurantes e hotéis que desejam produtos recém-saídos do forno conforme a demanda. Não são valorizados pelo sabor ou durabilidade, e apresentam sua melhor qualidade quando servidos quentes, pois se tornam ressecados e perdem sabor muito rápido.

Processos alternativos na produção

Embora pré-fermentos e processos de retardamento possam ser usados em combinação, há situações em que a combinação das técnicas pode ser prejudicial à massa final. A autólise não está sendo discutida neste momento, porque seus efeitos são especialmente na massa e tem um impacto limitado no planejamento da produção.

Para adaptar-se à programação e construir sabor e força nos produtos, muitos dos pré-fermentos e das técnicas de retardamento podem ser usados em conjunto. Devem ser tomadas precauções quando combinar técnicas referentes à atividade da fermentação, especialmente relacionadas à retenção de gás. Para garantir uma fermentação longa e lenta, a massa deve conter menos fermento.

Outra consideração importante é que os produtos podem ser congelados apenas uma vez. Caso contrário, inúmeros problemas podem surgir, incluindo diminuição da atividade de fermentação, perda significativa da força da massa, produção de sabores e aromas desagradáveis, e uma programação de trabalho ineficiente. Congelar a massa inteira, por exemplo, descongelá-la, moldar croissants, congelá-los, e finalmente descongelar, fermentar e assar os croissants em outro momento resultará em produtos de qualidade inferior.

Exemplos de situações para viennoiserie usando pré-fermentos e/ou retardamento

Observação: Todos os exemplos vão resultar em viennoiseries recém-saídas do forno por volta das 6 da manhã, sexta-feira.

- Croissant com *poolish* (moldada e retardada)

20 horas, quarta-feira:	Mistura do *poolish*.
11 horas, quinta-feira:	Mistura da massa a 24 °C temperatura final.
	Deixar 1 hora em temperatura ambiente.
12 horas, quinta-feira:	Retardar a massa por uma segunda hora da primeira fermentação.
13 horas, quinta-feira:	Preparar a massa e fazer duas dobraduras simples.
13h30, quinta-feira:	Fazer a última dobradura simples.
14 horas, quinta-feira:	Abrir a massa pela última vez, moldar e retardar.
3h30, sexta-feira:	Retirar do retardador, transferir para a estufa.
5h30, sexta-feira:	Assar.

- *Danish* (massa retardada inteira com duas dobraduras simples)

12 horas, quinta-feira:	Misturar a massa.
13 horas, quinta-feira:	Retardar a massa por 1 hora.
14 horas, quinta-feira:	Preparar a massa e fazer duas dobraduras simples.
1h30, sexta-feira:	Fazer a última dobradura simples.
2 horas, sexta-feira:	Abrir a massa e moldar os *danish*.
2h30, sexta-feira:	Deixar fermentar.
5h30, sexta-feira:	Assar.

- Brioche com massa pré-fermentada (moldados e congelados)

18 horas, domingo:	Misturar a massa pré-fermentada.
20 horas, domingo:	Retardar a massa pré-fermentada.
9 horas, segunda-feira:	Misturar o brioche, deixar por 1 hora em temperatura ambiente.
10 horas, segunda-feira:	Transferir o brioche para o refrigerador.
11 horas, segunda-feira:	Dividir e pré-moldar o brioche.
11h20, segunda-feira:	Moldar o brioche, pincelar e congelar.
17 horas, quinta-feira:	Retirar do freezer e colocar na estufa/retardador.
2h30, sexta-feira:	O retardador liga para fermentar.
5 horas, sexta-feira:	Assar.

- Croissant com esponja (massa congelada inteira; moldada no retardador)

18 horas, domingo:	Misturar a esponja.
9 horas, segunda-feira:	Misturar a massa do croissant e deixar por 1 hora em temperatura ambiente.

10 horas, segunda-feira:	Colocar a massa no refrigerador.
11 horas, segunda-feira:	Preparar a massa, fazer duas dobraduras simples, e congelar.
5 horas, quinta-feira:	Retirar a *détrempe* do freezer e colocar no refrigerador para descongelar.
15 horas, quinta-feira:	Fazer a última dobradura simples.
15h30, quinta-feira:	Abrir a massa e moldar os croissants.
16 horas, quinta-feira:	Retardar os croissants moldados na estufa/retardador.[2]
2h30, na sexta-feira:	O retardador liga para fermentar.
5h30, na sexta-feira:	Assar.

Conclusão da técnica de retardamento

As técnicas de retardamento podem ser muito benéficas na produção da viennoiserie matinal. O objetivo é ampliar o processo de domínio da massa e estimular mudanças que possam beneficiar e melhorar o sabor e a durabilidade do produto. Ao mesmo tempo, o retardamento reduz o trabalho contínuo e aumenta a produtividade. É mais fácil para uma padaria de pequeno porte processar grande quantidade de massa uma vez por semana do que produzir pequenas quantidades todos os dias. Compreendidas as limitações do retardamento no refrigerador ou no freezer, o chef pâtissier pode implantar o controle de qualidade e ajustar as fórmulas adequadamente e processá-las conforme a necessidade.

CROISSANTS

De acordo com a tradição, o croissant foi criado em Viena para comemorar o fim da segunda invasão da cidade pelas tropas otomanas em 1683. O inimigo decidiu atacar durante a noite para que não fossem vistos, mas os padeiros vienenses, que estavam trabalhando naquela hora, perceberam que a cidade estava sendo sitiada e deram o alerta. Para eternizar essa vitória, os padeiros criaram o *Hörnchen* ("cornetinha" em alemão), com forma de lua crescente para simbolizar a bandeira otomana. Maria Antonieta da Áustria, nascida em Viena, introduziu oficialmente o croissant na França e promoveu sua popularidade, a partir do fim dos anos 1700. Entretanto, o croissant pode ter sido conhecido na França muito antes da introdução de Maria Antonieta. No inventário culinário do *Patrimoine français*, é feita a menção a um bolo no formato de croissant servido durante banquete dado em Paris pela rainha da França em 1549 para celebrar a aliança de François Ier com o Grande Turco. Hoje, o croissant é indispensável no café da manhã, e uma das pâtisseries francesas mais famosas para aqueles que vivem fora da França, encontrado nas padarias de todo o mundo. O consumo do croissant não se limita apenas ao café da manhã, em alguns momentos serve também como um rápido e delicioso sanduíche. Enquanto há inúmeras variações, o perfeito croissant é inesquecível por suas deliciosas camadas de massa amanteigada que se desmancham na boca.

---

[2] Alguns tipos de fermentadora possuem as duas funções: estufa/retardador ou estufa/resfriador. (NRT)

Croissant clássico
(do fundo para a frente)
Tradicional, de amêndoas e de chocolate.

FÓRMULA

MASSA DE CROISSANT

Feita sem pré-fermentos, essa massa de croissant pode permanecer por até 18 horas em retardamento da massa inteira. O retardamento mais longo produz acidez, o que acrescenta uma complexidade sutil ao sabor do croissant feito com essa massa. Para uma comparação interessante e observar o efeito da fermentação no sabor e nas propriedades reológicas, trabalhar a massa depois que ela tiver esfriado por uma hora, seguindo uma hora de fermentação

Fórmula da massa final

Ingredientes	% do padeiro	Peso kg
Farinha para pão	100,00	2,496
Água	38,00	0,949
Leite	23,00	0,574
Açúcar	13,00	0,325
Sal	2,00	0,050
Fermento instantâneo osmotolerante	1,20	0,030
Malte	0,50	0,012
Manteiga	4,00	0,100
Total	181,70	4,536
Manteiga para a *beurrage*	25,00	1,134

Procedimento da massa final

Mistura	Mistura aprimorada
Tdesejada	De 22 °C a 25 °C
Primeira fermentação	45 minutos a 1 hora, retardar por 8 a 15 horas a 4 °C
Divisão	Nenhuma
Laminação	3 dobraduras simples
Tempo de descanso no refrigerador	30 minutos entre cada dobradura ou série de dobraduras
Formato	Formatos variados
Fermentação final	De 1 ½ a 2 horas a 26 °C e 65% UR
Vapor	2 segundos
Cozimento	Forno de convecção, 13 a 15 minutos a 196 °C

Observação:
A manteiga para a *beurrage* é uma porcentagem do peso total da massa.

FÓRMULA

MASSA DE CROISSANT COM *POOLISH*

Esse croissant usa bastante *poolish* como pré-fermento. O resultado é uma massa de boa funcionalidade nos equipamentos em razão dos altos níveis da atividade da protease. O *poolish* produz um sabor complexo, com leve sabor de nozes, e os altos níveis de acidez acrescentam uma aparência crocante à crosta.

Fórmula para o *poolish*

Ingredientes	% do padeiro	Peso kg
Farinha para pão	100,00	0,791
Água	100,00	0,791
Fermento instantâneo	0,10	0,001
Total	200,10	1,583

Procedimento para o *poolish*

1. Misturar todos os ingredientes até que fiquem bem incorporados com uma Tdesejada de 21 °C.
2. Deixar fermentar por 12 a 16 horas em temperatura ambiente entre 18 °C e 21 °C.

Fórmula da massa final

Ingredientes	% do padeiro	Peso kg
Farinha para pão	100,00	1,809
Leite	34,00	0,615
Açúcar	18,50	0,335
Sal	2,90	0,052
Fermento instantâneo osmotolerante	1,40	0,025
Malte	0,70	0,013
Manteiga	5,70	0,103
Poolish	87,50	1,583
Total	250,70	4,536
Manteiga para a *beurrage*	25,00	1,134

Procedimento da massa final

Mistura	Mistura aprimorada
Tdesejada	De 22 °C a 25 °C
Primeira fermentação	45 minutos a 1 hora, depois 1 hora a 4 °C
Divisão	Nenhuma

Laminação	3 dobraduras simples
Tempo de descanso no refrigerador	30 minutos entre cada dobradura ou série e dobraduras
Formato	Formatos variados
Fermentação final	De 1 ½ a 2 horas a 26 °C e 65% UR
Vapor	2 segundos
Cozimento	Forno de convecção, 13 a 15 minutos a 196 °C

Fórmula total do *détrempe*

Ingredientes	% do padeiro	Peso kg
Farinha para pão	100,00	2,601
Água	30,42	0,791
Leite	23,66	0,615
Açúcar	12,87	0,335
Sal	2,02	0,052
Fermento instantâneo osmotolerante	1,00	0,026
Malte	0,49	0,013
Manteiga	3,97	0,103
Total	174,43	4,536

Observação:

A manteiga para a *beurrage* é uma porcentagem do peso total da massa.

OPÇÕES DE MOLDAGEM

Formato de luneta com recheio de figo

Abrir a massa em 41 cm de largura e com espessura de 3 a 3 ½ cm. Espalhar o recheio de figo formando uma camada fina e homogênea sobre a massa. (Não usar muito recheio, pois pode tornar difícil a moldagem e o cozimento.) Enrolar a massa de forma que ambas as bordas terminem no centro. Cortar em porções de 2 ½ cm de largura. Colocar de 12 a 15 unidades em forma com papel-manteiga e pincelar. Deixar fermentar e assar normalmente.

Formato em "S" torcido com praline e chocolate

Abrir a massa em 41 cm de largura e com espessura de 3 a 3 ½ cm. Espalhar o recheio de praline sobre a massa, deixando 4 cm de espaço sem o recheio ao longo do centro da massa. (Não usar muito recheio, pois pode tornar difícil a moldagem e o cozimento.) Adicionar chocolate meio amargo em lascas sobre a superfície da massa. Da mesma forma que a luneta, enrolar as duas bordas da massa em direção ao centro, deixando 2 ½ cm de espaço entre os dois rolos. Cortar em porções de 2 ½ cm de largura. Quando colocar em forma com papel-manteiga, dobrar um lado da massa para criar o formato do "S". Pincelar o topo e os lados da massa. Deixar fermentar e assar normalmente.

Pão de passas (*Pain au raisin*)

Abrir a massa em 41 cm de largura e com espessura de 3 a 3 ½ cm. Pincelar a borda mais distante com água, em torno de 2 ½ cm de largura. Espalhar uma camada fina de creme de baunilha sobre a massa, exceto na borda pincelada com água. Espalhar uvas-passas sobre o creme de forma homogênea e polvilhar levemente com açúcar. Enrolar a massa até a outra borda sem apertar muito. Cortar em porções de 2 ½ cm de largura, colocar 15 unidades em cada forma com papel-manteiga e pincelar com *egg wash*. Deixar fermentar e assar normalmente.

Formas especiais de croissant

Luneta com recheio de figo

"S" torcido com praline e chocolate

Pão de passas

FÓRMULA

MASSA DE CROISSANT COM MASSA PRÉ-FERMENTADA

A utilização de massa pré-fermentada acrescenta bastante força para essa massa de croissant. A extensibilidade é levemente reduzida, e o sabor é complexo e denso, enquanto a crosta aparenta estufada pela acidez. Essa é uma boa fórmula para usar com farinhas para pão menos consistentes e fracas.

Fórmula para a massa pré-fermentada

Ingredientes	% do padeiro	Peso kg
Farinha para pão	100,00	0,490
Água	65,00	0,318
Fermento instantâneo	0,60	0,003
Sal	2,00	0,010
Total	167,60	0,821

Procedimento para a massa pré-fermentada

1. Misturar todos os ingredientes até que fiquem bem incorporados com uma Tdesejada de 21 °C.
2. Deixar fermentar por 1 hora em temperatura ambiente entre 18 °C e 21 °C.
3. Refrigerar até quando for usar.

Fórmula da massa final

Ingredientes	% do padeiro	Peso kg
Farinha para pão	100,00	2,003
Água	33,00	0,661
Leite	29,00	0,615
Açúcar	15,00	0,335
Sal	2,00	0,052
Fermento instantâneo osmotolerante	1,20	0,025
Malte	0,30	0,013
Manteiga	5,00	0,103
Poolish	41,00	1,583
Total	226,50	4,536
Manteiga para a *beurrage*	25,00	1,134

Procedimento da massa final

Mistura	Mistura aprimorada
Tdesejada	De 22 °C a 25 °C
Primeira fermentação	45 minutos a 1 hora, depois 1 hora a 4 °C
Divisão	Nenhuma
Laminação	3 dobraduras simples
Tempo de descanso no refrigerador	30 minutos entre cada dobradura ou série de dobraduras
Formato	Formatos variados
Fermentação final	De 1 ½ a 2 horas a 26 °C e 65% UR
Vapor	2 segundos
Cozimento	Forno de convecção, 13 a 15 minutos a 196 °C

Fórmula total do *détrempe*

Ingredientes	% do padeiro	Peso kg
Farinha para pão	100,00	2,493
Água	39,29	0,979
Leite	23,30	0,581
Açúcar	12,05	0,300
Sal	2,00	0,050
Fermento instantâneo osmotolerante	1,08	0,027
Malte	0,24	0,006
Manteiga	4,02	0,100
Total	181,98	4,536

Observação:
A manteiga para a *beurrage* é uma porcentagem do peso total da massa.

FÓRMULA

MASSA DE CROISSANT COM ESPONJA

Uma escolha bastante comum é a esponja como pré-fermento para massas doces, e no croissant, o uso da esponja realça os sabores naturais da massa amanteigada e rica com um leve toque agridoce.

Fórmula para a esponja

Ingredientes	% do padeiro	Peso kg
Farinha para pão	100,00	0,520
Água	62,00	0,322
Fermento instantâneo	0,10	0,001
Total	162,10	0,842

Procedimento para a massa pré-fermentada

1. Misturar todos os ingredientes até que fiquem bem incorporados com uma Tdesejada de 21 °C.
2. Deixar fermentar por 12 a 16 horas em temperatura ambiente entre 18 °C a 21 °C.

Fórmula da massa final

Ingredientes	% do padeiro	Peso kg
Farinha para pão	100,00	2,106
Água	20,00	0,421
Leite	30,00	0,632
Açúcar	16,00	0,337
Sal	2,50	0,053
Fermento instantâneo osmotolerante	1,60	0,034
Malte	0,30	0,006
Manteiga	5,00	0,105
Esponja	40,00	0,842
Total	215,40	4,536
Manteiga para a *beurrage*	25,00	1,134

Procedimento da massa final

Mistura	Mistura aprimorada
Tdesejada	De 22 °C a 25 °C
Primeira fermentação	45 minutos a 1 hora, depois 1 hora a 4 °C
Divisão	Nenhuma
Laminação	3 dobraduras simples
Tempo de descanso no refrigerador	30 minutos entre cada dobradura ou série de dobraduras
Formato	Formatos variados
Fermentação final	De 1 ½ a 2 horas a 26 °C e 65% UR
Vapor	2 segundos
Cozimento	Forno de convecção, 13 a 15 minutos a 196 °C

Fórmula total do *détrempe*

Ingredientes	% do padeiro	Peso kg
Farinha para pão	100,00	2,625
Água	28,31	0,743
Leite	24,06	0,632
Açúcar	12,83	0,337
Sal	2,01	0,053
Fermento instantâneo osmotolerante	1,30	0,034
Malte	0,24	0,006
Manteiga	4,01	0,105
Total	172,76	4,536

Observação:
A manteiga para a *beurrage* é uma porcentagem do peso total da massa.

FÓRMULA

MASSA DE CROISSANT COM *STARTER* NATURAL

A combinação do *sourdough* com croissant é natural. A regra para um produto bem-sucedido é controlar o grau de acidez que se acumula na massa. A levedura necessária para isso é a italiana, valorizada pela sua acidez moderada. Esse croissant é composto de duas massas, na tradição italiana (pensar em *pan d'oro* e panetone). A primeira massa é deixada para fermentar por 12 a 15 horas, e então é misturada na massa final. O sabor desse croissant é bastante agradável e levemente ácido.

Fórmula para a levedura italiana

Ingredientes	% do padeiro	Peso kg
Farinha para pão	100,00	0,018
Água	50,00	0,009
Starter	100,00	0,018
Total	250,00	0,045

Procedimento para a levedura italiana

1. Misturar todos os ingredientes até que fiquem bem incorporados com uma Tdesejada de 29 °C.
2. Alimente a cada 4 horas.
3. Quando a levedura estiver madura, misturar todos os ingredientes até que fiquem bem incorporados com uma Tdesejada de 21 °C.
4. Deixar fermentar por 12 a 16 horas em temperatura ambiente entre 23 °C e 25 °C.

Fórmula da primeira massa

Ingredientes	% do padeiro	Peso kg
Farinha para pão	100,00	0,223
Água	50,00	0,112
Leite	13,00	0,029
Ovos	4,00	0,009
Açúcar	14,00	0,031
Manteiga	4,00	0,009
Levedura	15,00	0,034
Total	200,00	0,447

Procedimento para a primeira massa

1. Incorporar todos os ingredientes por 4 minutos em primeira velocidade.
2. Misturar até o glúten começar a se desenvolver em segunda velocidade.
3. Deixar fermentar por 12 horas a 21 °C.

Fórmula da massa final

Ingredientes	% do padeiro	Peso kg
Farinha para pão	100,00	2,233
Água	30,00	0,670
Leite	25,00	0,558
Ovos	5,00	0,112
Açúcar	14,00	0,313
Sal	2,20	0,049
Fermento instantâneo osmotolerante	1,50	0,034
Malte	1,40	0,031
Manteiga	4,00	0,089
Primeira massa	20,00	0,447
Total	203,10	4,536

Procedimento da massa final

Mistura	Mistura aprimorada
Tdesejada	De 22 °C a 25 °C
Primeira fermentação	45 minutos a 1 hora, depois 1 hora a 4 °C
Divisão	Nenhuma
Laminação	3 dobraduras simples
Tempo de descanso no refrigerador	30 minutos entre cada dobradura ou série de dobraduras
Formato	Formatos variados
Fermentação final	De 1 ½ a 2 horas a 26 °C e 65% UR
Vapor	2 segundos
Cozimento	Forno de convecção, 13 a 15 minutos a 196 °C

Fórmula total do *détrempe*

Ingredientes	% do padeiro	Peso kg
Farinha para pão	100,00	2,479
Água	31,98	0,793
Leite	23,69	0,587
Ovos	4,86	0,121
Açúcar	13,87	0,344
Sal	1,98	0,049
Fermento instantâneo osmotolerante	1,35	0,034
Malte	1,26	0,031
Manteiga	3,96	0,098
Total	182,95	4,536

FÓRMULA

MASSA DE CROISSANT FEITA À MÃO

O conforto de possuir tanto um misturador de massa como um cilindro reversível nem sempre é possível. Essa massa de croissant foi formulada para ser misturada e processada a mão. O uso do *poolish* nesta fórmula promove a extensibilidade da massa, o que é benéfico para o processo de laminação. Depois que a massa for misturada, deve ser refrigerada imediatamente para evitar qualquer fermentação, uma vez que aumentaria a sua força. Para facilitar a laminação, deixar a massa descansar por uma hora no refrigerador entre cada dobradura, em vez do padrão de 30 minutos.

Fórmula para o *poolish*

Ingredientes	% do padeiro	Peso kg
Farinha para pão	100,00	0,734
Água	100,00	0,734
Fermento instantâneo	0,10	0,001
Total	200,10	1,468

Procedimento para o *poolish*

1. Misturar todos os ingredientes até que fiquem bem incorporados com uma Tdesejada de 21 °C.
2. Deixar fermentar por 12 a 16 horas em temperatura ambiente entre 18 °C e 21 °C.

Fórmula da massa final

Ingredientes	% do padeiro	Peso kg
Farinha para pão	100,00	1,678
Água	34,00	0,570
Leite	20,00	0,336
Açúcar	18,50	0,310
Sal	2,90	0,049
Fermento instantâneo osmotolerante	1,40	0,023
Malte	0,40	0,007
Manteiga	5,70	0,096
Poolish	87,50	1,468
Total	270,40	4,536
Manteiga para a *beurrage*	25,00	1,134

Procedimento da massa final

Mistura	Mistura manual
Tdesejada	De 22 °C a 25 °C
Primeira fermentação	2 horas no refrigerador
Divisão	Nenhuma
Laminação	3 dobraduras simples
Tempo de descanso no refrigerador	1 hora entre cada dobradura
Formato	Formatos variados
Fermentação final	De 1 ½ a 2 horas a 26 °C e 65% UR
Vapor	2 segundos
Cozimento	Forno de convecção, 13 a 15 minutos a 196 °C

Fórmula total do *détrempe*

Ingredientes	% do padeiro	Peso kg
Farinha para pão	100,00	2,411
Água	54,08	1,304
Leite	13,92	0,329
Açúcar	12,87	0,310
Sal	2,02	0,049
Fermento instantâneo osmotolerante	1,00	0,024
Malte	0,28	0,007
Manteiga	3,97	0,096
Total	188,14	4,536

Observação:
A manteiga para a *beurrage* é uma porcentagem do peso total da massa.

FÓRMULA

MASSA DE CROISSANT COM FARINHA INTEGRAL

O uso de farinha integral nesta fórmula é uma novíssima variação da fórmula clássica e acrescenta sabor e aroma agradáveis. A gema torna a massa mais macia (equilibrando a textura da farinha integral) pela sua lecitina natural. Esta massa é excelente para fazer uma versão salgada do croissant.

Fórmula da massa final

Ingredientes	% do padeiro	Peso kg
Farinha para pão	75,00	1,924
Farinha integral	25,00	0,641
Água	50,00	1,283
Gemas	8,00	0,205
Açúcar	11,00	0,282
Sal	2,00	0,051
Fermento instantâneo osmotolerante	1,60	0,041
Malte	0,20	0,005
Manteiga	4,00	0,103
Total	176,80	4,536
Manteiga para a *beurrage*	25,00	1,134

Procedimento da massa final

Mistura	Mistura aprimorada
Tdesejada	De 22 °C a 25 °C
Primeira fermentação	45 minutos a 1 hora, retardar de 8 a 15 horas a 5 °C
Divisão	Nenhuma
Laminação	3 dobraduras simples
Tempo de descanso no refrigerador	30 minutos entre cada dobradura ou série de dobraduras
Formato	Formatos variados
Fermentação final	De 1 ½ a 2 horas a 26 °C e 65% UR
Vapor	2 segundos
Cozimento	Forno de convecção, 13 a 15 minutos a 196 °C

Observação:
A manteiga para a *beurrage* é uma porcentagem do peso total da massa.

OPÇÕES DE MOLDAGEM: CROISSANT SALGADO

Croissant de presunto e queijo

Abrir a massa em 41 cm de largura e com espessura de 3 a 3½ mm.

Para o croissant quadrado de presunto e queijo, cortar a massa em porções de 8 cm × 13 ½ cm. Colocar uma fatia de presunto *Black Forest* e uma fatia de queijo suíço de um lado, e dobrar a massa duas vezes, de forma que a borda final sem o recheio termine na base do croissant. Colocar 15 unidades em cada forma com papel-manteiga. Pincelar e, se quiser, fazer cortes na superfície. Fermentar e assar normalmente.

Para o croissant de presunto e queijo no formato tradicional, abrir a massa em 41 cm de largura e com espessura de 3 a 3½ mm. Cortar a massa em triângulos de 10 × 20 cm. Colocar o presunto e o queijo na parte mais larga do triângulo, e moldar como no croissant tradicional. Colocar 15 unidades em cada forma com papel-manteiga. Pincelar e, se quiser, fazer cortes na superfície. Fermentar e assar normalmente.

Croissant com espinafre e queijo feta

Abrir a massa em 41 cm de largura e com espessura de 3 a 3 ½ mm. Cortar três tiras largas de 13 ½ cm. Para cada tira, colocar o recheio de espinafre e queijo feta no meio em uma linha. (A fórmula do recheio de espinafre e feta encontra-se na página 406). Enrolar a massa sobre o recheio e colocar a emenda para baixo para selar. Corte em unidades de 7 ½ cm ou conforme desejar. Colocar 15 unidades em cada forma com papel-manteiga. Fermentar e assar normalmente.

Croissant salgado com massa integral

Espinafre e feta

Presunto e queijo

FÓRMULA

MASSA DE CROISSANT COM FARINHA INTEGRAL E MASSA PRÉ-FERMENTADA

Com base na mesma fórmula da massa de croissant com farinha integral, esta versão usa massa pré-fermentada, que produz sabor e força adicionais.

Fórmula para a massa pré-fermentada

Ingredientes	% do padeiro	Peso kg
Farinha para pão	100,00	0,500
Água	65,00	0,325
Fermento instantâneo	0,60	0,003
Sal	2,00	0,010
Total	167,60	0,838

Procedimento para a massa pré-fermentada

1. Misturar todos os ingredientes até que fiquem bem incorporados com uma Tdesejada de 21 °C.
2. Deixar fermentar por 1 hora em temperatura ambiente entre 18 °C e 21 °C.
3. Refrigerar até quando for necessário.

Fórmula da massa final

Ingredientes	% do padeiro	Peso kg
Farinha para pão	75,00	1,534
Farinha integral	25,00	0,502
Água	48,00	0,982
Gemas	10,00	0,205
Açúcar	13,00	0,266
Sal	2,00	0,041
Fermento instantâneo osmotolerante	1,60	0,032
Malte	0,20	0,004
Manteiga	6,00	0,123
Massa pré-fermentada	41,00	0,838
Total	221,80	4,536
Manteiga para a *beurrage*	25,00	1,134

Procedimento da massa final

Mistura	Mistura aprimorada
Tdesejada	De 22 °C a 25 °C
Primeira fermentação	45 minutos a 1 hora, então 1 hora a 5 °C
Divisão	Nenhuma
Laminação	3 dobraduras simples
Tempo de descanso no refrigerador	30 minutos entre cada dobradura ou série de dobraduras
Formato	Formatos variados
Fermentação final	De 1 ½ a 2 horas a 26 °C e 65% UR
Vapor	2 segundos
Cozimento	Forno de convecção, 13 a 15 minutos a 196 °C

Fórmula total

Ingredientes	% do padeiro	Peso kg
Farinha para pão	80,00	2,636
Farinha integral	20,00	0,509
Água	51,34	1,307
Gemas	8,03	0,204
Açúcar	10,45	0,266
Sal	2,00	0,051
Fermento instantâneo osmotolerante	1,40	0,036
Malte	0,16	0,004
Manteiga	4,82	0,123
Total	178,20	4,536
Manteiga para a *beurrage*	25,00	1,134

Observação:
A manteiga para a *beurrage* é uma porcentagem do peso total da massa.

DANISH

Na Dinamarca, o *danish* (dinamarquês) é conhecido como *wienerbrod*, ou "pão de Viena". A explicação popular remete à greve dos padeiros no século XVIII ou XIX, que acabou provocando a escassez desses profissionais na Dinamarca. Padeiros austríacos que foram para o país para substituir os trabalhadores em greve introduziram suas fórmulas tradicionais para a produção de massas doces. A massa vienense continha grande quantidade de manteiga e criava um produto leve e delicado que se tornou uma sensação na Dinamarca e logo se espalhou pelas vizinhanças. Em outros países, o nome *danish* era usado para os doces recém-descobertos, mas na Dinamarca manteve sua referência às origens vienenses. Atualmente os *danishes* são conhecidos no mundo todo apresentando uma grande variedade de sabores e formas. Nos Estados Unidos, a atual propagação do *danish* pode ser atribuída à cidade de Nova York e as suas *delicatessen* judaicas, que ajudaram a popularizar a pâtisserie no começo dos anos 1900.

Seleção de *danish*
(da esquerda para a direita)
Meio-bolso, caracol
de canela, meio-bolso
e cata-vento

FÓRMULA

MASSA DO *DANISH*

A massa do *danish* não leva pré-fermentos, mas pode manter um longo retardamento, da massa inteira, por até 18 horas. O retardamento gera acidez, o que produz uma complexidade agradável no sabor do *danish* feito com essa massa. Para uma experiência interessante, e observar o efeito da fermentação no sabor e nas propriedades reológicas, processar a massa depois de ter esfriado por 1 hora, seguindo uma hora de fermentação.

Fórmula da massa final

Ingredientes	% do padeiro	Peso kg
Farinha para pão	100,00	2,588
Leite	46,00	1,190
Açúcar	12,00	0,311
Ovos	11,00	0,285
Sal	2,00	0,052
Fermento instantâneo osmotolerante	1,30	0,034
Manteiga	3,00	0,078
Total	175,30	4,536
Manteiga para a *beurrage*	27,00	1,225

Procedimento da massa final

Mistura	Mistura aprimorada
Tdesejada	De 22 °C a 25 °C
Primeira fermentação	45 minutos a 1 hora, retardar por 8 a 15 horas a 5 °C
Divisão	Nenhuma
Laminação	3 dobraduras simples
Tempo de descanso no refrigerador	30 minutos entre cada dobradura ou série de dobraduras
Formato	Formatos variados
Fermentação final	De 1 ½ a 2 horas a 26 °C e 65% UR
Vapor	2 segundos
Cozimento	Forno de convecção, 13 a 15 minutos a 196 °C

Observação:
A manteiga para a *beurrage* é uma porcentagem do peso total da massa.

FÓRMULA

MASSA DE *DANISH* COM *BIGA*

A longa e lenta fermentação, que é característica da *biga*, produz no *danish* preparado com esta massa uma multiplicidade de sabores e aromas. Levemente agridoce, as pâtisseries resultantes retêm umidade e têm maior durabilidade. Esta fórmula é muito adequada para períodos em que apenas as farinhas fracas ou inconsistentes estiverem disponíveis.

Fórmula para a *biga*

Ingredientes	% do padeiro	Peso kg
Farinha para pão	100,00	0,771
Leite	55,00	0,424
Fermento instantâneo	0,40	0,003
Total	155,40	1,197

Procedimento para a *biga*

1. Misturar todos os ingredientes até que fiquem bem incorporados com uma Tdesejada de 21 °C.
2. Deixar fermentar por 16 horas a 16 °C.

Fórmula da massa final

Ingredientes	% do padeiro	Peso kg
Farinha para pão	100,00	1,787
Leite	45,00	0,804
Ovos	16,00	0,286
Açúcar	17,00	0,304
Sal	3,00	0,054
Fermento instantâneo osmotolerante	1,80	0,032
Manteiga	4,00	0,071
Biga	67,00	1,197
Total	253,80	4,536
Manteiga para a *beurrage*	27,00	1,225

Procedimento da massa final

Mistura	Mistura aprimorada
Tdesejada	De 22 °C a 25 °C
Primeira fermentação	45 minutos a 1 hora, então 1 hora a 5 °C
Divisão	Nenhuma

Laminação	3 dobraduras simples
Tempo de descanso no refrigerador	30 minutos entre cada dobradura ou série de dobraduras
Formato	Formatos variados
Fermentação final	De 1 ½ a 2 horas a 26 °C e 65% UR
Vapor	2 segundos
Cozimento	Forno de convecção, 13 a 15 minutos a 196 °C

Fórmula total do *détrempe*

Ingredientes	% do padeiro	Peso kg
Farinha para pão	100,00	2,558
Leite	48,01	1,228
Ovos	11,18	0,286
Açúcar	11,88	0,304
Sal	2,10	0,054
Fermento instantâneo	1,38	0,035
Manteiga	2,79	0,071
Total	177,34	4,536

Observação:
A manteiga para a *beurrage* é uma porcentagem do peso total da massa.

FÓRMULA

MASSA DE *DANISH* COM ESPONJA

A massa de *danish* mais o pré-fermento esponja complementam um ao outro muito bem. A esponja, uma escolha comum de pré-fermento para massas doces fermentadas, adiciona um excelente sabor e aroma ao *danish*.

Fórmula para a esponja

Ingredientes	% do padeiro	Peso kg
Farinha para pão	100,00	0,771
Água	62,00	0,478
Fermento instantâneo	0,10	0,001
Total	162,10	1,251

Procedimento para a esponja

1. Misturar todos os ingredientes até que fiquem bem incorporados com uma Tdesejada de 21 °C.
2. Deixar fermentar por 12 a 16 horas em temperatura ambiente entre 18 °C e 21 °C.

Fórmula da massa final

Ingredientes	% do padeiro	Peso kg
Farinha para pão	100,00	1,807
Leite	40,00	0,723
Ovos	16,00	0,289
Açúcar	17,00	0,307
Sal	3,00	0,054
Fermento instantâneo osmotolerante	1,80	0,033
Manteiga	4,00	0,072
Esponja	69,20	1,251
Total	251,00	4,536
Manteiga para a *beurrage*	27,00	1,225

Procedimento da massa final

Mistura	Mistura aprimorada
Tdesejada	De 22 °C a 25 °C
Primeira fermentação	45 minutos a 1 hora, depois 1 hora a 5 °C
Divisão	Nenhuma
Laminação	3 dobraduras simples
Tempo de descanso no refrigerador	30 minutos entre cada dobradura ou série de dobraduras
Formato	Formatos variados
Fermentação final	1 ½ a 2 horas a 26 °C e 65% UR
Vapor	2 segundos
Cozimento	Forno de convecção, 13 a 15 minutos a 196 °C

Fórmula total

Ingredientes	% do padeiro	Peso kg
Farinha para pão	100,00	2,579
Água	18,55	0,478
Leite	28,03	0,723
Ovos	11,21	0,289
Açúcar	11,91	0,307
Sal	2,10	0,054
Fermento instantâneo osmotolerante	1,29	0,033
Manteiga	2,80	0,072
Total	175,89	4,536

Observação:
A manteiga para a *beurrage* é uma porcentagem do peso total da massa.

FÓRMULA

MASSA DE *DANISH* COM MASSA PRÉ-FERMENTADA

O uso da massa pré-fermentada nesta fórmula propicia um sabor fermentado bem desenvolvido, enquanto a acidez beneficia a durabilidade.

Fórmula para a massa pré-fermentada

Ingredientes	% do padeiro	Peso kg
Farinha para pão	100,00	1,049
Água	65,00	0,682
Fermento instantâneo	0,60	0,006
Sal	2,00	0,021
Total	167,60	1,758

Procedimento para a massa pré-fermentada

1. Misturar todos os ingredientes até que fiquem bem incorporados com uma Tdesejada de 21 °C.
2. Deixar fermentar por 1 hora em temperatura ambiente entre 18 °C e 21 °C.
3. Refrigerar até quando for necessário.

Fórmula da massa final

Ingredientes	% do padeiro	Peso kg
Farinha para pão	100,00	1,556
Água	21,00	0,327
Leite em Pó	11,00	0,171
Ovos	18,00	0,280
Açúcar	20,00	0,311
Sal	2,00	0,031
Fermento instantâneo osmotolerante	1,60	0,025
Manteiga	5,00	0,078
Massa pré-fermentada	113,00	1,758
Total	291,60	4,536
Manteiga para a *beurrage*	27,00	1,225

Procedimento da massa final

Mistura	Mistura aprimorada
Tdesejada	De 22 °C a 25 °C
Primeira fermentação	45 minutos a 1 hora, então 1 hora a 5 °C
Divisão	Nenhuma
Laminação	3 dobraduras simples
Tempo de descanso no refrigerador	30 minutos entre cada dobradura ou série de dobraduras
Formato	Formatos variados
Fermentação final	De 1 ½ a 2 horas a 26 °C e 65% UR
Vapor	2 segundos
Cozimento	Forno de convecção, 13 a 15 minutos a 196 °C

Fórmula total

Ingredientes	% do padeiro	Peso kg
Farinha para pão	100,00	2,604
Água	38,72	1,008
Leite em pó	6,57	0,171
Ovos	10,75	0,280
Açúcar	11,95	0,311
Sal	2,00	0,052
Fermento instantâneo osmotolerante	1,20	0,031
Manteiga	2,99	0,078
Total	174,18	4,536

Observação:
A manteiga para a *beurrage* é uma porcentagem do peso total da massa.

FÓRMULA

BRIOCHE FOLHADO

Esta fórmula para brioche é baseada em uma fórmula com menos gordura e mais enxuta. Ao diminuir a gordura da massa e a hidratação, é preciso conseguir a laminação. Considerando que há uma grande quantidade de manteiga na massa, é preciso que seja bem refrigerada antes de iniciada a laminação, e a manteiga não deve estar muito firme. O brioche folhado é excelente para massas enroladas, tais como o rolinho de canela. Os recheios mais frequentes são creme de baunilha ou *frangipane*, além de groselha, raspas de cítricos, pedaços de chocolate ou farinha de amêndoa, sozinha ou em combinação com outros ingredientes. Deve-se ter o cuidado para não pôr recheio em excesso, pois a massa pode não reter o recheio depois de assada.

Fórmula para a esponja

Ingredientes	% do padeiro	Peso kg
Farinha para pão	100,00	0,445
Água	62,00	0,276
Fermento instantâneo	0,10	0,000
Total	162,10	0,722

Procedimento para a esponja

1. Misturar todos os ingredientes até que fiquem bem incorporados com uma Tdesejada de 21 °C.
2. Deixar fermentar por 12 a 16 horas em temperatura ambiente entre 18 °C e 21 °C.

Fórmula da massa final

Ingredientes	% do padeiro	Peso Kg
Farinha para pão	100,00	1,805
Água	4,60	0,083
Ovos	67,00	1,209
Açúcar	15,60	0,282
Sal	2,50	0,045
Fermento instantâneo osmotolerante	1,60	0,029
Manteiga	20,00	0,361
Esponja	40,00	0,722
Total	251,30	4,536
Manteiga para a *beurrage*	25,00	1,134

Procedimento da massa final

Mistura	Mistura intensiva
Tdesejada	De 22 °C a 25 °C
Primeira fermentação	45 minutos a 1 hora, retardar de 8 a 15 horas a 5 °C
Divisão	Nenhuma
Laminação	3 dobraduras simples
Tempo de descanso no refrigerador	30 minutos entre cada dobradura
Formato	Formatos variados
Fermentação final	De 1 ½ a 2 horas a 26 °C e 65% UR
Vapor	2 segundos
Cozimento	Forno de convecção, 12 a 13 minutos a 196 °C

Fórmula total do *détrempe*

Ingredientes	% do padeiro	Peso kg
Farinha para pão	100,00	2,250
Água	15,96	0,359
Ovos	53,74	1,209
Açúcar	12,51	0,282
Sal	2,01	0,045
Fermento instantâneo osmotolerante	1,30	0,029
Manteiga	16,04	0,361
Total	201,56	4,536

Observação:
A manteiga para a *beurrage* é uma porcentagem do peso total da massa.

OPÇÕES DE MOLDAGEM

Espiral de uva-passa

Abra a massa em 41 cm de largura, com 3 a 3 ½ mm de espessura. Pincelar com água uma das bordas de aproximadamente 2½ cm de largura. Espalhar uma fina camada de creme de baunilha sobre a massa, deixando apenas a borda que foi pincelada com água. Jogar as uvas-passas de forma homogênea sobre o creme e polvilhe ligeiramente com açúcar. (Não usar muito recheio, do contrário a moldagem e o cozimento podem se tornar difíceis.) Enrolar a massa, deixando a parte pincelada para o final, tendo o cuidado de não apertá-la muito. Cortar em tiras de 2 ½ cm de largura. Colocar 15 unidades na forma com papel-manteiga. Ao colocar na forma, cuidar para que o final da tira fique por baixo, no centro da espiral. Pincelar o topo e as laterais da massa. Fermentar e assar como normalmente.

Espiral de amêndoa

Abra a massa em 41 cm de largura, com 3 a 3 ½ mm de espessura. Pincelar com água uma das bordas de aproximadamente 2 ½ cm de largura. Espalhar uma fina camada de creme de baunilha sobre a massa, deixando apenas a borda que foi pincelada com água. Polvilhar com farinha de amêndoa, de forma homogênea, sobre o creme de baunilha. (Não usar muito recheio, do contrário a moldagem e o cozimento podem se tornar difíceis.) Enrolar a massa, deixando a parte pincelada para o final, tendo o cuidado de não apertá-la muito. Cortar em tiras de 2 ½ cm de largura. Colocar 15 unidades na forma com papel-manteiga. Ao colocar na forma, tomar cuidado para que o final da tira fique por baixo no centro da espiral. Pincelar o topo e as laterais da massa. Fermentar e assar normalmente.

Brioche folhado

Maçã *chausson* (nas laterais)
Jalousie (no centro)

FÓRMULA

PAIN AU LAIT

O *pain au lait*, ou pão de leite, é levemente doce com um miolo macio e uma crosta delicada e nutritiva. Pode ser moldado e assado em formas, ou moldado como broa. Normalmente consumido no café da manhã.

Fórmula da massa final

Ingredientes	% do padeiro	Peso kg
Farinha para pão	100,00	2,010
Leite	45,00	0,904
Ovos	22,00	0,442
Açúcar	11,00	0,221
Sal	2,00	0,040
Fermento instantâneo osmotolerante	0,70	0,014
Manteiga	45,00	0,904
Total	225,70	4,536

Procedimento da massa final

Mistura	Mistura intensiva
Tdesejada	De 22 °C a 25 °C
Primeira fermentação	45 minutos a 1 hora, refrigerar durante a noite
Divisão	225 g × 2 para as tranças, 80 g para os minipães
Pré-moldagem	Filão leve
Tempo de descanso	20 a 30 minutos
Formato	Tranças de duas tiras
Fermentação final	De 1 a 1 ½ hora a 25 °C e 65% UR
Cortes	Nenhum
Vapor	2 segundos
Cozimento	Forno de convecção, 30 minutos a 169 °C

Pain au lait de forma
e minipães

FÓRMULA

MASSA PARA ROLINHOS DOCES (*SWEET ROLL DOUGH*)

A massa para rolinhos, tipo rocambole, é uma escolha versátil para pâtisseries servirem no café da manhã. Seu miolo macio pode ser atribuído à quantidade de manteiga e ovos, bem como o uso, em parte da massa, de farinha própria para bolo. A massa funciona melhor em temperaturas frias, e deve ser aberta com até 3 mm de espessura. Pode ser recheada com açúcar, canela e uva-passa, açúcar branco, raspa de laranja e uva-passa, ou quaisquer combinações imaginativas de ingredientes.

Fórmula da massa final

Ingredientes	% do padeiro	Peso kg
Farinha para pão	80,00	1,696
Farinha para bolo	20,00	0,424
Água	40,00	0,848
Leite em pó	5,00	0,106
Ovos	15,00	0,318
Açúcar	20,00	0,424
Sal	2,00	0,042
Fermento instantâneo osmotolerante	2,00	0,042
Manteiga (em cubos)	30,00	0,636
Total	214,00	4,536

Procedimento da massa final

Mistura	Mistura intensiva
Tdesejada	De 22 °C a 25 °C
Primeira fermentação	45 minutos a 1 hora, refrigerar durante a noite
Divisão	Nenhuma
Pré-moldagem	Nenhuma
Tempo de descanso	20 a 30 minutos
Formato	Ver "Procedimento para moldagem"
Fermentação final	De 1 a 1 ½ horas a 26 °C e 65% UR
Cortes	Nenhum
Vapor	2 segundos
Cozimento	Forno de convecção, 15 minutos a 196 °C

Fórmula de açúcar com canela

Ingredientes	% do padeiro	Peso kg
Açúcar	100,00	0,440
Açúcar mascavo	100,00	0,440
Canela	6,00	0,026
Total	206,00	0,907

PROCEDIMENTO PARA MOLDAGEM

Abrir a massa com 3 mm de espessura e 41 cm de largura. Pincelar toda a superfície com água. Polvilhar a mistura de açúcar e canela sobre a massa, deixando 2 ½ cm do final da borda sem o açúcar para selar a massa. Enrolar a massa e cortar em unidades de 2 ½ cm a 4 cm cada.

Rolinho de canela

Espalhar a calda para glacear (Fórmula na página 406) em papel-manteiga sobre a forma. Colocar 24 rolinhos em cada forma. Depois de assar, virar imediatamente e retirar o papel-manteiga.

Minipães glaceados

Espalhar bem a calda para glacear (fórmula na página 406) no fundo de formas pequenas (do tipo para empadas). Colocar um rolinho em cada forma.

Rolinho de canela

Minipães glaceados

BRIOCHE

Todos aprendem na escola a famosa resposta que Maria Antonieta deu aos seus súditos quando, revoltados, pediam pão – "*Qu'ils mangent de la brioche*", traduzido popularmente como "Que comam brioches", capta a famosa rainha em uma luz mais generosa, já que o brioche do século XVIII era enriquecido com uma pequena quantidade de manteiga e ovos, e não muito diferente de um pão normal da época. O brioche pode ter se originado na Normandia, famosa pela qualidade da sua manteiga desde a Idade Média. A palavra "brioche" vem do antigo verbo normando "broyer", que significa sovar, e se refere ao prolongado manuseio da massa. No século XVII, o brioche chegou a Paris, onde se tornou hábito assar essa iguaria, ainda aninhado deliciosamente entre o mundo dos pães e dos bolos, em uma forma funda e arredondada, estreita na base e que se abre, mais amplamente, na parte superior.

FÓRMULA

BRIOCHE

Este brioche é enriquecido com manteiga, em 60% do peso da farinha. É melhor que seja preparado com antecedência para retardar – a massa inteira – por 12 a 15 horas. O retardamento permite que a massa esteja fria para a moldagem e para produzir acidez para o desenvolvimento do sabor. Usar esta massa para o brioche *à tête*, com açúcar por cima, pães e tortas, entre outros.

Fórmula da massa final

Ingredientes	% do padeiro	Peso kg
Farinha para pão	100,00	1,791
Leite	10,00	0,179
Ovos	60,00	1,075
Fermento instantâneo osmotolerante	1,20	0,021
Sal	2,00	0,036
Açúcar	20,00	0,358
Manteiga	60,00	1,075
Total	253,20	4,536

Procedimento da massa final

Mistura	Mistura intensiva
Tdesejada	De 22 °C a 25 °C
Primeira fermentação	1 hora, refrigerar por 12 a 15 horas
Divisão	Minipães de 50 g
Pré-moldagem	Bola leve
Tempo de descanso	20 a 30 minutos
Formato	Broa/brioche *à tête*
Fermentação final	De 1 a 1 ½ hora a 26 °C e 65% UR
Cortes	Nenhum
Vapor	2 segundos
Cozimento	Forno de convecção, de 12 a 15 minutos a 196 °C

Observação:

Para o brioche confeitado, pincelar levemente com calda de damasco e açúcar granulado.

FÓRMULA

BRIOCHE COM MASSA PRÉ-FERMENTADA

Usar massa pré-fermentada atribui sabor e força à massa, enquanto a baixa quantidade de manteiga, em relação à massa de brioche tradicional, significa produzir uma massa mais maleável. Como não há o retardamento da massa inteira, esta massa de brioche deve ser completamente refrigerada antes de ser trabalhada.

Fórmula para a massa pré-fermentada

Ingredientes	% do padeiro	Peso kg
Farinha para pão	100,00	0,427
Água	65,00	0,278
Fermento instantâneo	0,60	0,003
Sal	2,00	0,009
Total	167,60	0,716

Procedimento para a massa pré-fermentada

1. Misturar todos os ingredientes até que fiquem bem incorporados com uma Tdesejada de 21 °C.

2. Deixar fermentar por 1 hora em temperatura ambiente entre 18 °C a 21 °C.

3. Refrigerar até quando for necessário.

Fórmula da massa final

Ingredientes	% do padeiro	Peso kg
Farinha para pão	100,00	1,705
Água	0	0
Ovos	50,00	0,853
Leite	18,00	0,307
Açúcar	25,00	0,426
Sal	2,00	0,034
Fermento instantâneo osmotolerante	1,00	0,017
Manteiga	28,00	0,477
Massa pré-fermentada	42,00	0,716
Total	266,00	4,536

Procedimento da massa final

Mistura	Mistura intensiva
Tdesejada	De 22 °C a 25 °C
Primeira fermentação	Refrigerar por 1 hora
Divisão	50 g
Laminação	Bola leve, refrigerada
Tempo de descanso	20 a 30 minutos
Formato	Broa/brioche à tête
Fermentação final	De 1 a 1 ½ hora e 65% UR
Vapor	2 segundos
Cozimento	Forno de convecção, 12 a 15 minutos a 196 °C

Observação:
Para o brioche confeitado, pincelar levemente com calda de damasco e açúcar granulado.

Fórmula total

Ingredientes	% do padeiro	Peso kg
Farinha para pão	100,00	2,133
Ovos	39,98	0,853
Água	13,02	0,278
Leite	14,39	0,307
Açúcar	19,99	0,426
Sal	2,00	0,043
Fermento instantâneo osmotolerante	0,92	0,020
Manteiga	22,39	0,477
Total	212,69	4,536

Brioche *à tête*

Brioche confeitado

FÓRMULA

BRIOCHE COM ESPONJA

O adocicado da esponja combina muito bem com esta massa de brioche para equilibrar o sabor com um miolo tenro e leve. Utilizar esta versão mais leve de massa de brioche pode ser uma alternativa interessante à variação tradicional.

Fórmula para a esponja

Ingredientes	% do padeiro	Peso kg
Farinha para pão	100,00	0,458
Água	65,00	0,297
Fermento instantâneo	0,10	0
Total	165,10	0,756

Procedimento para a massa pré-fermentada

1. Misturar todos os ingredientes até que fiquem bem incorporados com uma Tdesejada de 21 °C.
2. Deixar fermentar por 12 a 16 horas em temperatura ambiente entre 18 °C a 21 °C.

Fórmula da massa final

Ingredientes	% do padeiro	Peso kg
Farinha para pão	100,00	1,399
Leite	7,00	0,098
Ovos	72,00	1,007
Fermento instantâneo osmotolerante	1,60	0,034
Sal	2,60	0,036
Açúcar	22,00	0,308
Manteiga	65,00	0,909
Esponja	54,00	0,756
Total	324,20	4,536

Procedimento da massa final

Mistura	Mistura intensiva
Tdesejada	De 22 °C a 25 °C
Primeira fermentação	1 hora
Divisão	50 g
Pré-moldagem	Bola leve, refrigerado
Tempo de descanso no refrigerador	20 a 30 minutos
Formato	Broa
Fermentação final	1 a 1 ½ hora a 26 °C e 65% UR
Vapor	2 segundos
Cozimento	Forno de convecção, 12 a 15 minutos a 196 °C

Observação:
Para o brioche confeitado, pincelar levemente com calda de damasco e açúcar granulado.

Fórmula total

Ingredientes	% do padeiro	Peso kg
Farinha para pão	100,00	1,857
Leite	5,27	0,098
Água	16,02	0,297
Ovos	54,24	1,007
Fermento instantâneo osmotolerante	1,23	0,023
Sal	1,96	0,036
Açúcar	16,57	0,308
Manteiga	48,97	0,909
Total	244,26	4,536

OPÇÕES DE MOLDAGEM

Brioche *tropézienne*

Pré-moldar a massa em forma de broa. Depois que a massa tiver relaxado, abri-la em discos de 10 cm e colocá-la em forma para torta de 10 cm. Pincelar com gema de ovos. Antes de assar polvilhar com *streusel*.[3] Depois de assado e resfriado, partir o brioche ao meio. Usar o saco de confeiteiro com uma biqueira grande, rechear com creme *chiboust* na metade de baixo, fazendo desenhos de fora para o centro para imitar uma flor. Colocar no freezer para dar firmeza ao creme. Depois que o creme estiver firme, colocar a outra metade do brioche.

---

[3] Tipo de farofa crocante, doce e úmida utilizada em cobertura para alguns doces assados, como o *crumble*, e para bolos, biscoitos, pães doces, como a cuca, típica das colônias alemãs do sul do Brasil. (NRT)

Brioche *tropézienne*

Brioche *bourdaloue* de pera

FÓRMULA

COLUMBA DI PASQUA

Tradicionalmente servida como uma iguaria na Páscoa na Itália, a *Columba di Pasqua* é um pão doce feito com uma massa muito semelhante à do panetone, outro pão comemorativo italiano famoso. O encanto original da *Columba* se deve à sua forma – a de uma pomba, o símbolo universal da paz. Nossa *Columba* é feita com tiras de laranja glaceada, pasta de amêndoa, raspa de laranja, fava de baunilha e coberta com calda de chocolate e amêndoas e, finalmente, polvilhada com açúcar granulado, resultando em um magnífico centro de mesa.

Fórmula para a levedura italiana

Ingredientes	% do padeiro	Peso kg
Farinha para pão	100,00	0,123
Água	50,00	0,062
Starter	100,00	0,123
Total	250,00	0,308

Procedimento para a levedura italiana

1. Misturar todos os ingredientes por 4 minutos em primeira velocidade ou até que fiquem bem incorporados com uma Tdesejada de 29 °C.
2. Alimente três vezes deixando fermentar por 4 horas em temperatura ambiente de 29 °C.

Fórmula da primeira massa

Ingredientes	% do padeiro	Peso kg
Farinha para pão	100,00	0,985
Água	40,00	0,394
Gemas	25,00	0,246
Açúcar	37,50	0,369
Manteiga	37,50	0,369
Levedura italiana	31,30	0,308
Fermento instantâneo	0,20	0,002
Total	271,50	2,674

Procedimento para a primeira massa

1. Misturar até incorporar por 4 minutos em 1ª velocidade.
2. Fermentar por 3 horas a 29 °C.

Fórmula da massa final

Ingredientes	% do padeiro	Peso kg
Farinha para pão	100,00	0,246
Água	18,00	0,044
Gemas	100,00	0,246
Açúcar	75,00	0,184
Mel	50,00	0,123
Sal	4,00	0,010
Manteiga	150,00	0,369
Manteiga de cacau	10,00	0,025
Primeira massa	1.087,40	2,674
Baunilha em fava	1 unidade	1 ¼
Raspas de laranja	1 unidade	1 ¼
Laranja cristalizada	200,00	0,492
Pasta de amêndoa*	50,00	0,123
Total	1.844,40	4,536

* Abrir a massa de amêndoa em 6 mm de espessura, cortar em cubos, e reservar no congelador.

Procedimento da massa final

1. Incorporar a farinha, água, sal, primeira massa, raspa de laranja, e a fava de baunilha em 1ª velocidade.
2. Misturar em 2ª velocidade para começar a desenvolver o glúten.
3. Adicionar o açúcar gradualmente e metade das gemas na medida em que a massa aumenta a sua força.
4. Misturar em 2ª velocidade para continuar a desenvolver o glúten; adicionar o mel.
5. Continuar a misturar em 2ª velocidade até que o glúten se desenvolva plenamente.
6. Adicionar a manteiga e misturar em 2ª velocidade até a incorporação completa.
7. Acrescentar a manteiga de cacau e misturar em 1ª velocidade até a incorporação completa.
8. Adicionar o restante das gemas e misturar em 1ª velocidade até a incorporação completa.
9. Acrescentar a laranja cristalizada e os cubos congelados de pasta de amêndoas em primeira velocidade até a incorporação completa.

Mistura	Mistura intensiva
Tdesejada	25 °C a 29 °C
Primeira fermentação	45 minutos com duas sovas e dobraduras depois de 15 minutos
Divisão	300 g e 200 g
Pré-moldagem	Bola leve
Tempo de descanso	10 a 15 minutos
Formato	Dois filões cruzados na forma da *Columba* – a peça de 300 g ao comprido e a de 200 g na largura
Fermentação final	7 horas a 29 °C
Cortes	Ver observação sobre glaceado
Vapor	1 segundo
Cozimento	Forno de convecção, 35 minutos a 182 °C

Observação:
O glaceado é opcional antes de assar. Aplicar o glaceado usando um saco de confeiteiro, polvilhar com açúcar impalpável e finalizar com açúcar granulado.

Fórmula para glacear

Ingredientes	% do padeiro	Peso kg
Açúcar granulado	100,00	0,101
Avelã em pó	50,00	0,050
Óleo vegetal	5,00	0,005
Amido de milho	10,00	0,010
Farinha	5,00	0,005
Baunilha em fava	Unidade	1
Claras de ovos	55,00	0,055
Total	225,00	0,227

Procedimento para glacear

Misturar todos os ingredientes juntos usando um batedor.

FÓRMULA

GIBASSIER

Este pão comemorativo vem da Provença, na França, e seu nome é uma homenagem ao Monte *Le Gibas* nas montanhas do Luberon. O *gibassier* é originário dessa região da França e é feito com os sabores especiais e ingredientes locais: azeite, semente de anis e casca de laranja. Depois de assado, é pincelado com manteiga clarificada e polvilhado com açúcar. Esta iguaria, surpreendentemente complexa, era tradicionalmente servida como a 13ª sobremesa da ceia de Natal na Provença.

Fórmula para a esponja

Ingredientes	% do padeiro	Peso kg
Farinha para pão	100,00	0,427
Leite	45,00	0,192
Ovos	12,50	0,053
Fermento instantâneo	0,10	0
Total	157,60	0,673

Procedimento para a esponja

1. Misturar todos os ingredientes até que fiquem bem incorporados com uma Tdesejada de 21 °C.
2. Deixar fermentar por 12 a 16 horas em temperatura ambiente entre 18 °C e 21 °C.

Fórmula da massa final

Ingredientes	% do padeiro	Peso kg
Farinha para pão	100,00	1,603
Água	8,00	0,131
Ovos	28,00	0,457
Azeite	18,80	0,307
Água de flor de laranjeira	6,30	0,101
Fermento instantâneo osmotolerante	2,80	0,046
Sal	1,90	0,031
Açúcar	25,00	0,408
Manteiga	18,80	0,307
Laranja cristalizada	25,00	0,408
Semente de anis	2,00	0,033
Esponja	41,20	0,673
Total	277,80	4,536

Procedimento da massa final

Mistura	Mistura intensiva
Tdesejada	De 22 °C a 25 °C
Primeira fermentação	1 hora
Divisão	454 g
Pré-moldagem	Bola leve
Tempo de descanso	15 a 20 minutos
Formato	Ver observação
Fermentação final	De 1 ½ hora a 26 °C e 65% UR
Vapor	2 segundos
Cozimento	Forno de convecção, 12 a 15 minutos a 191 °C

Observação:
Depois de pré-moldar, abrir a massa com 2 cm de espessura, cortar um "X" no meio e quatro pequenos "X" nos lados. Deixar crescer em forma forrada com papel-manteiga. Depois de assado, pincelar com manteiga clarificada e polvilhar açúcar granulado.

Fórmula total

Ingredientes	% do padeiro	Peso kg
Farinha para pão	100,00	2,060
Água	6,34	0,131
Leite	9,33	0,192
Ovos	24,79	0,511
Azeite	14,90	0,307
Água de flor de laranjeira	4,99	0,103
Fermento instantâneo osmotolerante	2,24	0,046
Sal	1,51	0,031
Açúcar	19,82	0,408
Manteiga	14,90	0,307
Laranja cristalizada	19,82	0,408
Semente de anis	1,59	0,033
Total	220,23	4,536

FÓRMULA

KUGELHOPF

Austríacos, alemães, poloneses e franceses da Alsácia, todos reivindicam para si a criação deste maravilhoso pão feito para ocasiões especiais. O *Kugelhopf* é normalmente assado em forma afunilada e simplesmente polvilhado com açúcar impalpável. A tradição alsaciana conta que, antigamente, era servida uma fatia de *Kugelhopf* com vinho para os homens, e com café para as mulheres, antes das longas cerimônias de casamento nas igrejas e sinagogas. A mãe da noiva também assava um *Kugelhopf* para o padre, para o pastor ou para o rabino, também para o prefeito, para o professor, para a parteira, e para os vizinhos, como expressão de boa vontade no caso de precisarem de ajuda no casamento do casal. Semelhante ao brioche, mas com menos ovos e mais leite, este pão obtém seu sabor único com a adição de uvas-passas mergulhadas em rum, no final da mistura. Para uma variação, experimentar mergulhar as uvas-passas em kirsch.

Fórmula para a esponja

Ingredientes	% do padeiro	Peso kg
Farinha para pão	100,00	0,482
Água	60,14	0,290
Fermento instantâneo	0,10	0
Total	160,24	0,773

Procedimento para a esponja

1. Misturar todos os ingredientes até que fiquem bem incorporados com uma Tdesejada de 21 °C.

2. Deixar fermentar por 12 a 16 horas em temperatura ambiente entre 18 °C e 21 °C.

Fórmula da massa final

Ingredientes	% do padeiro	Peso kg
Farinha para pão	100,00	1,331
Leite	48,02	0,639
Ovos	20,98	0,279
Fermento instantâneo osmotolerante	1,99	0,027
Sal	2,70	0,036
Açúcar	21,80	0,290
Manteiga	38,14	0,508
Uva-passa preta e branca	40,87	0,544
Rum	8,17	0,109
Esponja	58,04	0,773
Total	340,71	4,536

Procedimento da massa final

Mistura	Mistura intensiva
Tdesejada	De 22 °C a 25 °C
Primeira fermentação	1 hora e 30 minutos a 27 °C e 65% UR
Divisão	Como desejar
Tempo de descanso	25 a 30 minutos
Formato	Formatos variados (broa, trança etc.)
Fermentação final	De 1 hora e 15 minutos a 1 hora e 40 minutos a 27 °C e 65% UR
Vapor	2 segundos
Cozimento	Forno de convecção, 25 minutos a 196 °C

Fórmula total

Ingredientes	% do padeiro	Peso kg
Farinha para pão	100,00	1,814
Leite	35,25	0,639
Água	16,00	0,290
Ovos	15,40	0,279
Fermento instantâneo osmotolerante	1,49	0,027
Sal	1,98	0,036
Açúcar	16,00	0,290
Manteiga	28,00	0,508
Uva-passa preta e branca	30,00	0,544
Rum	6,00	0,109
Total	250,12	4,536

FÓRMULA

KUGELHOPF SALGADO

Uma combinação de nozes, toucinho, salsinha, cebola e queijo suíço para produzir este *Kugelhopf* salgado, excepcional em sabor.

Fórmula para a esponja

Ingredientes	% do padeiro	Peso kg
Farinha para pão	100,00	0,551
Água	60,00	0,330
Fermento instantâneo	0,10	0,001
Total	160,10	0,882

Procedimento para a esponja

1. Misturar todos os ingredientes até que fiquem bem incorporados com uma Tdesejada de 21 °C.
2. Deixar fermentar por 12 a 16 horas em temperatura ambiente entre 18 °C e 21 °C.

Fórmula da massa final

Ingredientes	% do padeiro	Peso kg
Farinha para pão	100,00	1,102
Leite frio	21,00	0,231
Ovos frios	35,00	0,386
Açúcar	7,50	0,083
Sal	4,00	0,044
Fermento instantâneo	1,00	0,011
Esponja	80,00	0,882
Manteiga	40,00	0,441
Toucinho em cubos	50,00	0,551
Cebola, finamente picada e salteada	50,00	0,551
Nozes, picada e tostada	15,00	0,165
Salsinha picada	3,00	0,033
Queijo suíço, ralado	5,00	0,055
Total	411,50	4,536

Procedimento da massa final

Mistura	Mistura intensiva
Tdesejada	De 22 °C a 25 °C
Primeira fermentação	1 hora e 30 minutos
Divisão	454 g
Pré-moldagem	Bola leve
Tempo de descanso	20 a 30 minutos
Formato	Broa
Fermentação final	De 1 hora a 1 ½ hora a 25 °C e 65% UR
Cortes	Nenhum
Vapor	2 segundos
Cozimento	Forno de convecção, 30 a 35 minutos a 168 °C

Fórmula da massa total

Ingredientes	% do padeiro	Peso kg
Farinha para pão	100,00	1,653
Água	19,99	0,330
Leite frio	14,00	0,231
Ovos frios	23,34	0,386
Açúcar	5,00	0,083
Sal	2,67	0,044
Fermento instantâneo	0,70	0,012
Manteiga	26,67	0,441
Toucinho em cubos	33,34	0,551
Cebolas	33,34	0,551
Nozes	10,00	0,165
Salsinha picada	2,00	0,033
Queijo suíço	3,33	0,055
Total	274,38	4,536

Gibassier

Kugelhopf salgado

Kugelhopf

PANETONE

Alguns historiadores afirmam ter encontrado referências ao *pan del ton*, ou "pão de luxo", no dialeto milanês, já nos anos 1300. Das muitas histórias sobre a origem do panetone, a mais citada e romântica refere-se a um jovem nobre do século XV, de Milão, que se apaixonou pela filha de um padeiro pobre chamado Toni. Como ele queria casar-se com a moça, e precisava primeiro conseguir a estima do pai dela, começou a trabalhar como aprendiz com ele, emprestando um pouco dos seus recursos para comprar a melhor farinha, ovos e manteiga, assim como uvas-passas e frutas cítricas cristalizadas, que foram adicionados a seu pão. O pão, conhecido como "*Pan di Tonio*", trouxe à padaria grande sucesso e ajudou o jovem aprendiz a conquistar a mão da filha do padeiro. Atualmente, o panetone é um dos pães comemorativos mais famosos da Itália, preparado em todo o mundo e exportado pelas grandes padarias italianas. A maioria dos panetones italianos é feita com fermentação natural, o que garante sua durabilidade por muitas semanas.

FÓRMULA

PANETONE COM ESPONJA

Este panetone "rápido" é essencialmente uma massa de brioche com os ingredientes característicos do panetone. A massa é baseada em uma esponja e tem um sabor levemente complexo. A durabilidade não é tão boa quanto a do panetone feito com a *starter* natural.

Fórmula para a esponja

Ingredientes	% do padeiro	Peso kg
Farinha para pão	100,00	0,951
Água	60,00	0,571
Fermento instantâneo	2,00	0,019
Total	178,70	1,700

Procedimento para a esponja

1. Misturar todos os ingredientes até que fiquem bem incorporados com uma Tdesejada de 21 °C.
2. Deixar fermentar por 2 horas em temperatura ambiente entre 18 °C e 21 °C.

Fórmula da massa final

Ingredientes	% do padeiro	Peso kg
Farinha para pão	100,00	0,659
Água	27,00	0,178
Gemas	40,00	0,264
Água de flor de laranjeira	5,00	0,032
Fermento instantâneo osmotolerante	1,00	0,007
Sal	2,50	0,016
Açúcar	50,00	0,329
Leite em pó	5,00	0,033
Manteiga	50,00	0,329
Esponja	258,00	1,700
Laranja cristalizada	75,00	0,494
Uva-passa	75,00	0,494
Total	688,50	4,536

Procedimento da massa final

Mistura	Mistura intensiva
Tdesejada	De 22 °C a 25 °C
Primeira fermentação	10 minutos
Divisão	454 g
Pré-moldagem	Bola leve
Tempo de descanso	20 a 30 minutos
Formato	Broa
Fermentação final	De 3 horas e 30 minutos a 25 °C e 65% UR
Cortes	Fazer um X
Vapor	2 segundos
Cozimento	Forno de convecção, 35 minutos a 168 °C.

Fórmula da massa total

Ingredientes	% do padeiro	Peso kg
Farinha para pão	100,00	1,610
Água	46,49	0,749
Gemas	16,36	0,263
Água de flor de laranjeira	2,04	0,033
Fermento instantâneo osmotolerante	1,58	0,025
Sal	1,02	0,016
Açúcar	30,32	0,488
Leite em pó	2,04	0,033
Manteiga	20,45	0,329
Laranja cristalizada	30,68	0,494
Uva-passa	30,68	0,494
Total	281,66	4,536

FÓRMULA

PANETONE COM *STARTER* NATURAL

O arranjo da fermentação longa e lenta desta massa cria um sabor delicado e atraente, apresentando um interior muito leve, com um miolo macio e tenro. Em razão da acidez produzida pela primeira massa e da quantidade de líquido e de açúcar na massa final, é fundamental seguir as técnicas adequadas de mistura, tendo o cuidado de não desenvolver a massa muito rapidamente ou muito lentamente. Como a massa é muito delicada, o panetone deve ser posto de cabeça para baixo depois de assado para evitar algum afundamento. Na Itália usa-se uma *pinze*, uma peça longa de metal em que o pão é colocado. Para produções menores, podem ser usados espetos firmes de madeira colocados entre duas mesas para pendurar o pão. Deixar o pão esfriar por completo antes de tirá-lo do resfriamento.

Fórmula para a levedura

Ingredientes	% do padeiro	Peso kg
Farinha para pão	100,00	0,098
Água	50,00	0,049
Starter	100,00	0,098
Total	250,00	0,245

Procedimento para a levedura

1. Misturar todos os ingredientes até que fiquem bem incorporados com uma Tdesejada de 29 °C.
2. Alimentar três vezes ao dia e deixar fermentar por 4 horas a 29 °C.

Fórmula da primeira massa

Ingredientes	% do padeiro	Peso kg
Farinha para pão	100,00	0,980
Água	55,00	0,539
Gemas	16,00	0,157
Açúcar	24,00	0,235
Malte	2,00	0,020
Manteiga	24,00	0,235
Levedura (instantânea)	25,00	0,245
Fermento instantâneo osmotolerante	0,30	0,003
Total	246,30	2,413

Procedimento para a primeira massa

1. Incorporar todos os ingredientes.
2. Deixar fermentar por 12 horas a 22 °C.

Fórmula da massa final

Ingredientes	% do padeiro	Peso kg
Farinha para pão	100,00	0,234
Água	138,00	0,322
Gemas	30,00	0,070
Sal	6,00	0,014
Raspas de laranja	Unidade	1,5
Fava de baunilha	Unidade	2,5
Primeira massa	1.033,00	2,413
Açúcar	100,00	0,234
Manteiga	153,00	0,357
Mel	23,00	0,054
Laranja cristalizada	153,00	0,357
Limão cristalizado	53,00	0,124
Uva-passa	153,00	0,357
Total	1.942,00	4,536

Procedimento da massa final

1. Incorporar farinha, sal, primeira massa, gemas, raspa de laranja, baunilha e metade da água em 1ª velocidade por 3 minutos.
2. A seguir, misturar, em 2ª velocidade para começar a desenvolver o glúten.
3. Adicionar metade do açúcar lentamente à medida que a massa se desenvolva em 2ª velocidade.
4. Lentamente acrescentar o restante da farinha e misturar até alcançar a consistência da mistura intensiva.
5. Adicionar a manteiga amaciada e misturar em 2ª velocidade até que a manteiga esteja completamente incorporada e o glúten desenvolvido.
6. Acrescentar o mel e o restante da água conforme necessário em 1ª velocidade.
7. Adicionar a laranja cristalizada, o limão cristalizado e as uvas-passas em 1ª velocidade e misturar até bem incorporado.

Procedimento da massa final

Mistura	Mistura intensiva
Tdesejada	De 25 °C a 29 °C
Primeira fermentação	1 hora com uma sova e uma dobradura
Divisão	500 g com uma forma de 13 ½ cm de diâmetro por 11 ½ cm de altura
Pré-moldagem	Bola leve em superfície untada
Tempo de descanso	15 a 20 minutos
Formato	Broa em forma de panetone
Fermentação final	4 a 6 horas a 27 °C
Cortes	Cruz ou glacear
Vapor	2 segundos
Cozimento	Forno de convecção, 163 °C por 35 minutos.

Fórmula para o glaceado de chocolate

Ingredientes	% do padeiro	Peso kg
Farinha de amêndoa	5,00	0,025
Açúcar granulado	100,00	0,497
Óleo vegetal	7,50	0,037
Amido de milho	7,50	0,037
Cacau em pó	7,50	0,037
Claras de ovos	55,00	0,273
Total	182,50	0,907

Procedimento para o glaceado de chocolate

1. Misturar todos os ingredientes com um batedor.
2. Glacear o panetone e finalizar com açúcar impalpável, amêndoas inteiras sem pele e açúcar granulado.

FÓRMULA

PAN D'ORO

Na Itália, o *pan d'oro*, ou pão de ouro, é um pão comemorativo, que só perde popularidade para o panetone. O "Pandoro" foi mencionado pela primeira vez como sobremesa da aristocracia veneziana durante os anos 1700. A fórmula para fazer o *pan d'oro* foi desenvolvida e aperfeiçoada em Verona por mais de um século. Assado em forma alta e cônica, com formato de estrela, o *pan d'oro* lembra uma árvore de Natal, e o açúcar impalpável polvilhado antes de servir cria a ilusão de neve, que acabou de cair.

Receita para a levedura

Ingredientes	% do padeiro	Peso kg
Farinha para pão	100,00	0,137
Água	50,00	0,068
Starter	140,00	0,192
Total	290,00	0,397

Procedimento para a levedura

1. Misturar todos os ingredientes até que fiquem bem incorporados com uma Tdesejada de 29 °C.
2. Alimentar a cada 4 horas, ou quando estiver madura.

Fórmula da primeira massa

Ingredientes	% do padeiro	Peso kg
Farinha para pão	100,00	0,274
Água	50,00	0,137
Ovos	40,00	0,110
Açúcar	25,00	0,068
Levedura	145,00	0,397
Total	360,00	0,986

Procedimento para a primeira massa

1. Misturar somente até incorporar em 1ª velocidade.
2. Deixar fermentar por 2 horas a 29 °C.

Fórmula da segunda massa

Ingredientes	% do padeiro	Peso kg
Farinha para pão	100,00	0,169
Ovos	65,00	0,110
Açúcar	20,00	0,034
Fermento instantâneo osmotolerante	2,00	0,003
Total	187,00	0,315

Procedimento para a segunda massa

1. Misturar somente até incorporar em 1ª velocidade.
2. Deixar fermentar por 1 ½ hora a 29 °C.

Fórmula da terceira massa

Ingredientes	% do padeiro	Peso kg
Farinha para pão	100,00	0,246
Ovos	44,00	0,108
Açúcar	20,00	0,049
Manteiga	5,55	0,014
Primeira massa	400,00	0,986
Segunda massa	128,00	0,315
Total	697,55	1,719

Procedimento para a terceira massa

1. Misturar somente até incorporar em 1ª velocidade.
2. Deixar fermentar por 3 horas a 29 °C.

Fórmula da massa final

Ingredientes	% do padeiro	Peso kg
Farinha para pão	100,00	0,905
Ovos	75,75	0,685
Sal	2,40	0,022
Terceira massa	190,00	1,719
Mel	4,50	0,041
Açúcar	48,48	0,439
Manteiga	75,75	0,685
Manteiga de cacau picada	4,50	0,041
Baunilha em fava	Unidade	2
Total	501,38	4,536

Procedimento da massa final

Processo de pré-mistura

1. Em um misturador vertical, usar a palheta para massas e bater a manteiga com as favas de baunilha até que fique homogênea.
2. A seguir, acrescentar a manteiga de cacau e deixar misturar durante duas ou três voltas da palheta.

Processo de mistura

1. Misturar a farinha, metade dos ovos, sal, terceira massa e o mel em 1ª velocidade por 5 minutos.
2. Acrescentar um terço do açúcar e continuar a misturar em 1ª velocidade até bem incorporado.
3. Levar o misturador para a 2ª velocidade e começar a desenvolver o glúten.
4. Quando o glúten começar a se desenvolver, acrescentar um pouco do ovo. Manter a mistura em 2ª velocidade.
5. Acrescentar uma parte do açúcar e misturar até incorporar à massa.
6. Repetir os procedimentos até que todo o açúcar e os ovos estejam bem incorporados à massa e o glúten comece a completar seu desenvolvimento.
7. Quando a estrutura do glúten estiver completamente desenvolvida, acrescente a manteiga preparada na pré-mistura usando a 1ª velocidade.
8. Misturar em 1ª velocidade para obter a incorporação da manteiga e concluir o procedimento.

Procedimento da massa final

Mistura	Mistura intensiva
Tdesejada	De 25 °C a 29 °C
Primeira fermentação	2 horas com uma sova e uma dobradura
Divisão	500 g com uma forma de 13 ½ cm de diâmetro por 11 ½ cm de altura
Pré-moldagem	Nenhuma
Tempo de descanso	Nenhum
Formato	Broa em forma de *pan d'oro* ou em forma de papel para panetone
Fermentação final	22 °C por 14 horas
Cortes	Nenhum
Vapor	2 segundos
Cozimento	Forno de convecção, por 35 minutos a 203 °C
Finalização	Depois de assado, retirar da forma e polvilhar com açúcar impalpável

(de trás para a frente)
Pan d'oro, panetone
tradicional, panetone
com esponja,
Columba di Pasqua.

FÓRMULA

BRIOCHE DE MORANGO

Este brioche cremoso e levíssimo tem seu sabor destacado com morangos, amêndoas e rum envelhecido, apresenta uma crosta de chocolate fina e crocante. Caso não seja possível obter morangos desidratados, usar damascos ou ameixas secos para uma variação interessante.

Fórmula para o *poolish*

Ingredientes	% do padeiro	Peso kg
Farinha para pão	100,00	0,484
Água	100,00	0,484
Fermento instantâneo	0,10	0,000
Total	200,10	0,967

Procedimento para o *poolish*

1. Misturar todos os ingredientes até que fiquem bem incorporados com uma Tdesejada de 21 °C.
2. Deixar fermentar por 12 a 16 horas em temperatura ambiente entre 18 °C e 21 °C.

Fórmula para deixar as frutas de molho

Ingredientes	% do padeiro	Peso kg
Morangos secos picados	100,00	0,225
Rum	40,00	0,090
Total	140,00	0,316

Procedimento

1. Misturar todos os ingredientes e deixar de molho por 24 horas.

Fórmula da massa final

Ingredientes	% do padeiro	Peso kg
Farinha para pão	100,00	1,127
Ovos	23,00	0,259
Gemas	17,00	0,192
Sal	2,90	0,033
Fermento instantâneo osmotolerante	2,50	0,028
Extrato de baunilha	4,30	0,048
Açúcar	26,00	0,293
Manteiga	71,30	0,804
Pasta de amêndoas, picada	21,50	0,242
Morangos secos, picados	20,00	0,225
Poolish	85,81	0,967
Total	402,31	4,536

Procedimento da massa final

Mistura	Mistura intensiva
Tdesejada	De 23 °C a 25 °C
Primeira fermentação	1 hora e 30 minutos
Divisão	550 g
Pré-moldagem	Bola leve, refrigerada
Tempo de descanso	20 a 30 minutos
Formato	Filão para pão de forma
Fermentação final	1 a 1 ½ hora a 26 °C e 65% UR

Glaceamento	Espalhar o glaceado de chocolate (Fórmula a seguir) sobre a massa, finalizar com açúcar impalpável, amêndoas inteiras peladas e açúcar granulado
Cortes	Nenhum
Vapor	2 segundos, se glacear não usar o vapor
Cozimento	Forno de convecção, 30 a 35 minutos a 163 °C

Fórmula total

Ingredientes	% do padeiro	Peso kg
Farinha para pão	100,00	1,611
Água	30,01	0,484
Ovos	16,10	0,259
Gemas	11,90	0,192
Sal	2,03	0,033
Fermento instantâneo osmotolerante	1,78	0,029
Extrato de baunilha	3,01	0,048
Açúcar	18,20	0,293
Manteiga	49,90	0,804
Pasta de amêndoas picadas	15,05	0,242
Morangos secos picados	27,99	0,451
Polpa de morango	5,60	0,090
Total	281,56	4,536

Fórmula para o glaceado de chocolate

Ingredientes	% do padeiro	Peso kg
Farinha de amêndoa	5,00	0,121
Açúcar granulado	100,00	2,416
Óleo vegetal	7,50	0,181
Amido de milho	7,50	0,181
Cacau em pó	7,50	0,181
Favas de baunilha	Unidade	1
Claras de ovos	55,00	1,329
Total	182,50	0,907

Procedimento para o glaceado de chocolate

1. Misturar todos os ingredientes com um batedor.
2. Glacear o brioche e finalizar com as amêndoas inteiras sem pele, açúcar impalpável e açúcar granulado.

FÓRMULA

CREME DE AVELÃ

Com fórmula semelhante ao creme de amêndoas, o uso de avelãs produz um creme de cor escura, terrosa e com sabor intenso. O creme de avelãs pode ser usado para substituir o creme de amêndoas, até mesmo o *Frangipane*. Também pode ser usado em recheios de *danish*, croissant e tortas.

Ingredientes	% do padeiro	Peso kg
Manteiga	100,00	0,754
Açúcar	100,00	0,754
Ovos	83,33	0,628
Extrato de baunilha	2,00	0,015
Farinha de avelã	100,00	0,754
Flan em pó	12,50	0,094
Total	397,83	3,000

Procedimento para o creme de avelã

1. No misturador, usar a paleta para torta, e misturar a manteiga e o açúcar até se tornar uma massa homogênea.
2. Adicionar os ovos e a baunilha gradualmente.
3. Acrescentar a farinha de avelã e o flan em pó e misturar até ficar cremosa.

FÓRMULA

CREME DE PISTACHE *LIGHT*

Este creme de pistache é semelhante ao de amêndoa na sua composição. Depois que a base do creme estiver pronta, acrescenta-se creme de baunilha frio para dar leveza à textura final. O creme de pistache pode ser usado como recheio para o *danish*, entre outros doces, incluindo croissants e tortas.

Ingredientes	% do padeiro	Peso kg
Pistaches crus	320,10	0,587
Manteiga	320,51	0,587
Açúcar	320,51	0,587
Farinha de rosca	100,00	0,183
Pasta de pistache	128,21	0,235
Creme de baunilha	301,28	0,552
Ovos	146,15	0,268
Total	1.636,76	3,000

Procedimento

1. Moer os pistaches e o açúcar até que fiquem finos.
2. Bater a manteiga com a mistura de pistache e açúcar até ficar cremosa.
3. Adicionar os ovos gradualmente.
4. Incorporar a farinha.
5. Adicionar a pasta de pistache e misturar até ficar cremosa.
6. Acrescentar o creme de baunilha e misturar bem até ficar cremosa.

FÓRMULA

RECHEIO DE *CREAM CHEESE*

Nutritivo e apenas levemente adocicado, este recheio de *cream cheese* acrescenta a textura ideal equilibrada ao *danish*. Sugerimos finalizar com frutas silvestres como mirtilo, framboesa e amora congelados.

Ingredientes	% do padeiro	Peso kg
Cream cheese	100,00	1,630
Açúcar	50,00	0,815
Manteiga, macia	10,00	0,163
Ovos	9,00	0,147
Extrato de baunilha	2,00	0,033
Farinha de rosca	13,00	0,212
Total	184,00	3,000

Procedimento

1. No misturador, usar a paleta para torta e misturar o *cream cheese* e o açúcar.
2. Acrescentar a manteiga e misturar até incorporar bem.
3. Adicionar os ovos e a baunilha.
4. Acrescentar a farinha e misturar até completar a mistura.

FÓRMULA

RECHEIO DE FIGO

Este recheio tem por base uma pasta de figo, que normalmente se encontra à venda no comércio. Caso não consiga obtê-la, pode ser feita amassando os figos secos até que atinjam a consistência desejada. O recheio de figo é ideal para massas do tipo enroladas como lunetas ou do "S" torcido.

Ingredientes	% do padeiro	Peso kg
Pasta de amêndoa	100,00	1,408
Pasta de figo	70,00	0,986
Claras de ovos	38,00	0,535
Raspa de laranja	5,00	0,070
Total	213,00	3,000

Procedimento

1. Aquecer a pasta de amêndoa e misturar com a pasta de figo.
2. Adicionar as claras à pasta.
3. Acrescentar a raspa de laranja.

FÓRMULA

RECHEIO DE MAÇÃ

Este recheio é perfeito para o *danish* ou o croissant de maçã, acrescentando o sabor das maçãs frescas, manteiga, açúcar e baunilha, além de ser um excelente acompanhamento para qualquer outro doce. Ter o cuidado de não cozinhar as maçãs por muito tempo, já que vão continuar a assar no forno; além disso, é agradável sentir uma textura "fresca" e levemente crocante no recheio ao final.

Ingredientes	% do padeiro	Peso kg
Maçãs picadas (1 cm)	100,00	2,272
Água	10,00	0,227
Açúcar	10,00	0,227
Amido de milho	2,00	0,045
Fava de baunilha	Unidade	2
Manteiga	10,00	0,227
Total	132,00	3,000

Procedimento

1. Cozinhar as maçãs com a água e a manteiga em fogo médio a alto até a água ferver.

2. Misturar o açúcar, o amido, e raspar a fava de baunilha e acrescentar às maçãs.

3. Continuar a cozinhar em fogo médio até engrossar.

4. Despejar sobre uma assadeira forrada com papel-manteiga, cobrir a superfície com filme, e refrigerar até quando necessário.

FÓRMULA

RECHEIO DE LIMÃO

Este recheio é feito de forma muito semelhante ao do creme de baunilha, capturando o sabor intenso do limão, e é melhor quando preparado com suco de limão fresco. O doce e o ácido harmonizam muito bem, obtendo um sabor refrescante e perfeito para usar nos *danish* e croissants.

Ingredientes	% do padeiro	Peso kg
Água	180,00	0,863
Suco de limão	100,00	0,479
Raspa de limão	10,00	0,048
Açúcar	195,00	0,934
Amido de milho	28,00	0,134
Gemas	63,00	0,302
Manteiga	50,00	0,240
Total	626,00	3,000

Procedimento

1. Aqueça a água, o suco de limão e a raspa de limão.

2. Assim que levantar a fervura acrescentar a metade do açúcar.

3. Combinar o restante do açúcar e o amido de milho.

4. Adicionar as gemas à mistura e bater até que fique homogênea.

5. Quando o suco de limão começar a ferver, adicionar a mistura das gemas.

6. Retornar a mistura ao fogo e deixar ferver por 2 minutos, mexendo constantemente.

7. Retirar do fogo e adicionar a manteiga.

8. Despejar sobre uma assadeira forrada com papel-manteiga, cobrir a superfície com filme e refrigerar até quando necessário.

FÓRMULA

CALDA PARA GLACEAR

Esta calda fornece viscosidade aos rolinhos de canela e minipães glaceados. Colocada sob o doce antes de ser assado, derrete no forno, assa levemente dentro da massa e, depois de assado, se transforma em um caramelado flexível. A combinação de sabores da manteiga, do açúcar mascavo e do mel torna esta calda irresistível.

Ingredientes	% do padeiro	Peso kg
Açúcar mascavo	100,00	1,506
Manteiga	56,67	0,854
Sal	0,83	0,013
Mel	38,33	0,577
Extrato de baunilha	2,50	0,038
Canela	0,83	0,013
Total	199,16	3,000

Procedimento

1. Bater o açúcar e a manteiga até que fique cremosa.
2. Acrescentar o restante dos ingredientes e continuar misturando até a mistura ficar leve e cremosa.
3. Processo alternativo: aquecer todos os ingredientes em uma panela até que o açúcar se dissolva.

FÓRMULA

RECHEIO DE ESPINAFRE E QUEIJO FETA

Dois ingredientes simples, mas tradicionalmente compatíveis, são reunidos para este recheio de croissant salgado. O espinafre não precisa ser escaldado ou salteado, mas deve ser completamente coberto com o feta para ajudar a diminuir o seu volume.

Ingredientes	% do padeiro	Peso kg
Espinafre	70,00	1,235
Queijo *feta*	100,00	1,764
Total	170,00	3,000

Produção: 65 a 75 croissants

Procedimento

1. Lavar o espinafre e deixar escorrer.
2. Acrescentar o *feta* esfarelado e misturar bem.

FÓRMULA

CREME *CHIBOUST* PARA BRIOCHE *TROPÈZIENNE*

Famosa na praia de St. Tropez, na França, esta pâtisserie é recheada com creme *chiboust*: um creme de baunilha acrescido de merengue italiano para dar leveza, estabilizado com gelatina. Esta versão leva fava de baunilha e rum para realçar o sabor. Seguir com atenção as regras de temperatura da fórmula. Depois de aplicar o recheio na base do brioche, deixar esfriar por 15 minutos no freezer para ficar firme, então colocar a outra metade do brioche sobre o creme.

Ingredientes	% do padeiro	Peso kg
Gelatina	1,75	0,021
Água	10,00	0,123
Leite	100,00	1,226
Fava de baunilha	Unidade	1
Açúcar	5,00	0,061
Amido de milho	10,00	0,123
Gemas	24,00	0,294
Manteiga	10,00	0,123
Água	10,91	0,134
Açúcar	33,00	0,405
Glicose	6,00	0,074
Claras	24,00	0,294
Rum	10,00	0,123
Total	244,66	3,000

Procedimento

Creme de baunilha

1. Ativar a gelatina em água fria; reservar.
2. Transferir todo o leite, as favas de baunilha e a metade do açúcar para um recipiente de aço inoxidável e deixar ferver.
3. Enquanto isso, colocar a outra metade do açúcar e o amido de milho em outro recipiente e misturar bem.
4. Adicionar as gemas na mistura do amido de milho e açúcar, e bater até misturar, sem que incorpore ar.
5. Depois que o leite levantar fervura, adicionar um terço na mistura das gemas, mexer até ficar homogênea.
6. Retornar esta mistura ao recipiente de inox, mexendo constantemente.
7. Continuar a cozinhar o creme, mexer até que ferva por 2 minutos.
8. Retirar do fogo, acrescentar a manteiga, a gelatina; mexer até completar a mistura.
9. Despejar o creme em um recipiente e cobrir com filme para evitar a formação de crosta. Reservar e fazer o merengue italiano.

Merengue italiano

1. Aquecer a água, acrescentar o açúcar e a glicose até alcançar o ponto de fervura.
2. Pincelar as bordas da panela com água fresca (para evitar a formação de cristais).
3. Quando a calda alcançar 116 °C começar a bater as claras em velocidade média.
4. Quando a calda alcançar o estágio de bala mole 119 °C a 121 °C pôr lentamente sobre as claras batidas.
5. Bater até alcançar 40 °C.

Finalização do creme *chiboust*

Quando ambas as misturas estiverem a 40 °C, misturar o merengue morno e o rum no creme de baunilha e usar imediatamente.

RESUMO DO CAPÍTULO

Um número cada vez maior de consumidores aprecia a viennoiserie de alta qualidade produzida com bons ingredientes, com uma fermentação sólida e com o profissionalismo do chef pâtissier ou do padeiro. A atenção à técnica da mistura, da fermentação, laminação, moldagem, fermentação final e preparação para o cozimento deve ser aperfeiçoada e bem compreendida para poder produzir croissants, brioches, ou panetones que tenham muita leveza. Fórmulas, ingredientes e procedimentos devem garantir o equilíbrio correto da fermentação e produzir uma estrutura para criar camadas homogêneas de massa e gordura, para massas folhadas e mistura adequada para a viennoiserie não folhada. Depois que os estágios básicos forem compreendidos, o chef pâtissier ou o padeiro pode introduzir pré-fermentos e processos de retardamento que melhor criem sabores, que melhorem a programação de produção e que forneça viennoiserie recém-assada conforme a necessidade.

PALAVRAS-CHAVE

❖ *beurrage (roll-in fat)*
❖ *détrempe*
❖ dobra dupla (ou livro)
❖ dobra simples (ou carta)
❖ gordura hidrogenada
❖ laminação
❖ manteiga preparada para pôr na détrempe (*beurrage*)

❖ massa folhada
❖ massa não folhada
❖ osmotolerante
❖ plasticidade
❖ prensa de manteiga
❖ *roll-in shortening*
❖ viennoiserie

QUESTÕES PARA REVISÃO

1. **O que é fermento osmotolerante? Por que é adequado para uso em viennoiserie?**

2. **Qual é a função da gordura na massa de croissant?**

3. **Quais são os três pré-fermentos mais usados em viennoiserie? Quais são as vantagens de cada um deles?**

4. **Quais são as cinco técnicas de retardamento mais usadas em viennoiserie? Como são feitas na prática?**

5. **Quais as precauções que devem ser tomadas ao congelar viennoiserie sem assar por mais de uma semana?**

Ingredientes básicos para cozimento: peso em gramas

	1 colher de chá	1 colher de sobremesa
Carbonato de amônia	3,5	10,5
Fermento químico	4	12
Bicarbonato de sódio	4	12
Amido de milho	3	9
Creme tártaro	2	6
Farinha para pão	2,5	7,5
Manteiga	5	15
Canela em pó	1,5	4,5
Especiarias em pó (outras além de canela)	2	6
Cacau em pó sem açúcar	2	6
Açúcar mascavo	4	12
Açúcar granulado	5	15
Açúcar impalpável	3	9
Sal *kosher*	3,5	10,5
Sal de mesa	6	18
Gelatina em pó	3	9
Pectina em pó	3	9
Essência de baunilha	4	12

Equivalentes e Substituições

Fermento de pão

	Substituir…	Com…
Por peso ou volume	Fermento fresco compacto	50% de fermento seco ativo*
	Fermento fresco compacto	33% fermento rápido

*Observação: Deve ser reidratado em água com temperatura entre 41 °C e 43 °C por 5 a 10 minutos.

Um pacote de fermento seco ativo é igual a:

Peso	7 g
Volume	11 ml

Gelatina

	Substituir…	Com…
Por peso	Gelatina em pó	Gelatina em folha

Um pacote de gelatina sem sabor em pó é igual a:

Peso	7 g
Volume	12,5 ml

Conversões de volume

Multiplicar onças líquidas por 30 para converter para mililitros

Medida de volume	Onças líquidas	Milímetros
1 colher de chá	0,15	5
1 colher de sobremesa	0,5	15
2 colheres de sobremesa	1	30
1 xícara	8	240
1 pint	16	480
1 quarto	32	960
1 galão	128	3,84 litros

Conversões de peso

Multiplicar as onças por 28.349 para converter em gramas

Libras	Onças	Gramas
0,016	0,25	7
0,031	0,5	14
0,063	1	28
0,25	4	113
0,5	8	227
1	16	454
1,5	24	680
2	32	907
2,5	40	1,13 kg
3	48	1,13 kg

Por que as porcentagens do padeiro são importantes para os profissionais da área?

- Para manter uma produção consistente.
- Para facilitar a avaliação dos níveis de absorção da farinha.
- Para facilitar o aumento ou a diminuição do tamanho da massa usando a mesma receita.
- Para facilitar a comparação entre as receitas.
- Para avaliar se uma receita está bem balanceada.
- Para corrigir problemas em uma receita.

Quais são as características mais importantes das porcentagens do padeiro?

- As porcentagens do padeiro são sempre baseadas no peso total de toda a farinha na receita.
- A farinha é representada sempre como 100% (todos os outros ingredientes são calculados a partir da farinha). Se houver mais de um tipo de farinha na receita, a soma delas será de 100%.
- A porcentagem do padeiro só pode ser calculada se a quantidade de todos os ingredientes na receita for expressa na mesma unidade de medida, por exemplo, não se pode misturar gramas e onças, ou libras e quilograma, na mesma receita.
- As unidades de medidas devem ser expressas em termos de peso, não de volume (por exemplo, não se podem misturar libras e quartos na mesma receita). Além disso, os pesos apresentados em libras e onças são mais difíceis de serem calculados com o percentual do padeiro. O sistema de medida mais fácil para se calcular o percentual do padeiro é o sistema métrico. O sistema decimal dos Estados Unidos também pode ser usado.
- O percentual do padeiro funciona melhor com o sistema métrico, já que o metro está baseado em unidades decimais, da mesma forma que as porcentagens (exemplo, $100 = 10 \times 10$).

Porcentagens básicas

$0,01 = 1\%$	$0,1 = 10\%$
$1/100 = 1\%$	$10/100 = 10\%$
$1 \div 100 = 1\%$	$10 \div 100 = 10\%$

- Se a porcentagem for maior que 100, o número será maior que o número que representa 100%.
- Se a porcentagem for menor que 100, o número será menor que o número que representa 100%.

Cálculos básicos

$$a/b = a \div b$$
$$(23 \times a = b) = (a = b \div 23) = (a = b/23)$$

Fórmula para cálculos básicos usando a porcentagem do padeiro

Exemplo 1: Do peso para as porcentagens do padeiro

Neste exemplo, temos uma receita e desejamos expressar as quantidades dos ingredientes nas porcentagens do padeiro.

Farinha :	50	kg
Água :	30	kg
Sal :	1	kg
Fermento :	0,75	kg

1º passo: Determinar a porcentagem do padeiro para a farinha. Sabemos que a farinha é sempre 100%. Nessa receita, 50 kg = 100%.

2º passo: Determinar a porcentagem do padeiro para a água. Precisamos calcular qual é a porcentagem do peso da água em relação ao peso da farinha. Outra maneira de determinar este cálculo é: Quantas partes de água seriam necessárias para obter a mesma quantidade de hidratação se houver 100 partes de farinha?

São possíveis dois métodos de cálculo.

Método de cálculo 1: Multiplicação cruzada (Regra de três)

Para usar esse método, cruzar as linhas para encontrar o valor da água.

Farinha : 50 kg ⟍ 100%
Água : 30 kg ⟋ A
(A = a porcentagem de água que queremos encontrar)

O cálculo necessário pode ser expresso como uma equação, seguindo as linhas cruzadas, começando com a farinha:

$$50 \times A = 30 \times 100$$

Aplicar a regra de três para isolar a variável desconhecida:

$$A = (30 \times 100) \div 50$$
$$A = 60$$

Nessa fórmula, a porcentagem do padeiro para a água é de 60 % (ou seja, o peso da água representa 60% do peso da farinha).

Método de cálculo 2: frações

Ao usar esse método, o cálculo necessário pode ser expresso como uma fração com o peso da água em cima e o peso da farinha embaixo:

$$A = 30/50$$

Para aplicar este cálculo básico sabemos que:

$$A = 30/50 = 30 \div 50 = 0,6 = 60\%$$

Passo 3. Determinar a porcentagem do padeiro para o fermento e o sal usando um dos dois métodos de cálculo descritos no Passo 3.

São possíveis dois métodos de cálculo

Método de cálculo 1: Multiplicação cruzada (Regra de três)

Farinha : 50 kg	100%	Farinha :	50 kg	100%
Água : 30 kg	60%	Água :	30 kg	60%
Sal : 1 kg	S	Fermento :	0,75 kg	Fer

Como equação:

$$50 \times S = 1 \times 100 \qquad 50 \times Fer = 0,75 \times 100$$
$$S = (1 \times 100) \div 50 \qquad Fer = (0,75 \times 100) \div 50$$
$$S = 2 \qquad Fer = 1,5$$

Método de cálculo 2: Frações

$$S = 1/50 = 1 \div 50 = 0,02 = 2\%$$
$$Fer = 0,75/50 = 0,75 \div 50 = 0,015 = 1.5\%$$

A receita completa com as porcentagens do padeiro:

Farinha	:	50	kg	100%
Água	:	30	kg	60%
Sal	:	1	kg	2%
Fermento	:	0,75	kg	1,5%

Exemplo 2: Das porcentagens do padeiro ao peso

Nesse exemplo, temos as porcentagens do padeiro e queremos preparar uma massa com 40 kg de farinha e expressar a receita em quantidades para cada um dos ingredientes.

Farinha	:	100%
Água	:	65%
Sal	:	2%
Fermento	:	1%

Lembrar que a farinha é sempre 100% e que as outras quantidades são calculadas em relação a ela.

Farinha	=	100%	=	40 kg		
Água	=	65%	=	40 × 0,65 = 26 kg		
Sal	=	2%	=	40 × 0,02 = 0,8 kg	=	800 g
Fermento	=	1%	=	40 × 0,01 = 0,4 kg	=	400 g

A receita completa com as porcentagens do padeiro:

Farinha	:	40 kg	100%
Água	:	26 kg	65%
Sal	:	800 g	2%
Fermento	:	400 g	1%

Exemplo 3: Das porcentagens do padeiro aos pesos usando a quantidade de produção desejada

Nesse exemplo temos uma ordem de serviço para atender:

50 baguetes com 350 g de massa
40 pães broa com 400 g de massa
300 minipães com 80 g de massa

Todos esses pães serão feitos com a mesma massa. As porcentagens do padeiro para a receita são:

Farinha	:	100%
Água	:	67%
Sal	:	2%
Fermento	:	1%

Queremos expressar a receita em quantidades para cada um dos ingredientes.

Passo 1. Determinar a quantidade de massa total necessária.

$$50 \times 350 \text{ g} = 17.500 \text{ g} = 17,5 \text{ kg}$$
$$40 \times 400 \text{ g} = 16.000 \text{ g} = 16 \text{ kg}$$
$$300 \times 80 \text{ g} = 24.000 \text{ g} = 24 \text{ kg}$$
$$\text{Massa Total} = 57.500 \text{ g} = 57,5 \text{ kg}$$

Passo 2. Determinar a quantidade de farinha necessária. A porcentagem do padeiro para todos os ingredientes nessa receita totaliza 170%. Aqui apresentamos outra maneira de determinar isso: sabemos que com 100 partes de farinha podemos produzir 170 partes de massa. Precisamos calcular a quantidade de farinha necessária para fazer 57,5 kg de massa.

São possíveis dois métodos de cálculo.

Método de cálculo 1: Multiplicação cruzada (Regra de três)

Farinha	:	100%	F
Água	:	67%	
Sal	:	2%	
Fermento	:	1%	
Total	:	170%	57,5 kg

Expressa como equação:

$$100 \times 57,5 = 170 \times F$$
$$F = (100 \times 57,5) \div 170$$
$$F = 33,82$$

Método de cálculo 2: Frações

Inicialmente, precisamos calcular qual a proporção do total da massa na receita é representada pela farinha. O cálculo necessário pode ser expresso como uma fração com a porcentagem do padeiro da farinha no topo e o total das porcentagens do padeiro na base.

$$F\% = 100/170 = 100 \div 170 = 0,5882 = 58,82\%$$

Sabemos que 58,82% do total da massa na receita é de farinha. Agora precisamos calcular o peso da farinha para a quantidade do total da massa que precisamos fazer.

$$F = 57,5 \, kg \times 58,82\% = 57,5 \, kg \times 0,5882 = 33,82 \, kg$$

Agora sabemos que 33,82 kg de farinha serão necessários para obter 57,5 kg de massa.

Para simplificar o resto do cálculo e para ter certeza de que teremos massa suficiente, vamos arredondar a quantidade de farinha para o número inteiro seguinte: os 33,82 kg se tornarão 34 kg. No entanto, arredondamos apenas o peso da farinha, não arredondamos os pesos dos outros ingredientes.

Passo 3. Precisamos aplicar as porcentagens do padeiro da receita para o peso da farinha para determinar os pesos desejados do restante dos ingredientes.

Farinha = 100%	= 34 kg	
Água = 67%	= 34 × 0,67 = 22,78 kg	
Sal = 2%	= 34 × 0,02 = 0,68 kg	= 680 g
Fermento = 1%	= 34 × 0,01 = 0,34 kg	= 340 g

Para verificar nossos cálculos, se somarmos o peso de todos os ingredientes, encontraremos a quantidade de massa necessária para atender esta ordem de serviço:

Fermento :	34 kg	100%
Água :	22,78 kg	67%
Sal :	680 g	2%
Fermento :	340 g	1%
Total :	57,8 kg	

Com 57,5 kg de massa necessária essa receita irá produzir 57,8 kg de massa. Temos uma pequena quantidade extra de massa, já que arredondamos para cima a quantidade de farinha.

Porcentagens do padeiro com pré-fermento

Ao usar pré-fermentos, os princípios das porcentagens do padeiro permanecem os mesmos. No entanto, em razão de que o pré-fermento é uma preparação feita de uma porção de uma receita total de farinha, água, fermento e, às vezes, sal e considerando que a proporção desses ingredientes no pré-fermento pode diferir da proporção da receita total, normalmente são necessários cálculos extras.

Exemplo 1: Da receita para massa total às receitas para pré-fermento e massa final

Nesse exemplo temos uma receita com as porcentagens do padeiro. Queremos preparar a massa usando 20% da farinha no pré-fermento (esponja).

Farinha :	10 kg	100%
Água :	6,7 kg	67%
Sal :	200 g	2%
Fermento :	150 g	1,5%

Para esse exemplo, a porcentagem do padeiro para a água na esponja será de 64% e a porcentagem do padeiro para o fermento será de 0,1 %. A esponja não terá sal.

Passo 1. Determinar o peso da farinha a ser utilizada no pré-fermento.

$$10 \, kg \times 20\% = 10 \, kg \times 0,2 = 2 \, kg$$

Passo 2. Determinar o peso da água e o do fermento a ser utilizado no pré-fermento.

$$\text{Água} = 64\% = 2 \, kg \times 0,64 = 1,28 \, kg$$
$$\text{Fermento} = 0,1\% = 2 \, kg \times 0,001 = 0,002 \, kg = 2 \, g$$

Se o pré-fermento contiver sal, o peso do sal será determinado da mesma maneira.

A fórmula completa para o pré-fermento com a porcentagem do padeiro é:

Farinha :	2 kg	100%
Água :	1,28 kg	64%
Fermento :	2 g	0,1%

Passo 3. Determinar o peso dos ingredientes na massa final. Precisamos subtrair a quantidade de cada ingrediente usado no pré-fermento da quantidade da receita final.

Farinha = 10 kg − 2 kg	=	8 kg
Água = 6,7 kg − 1,28 kg	=	5,42 kg
Sal = 200 g − 0	=	200 g
Fermento = 150 g − 2 g	=	148 g

A receita para a massa final é

Farinha : 8 kg
Água : 5,42 kg
Sal : 200 g
Fermento : 148 g

Passo 4. Determinar as porcentagens do padeiro para todos os ingredientes da massa final. Sabemos que a farinha é sempre 100%. A porcentagem do padeiro para todos os outros ingredientes são calculados usando a regra de três ou o método de frações. São possíveis dois métodos de cálculo.

Método de cálculo 1: Multiplicação cruzada (Regra de três)

Água
$$8 \times A = 5{,}42 \times 100$$
$$A = (5{,}42 \times 100) \div 8$$
$$A = 67{,}75$$
Sal
$$8 \times S = 0{,}2 \times 100$$
$$S = (0{,}2 \times 100) \div 8$$
$$S = 2{,}5$$
Fermento
$$8 \times Fer = 0{,}148 \times 100$$
$$Fer = (0{,}148 \times 100) \div 8$$
$$Fer = 1{.}85$$
Esponja
$$8 \times E = 3{,}282 \times 100$$
$$E = (3{,}282 \times 100) \div 8$$
$$E = 41{,}02$$

Método de cálculo 2: Frações

$$A = 5{,}42/8 = 5{,}42 \div 8 = 0{,}6775 = 67{,}75\%$$
$$S = 0{,}2/8 = 0{,}2 \div 8 = 0{,}025 = 2{,}5\%$$
$$Fer = 0{,}148/8 = 0{,}148 \div 8 = 0{,}0185 = 1{,}85\%$$
$$E = 3{,}282/8 = 3{,}282 \div 8 = 4102 = 41{,}02\%$$

A receita completa com a porcentagem do padeiro:

Farinha : 8 kg 100%
Água : 5,42 kg 67,75%
Sal : 200 g 2,5%
Fermento : 148 g 1,85%
Pre-fermento : 3,282 kg 41,02%

Observação: Para um pré-fermento *poolish*, o peso da água é determinado no Passo 1 (normalmente 1/3 ou 1/2). O peso da farinha no *poolish* é sempre igual ao peso da água. Portanto, a porcentagem do padeiro para a água no pré-fermento é de 100%.

Exemplo 2: Da porcentagem do padeiro para a massa total e pré-fermento para a receita da massa final usando a quantidade de produção desejada

Neste exemplo, temos uma ordem de serviço para atender, e precisamos de 40 kg de massa *sourdough*. Esse método é importante para planejar a produção usando *sourdough* de forma que esteja disponível para todas as necessidades da produção.

Sabemos a porcentagem do padeiro para a massa total. Temos já uma quantidade de levedura que foi preparada de acordo com uma receita onde as porcentagens do padeiro são conhecidas e queremos incorporar esta levedura para a massa final na proporção de 50% em relação ao peso da farinha da massa final.

A receita para a massa total é

Farinha : 100%
Água : 67%
Sal : 2%

A receita para a preparação da levedura é

Farinha : 100%
Água : 50%
Cultura : 150%

Observação: Neste exemplo, o número de alimentações da cultura não é importante, mas vamos considerar que a mesma receita foi usada para todas as alimentações.

Passo 1: Determinar a porcentagem do padeiro para a massa final. Começando com a farinha, sabemos que a farinha é sempre 100%.

Para calcular a quantidade correta de água e sal na massa final, devemos considerar que a farinha na levedura será adicionada à massa final. Para 100 partes de farinha na massa final, há 50 partes de levedura. Devemos calcular quanto desses 50% corresponde à farinha.

São possíveis dois métodos de cálculo.

Método de cálculo 1: Multiplicação cruzada (Regra de três)

Farinha : 100% F
Água : 50% A
_____
Total : 150% 50 partes

Expresso como equação:

$$F \times 150 = 50 \times 100$$
$$F = (50 \times 100) \div 150$$
$$F = 33{,}33$$

Método de cálculo 2: frações

Primeiro precisamos calcular qual a proporção das 150 partes é representada pela farinha:

$$F = 100/150 = 100 \div 150 = 0,6667 = 66,67\%$$

Sabemos que 66,67% das 50 partes é de farinha. Agora precisamos calcular o número de partes.

$$F = 50 \text{ partes} \times 66,67\% = 50 \text{ partes} \times 0,6667 = 33,33 \text{ partes}$$

Agora sabemos que temos que considerar 133,33 partes de farinha ao calcularmos a quantidade de água e de sal na massa final.

A quantidade total de água na massa final será:

$$133,33 \text{ partes} \times 67\% = 89,33 \text{ partes}$$

Devemos considerar que a água na levedura será adicionada à massa final. Considerando que 33,33 partes das 50 partes de levedura correspondem à farinha, o número de partes correspondente à água é

$$50 \text{ partes} - 33,33 \text{ partes} = 16,67 \text{ partes}$$

O número de partes correspondente à água na massa final é

$$89,33 \text{ partes} - 16,67 \text{ partes} = 72,66 \text{ partes}$$

A porcentagem do padeiro para a água na massa final é de 72,66%.

A quantidade total de sal na massa final será de

$$133,33 \text{ partes} \times 2\% = 2,67 \text{ partes}$$

Não há sal na levedura, sendo assim a porcentagem do padeiro para o sal na massa final é de 2,67%.

A porcentagem para a massa final é

Farinha : 100%
Água : 72,66%
Sal : 2,67%
Levedura : 50%

Passo 2. Determinar o peso da farinha na mistura final para fazer 40 kg de massa total.

São possíveis dois métodos de cálculo.

Método de cálculo 1: Multiplicação cruzada (Regra de três)

Farinha	: F	100%
Água	: A	72,66%
Sal	: S	2,67%
Levedura	: L	50%
Total	: 40 kg	225,33%

Expressa como equação:

$$F \times 225,33 = 400 \times 100$$
$$F = (40 \times 100) \div 225,33$$
$$F = 17,75$$

Método de cálculo 2: Frações

Primeiro precisamos calcular qual a proporção da massa total é representada pela farinha. O cálculo necessário pode ser expresso como fração com a porcentagem do padeiro da farinha em cima e o total embaixo:

$$F\% = 100/225,33 = 100 \div 225,33 = 4,438 = 44,38\%$$

Sabemos que 44,38% da massa total é de farinha. Agora precisamos calcular o peso da farinha.

$$F = 40 \text{ kg} \times 44,38\% = 40 \text{ kg} \times 0,4438 = 17,75$$

Agora sabemos que serão necessários 17,75 kg de farinha para obter os 40 kg de massa.

Para simplificar o resto dos cálculos e para ter certeza de que vamos produzir massa suficiente, vamos arredondar a quantidade de farinha para o número seguinte: de 17,75 kg para 18 kg. No entanto, vamos arredondar apenas o peso da farinha e não o peso dos outros ingredientes.

Passo 3. Precisamos adotar as porcentagens do padeiro da receita para o peso da farinha para determinar os pesos desejados do restante dos ingredientes:

Farinha	= 100%	= 18 kg	
Água	= 72,66%	= 18 × 0,7266	= 13 kg
Sal	= 2,67%	= 18 × 0,0267	= 0,48 kg
Levedura	= 50%	= 18 × 0,5	= 9 kg

Para verificar nossos cálculos se somarmos o peso de todos os ingredientes encontraremos à quantidade de massa necessária para atender essa ordem de serviço:

Farinha	:	18 kg	100%
Água	:	13 kg	72,66%
Sal	:	480 g	2,67%
Levedura	:	9 kg	50%
Total	:	40,48 kg	225,33%

Com 40 kg de farinha, essa receita irá produzir 40,48 kg de massa. Temos, portanto, uma pequena quantidade extra de massa, já que arredondamos a quantidade da farinha.

C°	F°	C°	F°	C°	F°	C°	F°	C°	F°	C°	F°	C°	F°	C°	F°
1	33,8	41	105,8	81	177,8	121	249,8	161	321,8	201	393,8	241	465,8
2	35,6	42	107,6	82	179,6	122	251,6	162	323,6	202	395,6	242	467,6
3	37,4	43	109,4	83	181,4	123	253,4	163	325,4	203	397,4	243	469,4
4	39,2	44	111,2	84	183,2	124	255,2	164	327,2	204	399,2	244	471,2
5	41	45	113	85	185	125	257	165	329	205	401	245	473
6	42,8	46	114,8	86	186,8	126	258,8	166	330,8	206	402,8	246	474,8
7	44,6	47	116,6	87	188,6	127	260,6	167	332,6	207	404,6	247	476,6
8	46,4	48	118,4	88	190,4	128	262,4	168	334,4	208	406,4	248	478,4
9	48,2	49	120,2	89	192,2	129	264,2	169	336,2	209	408,2	249	480,2
10	50	50	122	90	194	130	266	170	338	210	410	250	482
11	51,8	51	123,8	91	195,8	131	267,8	171	339,8	211	411,8	251	483,8
12	53,6	52	125,6	92	197,6	132	269,6	172	341,6	212	413,6	252	485,6
13	55,4	53	127,4	93	199,4	133	271,4	173	343,4	213	415,4	253	487,4
14	57,2	54	129,2	94	201,2	134	273,2	174	345,2	214	417,2	254	489,2
15	59	55	131	95	203	135	275	175	347	215	419	255	491
16	60,8	56	132,8	96	204,8	136	276,8	176	348,8	216	420,8	256	492,8
17	62,6	57	134,6	97	206,6	137	278,6	177	350,6	217	422,6	257	494,6
18	64,4	58	136,4	98	208,4	138	280,4	178	352,4	218	424,4	258	496,4
19	66,2	59	138,2	99	210,2	139	282,2	179	354,2	219	426,2	259	498,2
20	68	60	140	100	212	140	284	180	356	220	428	260	500
21	69,8	61	141,8	101	213,8	141	285,8	181	357,8	221	429,8	261	501,8
22	71,6	62	143,6	102	215,6	142	287,6	182	359,6	222	431,6	262	503,6
23	73,4	63	145,4	103	217,4	143	289,4	183	361,4	223	433,4	263	505,4
24	75,2	64	147,2	104	219,2	144	291,2	184	363,2	224	435,2	264	507,2
25	77	65	149	105	221	145	293	185	365	225	437	265	509
26	78,8	66	150,8	106	222,8	146	294,8	186	366,8	226	438,8	266	510,8
27	80,6	67	152,6	107	224,6	147	296,6	187	368,6	227	440,6	267	512,6
28	82,4	68	154,4	108	226,4	148	298,4	188	370,4	228	442,4	268	514,4
29	84,2	69	156,2	109	228,2	149	300,2	189	372,2	229	444,2	269	516,2
30	86	70	158	110	230	150	302	190	374	230	446	270	518
31	87,8	71	159,8	111	231,8	151	303,8	191	375,8	231	447,8	271	519,8
32	89,6	72	161,6	112	233,6	152	305,6	192	377,6	232	449,6	272	521,6
33	91,4	73	163,4	113	235,4	153	307,4	193	379,4	233	451,4	273	523,4
34	93,2	74	165,2	114	237,2	154	309,2	194	381,2	234	453,2	274	525,2
35	95	75	167	115	239	155	311	195	383	235	455	275	527
36	96,8	76	168,8	116	240,8	156	312,8	196	384,8	236	456,8	276	528,8
37	98,6	77	170,6	117	242,6	157	314,6	197	386,6	237	458,6	277	530,6
38	100,4	78	172,4	118	244,4	158	316,4	198	388,4	238	460,4	278	532,4
39	102,2	79	174,2	119	246,2	159	318,2	199	390,2	239	462,2	279	534,2
40	104	80	176	120	248	160	320	200	392	240	464	280	536

GLOSSÁRIO

A

Abastecimento do forno Processo no qual os pães são colocados no forno para cozimento. O forno pode ser abastecido manualmente, com o uso de uma pá, ou adotando um sistema automático para grandes produções.

Acidificação Produção de ácidos como um subproduto da atividade de fermentação na massa.

Açúcares residuais Açúcares que não foram metabolizados pelo fermento e são descartados depois da fermentação.

Açúcares simples Monossacarídeos, a forma mais simples de carboidrato. Os exemplos são frutose e glicose.

Adulteração Modificação de um produto pela inclusão de materiais mais baratos e inferiores.

Agentes redutores Aditivos que removem oxigênio, e a partir daí criam uma cadeia de glúten que é fácil esticar. Agentes redutores são usados para diminuir o tempo de mistura, aprimorar a fluência da massa e facilitar o seu uso em equipamentos.

Alimentar Mistura periódica de uma porção da cultura com farinha e água para manter a flora viva e ativa. A manutenção de uma cultura requer que as condições vitais (alimento, água e ar) sejam constantemente renovadas.

Alimentos alergênicos Produto ou ingrediente que contém proteínas que podem causar reações severas e, às vezes, fatais em pessoas que são alérgicas a determinado alimento.

Alveográfico Instrumento que distingue características físicas específicas da massa, quantificando o equilíbrio entre elasticidade e extensibilidade e força. Esses valores aparecem no formulário de informações técnicas como P, L, P/L, e W, respectivamente.

Alvéolos Aberturas, ou estrutura de células do miolo.

Aminoácidos Componentes básicos da proteína.

B

Autólise Processo que envolve a pré-mistura de farinha e de água, permitindo a mistura descansar por um mínimo de 15 a 20 minutos. Esse método aumenta a hidratação da farinha, o que leva a uma estrutura de glúten melhor. Além disso, o aumento da atividade enzimática que ocorre estimula a extensibilidade da massa.

Aveia Grão bastante adequado para ser cultivado em climas frios e úmidos. A aveia é especialmente popular na Escócia, Gales, Alemanha e Escandinávia.

B

Beurrage Componente de gordura em massas folhadas que é colocado na *détrempe*. Também é chamada de *roll-in fat* (empaste).

Biga É um pré-fermento italiano tradicional, é preparada com farinha, água e fermento, com hidratação de aproximadamente 50% a 55%. É deixada para fermentar a 16 °C por 18 horas. Atualmente, o termo *biga* é usado erroneamente como um nome genérico de pré-fermento.

Biofilme É uma comunidade de micro-organismos que adere às superfícies sólidas expostas à água e excretam uma substância fina e colante.

Biscoito (*oublie*) Biscoito crocante, fino, achatado ou na forma de cone feito com massa assada em formas de ferro quente, com desenhos padronizados. Um precursor do *wafer* moderno, esses biscoitos eram populares na Idade Média.

Boas Práticas de Fabricação – BPF (Good Manufacturing Practices – GMP) Regras de um sistema de processos, procedimentos e documentação que garante que o alimento produzido tenha identidade, força, composição, qualidade e pureza que demonstra possuir.

Boleamento Moldar a massa no seu formato final. A moldagem pode ser feita à mão ou à máquina.

C

Calvel, Raymond Mestre francês em panificação conhecido por seus estudos aprofundados sobre o processo da massa. Também conhecido como criador do método de autólise.

Centeio Cereal capaz de crescer em solos pobres e em climas frios. É especialmente popular nos países nórdicos no uso de panificação.

Certificate of Analysis – COA (Certificado de Análise) Formulário detalhado de informações sobre um lote específico de farinha.

Cevada É um dos cereais cultivados mais antigos. Tradicionalmente a sua farinha servia para fazer pães; o alto teor de amido e a baixa quantidade de glúten produzem pães densos e mais compactos. Atualmente é usado principalmente para produzir cervejas.

Coagulação do glúten A coagulação do glúten começa a 74 °C.

Consistência Nível de dureza ou maciez do sistema da massa.

Contaminação cruzada Transferência de bactéria de um alimento, geralmente cru, para outros alimentos. É uma das maiores causas de intoxicação alimentar.

Corte *chevron* Série de cortes angulares e paralelos que atravessam o pão ao longo do topo e das bordas. O corte *chevron* é normalmente usado para pães de formato curto e alongado como o filão. Depois de assado, os cortes assumem um formato arredondado.

Corte clássico Técnicas de corte usadas para baguetes e filões. Para o corte clássico, o padeiro deve segurar a lâmina o mais horizontal possível da massa, ou ao menos com um ângulo de 45 °C da superfície e fazer um talho horizontal.

Corte polca (ou cruzado) Série de cortes diagonais que são feitos inicialmente em uma direção e depois em um ângulo oposto. O resultado é um desenho cruzado, normalmente usado para filão, pães especiais e minipães. Produz um pão com o topo achatado.

Corte salsicha Série de cortes paralelos que atravessam de forma perpendicular o comprimento do pão. Esse desenho é normalmente usado para filões, pães especiais, como os de centeio e baguetes vienenses. Produz um corte arredondado no pão assado.

Cortes Incisões feitas na superfície da massa antes de assar. Os cortes controlam a expansão e acrescentam um elemento decorativo ao pão.

Cultura Conjunto de fermento nativo e de lactobacilos vivendo em uma mistura de farinha e água. Esses micro-organismos necessitam de três elementos para crescer e se reproduzir: alimento, o que é fornecido pelos açúcares simples da farinha ou pela atividade enzimática; água adicionada à farinha; e oxigênio, incorporado durante a mistura.

D

Decreto de Rotulação e Educação Nutricional (Nutritional Labeling and Education Act – NLEA) A emenda ao Decreto Federal de Alimentos, Drogas, e Cosméticos, o FDCA, de 1990 que determina a rotulação nutricional em toda a produção comercial de panificação.

Descanso Tempo entre a pré-moldagem (boleamento) e a moldagem (formato) durante o qual o glúten descansa, tornando, portanto, a massa mais fácil de trabalhar. Também chamado de fermentação secundária ou intermediária.

Desenvolvimento da massa Desenvolvimento da estrutura do glúten da massa.

Détrempe Estágio inicial de produção da viennoiserie.

Dióxido de carbono Gás produzido na medida em que o fermento metaboliza o açúcar.

Divisão Processo em que a massa inteira de pão é dividida em pequenas porções de acordo com o peso final desejado do pão, descontando a perda de peso que ocorre durante o cozimento.

Dobra dupla *Ver* Dobra em livro.

Dobra em carta *Ver* Dobra simples.

Dobra em livro A dobra em livro pode ser feita ao dobrar a massa estendida em quatro, com a linha central como medida para garantir consistência nas camadas. Também conhecida como dobra dupla.

Dobra simples A dobra simples pode ser feita ao dobrar a massa aberta em três seções, similar a uma carta.

E

Elasticidade Refere-se à capacidade da massa de retornar à sua posição natural depois de estendida.

Emulsificantes Substâncias químicas ou naturais, solúveis em baixas concentrações tanto em água quanto em gordura. A principal função dos emulsificantes num sistema de massa é a de melhorar a ligação entre água e lipídios naturalmente presentes na farinha; como resultado, a massa terá uma textura mais forte e melhor resistência à mistura mecânica.

Endosperma Principal componente do trigo que contém amido e proteína.

Enriquecimento Farinha enriquecida é usada para aumentar o valor nutricional da farinha branca. Desde 1930, as vitaminas e minerais naturais extraídos durante o processo de moagem são repostos com vitaminas, como tiamina, niacina e riboflavina, e minerais como o ferro. Desde 1998, o ácido fólico passou a ser incluído.

Enzima Proteína que catalisa uma reação química de degradação.

Especificações Técnicas do Produto (*Spec Sheet*) Dados contidos no formulário de informações técnicas sobre as características da farinha tais como teor de umidade, teor de proteína e atividade enzimática.

Espelta Variedade primitiva de trigo.

Esponja Pré-fermento firme que, como o *poolish*, consiste somente de farinha, água e fermento, e é deixado para fermentar em temperatura ambiente ou em temperatura controlada.

Estabilidade Característica da farinha determinada pelo cálculo da diferença de tempo entre o ponto no qual a curva do farinográfico intercepta a linha de 500 UF (tempo de chegada) e o ponto no qual o topo da curva deixa a linha de 500 UF (tempo de partida). A estabilidade fornece alguma indicação da tolerância da farinha durante a mistura.

Estágio Procedimento comum no desenvolvimento profissional; o padeiro ou chef pâtissier realiza um trabalho durante um curto período para aprender técnicas e processos em outro local de trabalho que não o seu próprio.

Éster Componente orgânico que é formado pela reação entre um álcool e um ácido. Em panificação, os ésteres são componentes aromáticos importantes ao sabor do produto final.

Extensibilidade Propriedade de alongamento da massa.

F

Falling number Método indireto de medir a atividade enzimática da farinha.

Farinográfico Equipamento que define a qualidade da farinha ao medir as propriedades de mistura da massa para determinar a capacidade de absorção, tempo de desenvolvimento e estabilidade.

Federal Food, Drug and Cosmetic Act (FDCA) Decreto do Congresso Americano de 1938 que atribuiu ao Food and Drug Administration a responsabilidade de fiscalizar a segurança e a precisão dos rótulos de drogas, cosméticos, equipamentos médicos e produção de alimentos (exceto carnes e frangos) do país.

Fermentação Quebra de moléculas compostas em substâncias orgânicas sob o efeito de fermento ou bactéria (fermentos).

Fermentação da massa inteira (*bulk fermentation*) *Ver* Primeira fermentação.

Fermentação final Período de fermentação que ocorre entre a moldagem da massa e o início do cozimento. Ao longo desse processo, o gás produzido pelo fermento irá acumular e criar uma pressão interna sobre a estrutura do glúten.

Fermentação secundária *Ver* Descanso.

Fermento osmotolerante Cadeia de fermentos que são tolerantes às condições de altas pressões osmóticas, uma situação que surge na massa com alto teor de açúcar ou de acidez. O fermento é levado a competir com o açúcar por umidade, aumentando a pressão nas células do fermento. O fermento osmotolerante pode ser encontrado fresco ou seco.

Food and Drug Administration (FDA) Agência governamental científica, regulatória da saúde pública nos Estados Unidos responsável por garantir a segurança dos medicamentos, equipamentos médicos, alimentos e cosméticos.

Folhas de Dados de Segurança do Produto (Material Safety Data Sheets – MSDS) Informações destinadas a fornecer aos trabalhadores e ao pessoal de segurança no trabalho procedimentos para manuseio e uso de uma determinada substância.

Formulário de especificação do produto Formulário fornecido pelo moinho por lote de farinha em que destaca suas várias propriedades e qualidades.

Fornarii Padeiros profissionais do século XII. Os *fornarii* assavam os pães da população das cidades em fornos comunitários.

Freezer para armazenamento Freezer onde são mantidas massas empacotadas em pedaços que podem ser conservadas de duas semanas a seis meses em temperaturas que variam de –18 °C a –20 °C.

G

Gelatinização do amido Processo no qual os átomos de amido desintegram a 60 °C, liberando numerosas cadeias de amido que formam uma matriz do tipo gelatina bastante complexa. O processo é completado a 67 °C. Dependendo do tipo de amido haverá variação da temperatura.

Germinação Fase de brotação do ciclo de vida da planta.

Gliadina Uma das duas proteínas que combinadas formam o glúten. A gliadina afeta a extensibilidade da massa.

Glicídio Grupo se carboidratos incluindo açúcares, amidos e celuloses presentes naturalmente na farinha.

Glucoamilases Enzimas que transformam as cadeias de dextrina geradas pelas amilases em glicose, o que facilita a atuação do fermento (portanto melhorando a atividade de fermentação durante o crescimento). As glicoamilases são usadas, às vezes, para substituir parcialmente outros açúcares da receita, criando um produto final que contém menos açúcar, mas que ainda retém o sabor adocicado.

Glicose oxidase Enzima que converte glicose em ácido glucônico, que atua como oxidante e aumenta a força do glúten.

Glúten Matriz tridimensional que ocorre quando água e farinha são combinadas e desenvolvidas.

Glutenina Uma das duas proteínas primárias do trigo. A glutenina tem efeito sobre a elasticidade da massa.

H

Higiene pessoal Práticas de limpeza que combatem infecções ao remover substâncias que permitem que as bactérias cresçam no organismo humano. Boas práticas de higiene pessoal incluem banhos, lavar os cabelos, lavar as mãos, vestir roupas limpas e higiene bucal.

Higienização Um passo adiante da limpeza para tornar as superfícies de contato com alimentos livre de bactérias e outras contaminações.

Homofermentativa Um dos dois tipos de bactéria láctica, a bactéria homofermentativa converte os açúcares da massa em ácido láctico, que afeta as características da massa e o sabor do pão.

Heterofermentativa Um dos dois tipos de bactéria láctica, a bactéria heterofermentativa converte os açúcares da massa em ácido láctico, ácido acético e dióxido de carbono, todos eles afetam as características da massa e o sabor do pão.

I

Índice de tolerância da mistura (ITM) Diferença nas Unidades Farinográficas (UF) entre o ápice da curva de um farinográfico e o ápice da curva medida cinco minutos depois que o pico é alcançado. Quanto mais alto for o índice de tolerância da mistura, mais fraca será a farinha.

Informação analítica Dados do formulário de informações técnicas sobre as características da farinha, como teor de umidade, teor de proteína e atividade enzimática.

Insetos Insetos que vivem em alimentos armazenados, como carunchos, besouros, traças.

L

Laminação Processo pelo qual camadas de massa e manteiga são intercaladas para produzir massas folhadas como croissant e *danish*.

Lei do Bioterrorismo Lei criadas em 2002 para proteger a saúde e a segurança da população norte-americana de ataques terroristas, intencionais ou reais, ao suprimento alimentar da nação.

Levedura Cultura madura de *sourdough* usada para fermentar a massa.

M

Manejo Integrado de Pragas – MIP (Integrated Pest Management – IPM) Série de avaliações de controle de pragas, monitoramento, prevenção e controle.

Massa folhada Massa laminada não-fermentada. Os quatro principais tipos de massa folhada são *blitz*, tradicional, italiana e invertida.

Massa não folhada Massa enriquecida que não é composta de camadas alternadas de massa e gordura.

Massa pré-fermentada Também conhecida como massa velha. Uma porção de massa normal (feita com farinha branca, água, fermento e sal) que tenha fermentado de 3 a 6 horas é então incorporada à mistura da massa final. Esse método melhora a qualidade dos pães que são deixados a fermentar por um período curto.

Massa pré-fermentada congelada Método para massa que permite que o consumidor final retire a massa fermentada do freezer e leve-a ao forno sem descongelar e sem fermentar. O grau de fermentação mais comum é de 75%, mas pode variar. Processos especiais de cozimento devem ser usados, já que esses produtos requerem um aumento progressivo da temperatura do forno.

Maturação Processo em que a farinha é deixada a amadurecer de duas a três semanas depois da moagem. O processo de oxidação natural melhora a qualidade da proteína e o desempenho da farinha na panificação.

Melhoradores de massa Ingredientes opcionais que podem ser adicionados à massa para melhorar suas características bem como a do produto final. Os condicionadores de massa podem ser naturais, químicos ou microbiológicos.

Metamorfose completa Ciclo de vida de um inseto.

Método de congelamento de massas pré-fermentadas Massa que é misturada, rapidamente fermentada, moldada e depois congelada. Quando for necessário assar a massa, esta deve ser descongelada e então fermentada normalmente. Alguns cuidados especiais para este procedimento incluem mistura, fermentação, tipo de fermento, seleção de melhoradores de massa, processo de congelamento e processo de descongelamento.

Método de cozimento parcial Refere-se ao processo no qual a massa é assada até que o amido se gelatinize e a proteína coagule. Neste ponto, a estrutura do produto se torna sólida e o seu volume está quase completo. Pães parcialmente assados são retirados do forno quando a crosta está com a coloração bege clara. O produto é resfriado, armazenado em freezer ou embalado a vácuo e antes de ser consumido passa por um segundo cozimento para adquirir uma cor apropriada.

Método tradicional Os passos básicos do processo de panificação usado por milhares de anos. Esse processo começa com a elaboração e o desenvolvimento dos pré-fermentos, continua com a mistura da massa final e termina com o cozimento.

Micro-organismos Organismos como fermento e bactéria que são muito pequenos para serem vistos a olho nu.

Milho Grão rico em amido originário da América do Norte. Enquanto algumas variedades são cultivadas e consumidas como legumes, outras, cujos grãos são pequenos e duros, são consumidas como farinha, após moagem.

Mistura Refere-se à mistura da massa com fermento. A etapa do processo de panificação durante o qual o padeiro combina todos os ingredientes para fazer a massa. Mistura também pode se referir ao processo de combinar os ingredientes para diversas massas de tortas ou bolos.

Mistura aprimorada Mistura intermediária entre a mistura básica e a intensiva. A mistura aprimorada permite alcançar a eficiência da mistura intensiva, embora mantenha a maior parte da qualidade obtida com o método da mistura básica. Com essa técnica, os ingredientes são incorporados em primeira velocidade e a massa é misturada até a metade do seu desenvolvimento, em segunda velocidade.

Mistura básica Método de mistura mais delicada que utiliza apenas a primeira velocidade. Esse método é o que mais se aproxima das características da mistura feita a mão. A mistura básica incorpora os ingredientes com muito pouco desenvolvimento do glúten. O pouco desenvolvimento da estrutura do glúten requer um longo período de fermentação.

Mistura intensiva Técnicas de mistura na qual os ingredientes são incorporados em primeira velocidade, e o desenvolvimento da massa é então completado em segunda velocidade.

O

Oubloyers Guilda de padeiros estabelecida na França, na Idade Média, que vendia pequenos bolos em barracas nas ruas, em festivais e feiras.

Oven kick ou oven spring Rápido aumento de temperatura que ocorre entre os 4 e 6 minutos do tempo de cozimento e estimula o fermento e a atividade enzimática da massa. Uma grande quantidade de dióxido de carbono é produzida e retida pela estrutura do glúten, responsável pelo desenvolvimento do volume do pão.

Oxidação Série de reações que ocorrem como resultado do oxigênio ser incorporado à massa durante a mistura. São formados, então, os laços de glúten que reforçam a estrutura e a tolerância da massa. A mistura excessiva e muita oxidação resultarão numa aparência pálida e numa diminuição do sabor.

Oxidantes Aditivos que fortalecem a estrutura do glúten ao fixar o oxigênio incorporado na massa durante a mistura.

P

Painço Grão cultivado de um grupo de gramíneas destinado tanto ao consumo humano quanto animal. É um elemento importante na dieta de muitos países africanos e asiáticos.

Partes por milhão (ppm) Sistema usado para medir pequenas quantidades de ingredientes bastante reativos como os melhoradores de massa. Uma quantidade específica do ingrediente indicado é diluída numa quantidade específica de um ingrediente neutro (como a farinha) para obter uma mistura. Dessa combinação obtém-se as ppm.

Pastilhagem (pastillage) Massa decorativa branca, sem sabor, similar ao fondant de rolo que seca e se torna dura. É muito usada para centro de mesa e peças decorativas.

Pâtissiers Guilda francesa de panificação estabelecida no século XV. A este grupo de comerciantes foi concedido direito exclusivo para fazer e vender tortas recheadas com vários tipos de carnes, peixes e queijos.

Patógenos Micro-organismos causadores de doenças.

Pentosans (hemiceluloses) Moléculas de carboidratos naturalmente presentes na farinha. A sua função num sistema de massa é atrair e distribuir água. Os dois tipos de pentosans encontrados em cereais são solúveis e insolúveis.

Pesticidas Substâncias ou misturas de substâncias destinadas a prevenir, destruir ou repelir quaisquer pragas. Pragas são organismos vivos que ocorrem onde não são desejados ou que causam danos às culturas, aos humanos e animais.

Pièces montées Centros de mesa de apresentação artística.

Pigmentos carotenoides Componentes naturais do miolo do trigo que são responsáveis pela cor cremosa da farinha e por alguns aromas.

Pistores No fim do século XIII, em Paris, os pistores ganharam o direito exclusivo de serem os padeiros da cidade.

Plasticidade Textura firme embora flexível. Usada para descrever as características da gordura usada em massas folhadas.

Poolish Pré-fermento líquido que consiste de partes iguais de farinha e água e é deixado para fermentar em temperatura ambiente. A hidratação é de 100%.

Pré-fermento Massa criada de uma porção da farinha, da água, do fermento (natural ou industrializado) e, às vezes, do sal do total da receita. O pré-fermento é preparado antes da mistura da massa final, deixado a fermentar por um determinado período, em temperatura controlada, e adicionado à massa final.

Pré-moldagem Nessa fase, pedaços de massa são moldados à mão ou à máquina usando um boleador automático. Esse processo é feito com o formato final desejado, por exemplo, bolas são apropriadas para formatos curtos como filões ou broas, enquanto cilindros são usados para formatos mais alongados como o das baguetes.

Prensa de manteiga Compressor hidráulico que cria blocos uniformes de manteiga de forma eficiente e consistente com o simples apertar de um botão.

Primeira fermentação Processo no qual a massa inteira é deixada a fermentar. Esse processo cria as condições ideais para o desenvolvimento de todos os benefícios que a fermentação traz à massa. Também chamada fermentação da massa inteira (*bulk fermentation*) ou *floor time*.

Primeiro a entrar, primeiro a sair – PEPS (First In First Out – Fifo) Método de rodízio de armazenagem que assegura que os alimentos são consumidos periodicamente, bem antes da data de validade.

Procedimentos Padrão de Higiene Operacional – POPH (Standard Sanitation Operating Procedures – SSOP) Procedimentos escritos, passo a passo, de limpeza e higienização para cada tarefa programada.

Professor Raymond Calvel *Ver* Calvel, Raymond.

Protease Enzima responsável pela degradação da proteína. As enzimas de protease transformam o glúten e aumentam a extensibilidade da massa.

Q

Queimadura por congelamento Degradação da qualidade de alimentos congelados que ressecam durante o armazenamento.

R

Reação *Maillard* Reação de açúcares residuais, aminoácidos e calor que contribuem para uma aparência dourada e um sabor de apetitoso.

Reologia da massa Propriedades físicas da massa de deformar e escoar durante o cozimento.

Resfriamento Esta é uma das últimas etapas da panificação, o resfriamento do pão.

Roll-in shortening (gordura hidrogenada) Gordura hidrogenada feita especialmente para uso em massas folhadas.

S

Sistema de Análise de Perigos e Pontos Críticos de Controle – APPCC (Hazard Analysis Critical Control Point – HACCP) Controle no qual o objetivo inicial era produzir alimentos livres de defeitos e perigos para os astronautas consumirem durante as viagens espaciais. Atualmente, os programas de HACCP são considerados elementos essenciais de segurança alimentar nas padarias e em todas as operações de serviço alimentar no mundo todo.

Starter Porção de levedura que é separada e alimentada (com farinha e água) para continuar a cultura *sourdough*.

T

Temperatura desejada da massa (Tdesejada) Temperatura ideal para criar um ambiente favorável para fermentação da maioria das massas; em geral, essa temperatura varia de 23 °C a 25 °C.

Tempo de chegada Tempo necessário para que o ápice da curva do farinográfico alcance a linha dos 500 FU depois que o misturador tenha começado e a água acrescentada. Esse valor é a medida da proporção na qual a farinha absorve água durante a formação da massa.

Tempo de desenvolvimento da massa (TDM) Tempo em minutos entre a primeira adição de água à massa e o desenvolvimento máximo de sua consistência.

Tempo de partida Tempo a partir da primeira adição de água até o máximo que a curva do farinográfico deixa a linha de 500 FU. Tempos mais longos indicam que a farinha é mais forte, portanto o tempo de mistura pode ser mais longo sem a degradação da estrutura do glúten.

Teor de cinza É a quantidade de farelo presente na farinha depois da moagem. O teor de cinza afeta as características da massa e a atividade de fermentação.

Túneis Buracos que atravessam diagonalmente um produto. Esse efeito é o resultado de mistura excessiva da massa, o que também causa um endurecimento do miolo.

Trigo É o cereal mais amplamente cultivado para consumo humano. A flor produzida pelo trigo é a base alimentar da dieta mundial. É um ingrediente essencial da maioria dos pães, das tortas, das pastas e dos produtos de *pâtisserie*.

Triglicerídeo Molécula de gordura formada por três ácidos graxos.

U

Ultracongelador (*Blast freezer*) Freezer usado para congelar produtos instantaneamente, minimizando o ressecamento e a formação de cristais nos alimentos.

Umectantes Substâncias que promovem a retenção da umidade.

V

Viennoiserie Produtos fermentados, adoçados com açúcar e enriquecidos com manteiga e ovos. Podem ser folhados e não folhados.

Z

Zona de perigo A variação de temperatura propícia ao desenvolvimento de bactérias nocivas. A zona de perigo é considerada entre 5 ˚C a 60 ˚C onde os micro-organismos causadores de intoxicação alimentar se desenvolvem.

Observação: Como qualquer outro instrumento dinâmico de informação, os sites da Web mudam ou mesmo desaparecem sem aviso prévio. Qualquer internauta deve estar ciente e preparado para investigar e descobrir sites similares.

BACHAMANN, W. *Continental confectionery*: The pastrycooks' art. Londres: Maclaren & Sons, 1995.

BECKETT, S. T. *The science of chocolate*. Cambridge, UK: Royal Society of Chemistry, 2000.

BENNION, E. B. & BAMFORD, G. S. T. *The technology of cake making*. Bucks, Grã-Bretanha: Leonard Hill Books, 1973.

BILHEUX, R. & ESCOFFIER, A. *Doughs, batters, and meringues*. Nova York: John Wiley and Sons, 2000.

_____. *Creams, confections, and finished desserts*. Nova York: John Wiley and Sons, 2000.

BUYS, A. & DECLUZEAU, J.-L. *Decorating with a paper cone*. Nova York: John Wiley & Sons, 1996.

CALVEL, R. *The taste of bread*. (Trad. R. L. Wirtz). Gaithersburg, MD: Aspen Publishers, Inc., 2001.

CHABOISSIER, D. & LEBIGRE, D. *Compagnon et maître pâtissier*. Tome I – Technologie de pâtisserie. Les Lilas, França: Editions Jerome Villette, 1993.

CLARKE, C. *The science of ice cream*. Cambridge, UK: The Royal Society of Chemistry, 2002.

CLEVELAND CLINIC HEART AND VASCULAR INSTITUTE (s.d.). *The health benefits of chocolate unveiled*. Consultado em: http://www.clevelandclinic.org/heartcenter/pub/guide/prevention/nutrition/chocolate.htm.

COE, S. & COE, M. *The true history of chocolate*. Nova York: Thames and Hudson, 1996.

"Current good manufacturing practice in manufacturing, packing, or holding human food", 21 C.F.R. § 110. Washington DC: US Government Printing Office. Consultado em: http://www.access.gpo.gov/nara/cfr/waisidx_07/21cfrll0_07 .html.

DARENNE, E. & DUVAL, E. *Traité de pâtisserie moderne*. Paris: Flammarion, 1974.

ECOLE LENÔTRE. *Les recettes glacées*. Les Lilas, França: Jérôme Villette, 1995.

_____. *Chocolats et confiserie*. Les Lilas, França: Jérôme Villette, 2000.

_____. *Ecole Lenôtre: La pâtisserie* – Grands classiques et créations. Les Lilas, França: Jérôme Villette, 2006.

EDWARDS, W. R. *The science of sugar confectionary*. Cambridge, UK: The Royal Society of Chemistry, 2000.

FLANDRIN, J.-L., MONTANARI, M., SONNENFELD, A. (Eds.). *Food: A culinary history from antiquity to the present*. Nova York: Columbia University Press, 1999.

GISSLEN, W. *Professional baking*. Nova York: John Wiley and Sons, 2001.

GLACIER, S. *Sucre d'art*: l'envers du décor. Paris: Les Editions de L'if, 2001.

GOFF, D. *Dairy science and technology education series*. 1995. Acessado em fev. 2006, University of Guelph, Canada, em: http://www.foodsci.uoguelph.ca/dairyedu/ home.html.

GREWELING, P. P. *Chocolates and confections*: Formula, theory and technique for the artisan confectioner. Hoboken, NJ: John Wiley and Sons, 2007.

GUINET, R. & GODON, B. *La panification française*. Paris: Lavoisier, 1994.

JACOB, H. E. *Six thousand years of bread*: Its holy and unholy history. Nova York: Lyons Press, 1944.

MATZ, S. A. *Formulas and processes for bakers*. McAllen, Texas: Pan-Tech International, 1987.

_____. *Cookie and cracker technology*. McAllen, Texas: Pan-Tech International, 1992.

McGEE, H. *On food and cooking*: The science and lore of the kitchen. Nova York: Scribner, 2004.

MACLAUCHLAN. A. *New classic desserts*. Nova York: John Wiley and Sons, 1995.

_____. *The making of a pastry chef*. Nova York: John Wiley and Sons, 1999.

McWILLIAMS, M. *Foods*: experimental perspectives. Upper Saddle River, NJ: Prentice Hall, 2001.

MEYER, A. L. *Baking across America*. Austin, TX: University of Texas Press, 1998.

MONTAGNE, P. (Ed.). *Larousse gastronomique*. Nova York: Clarkson Potter/Publishers, 2001.

PERRUCHON, J. M. & BELLOUET, G. J. *Apprenez l'art des petits fours sucres et sales*. Barcelona: Montagud Editions, 2002.

PYLER, E. J. *Baking science and technology*. (Vols. 1-2). Kansas City, MO: Sosland Publishing Company, 1988.

REVEL, J.-F. *Culture and cuisine*: A journey through the history of food. Garden City, NY: Doubleday, 1982.

TANNAHILL, R. *Food in history*. Nova York: Three Rivers Press, 1988.

TROTTER, C. *Charlie Trotter's desserts*. Berkeley, CA: Ten Speed Press, 1998.

ÍNDICE DE FÓRMULAS

Os números de página seguidos de *f* referem-se às figuras.